A-Z MIDDL...

CONT...

Key to Map Pages	2-3
Map Pages	4-169

REFERENCE

Motorway	A1(M)	**Car Park**	P
A Road	A19	**Church or Chapel**	†
Proposed		**Fire Station**	■
B Road	B1365	**Hospital**	H
Dual Carriageway		**Information Centre**	i
One-way Street Traffic flow on A Roads is indicated by a heavy line on the driver's left.	→	**National Grid Reference**	^{4}45
		Police Station	▲
Restricted Access		**Post Office**	★
Pedestrianized Road		**Toilet**	▽
Track & Footpath	----	**with facilities for the Disabled**	♿
Residential Walkway	....	**Viewpoint**	🔭 ☀
Railway	Level Crossing / Station / Tunnel	**Educational Establishment**	
		Hospital or Hospice	
Built-up Area	STONE ST.	**Industrial Building**	
Local Authority Boundary	—··—··—	**Leisure or Recreational Facility**	
National Park Boundary		**Place of Interest**	
Posttown Boundary		**Public Building**	
Postcode Boundary Within Posttowns	— — —	**Shopping Centre or Market**	
Map Continuation	18	**Other Selected Buildings**	

SCALE 1:15,840

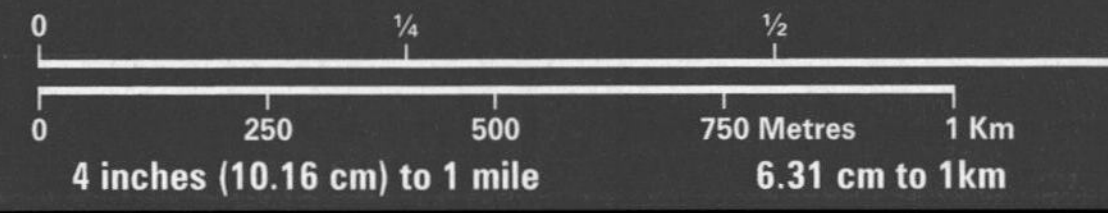

4 inches (10.16 cm) to 1 mile   6.31 cm to 1km

Copyright of Geographers' A-Z Map Company Limited

Head Office :
Fairfield Road, Borough Green, Sevenoaks, Kent TN15 8PP
Tel: 01732 781000 (General Enquiries & Trade Sales)
Showrooms :
44 Gray's Inn Road, London WC1X 8HX
Tel: 020 7440 9500 (Retail Sales)
www.a-zmaps.co.uk

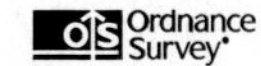

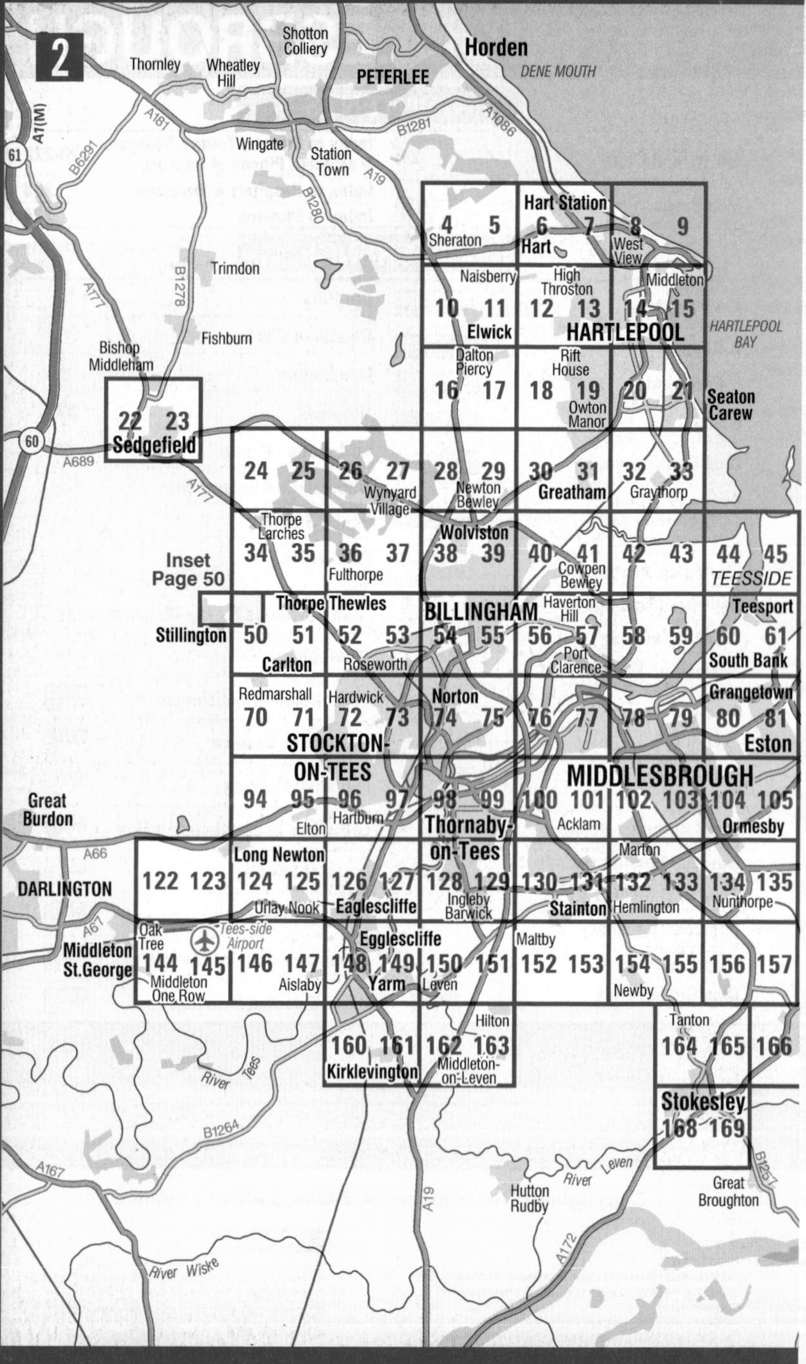

2

Thornley Wheatley Hill Shotton Colliery **Horden** *DENE MOUTH*

PETERLEE

A1(M) 61 A181 B6291

Wingate Station Town

Trimdon

Fishburn

Bishop Middleham

A19 B1281 A1086 B1280 B1278 A177

4 Sheraton	5	6 Hart	7	Hart Station	8 West View	9
		Naisberry	High Throston		Middleton	HARTLEPOOL BAY
10	11 Elwick	12	13	14	15	
16 Dalton Piercy	17	18	19 Rift House	20 Owton Manor	21	Seaton Carew

HARTLEPOOL

22 23 **Sedgefield**

60 A689 A177

| 24 | 25 | 26 Wynyard Village | 27 | 28 | 29 Newton Bewley | 30 | 31 Greatham | 32 | 33 Graythorp |

Thorpe Larches

| 34 | 35 | 36 Fulthorpe | 37 | 38 | 39 | 40 | 41 Cowpen Bewley | 42 | 43 | 44 | 45 TEESSIDE |

Wolviston

Inset Page 50

Thorpe Thewles

Stillington

| 50 | 51 Carlton | 52 | 53 Roseworth | 54 | 55 | 56 | 57 Port Clarence | 58 | 59 | 60 | 61 South Bank |

Haverton Hill Teesport

BILLINGHAM

| 70 Redmarshall | 71 | 72 Hardwick | 73 | 74 Norton | 75 | 76 | 77 | 78 | 79 | 80 | 81 Eston |

STOCKTON- ON-TEES **MIDDLESBROUGH** Grangetown

Great Burdon

| 94 | 95 Elton | 96 Hartburn | 97 | 98 | 99 | 100 | 101 Acklam | 102 | 103 | 104 | 105 Ormesby |

Thornaby- on-Tees

A66

DARLINGTON

Long Newton Marton

| 122 | 123 | 124 | 125 Urlay Nook | 126 | 127 Eaglescliffe | 128 | 129 Ingleby Barwick | 130 | 131 Stainton | 132 | 133 Hemlington | 134 | 135 Nunthorpe |

A67

Middleton St.George

Oak Tree Tees-side Airport Egglescliffe Maltby

| 144 | 145 Middleton One Row | 146 | 147 Aislaby | 148 | 149 Yarm | 150 | 151 Leven | 152 | 153 | 154 | 155 Newby | 156 | 157 |

Hilton Tanton

| 160 | 161 Kirklevington | 162 | 163 Middleton- on-Leven | | | 164 | 165 | 166 |

Stokesley

168 169

River Tees River Leven Great Broughton

B1264 A19 Hutton Rudby A172 B1257

A167

River Wiske

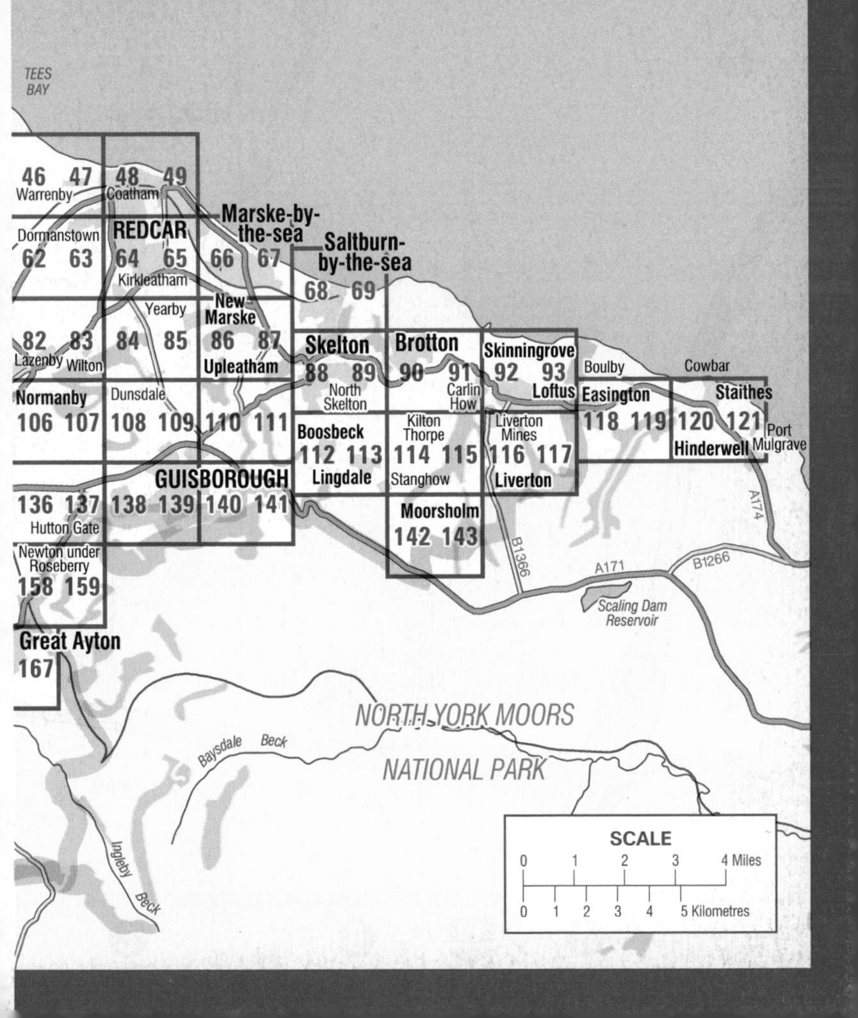

NORTH SEA

TEES BAY

| 46 | 47 | 48 | 49 |
Warrenby | Coatham

Dormanstown | **REDCAR**

Marske-by-the-sea

| 62 | 63 | 64 | 65 | 66 | 67 |
Kirkleatham

Saltburn-by-the-sea

Yearby | **New Marske**

| 68 | 69 |

| 82 | 83 | 84 | 85 | 86 | 87 |
Lazenby | Wilton | **Upleatham**

Skelton | **Brotton** | **Skinningrove**

| 88 | 89 | 90 | 91 | 92 | 93 |
North Skelton | Carlin How | **Loftus**

Boulby | Cowbar

Normanby | Dunsdale

| 106 | 107 | 108 | 109 | 110 | 111 |

Easington | **Staithes**

| 118 | 119 | 120 | 121 |
Port Mulgrave

Boosbeck

| 112 | 113 | 114 | 115 | 116 | 117 |
Lingdale | Kilton Thorpe | Liverton Mines

Hinderwell

GUISBOROUGH

| 136 | 137 | 138 | 139 | 140 | 141 |
Hutton Gate | Stanghow | **Liverton**

Moorsholm

| 142 | 143 |

Newton under Roseberry

| 158 | 159 |

Great Ayton

| 167 |

B1366

A171 | B1266

A174

Scaling Dam Reservoir

NORTH YORK MOORS

NATIONAL PARK

Baysdale Beck

Ingleby Beck

SCALE

| 0 | 1 | 2 | 3 | 4 Miles |

| 0 | 1 | 2 | 3 | 4 | 5 Kilometres |

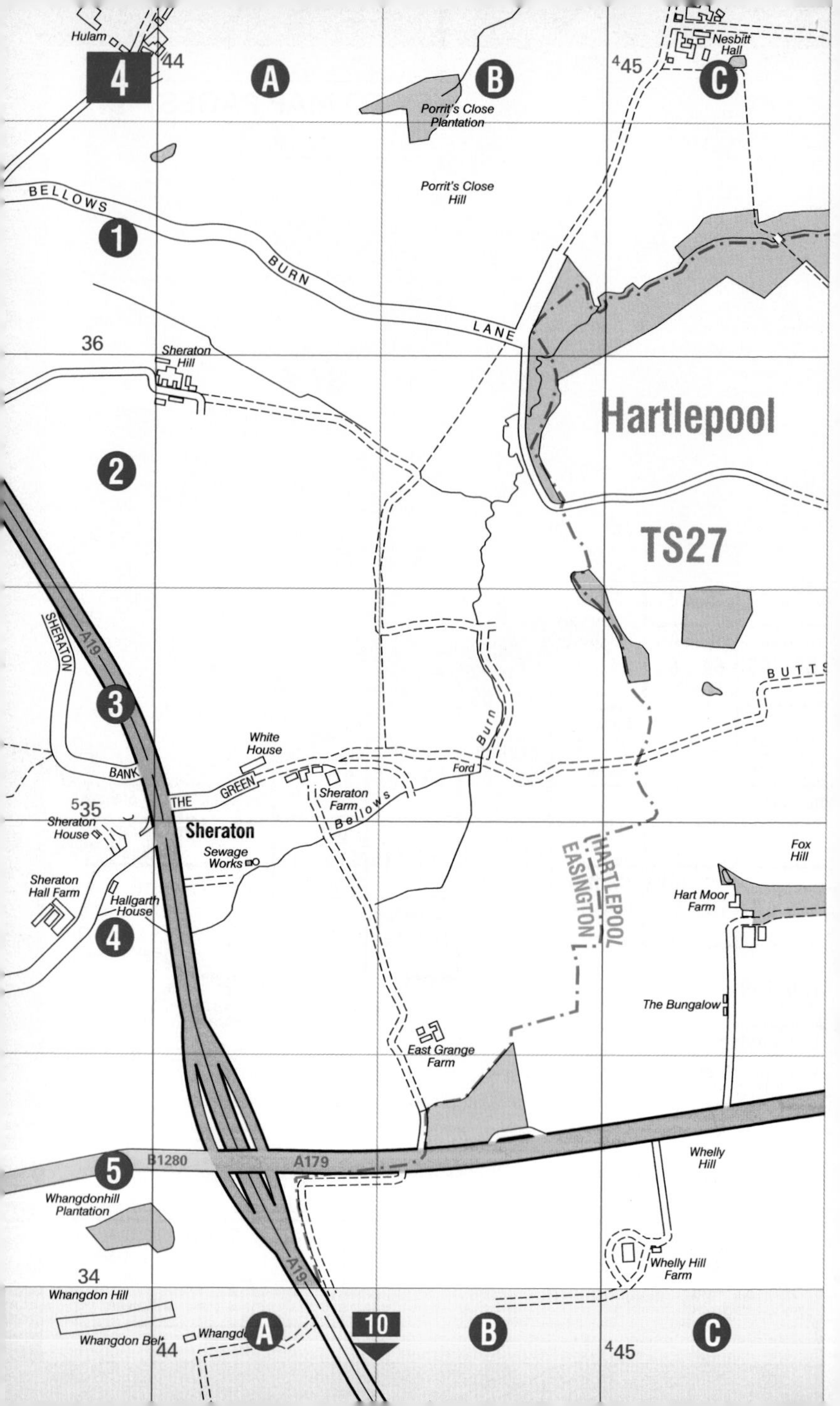

Hulam
4
44
A
B
C
4 45
Nesbitt Hall
Porrit's Close Plantation
Porrit's Close Hill
BELLOWS
BURN
LANE
1
36
Sheraton Hill
Hartlepool
2
TS27
SHERATON
A19
3
BUTTS
White House
Burn
Ford
BANK
THE
GREEN
Sheraton Farm
Bellows
5 35
Sheraton House
Sheraton
Sewage Works
HARTLEPOOL
EASINGTON
Fox Hill
Sheraton Hall Farm
Hallgarth House
4
Hart Moor Farm
The Bungalow
East Grange Farm
B1280
A179
5
Whelly Hill
Whangdonhill Plantation
Whelly Hill Farm
A19
34
Whangdon Hill
Whangdon Belt
44
10

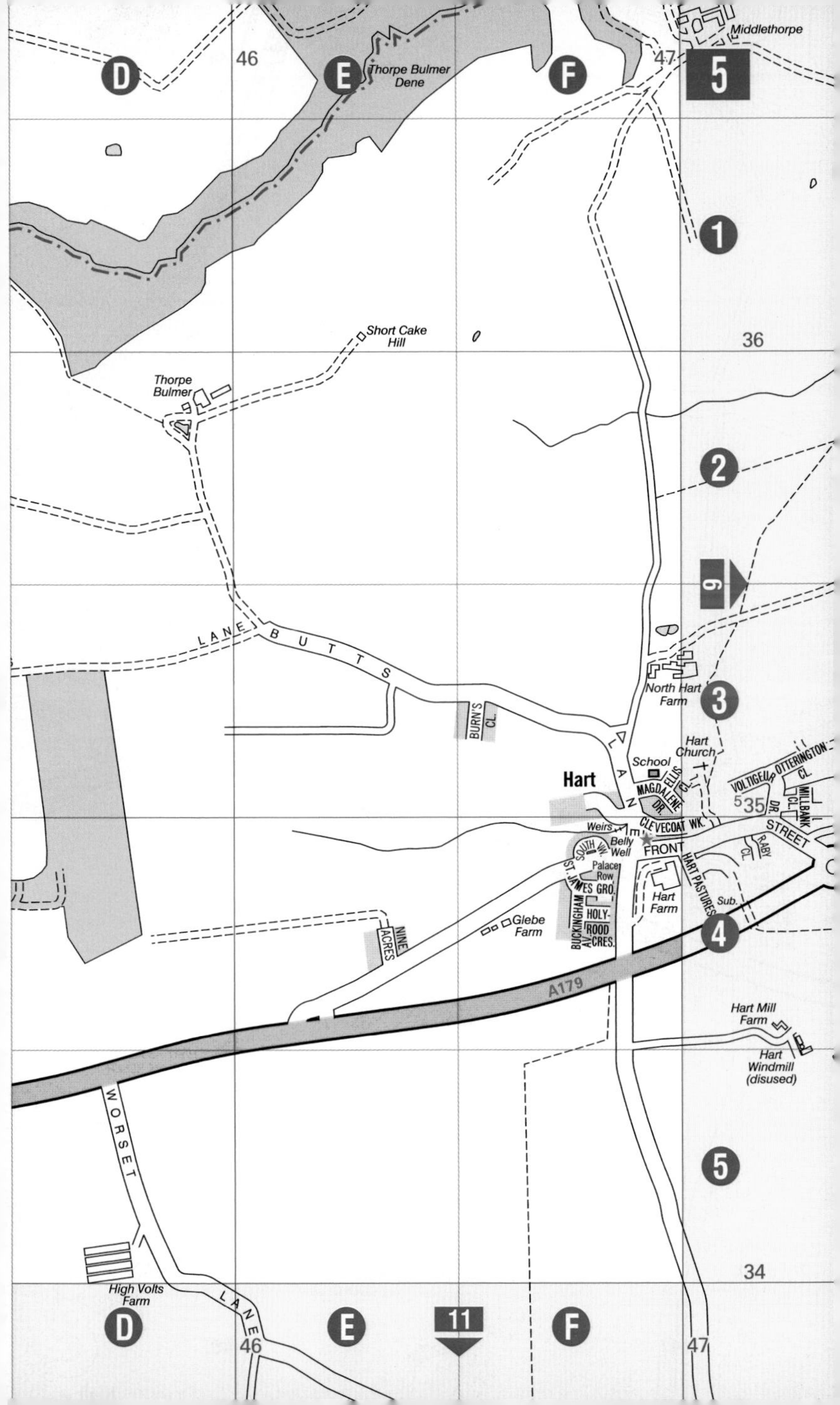

Middlethorpe
46
47
5
D
E
F
Thorpe Bulmer Dene
1
36
Short Cake Hill
Thorpe Bulmer
2
9
LANE
BUTTS
North Hart Farm
3
BURN'S CL.
LANE
Hart Church
School
Hart
ELLIS CL.
MAGDALENE DR.
OTTERINGTON CL.
VOLTIGEUR DR.
MILLBANK CL.
535
CLEVECOAT WK.
STREET
Weirs
Belly Well
FRONT
SOUTH VW.
Palace Row
ST. JAMES GRO.
HART PASTURES
RABY CL.
Hart Farm
Sub.
BUCKINGHAM AV.
HOLY-ROOD CRES.
Glebe Farm
NINE ACRES
4
A179
Hart Mill Farm
Hart Windmill (disused)
WORSET
LANE
5
34
High Volts Farm
D
E
11
F
46
47

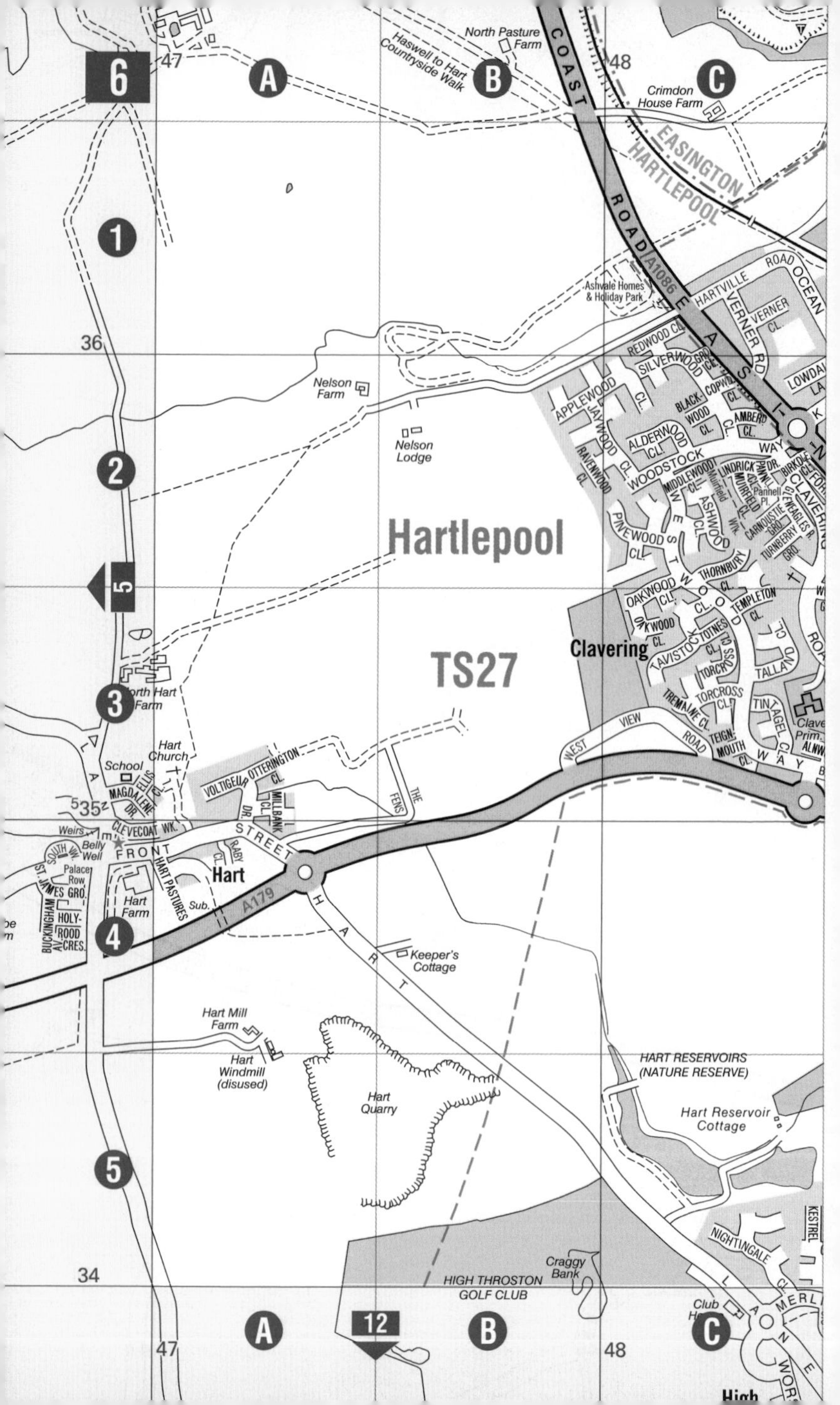
6
47
48
A
B
C
North Pasture Farm
Haswell to Hart Countryside Walk
Crimdon House Farm
COAST ROAD
EASINGTON
HARTLEPOOL
A1086
Ashvale Homes & Holiday Park
HARTVILLE ROAD
OCEAN
VERNER RD.
VERNER CL.
LOWDALE LA.
REDWOOD CL.
SILVERWOOD GRO.
APPLEWOOD
JAYWOOD CL.
BLACKWOOD CL.
COPWOOD CL.
AMBERWOOD CL.
ALDERWOOD CL.
WOODSTOCK WAY
RAVENWOOD CL.
MIDDLEWOOD CL.
LINDRICK DR.
PANNELL PL.
MUIRFIELD CL.
BIRKDALE CL.
CLAVERING
ASHWOOD WK.
CARNOUSTIE GRO.
TURNBERRY GRO.
PINEWOOD CL.
WESTWOOD
THORNBURY CL.
OAKWOOD CL.
TEMPLETON CL.
TAVISTOCK
TOTNES CL.
TORCROSS
TORCROSS CL.
TALLAND CL.
TINTAGEL CL.
TREMAINE CL.
TEIGNMOUTH CL.
WEST VIEW ROAD
Clavering
Nelson Farm
Nelson Lodge
Hartlepool
TS27
36
1
2
3
4
5
North Hart Farm
Hart Church
School
ELLIS CL.
MAGDALENE DR.
VOLTIGEUR DR.
OTTERINGTON CL.
MILLBANK CL.
THE FENS
35
CLEVECOAT WK.
Weirs
Belly Well
FRONT STREET
SOUTH WK.
Palace Row
ST. JAMES GRO.
BUCKINGHAM AV.
HOLYROOD CRES.
Hart Farm
HART PASTURES
RABY CL.
Hart
Sub.
A179
HART LANE
Keeper's Cottage
Hart Mill Farm
Hart Windmill (disused)
Hart Quarry
HART RESERVOIRS (NATURE RESERVE)
Hart Reservoir Cottage
NIGHTINGALE CL.
KESTREL
MERLIN
WORSET LANE
Craggy Bank
HIGH THROSTON GOLF CLUB
Club House
34
12
High

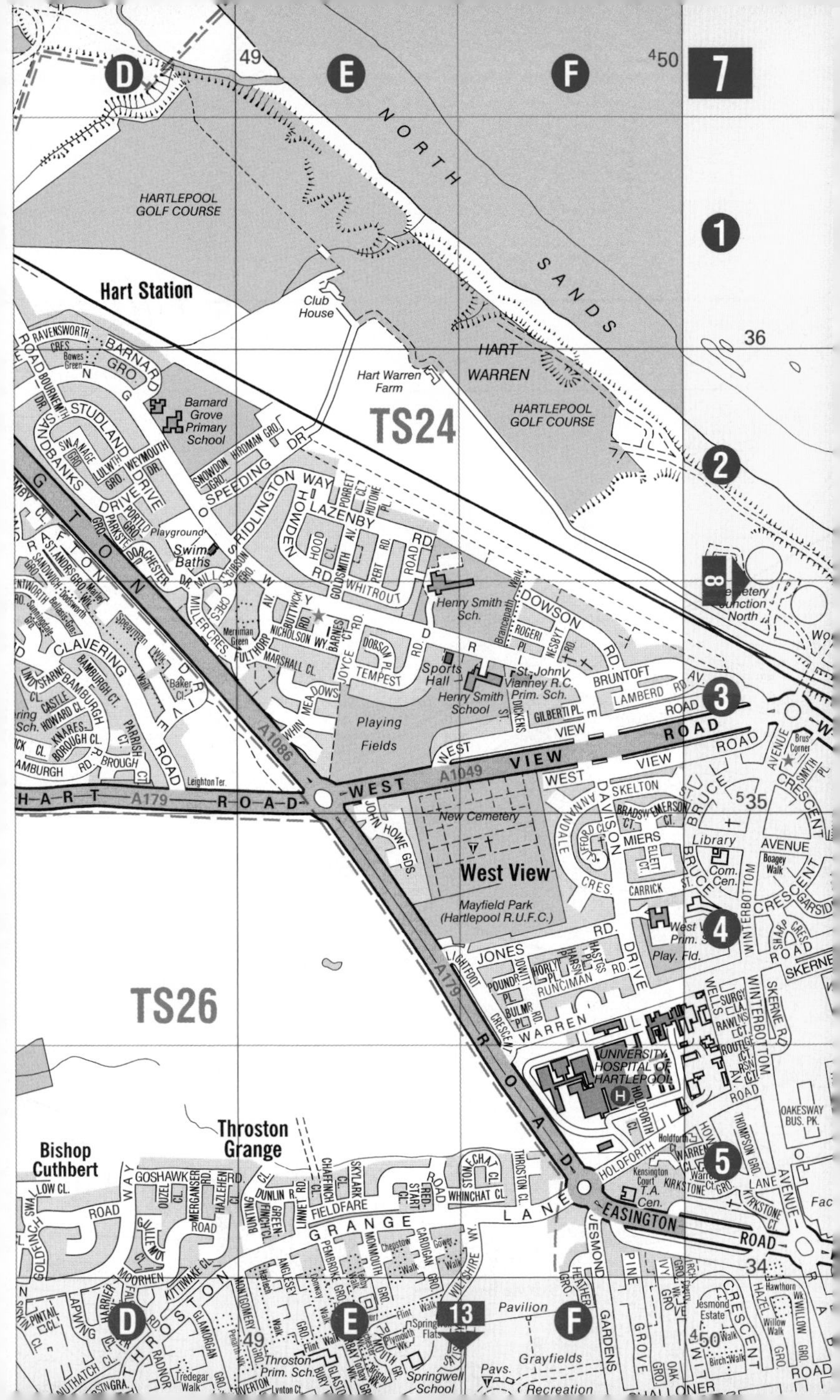

NORTH SANDS
HARTLEPOOL GOLF COURSE
Hart Station
Club House
Hart Warren Farm
HART WARREN
TS24
Barnard Grove Primary School
Henry Smith Sch.
Sports Hall
Henry Smith School
St. John Vianney R.C. Prim. Sch.
Playing Fields
Swim. Baths
Playground
WEST VIEW ROAD
A1049
HART ROAD
A179
A1086
New Cemetery
West View
Mayfield Park (Hartlepool R.U.F.C.)
Library
Com. Cen.
West View Prim. Sch.
Play. Fld.
UNIVERSITY HOSPITAL OF HARTLEPOOL
TS26
Throston Grange
Bishop Cuthbert
GRANGE ROAD
EASINGTON ROAD
T.A. Cen.
OAKESWAY BUS. PK.
Throston Prim. Sch.
Springwell School
Pavilion
Grayfields
Recreation
Cemetery Junction North

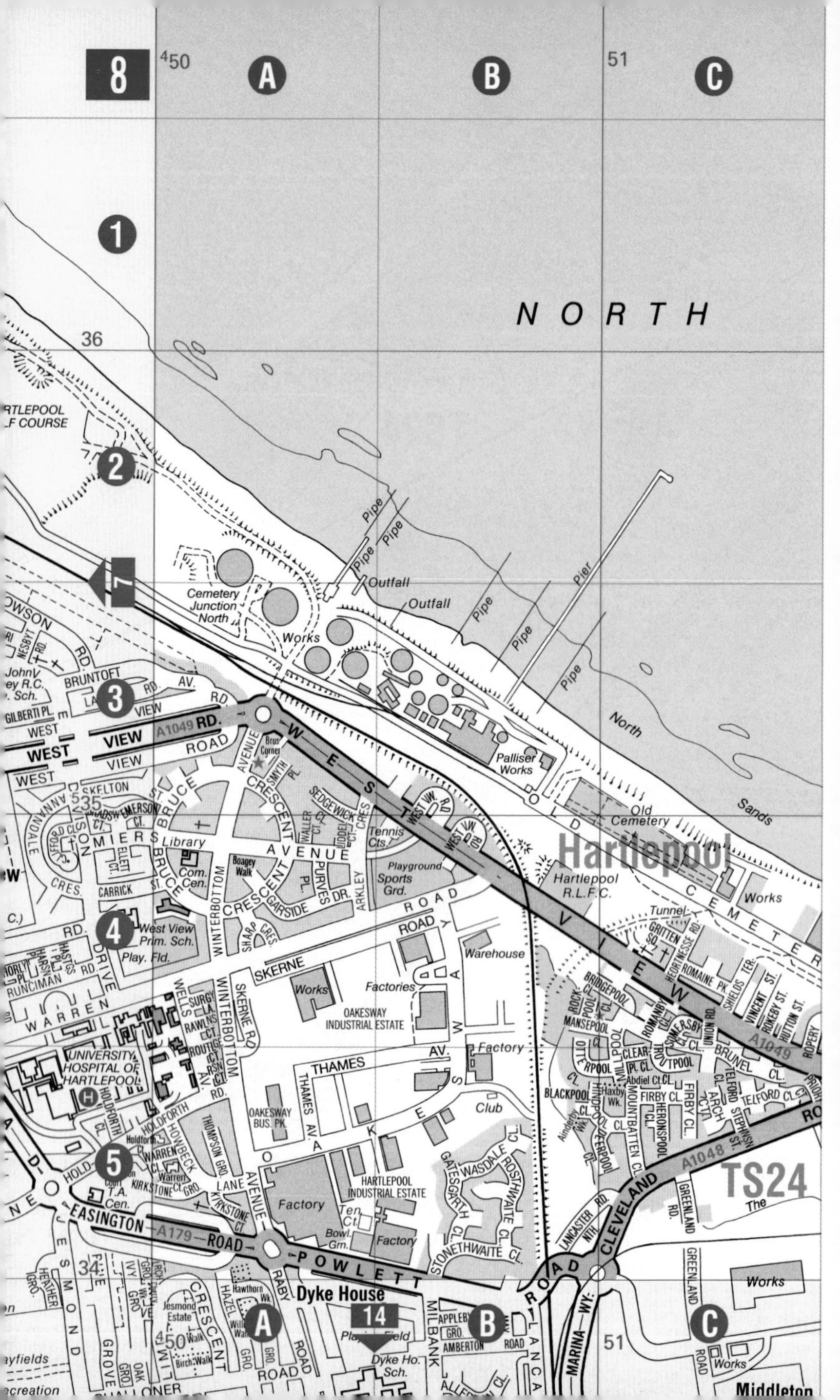

450
A
B
51
C
1
2
3
4
5
36
35
34
NORTH
Sands
North
Hartlepool
TS24
Pipe
Outfall
Pier
Cemetery Junction North
Works
Palliser Works
Old Cemetery
Hartlepool R.L.F.C.
HARTLEPOOL GOLF COURSE
WEST VIEW RD.
A1049
WEST VIEW ROAD
Brus Corner
Library
Com. Cen.
Boagey Walk
Tennis Cts.
Playground
Sports Grd.
West View Prim. Sch.
Play. Fld.
SKERNE RD.
Warehouse
Factories
OAKESWAY INDUSTRIAL ESTATE
THAMES AV.
Factory
Club
OAKESWAY BUS. PK.
HARTLEPOOL INDUSTRIAL ESTATE
Ten. Ct.
Bowl. Grn.
UNIVERSITY HOSPITAL OF HARTLEPOOL
T.A. Cen.
EASINGTON ROAD
A179
POWLETT ROAD
Dyke House
Jesmond Estate
Playing Field
Dyke Ho. Sch.
CLEVELAND ROAD
A1048
MARINA WY.
GREENLAND RD.
Works
Middleton
CEMETERY RD.
VIEW
Tunnel
7
14

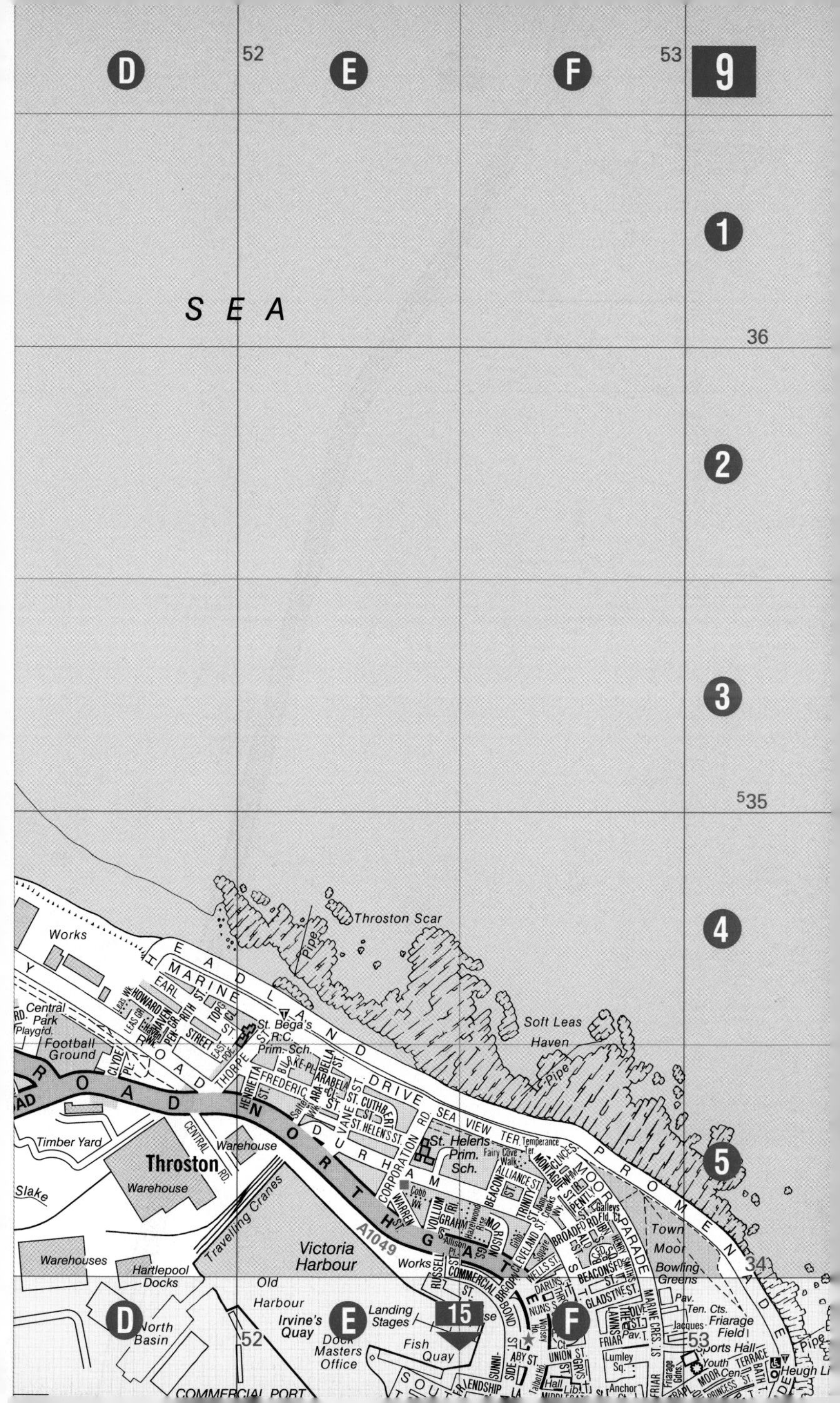
D
E
F
52
53
1
2
3
4
5
36
35
34
SEA
Throston Scar
Soft Leas
Haven
Pipe
Works
HEADLAND
MARINE
DRIVE
Central Park
Playgrd.
Football Ground
St. Bega's R.C. Prim. Sch.
St. Helen's Prim. Sch.
SEA VIEW TER.
Temperance Ter.
Fairy Cove Walk
PROMENADE
MOOR PARADE
Town Moor
Bowling Greens
Throston
Warehouse
Warehouses
Timber Yard
Slake
Travelling Cranes
Victoria Harbour
A1049
Hartlepool Docks
Old Harbour
Irvine's Quay
Landing Stages
Dock Masters Office
Fish Quay
North Basin
COMMERCIAL PORT
15
Friarage Field
Sports Hall
Youth Cen.
Heugh Li
Jacques
Ten. Cts.
Pav.
Lumley Sq.
Anchor
Galleys Fld. Ct.
CORPORATION RD.
COMMERCIAL ST.
DURHAM ST.
NORTHGATE
THORPE ST.
HENRIETTA ST.
FREDERIC ST.
ST. CUTHBERT ST.
ST. HELEN'S ST.
VANE ST.
ARABELLA ST.
BEACON ST.
ALLIANCE ST.
TRINITY
MONTAGUE
CLEVELAND ST.
BROADFD RD.
BEACONSFD ST.
GLADSTNE ST.
MARINE CRES.
FRIAR
UNION ST.
ABY ST.
NUNS ST.
WELLS ST.
RUSSELL ST.
CENTRAL RD.
HOWARD
EARL
CLYDE PL.
Timber Yard
Wk.
VOLLUM
GRAHM
WARREN
Cobb Wk.
Hazelwood Rise
Allison Pl.
MOOR CEN.
PRINCESS ST.
TERRACE
BATH T.

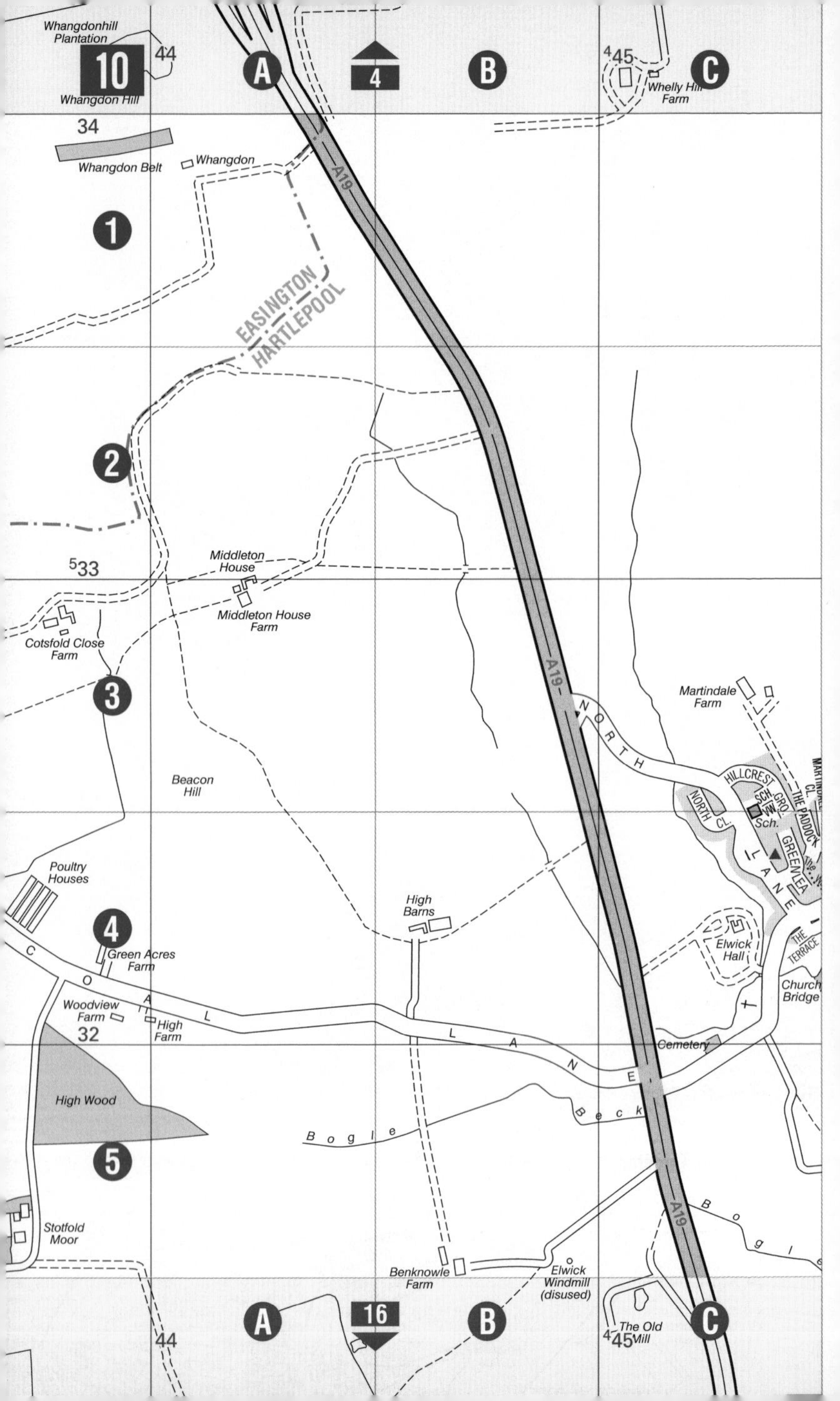

10
Whangdonhill Plantation
Whangdon Hill
44
A
4
B
C
445
Whelly Hill Farm
34
Whangdon Belt
Whangdon
1
A19
EASINGTON
HARTLEPOOL
2
533
Middleton House
Middleton House Farm
Cotsfold Close Farm
3
Martindale Farm
NORTH
Beacon Hill
HILLCREST
NORTH CL.
SCH. VW.
Sch.
GRO.
THE PADDOCK
MARTINDALE CL.
LANE
GREENLEA
Poultry Houses
High Barns
4
Green Acres Farm
Elwick Hall
THE TERRACE
Church Bridge
COAL LANE
Woodview Farm
High Farm
32
Cemetery
High Wood
Beck
Bogle
5
Stotfold Moor
Benknowle Farm
Elwick Windmill (disused)
A
16
B
C
44
445
The Old Mill

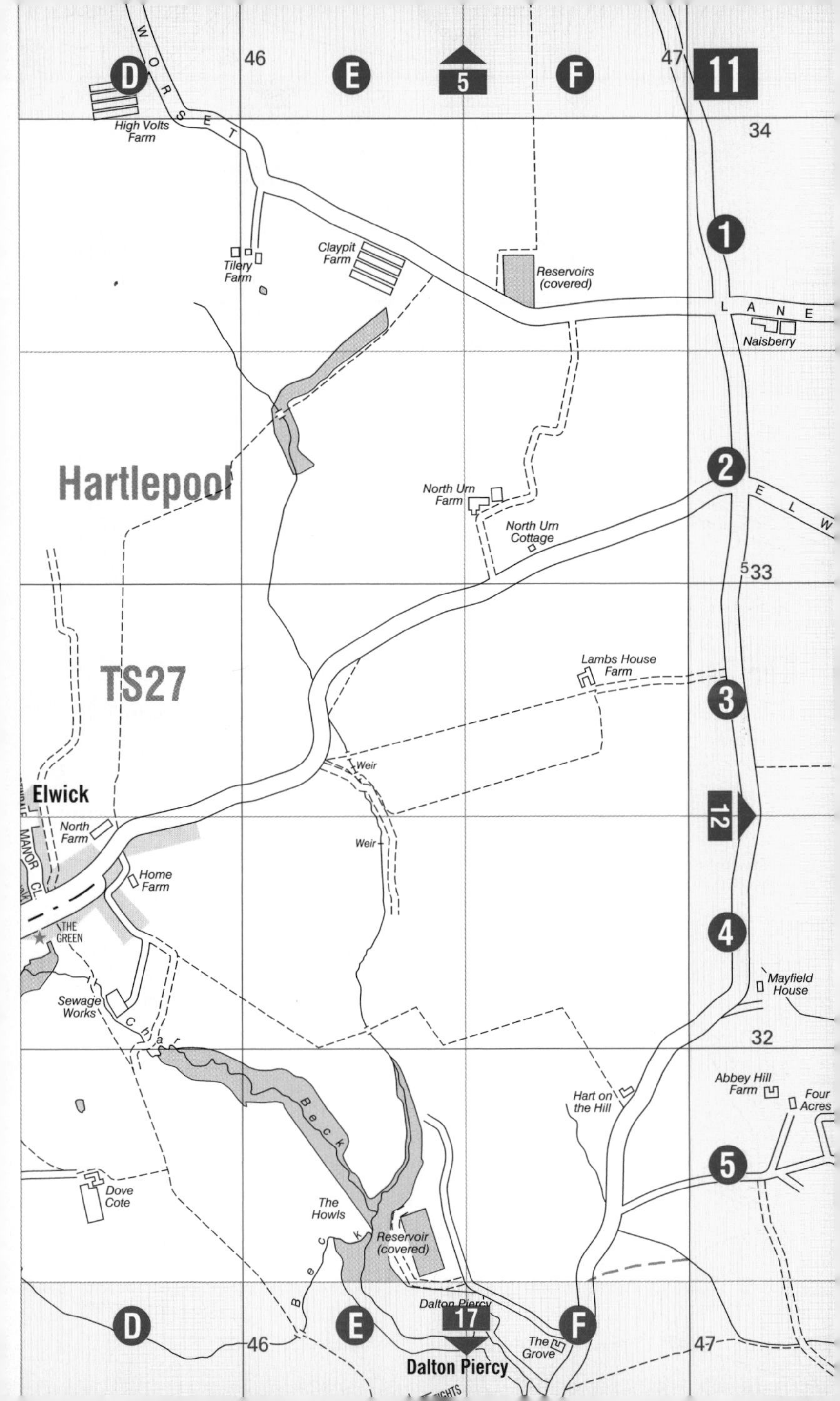

11
5
D
E
F
46
47
34
33
32
WORSET
LANE
ELW
High Volts Farm
Tilery Farm
Claypit Farm
Reservoirs (covered)
Naisberry
Hartlepool
North Urn Farm
North Urn Cottage
TS27
Lambs House Farm
Weir
Elwick
North Farm
MANOR CL.
Home Farm
THE GREEN
12
Sewage Works
Char Beck
Mayfield House
Abbey Hill Farm
Four Acres
Hart on the Hill
Dove Cote
The Howls
Beck
Reservoir (covered)
Dalton Piercy
17
The Grove
Dalton Piercy
1
2
3
4
5

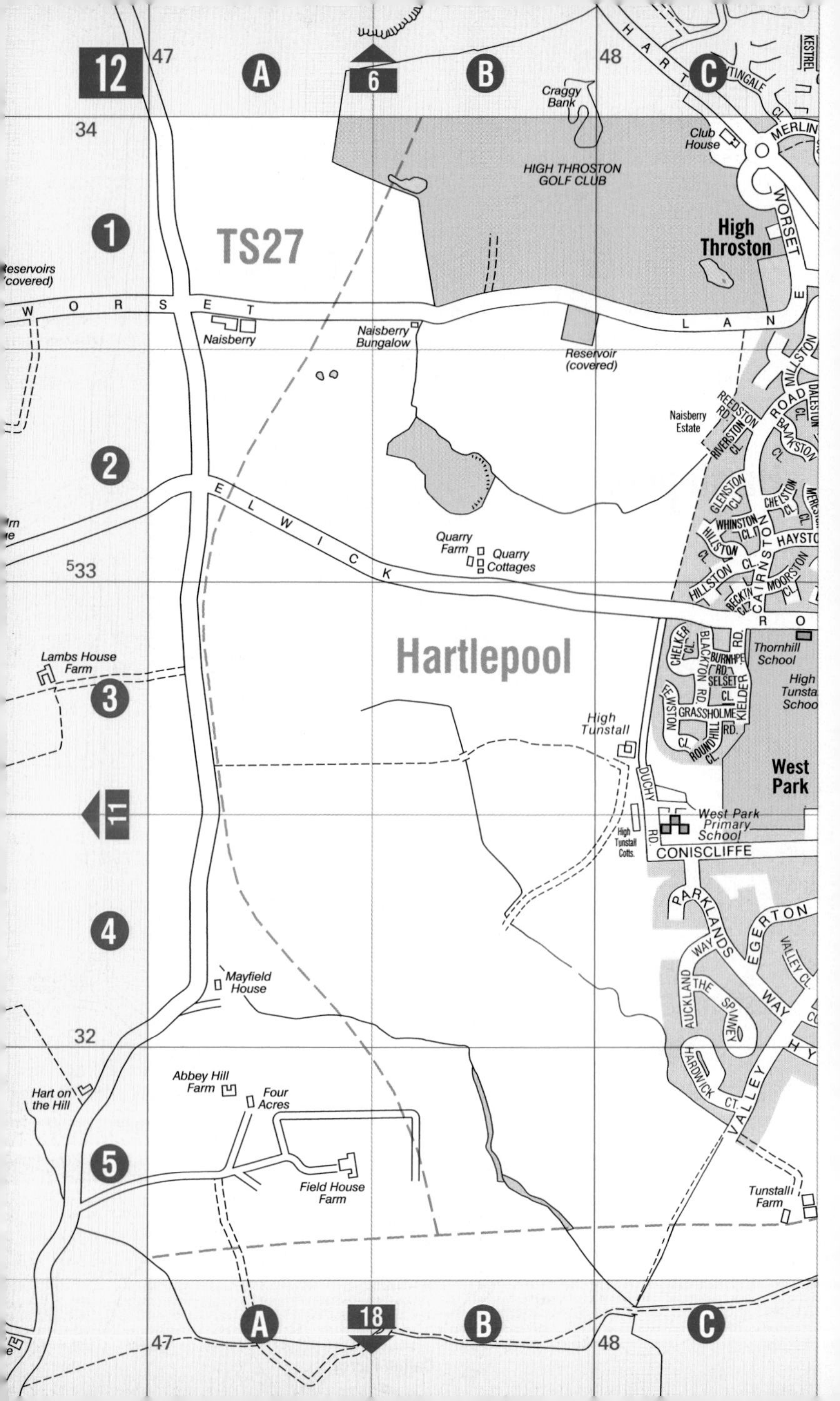
12
47
A
6
B
48
C
34
Craggy Bank
Club House
HIGH THROSTON GOLF CLUB
High Throston
TS27
Reservoirs (covered)
WORSET LANE
Naisberry
Naisberry Bungalow
Reservoir (covered)
Naisberry Estate
ELWICK RD.
Quarry Farm
Quarry Cottages
33
Hartlepool
Lambs House Farm
Thornhill School
High Tunstall School
High Tunstall
West Park
West Park Primary School
High Tunstall Cotts.
CONISCLIFFE
PARKLANDS WAY
EGERTON
VALLEY CL.
AUCKLAND
THE SPINNEY
HARDWICK CT.
VALLEY
Mayfield House
32
Hart on the Hill
Abbey Hill Farm
Four Acres
Field House Farm
Tunstall Farm
1
2
3
4
5
11
18
KESTREL
MERLIN
WORSET
MILLSTON
ROAD
DALESTON
REEDSTON RD.
RIVERSTON CL.
BANKSTON CL.
GLENSTON CL.
CHELSTON CL.
WHINSTON CL.
HILLSTON CL.
CAIRNSTON
HAYSTON
MOORSTON CL.
CHELKER CL.
BLACKTON RD.
BURNHOPE RD.
SELSET CL.
KIELDER RD.
FEWSTON CL.
GRASSHOLME
ROUNDHILL CL.
DUCHY RD.

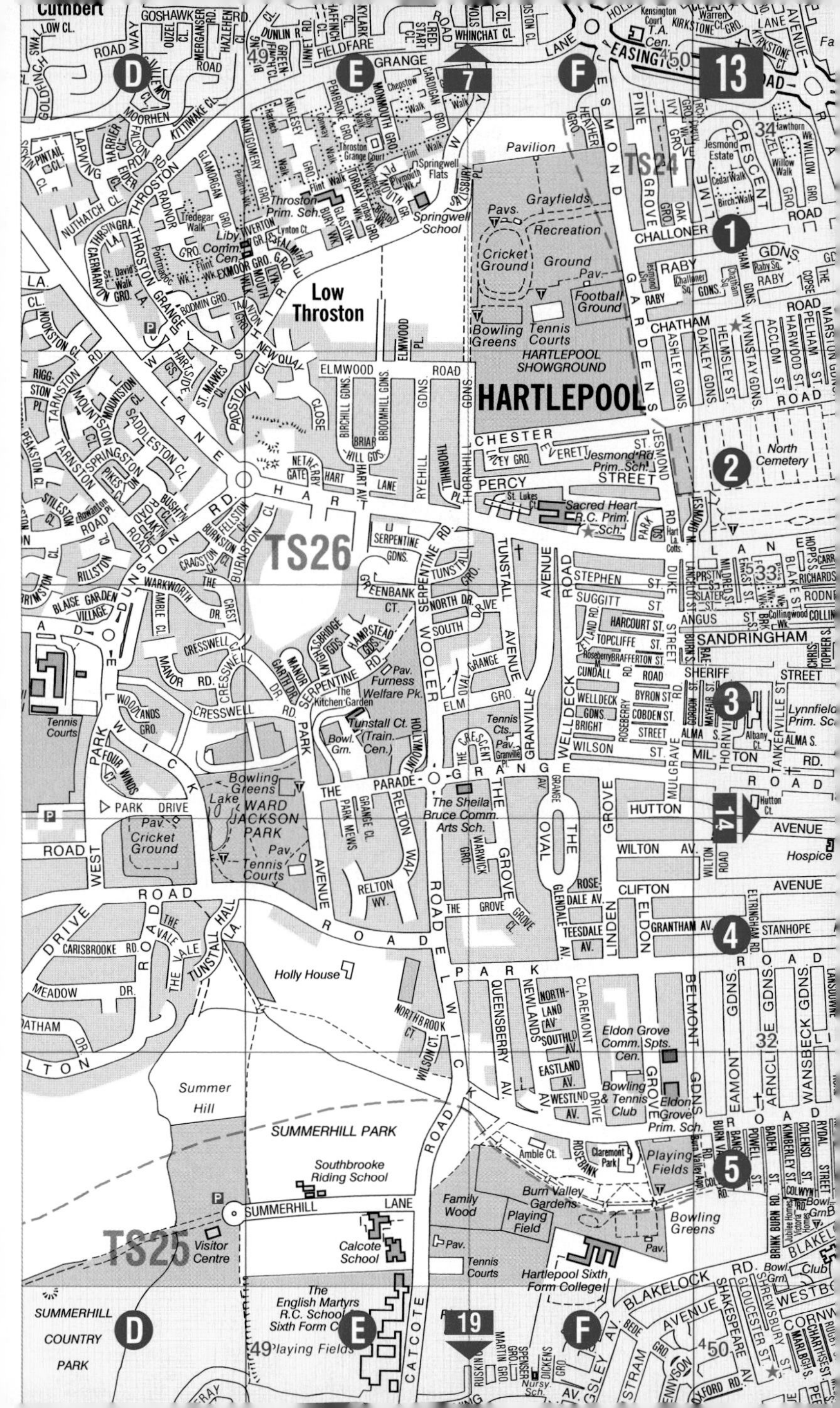

13
7
19
14
D
E
F
1
2
3
4
5
49
450
34
533
32
4
50
TS24
TS26
TS25
HARTLEPOOL
Low Throston
Hartlepool Showground
Grayfields Recreation Ground
Cricket Ground
Football Ground
Bowling Greens
Tennis Courts
Pavilion
North Cemetery
Throston Prim. Sch.
Springwell School
Springwell Flats
Liby. Comm. Cen.
Jesmond Rd. Prim. Sch.
Sacred Heart R.C. Prim. Sch.
Furness Welfare Pk.
The Kitchen Garden
Tunstall Ct. (Train. Cen.)
Ward Jackson Park
The Sheila Bruce Comm. Arts Sch.
Holly House
Summer Hill
Summerhill Park
Southbrooke Riding School
Calcote School
Visitor Centre
Summerhill Country Park
The English Martyrs R.C. School Sixth Form C.
Playing Fields
Family Wood
Burn Valley Gardens
Hartlepool Sixth Form College
Eldon Grove Comm. Spts. Cen.
Bowling & Tennis Club
Eldon Grove Prim. Sch.
Lynnfield Prim. Sch.
Hospice
Jesmond Estate
Easington Road
Grange Road
Hart Lane
Wooler Road
Park Road
West View Road
Elwick Road
Catcote Road
Summerhill Lane
Blakelock Rd.
Percy Street
Chester Road
Elmwood Road
Dunston Rd.
Serpentine Rd.
Granville Avenue
Tunstall Avenue
Welldeck Road
Duke Street
Mulgrave Road
Hutton Avenue
Wilton Av.
Clifton Avenue
Stanhope Avenue
Jesmond Gardens
Challoner Road
Raby Road
Chatham Road
Sandringham Road
Sheriff Street
Milton Rd.
Brinkburn Rd.
Shakespeare Av.
Gloucester St.
Cresswell Rd.
Manor Rd.
Park Drive
Tunstall Hall La.
Carisbrooke Rd.
Meadow Dr.
The Parade
The Oval
The Grove
Relton Way
Belmont Gdns.
Eamont Gdns.
Arncliffe Gdns.
Wansbeck Gdns.
Queensberry Av.
Newlands Av.
Claremont Drive
Throston Grange La.
Wiltshire Way
Glamorgan Gro.
Montgomery Gro.
Monmouth Gro.
Whinchat Cl.

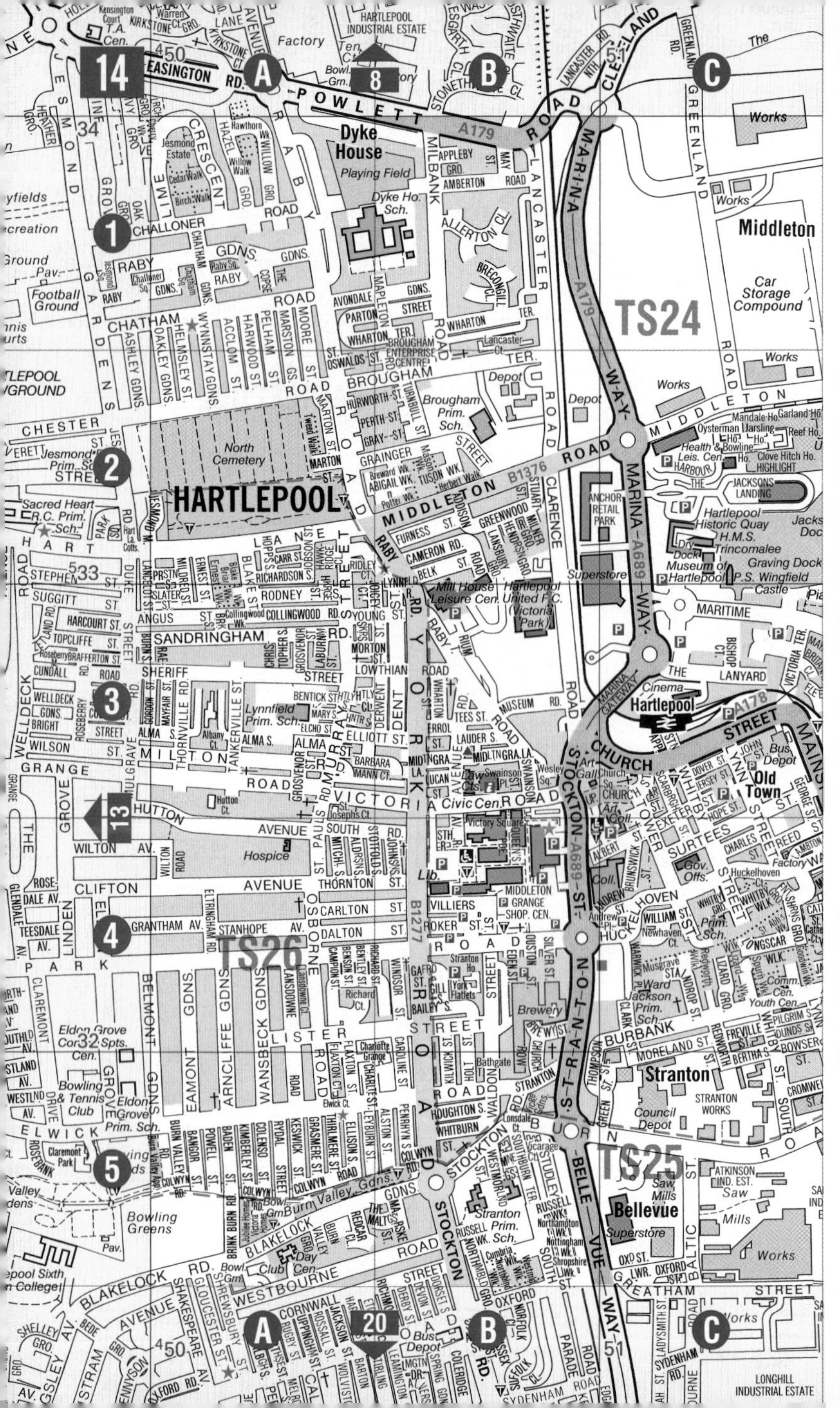

14
A
B
C
8
20
13
1
2
3
4
5
34
33
32
450
51
HARTLEPOOL INDUSTRIAL ESTATE
Factory
EASINGTON RD.
POWLETT
A179
ROAD
CLEVELAND
GREENLAND RD.
The
Works
Dyke House
Playing Field
Dyke Ho. Sch.
Jesmond Estate
CRESCENT
LIME
Cedar Walk
Birch Walk
Hawthorn Wk
Willow Walk
CHALLONER
RABY
GDNS.
ROAD
APPLEBY GRO.
AMBERTON
MILBANK
MAY ST.
LANCASTER
ALLERTON CL.
BRECONGILL CL.
MARINA
Middleton
Car Storage Compound
TS24
MAPLETON
AVONDALE
PARTON
WHARTON
STREET
BROUGHAM ENTERPRISE CENTRE
Lancaster Ct.
TER.
Depot
Brougham Prim. Sch.
W-A-Y
CHATHAM
WYNNSTAY GDNS
ACCLOM ST.
HARWOOD ST.
PELHAM ST.
MARSTON GS.
MOORE ST.
HELMSLEY ST.
OAKLEY GDNS.
ASHLEY GDNS.
GARDENS
JESMOND
Football Ground
Recreation Ground
TLEPOOL YGROUND
CHESTER
STREET
Jesmond Prim. Sch.
North Cemetery
HARTLEPOOL
MIDDLETON
B1376
HURWORTH ST.
PERTH ST.
GRAY ST.
TURNBULL ST.
GRAINGER
ABIGAIL WK.
TUSON WK.
Herbert Walk
Middleton
Oysterman
Mandale Ho.
Garland Ho.
Health & Bowline
Leis. Cen.
Clove Hitch Ho.
HIGHLIGHT
HARBOUR
JACKSONS LANDING
Hartlepool Historic Quay
H.M.S. Trincomalee
Dry Dock
Museum of Hartlepool
P.S. Wingfield Castle
Graving Dock
ANCHOR RETAIL PARK
Superstore
A689
Sacred Heart R.C. Prim. Sch.
HART
LANE
STEPHEN ST.
SUGGITT
HARCOURT ST.
TOPCLIFFE
CUNDALL
WELLDECK
BRIGHT
WILSON
GRANGE
MILTON
ROAD
FURNESS ST.
CAMERON RD.
GREENWOOD
Mill House Leisure Cen.
Hartlepool United F.C. (Victoria Park)
CLARENCE
MARITIME
BISHOP CT.
LANYARD
THE
Cinema
Hartlepool
A178
CHURCH
STREET
Bus Depot
Old Town
RICHARDSON S.
RODNEY
COLLINGWOOD RD.
ANGUS
SANDRINGHAM
SHERIFF
Lynnfield Prim. Sch.
Albany Ct.
ALMA
ELLIOTT ST.
YORK
MUSEUM RD.
TEES ST.
LAUDER S.
Law Cts.
Swainson
Wesley Sq.
Art Gall.
STOCKTON ST.
VICTORIA
Civic Cen.
Victory Square
Lib.
MIDDLETON GRANGE SHOP. CEN.
HUTTON
AVENUE
Hospice
WILTON AV.
CLIFTON
THE
GRANGE
ROSEDALE AV.
TEESDALE AV.
LINDEN
GRANTHAM AV.
STANHOPE AV.
TS26
OSBORNE
CARLTON ST.
DALTON ST.
THORNTON ST.
VILLIERS
ROKER ST.
ROAD
SURTEES
Gov. Offs.
Coll.
HUCKELHOVEN
Huckelhoven Ct.
WILLIAM ST.
Newhaven Ct.
Prim. Sch.
Ward Jackson Prim. Sch.
BURBANK
Brewery
PARK
CLAREMONT
BELMONT GDNS.
Eldon Grove Com. Spts. Cen.
Bowling & Tennis Club
Eldon Grove Prim. Sch.
EAMONT
ARNCLIFFE GDNS.
WANSBECK GDNS.
LISTER
Richard Ct.
Stranton Ho.
York Flatlets
Bathgate
STRANTON
Stranton
STRANTON WORKS
Council Depot
MORELAND ST.
ELWICK
Claremont Park
Valley Gardens
Bowling Greens
Pav.
Sixth Form College
BURN VALLEY
Burn Valley Gdns.
COLWYN
GRASMERE ST.
KESWICK ST.
THIRLMERE ST.
STOCKTON
Stranton Prim. Sch.
RUSSELL WK.
Vicarage Ct.
BELLE VUE
TS25
Bellevue
Superstore
Saw Mills
ATKINSON IND. EST.
BLAKELOCK RD.
ROAD
WESTBOURNE
CORNWALL
Day Cen.
Club
Bus Depot
OXFORD
NORFOLK
SUFFOLK CL.
SYDENHAM ROAD
GREATHAM
STREET
BALTIC ST.
SHAKESPEARE AV.
AVENUE
SHELLEY GRO.
LONGHILL INDUSTRIAL ESTATE

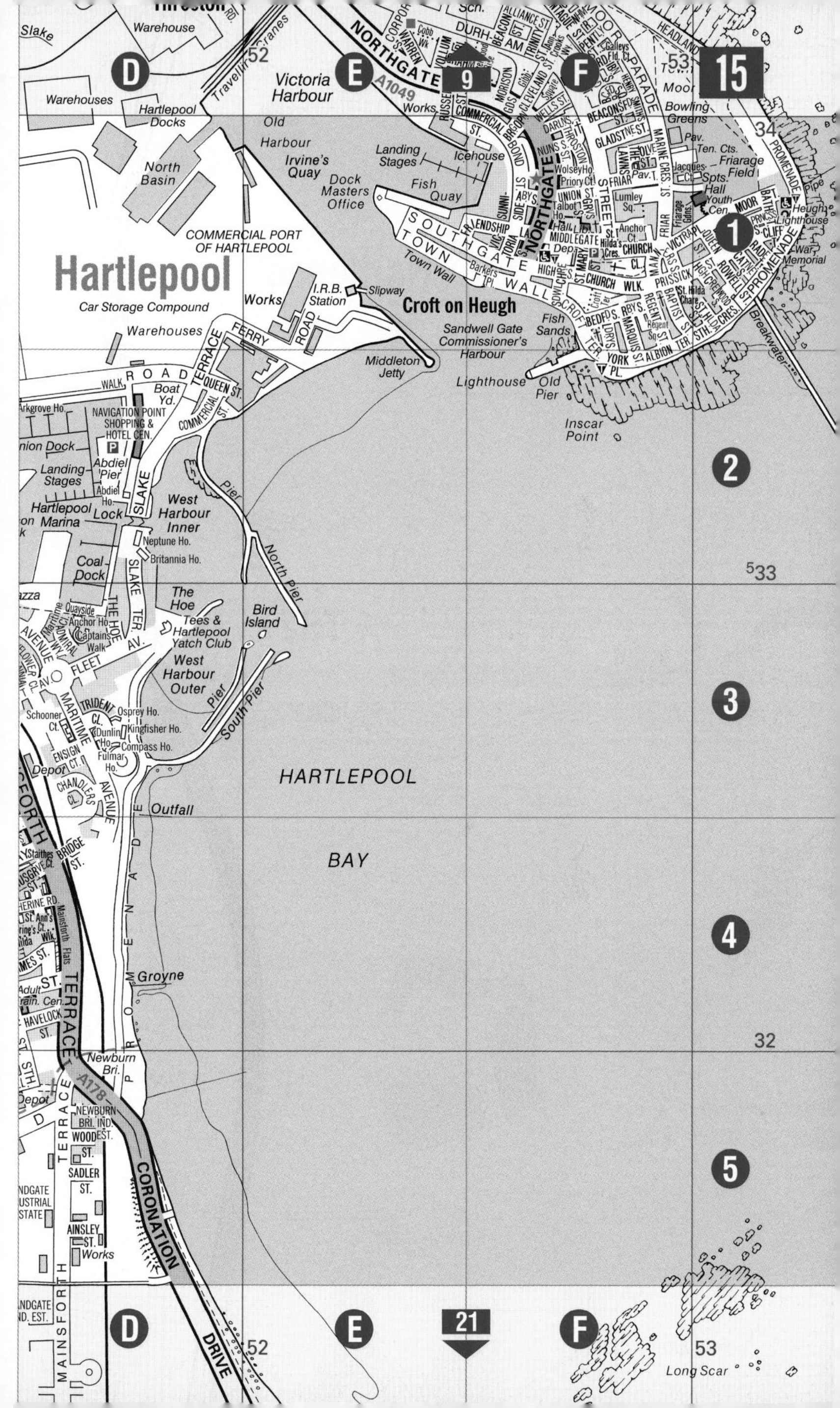

Hartlepool

COMMERCIAL PORT OF HARTLEPOOL

Croft on Heugh

HARTLEPOOL

BAY

9

Thueston

Slake

Warehouse

Warehouses

Hartlepool Docks

North Basin

Victoria Harbour
A1049

Old Harbour

Irvine's Quay

Landing Stages

Icehouse

Fish Quay

Dock Masters Office

NORTHGATE

Works

SOUTHGATE

Town Wall

ENSHIP

MIDDLEGATE

HIGH

CHURCH WLK.

Car Storage Compound

Works

I.R.B. Station

Slipway

Sandwell Gate Commissioner's Harbour

Fish Sands

FERRY

ROAD

Middleton Jetty

Lighthouse

Old Pier

Inscar Point

Warehouses

ROAD

TERRACE

Queen St.

Boat Yd.

COMMERCIAL

Arkgrove Ho.

NAVIGATION POINT SHOPPING & HOTEL CEN.

Union Dock

Landing Stages

Abdiel Pier

Abdiel Ho.

Hartlepool Marina

Lock

SLAKE

Coal Dock

Neptune Ho.

Britannia Ho.

West Harbour Inner

Pier

North Pier

West Harbour

Piazza

Quayside

Anchor Ho.

THE HOE

Captains Walk

The Hoe Tees & Hartlepool Yacht Club

Bird Island

AVENUE

MARITIME

FLEET

PAV.

TRIDENT CL.

Osprey Ho.

Schooner

Dunlin Ho.

Kingfisher Ho.

Compass Ho.

Fulmar Ho.

West Harbour Outer

South Pier

Depot

ENSIGN CT.

CHANDLERS

Outfall

Groyne

Newburn Bri.

BRIDGE ST.

Starthe

RD.

CATHERINE RD.

 JAMES ST.

Adult Edn. Cen.

HAVELOCK ST.

Depot

A178

NEWBURN BRI. IND.

WOOD EST.

ST.

CORONATION

TERRACE

MAINSFORTH

SADLER ST.

AINSLEY ST.

Works

DRIVE

Long Scar

Friarage Field

War Memorial

Promenade

Breakwater

MOOR

Bowling Greens

Heugh Lighthouse

NORTHGATE

1

2

3

4

5

52

34

53

33

32

53

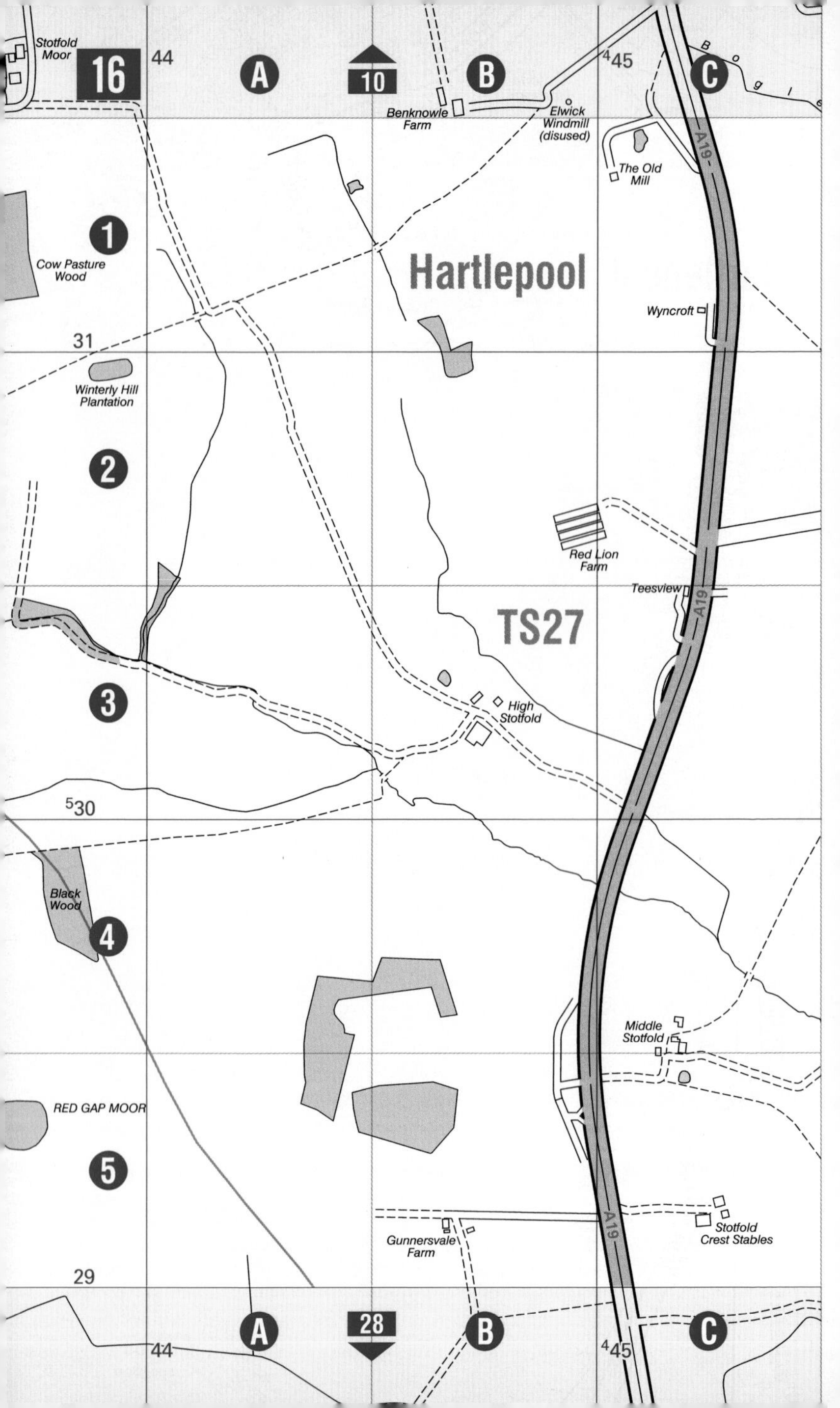
Stotfold Moor
16
44
A
10
B
Benknowle Farm
Elwick Windmill (disused)
445
C
Bogle
The Old Mill
A19
Cow Pasture Wood
Hartlepool
Wyncroft
31
Winterly Hill Plantation
Red Lion Farm
Teesview
A19
TS27
High Stotfold
530
Black Wood
Middle Stotfold
RED GAP MOOR
Gunnersvale Farm
A19
Stotfold Crest Stables
29
A
28
B
C
44
445

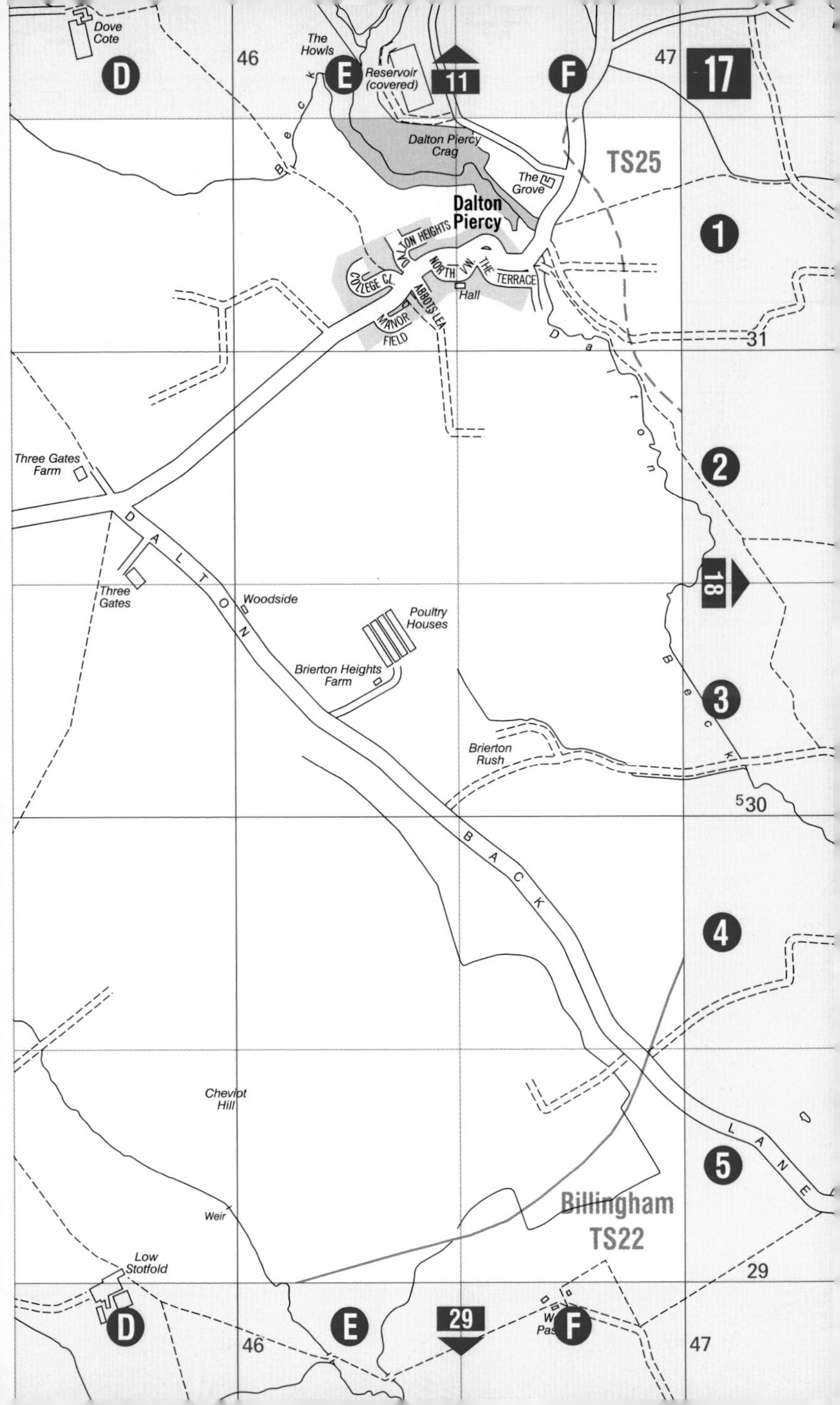

17
11
18
29
46
47
D
E
F
1
2
3
4
5
Dove Cote
The Howls
Reservoir (covered)
Dalton Piercy Crag
TS25
The Grove
Dalton Piercy
DALTON HEIGHTS
COLLEGE CL.
NORTH VW.
THE TERRACE
Hall
ABBOTS LEA
MANOR FIELD
31
Three Gates Farm
DALTON BACK LANE
Three Gates
Woodside
Poultry Houses
Brierton Heights Farm
Brierton Rush
30
Dalton Beck
Cheviot Hill
Weir
Billingham TS22
Low Stotfold
29

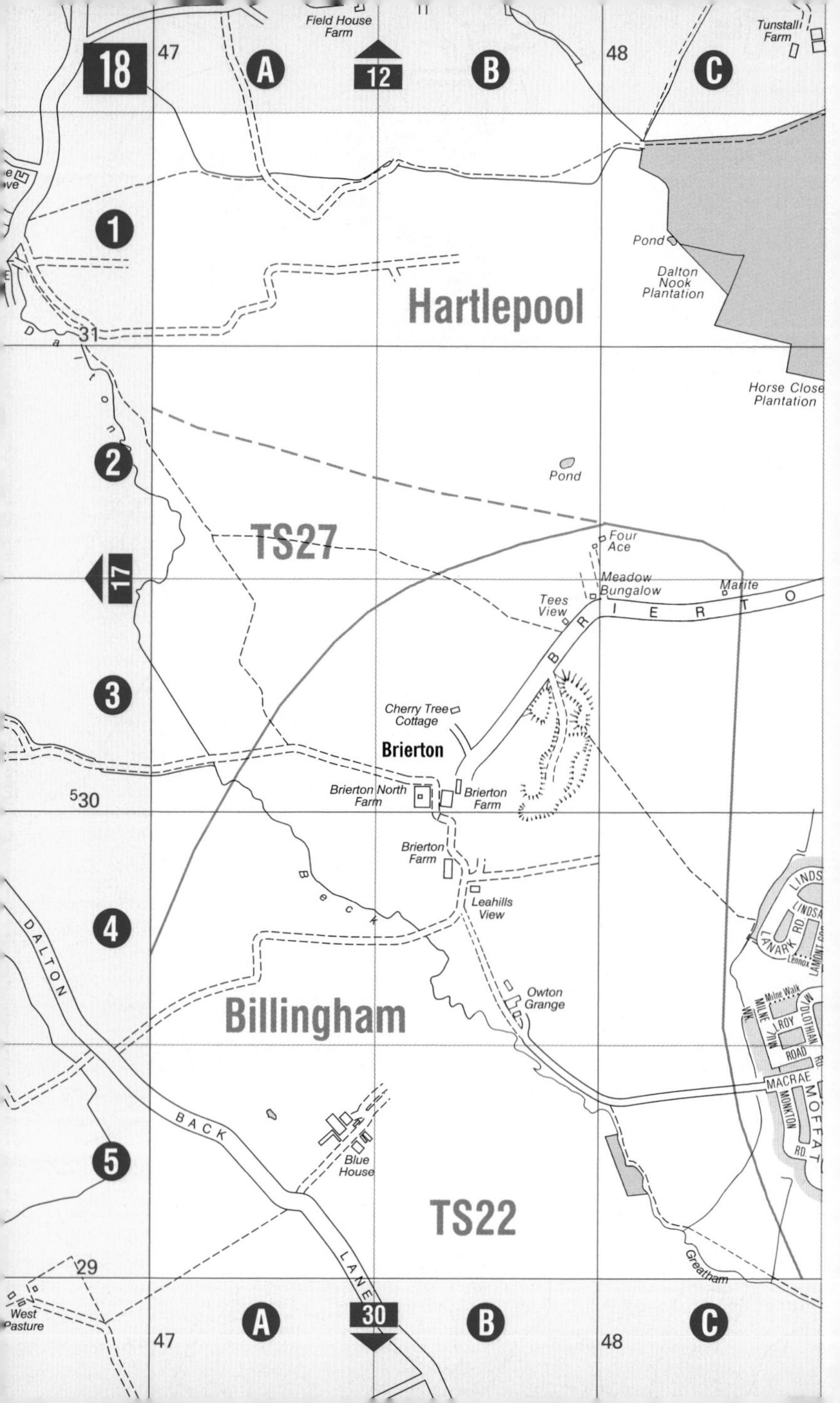
18
47
A
B
C
48
12
Field House Farm
Tunstall Farm
1
2
3
4
5
Pond
Dalton Nook Plantation
Hartlepool
31
Horse Close Plantation
Pond
TS27
17
Four Ace
Meadow Bungalow
Marite
Tees View
BRIERTON
Cherry Tree Cottage
Brierton
Brierton North Farm
Brierton Farm
530
Brierton Farm
Beck
Leahills View
Dalton
Owton Grange
Billingham
MACRAE
MOFFAT
MONKTON
RD.
ROY
LOTHIAN
ROAD
MILNE
Milne Walk
LANARK RD.
Lennox
LINDSAY
BACK LANE
Blue House
TS22
Greatham
29
West Pasture
30
47
48

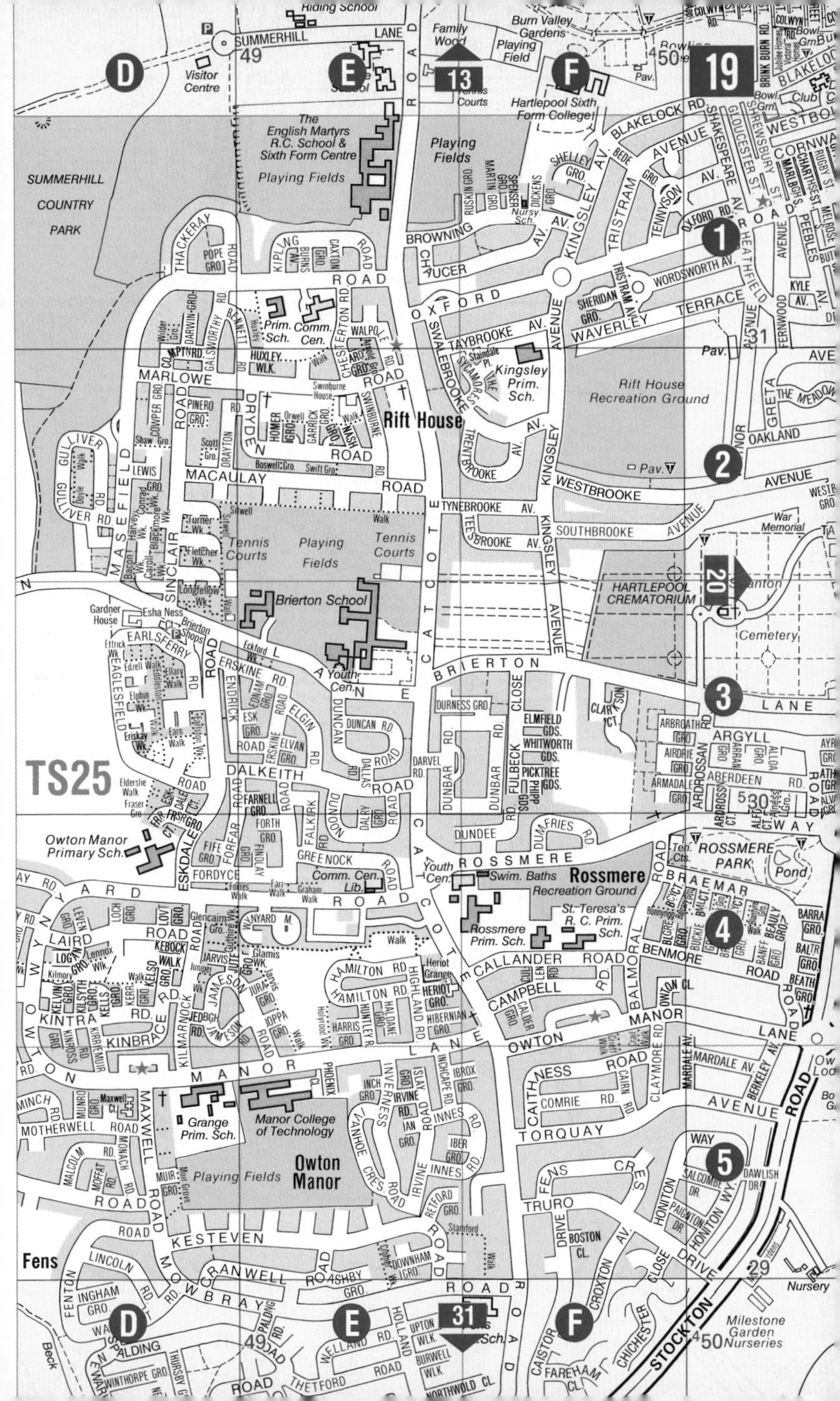

19
13
20
31
TS25
Rift House
Owton Manor
Rossmere
SUMMERHILL COUNTRY PARK
Visitor Centre
Riding School
Family Wood
Burn Valley Gardens
Playing Field
Hartlepool Sixth Form College
The English Martyrs R.C. School & Sixth Form Centre
Playing Fields
Kingsley Prim. Sch.
Rift House Recreation Ground
Brierton School
HARTLEPOOL CREMATORIUM
Cemetery
War Memorial
Owton Manor Primary Sch.
Rossmere Recreation Ground
ROSSMERE PARK
Pond
Swim. Baths
Rossmere Prim. Sch.
St. Teresa's R. C. Prim. Sch.
Grange Prim. Sch.
Manor College of Technology
Milestone Garden Nurseries
Nursery
Fens
Beck
SUMMERHILL LANE
OXFORD ROAD
CATCOTE ROAD
BRIERTON LANE
ROSSMERE WAY
OWTON MANOR LANE
STOCKTON ROAD
KINGSLEY AVENUE
WESTBROOKE AVENUE
WYNYARD ROAD
MACAULAY ROAD
DALKEITH ROAD
TORQUAY AVENUE
KESTEVEN ROAD
MOWBRAY ROAD
CRANWELL ROAD

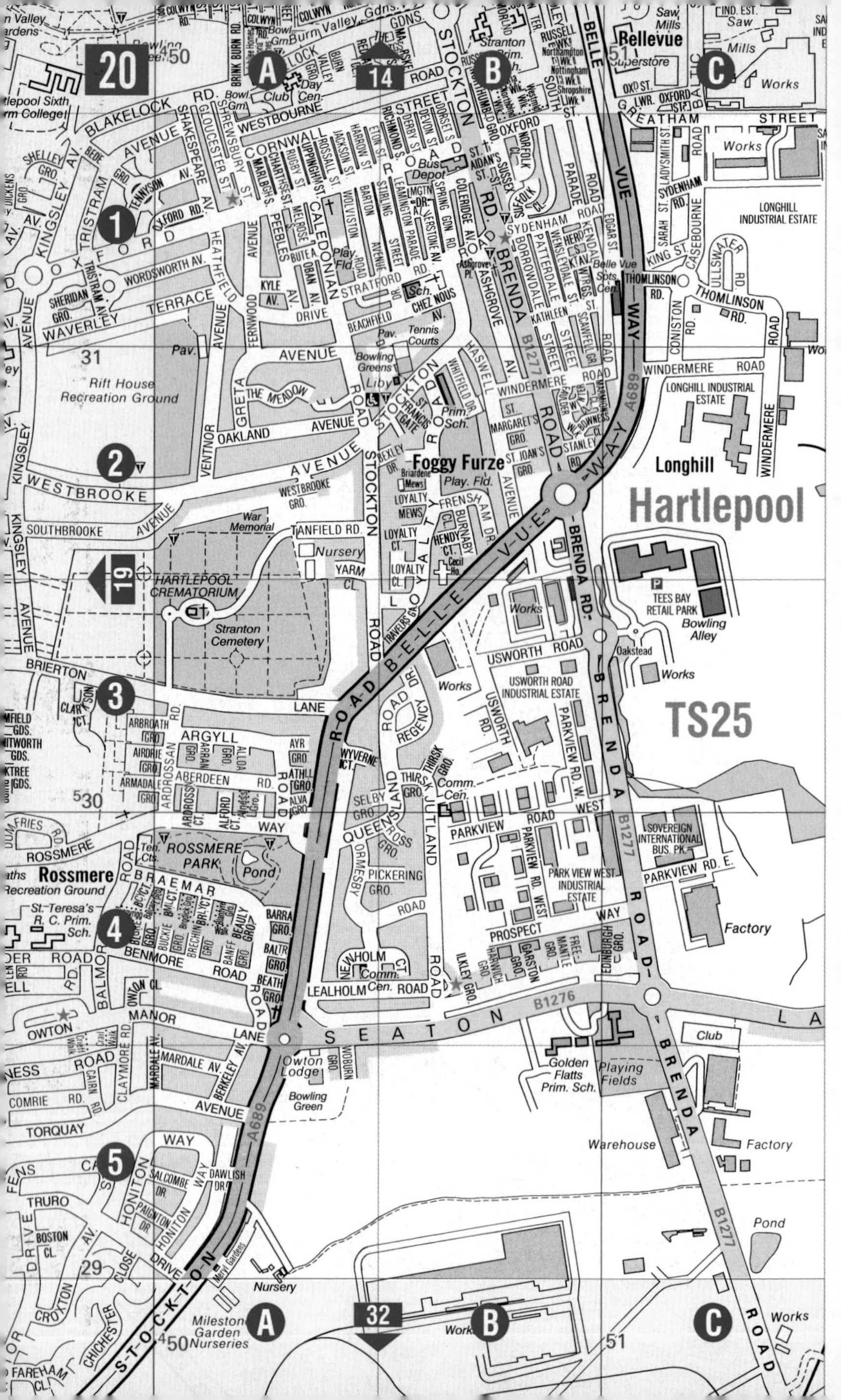

20
14
19
32
A
B
C
1
2
3
4
5
450
51
31
530
29
Bellevue
Superstore
Saw Mills
Works
IND. EST.
GREATHAM STREET
LONGHILL INDUSTRIAL ESTATE
BLAKELOCK RD.
WESTBOURNE
CORNWALL
OXFORD RD.
TENNYSON AV.
SHAKESPEARE AV.
GLOUCESTER ST.
SHREWSBURY ST.
KINGSLEY AV.
TRISTRAM AV.
WORDSWORTH AV.
SHERIDAN GRO.
WAVERLEY TERRACE
HEATHFIELD AVENUE
FERNWOOD AVENUE
CALEDONIAN
PEEBLES
KYLE AV.
DRIVE
STRATFORD RD.
BEACHFIELD
CHEZ NOUS AV.
Play. Fld.
Sch.
Bus Depot
STOCKTON ROAD
BRENDA RD.
ASHGROVE AV.
SYDENHAM ROAD
BORROWDALE
PATTERDALE
KATHLEEN STREET
EDGAR ST.
Belle Vue Spts. Cen.
BELLE VUE WAY
A689
B1277
THOMLINSON RD.
CONISTON RD.
ULLSWATER RD.
CASEBOURNE ROAD
KING ST.
SYDENHAM RD.
WINDERMERE ROAD
LONGHILL INDUSTRIAL ESTATE
Longhill
Hartlepool
Rift House Recreation Ground
Pav.
GRETA AVENUE
THE MEADOW
OAKLAND AVENUE
VENTNOR AVENUE
Tennis Courts
Bowling Greens
Liby
ST. FRANCIS GATE
WHITFIELD DR.
Prim. Sch.
HASWELL AV.
ST. MARGARET'S GRO.
ST. JOAN'S GRO.
Foggy Furze
Play. Fld.
WESTBROOKE AVENUE
WESTBROOKE GRO.
SOUTHBROOKE AVENUE
War Memorial
TANFIELD RD.
Nursery
YARM CL.
LOYALTY RD.
FRENSHAM DR.
BURNABY CL.
HENDY CT.
Cecil Ho.
HARTLEPOOL CREMATORIUM
Stranton Cemetery
TEES BAY RETAIL PARK
Bowling Alley
Oakstead
Works
USWORTH ROAD
USWORTH ROAD INDUSTRIAL ESTATE
TS25
BRIERTON LANE
ARGYLL
ARBROATH GRO.
AIRDRIE GRO.
ARMADALE GRO.
ABERDEEN RD.
ARDROSSAN RD.
ALLOA GRO.
AYR GRO.
REGENCY DR.
WYVERNE CT.
THIRSK GRO.
SELBY GRO.
QUEENSLAND ROAD
JUTLAND
Comm. Cen.
PARKVIEW ROAD WEST
PARKVIEW RD. W.
PARK VIEW WEST INDUSTRIAL ESTATE
SOVEREIGN INTERNATIONAL BUS. PK.
PARKVIEW RD. E.
Factory
PROSPECT WAY
ROSSMERE WAY
ROSSMERE PARK
Pond
Ten. Cts.
Rossmere
Recreation Ground
St. Teresa's R. C. Prim. Sch.
BRAEMAR ROAD
BENMORE ROAD
BALMORAL RD.
PICKERING GRO.
ORMESBY ROAD
NEWHOLM CT.
Comm. Cen.
LEALHOLM ROAD
ILKLEY GRO.
SEATON LANE
B1276
OWTON MANOR LANE
OWTON CL.
Owton Lodge
WOBURN GRO.
Golden Flatts Prim. Sch.
Playing Fields
Club
Warehouse
MARDALE AV.
BERKELEY AV.
CLAYMORE RD.
CAIRN RD.
COMRIE RD.
TORQUAY AVENUE
Bowling Green
WAY
HONITON WAY
SALCOMBE DR.
PAIGNTON DR.
DAWLISH DR.
TRURO DRIVE
BOSTON CL.
CLOSE
CROXTON AV.
CHICHESTER CLOSE
FAREHAM CL.
STOCKTON ROAD
Nursery
Milestone Garden Nurseries
Pond

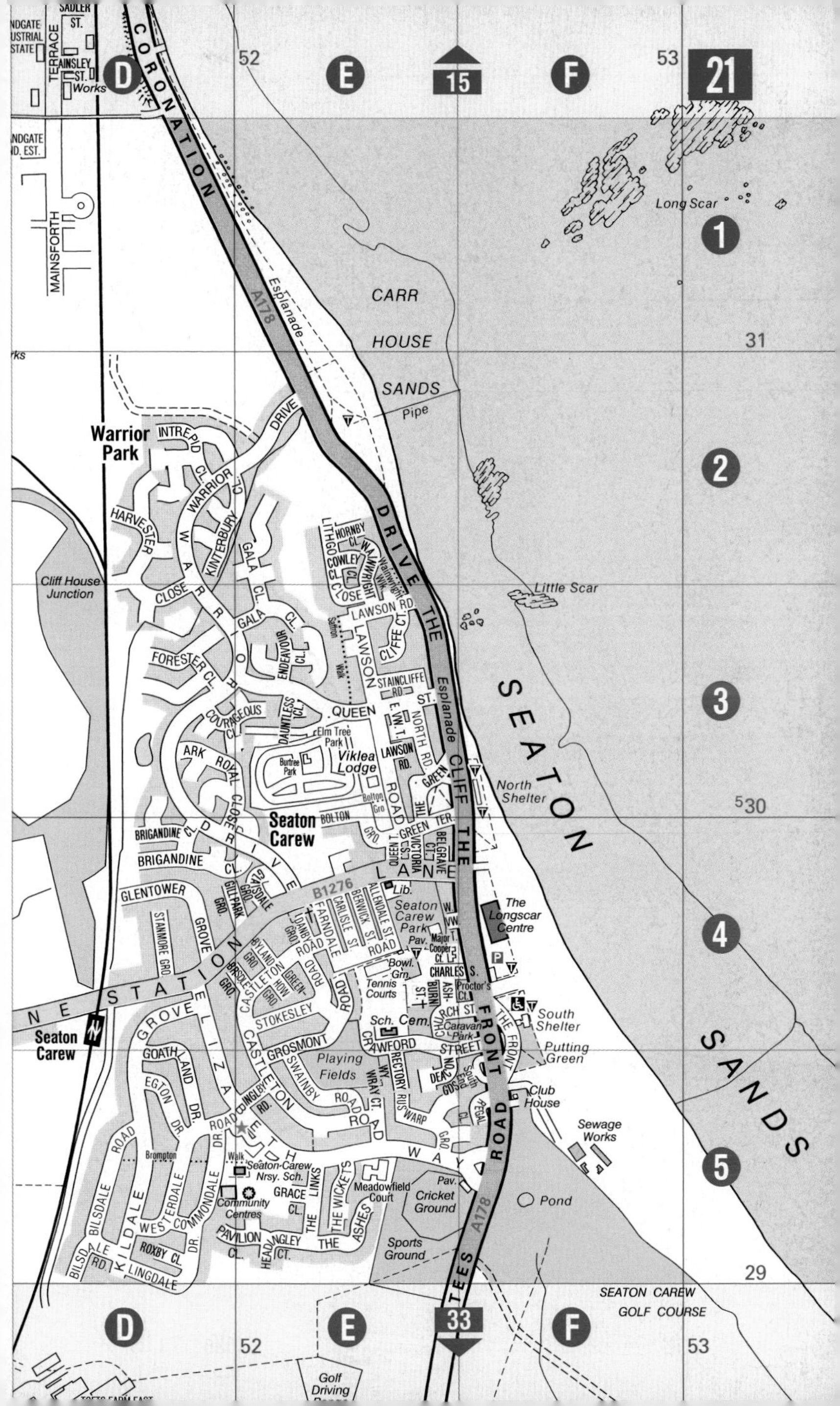
21
15
33
D
E
F
52
53
31
30
29
1
2
3
4
5
CORONATION DRIVE
A178
Esplanade
CARR HOUSE SANDS
Pipe
Long Scar
Little Scar
SEATON SANDS
Warrior Park
Cliff House Junction
Seaton Carew
THE CLIFF
THE FRONT
TEES ROAD
STATION LANE
B1276
QUEEN ST.
North Shelter
South Shelter
Putting Green
Club House
Sewage Works
Pond
The Longscar Centre
Seaton Carew Park
Lib.
Playing Fields
Cricket Ground
Sports Ground
Community Centres
Seaton Carew Nrsy. Sch.
Meadowfield Court
Viklea Lodge
Elm Tree Park
Burtree Park
Tennis Courts
Bowl. Grn.
Sch.
Cem.
Caravan Park
SEATON CAREW GOLF COURSE
Golf Driving
MAINSFORTH TERRACE
SADLER ST.
AINSLEY ST.
Works
INTREPID CL.
WARRIOR DRIVE
HARVESTER CLOSE
KINTERBURY
GALA CL.
FORESTER CL.
ENDEAVOUR CL.
DAUNTLESS CL.
COURAGEOUS CL.
ARK ROYAL CLOSE
BRIGANDINE CL.
BRIGANDINE CL.
GLENTOWER GROVE
STANMORE GRO.
GILPARK GRO.
GLAISDALE GRO.
LITHGO CL.
HORNBY CL.
COWLEY CL.
WAINWRIGHT CLOSE
LAWSON RD.
LAWSON ROAD
CLIFFE CT.
STAINCLIFFE RD.
NORTH RD.
THE GREEN
GREEN TER.
BOLTON GRO.
QUEEN T.
VICTORIA CT.
BELGRAVE CT.
FARNDALE ROAD
CARLISLE ST.
BERWICK ST.
ALLENDALE ST.
DANBY GRO.
RYLAND GRO.
CASTLETON ROAD
GREENHOW GRO.
STOKESLEY
GROSMONT
SWAINBY ROAD
WRAY CT.
RECTORY WAY
CRAWFORD STREET
CHARLES ST.
CHURCH ST.
Proctor's Ct.
Major Cooper Ct.
DEACON GDS.
PEGAL CL.
ELIZA GROVE
GOATHLAND DR.
EGTON DR.
INGLBY RD.
KETH WAY
Brompton Walk
BILSDALE ROAD
KILDALE
WESTERDALE
COMMONDALE DR.
ROXBY CL.
LINGDALE
BILSDALE RD.
GRACE CL.
THE LINKS
THE WICKETS
THE ASHES
PAVILION CL.
HEADINGLEY CT.

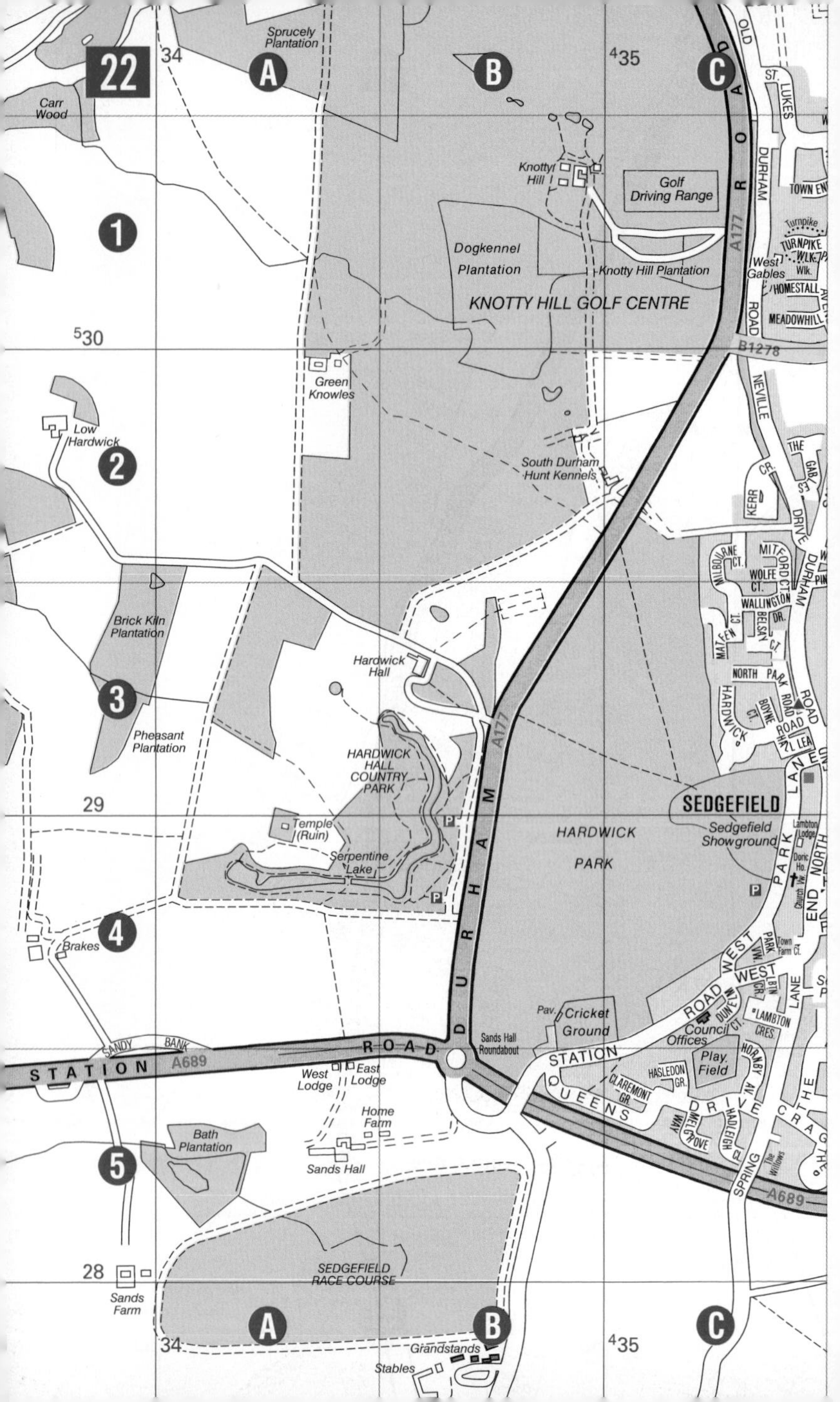

Sprucely Plantation
Carr Wood
Knotty Hill
Golf Driving Range
Dogkennel Plantation
Knotty Hill Plantation
KNOTTY HILL GOLF CENTRE
Green Knowles
Low Hardwick
South Durham Hunt Kennels
Brick Kiln Plantation
Hardwick Hall
Pheasant Plantation
HARDWICK HALL COUNTRY PARK
Temple (Ruin)
Serpentine Lake
SEDGEFIELD
Sedgefield Showground
HARDWICK PARK
Brakes
SANDY BANK
STATION ROAD
A689
DURHAM ROAD
A177
B1278
Sands Hall Roundabout
Cricket Ground
Pav.
Council Offices
Play Field
West Lodge
East Lodge
Home Farm
Sands Hall
Bath Plantation
SEDGEFIELD RACE COURSE
Sands Farm
Grandstands
Stables
QUEENS DRIVE
SPRING LANE
The Willows
HASLEDON GR.
CLAREMONT GR.
MELROVE WAY
HADLEIGH CL.
HORNBY AV.
LAMBTON CRES.
DUNELM CT.
WEST PARK VW.
Town Farm Ct.
PARK LANE
NORTH END
Lambton Lodge
Doric Ho.
Church Vw.
WEST END
NEVILLE
KERR
MITFORD CT.
MILBOURNE CT.
WOLFE CT.
WALLINGTON DR.
MATFEN CT.
BELSAY CT.
NORTH PARK ROAD
HARDWICK
BOYNE CT.
HALL LEA
THE GABLES
DRIVE
OLD DURHAM ROAD
ST. LUKES
TOWN END
Turnpike
TURNPIKE WLK.
West Gables
HOMESTALL
MEADOWHILL
THE CRAGHEAD

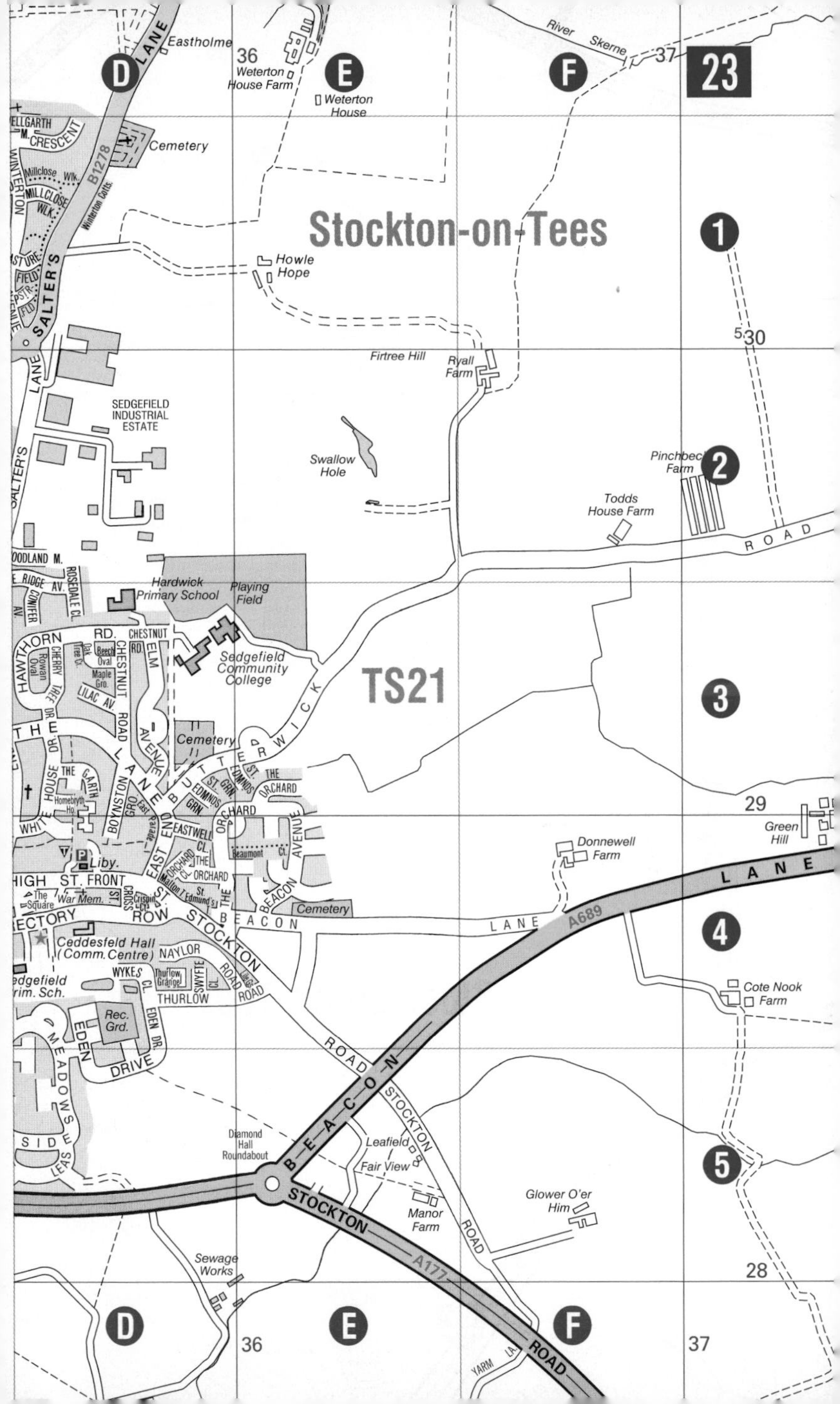

Stockton-on-Tees
TS21
Eastholme
Weterton House Farm
Weterton House
River Skerne
Cemetery
Howle Hope
Firtree Hill
Ryall Farm
SEDGEFIELD INDUSTRIAL ESTATE
Swallow Hole
Pinchbeck Farm
Todds House Farm
ROAD
Hardwick Primary School
Playing Field
Sedgefield Community College
HARDWICK
Cemetery
Green Hill
Donnewell Farm
LANE
A689
BEACON LANE
Cote Nook Farm
Liby.
HIGH ST. FRONT
War Mem.
The Square
RECTORY ROW
Ceddesfeld Hall (Comm. Centre)
Sedgefield Prim. Sch.
Rec. Grd.
EDEN DRIVE
MEADOWS
STOCKTON ROAD
BEACON
Diamond Hall Roundabout
Leafield
Fair View
Manor Farm
Glower O'er Him
STOCKTON ROAD
A177
Sewage Works
YARM LA.
SALTER'S LANE
B1278
Winterton Cotts.
CRESCENT
MILLCLOSE WLK.
HAWTHORN RD.
CHESTNUT RD.
ELM AVENUE
THE LANE
BUTTERWICK
EAST END
EASTWELL CL.
ORCHARD
THE ORCHARD
Beaumont Cl.
AVENUE
THE BEACON
NAYLOR ROAD
THURLOW ROAD
WYKES CL.
SWYFTE CL.
EDEN DR.
BOYNSTON GRO.
WHITE HOUSE DR.
THE GARTH
CHERRY TREE DR.
LILAC AV.
ROSEDALE CL.
CONIFER AV.
36
37
30
29
28
D
E
F
1
2
3
4
5

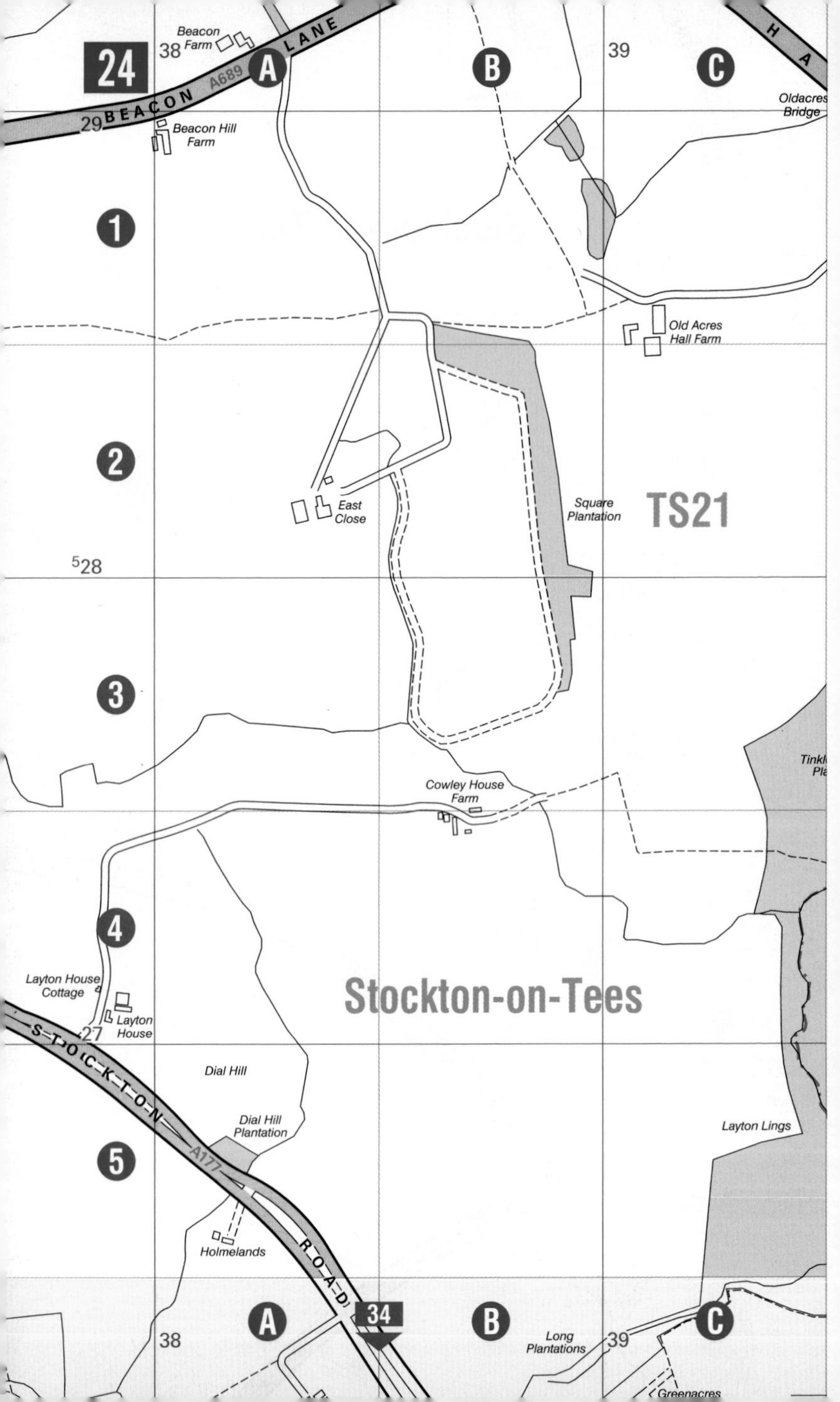
24
Beacon Farm
38
A
BEACON LANE
A689
29
Beacon Hill Farm
B
39
C
Oldacres Bridge
1
Old Acres Hall Farm
2
East Close
Square Plantation
TS21
528
3
Cowley House Farm
4
Layton House Cottage
Layton House
27
Stockton-on-Tees
STOCKTON ROAD
A177
Dial Hill
Dial Hill Plantation
5
Holmelands
Layton Lings
A
B
C
38
34
39
Long Plantations
Greenacres

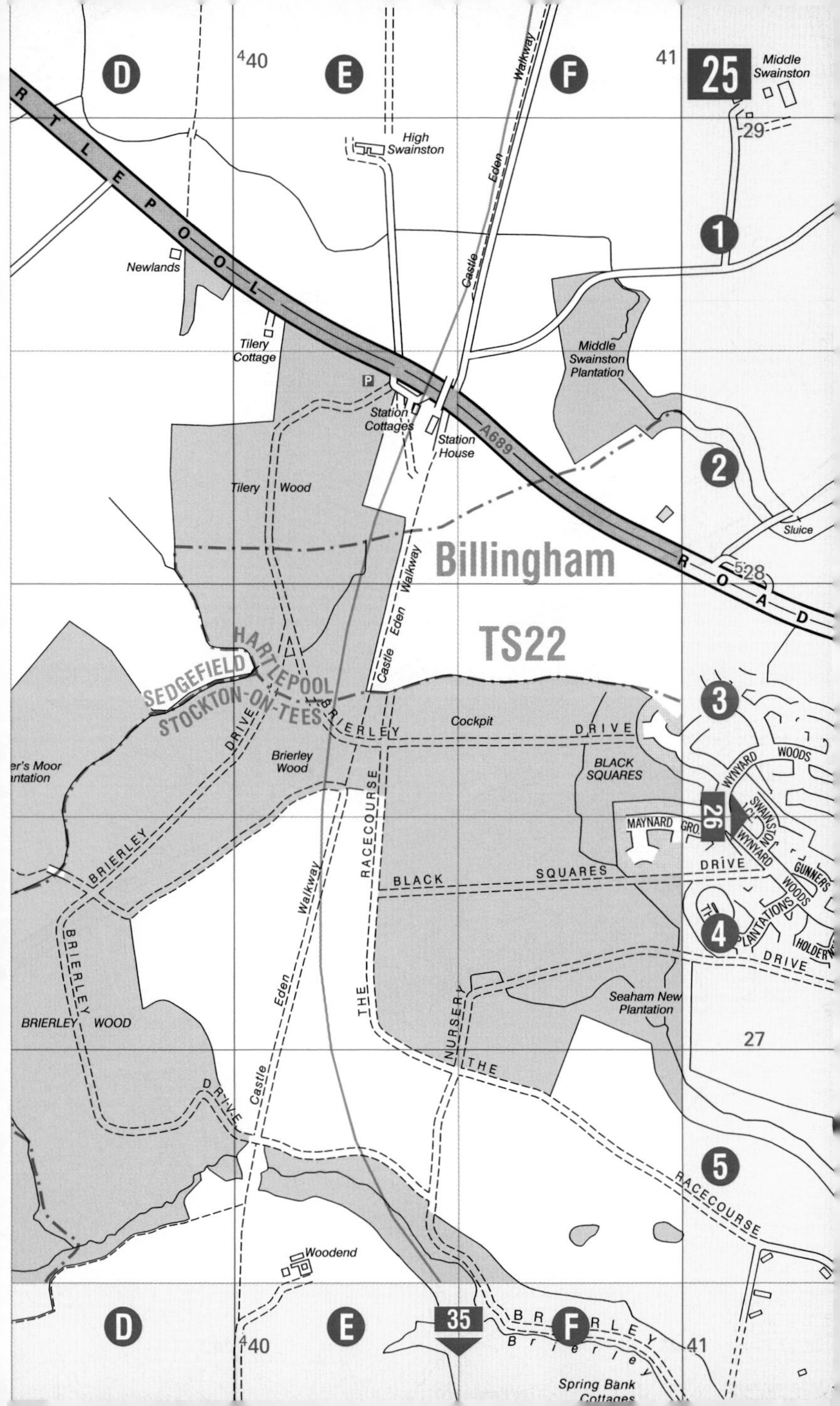

D
E
F
440
41
25
Middle Swainston
29
High Swainston
HARTLEPOOL ROAD
Walkway
Eden
Castle
1
Newlands
Tilery Cottage
Middle Swainston Plantation
P
Station Cottages
Station House
A689
2
Tilery Wood
Castle Eden Walkway
Billingham
Sluice
528
TS22
HARTLEPOOL
SEDGEFIELD
STOCKTON-ON-TEES
BRIERLEY DRIVE
Cockpit
3
Brierley Wood
BLACK SQUARES
WYNYARD WOODS
MAYNARD GRO
26
SWAINSTON CL
WYNYARD DRIVE
GUNNERS
WOODS
PLANTATIONS
THE RACECOURSE
BLACK SQUARES DRIVE
4
HOLDERNESS
DRIVE
BRIERLEY DRIVE
BRIERLEY WOOD
THE NURSERY
Seaham New Plantation
27
THE
5
Castle Eden Walkway
RACECOURSE
Woodend
35
BRIERLEY
Brierley
Spring Bank Cottages

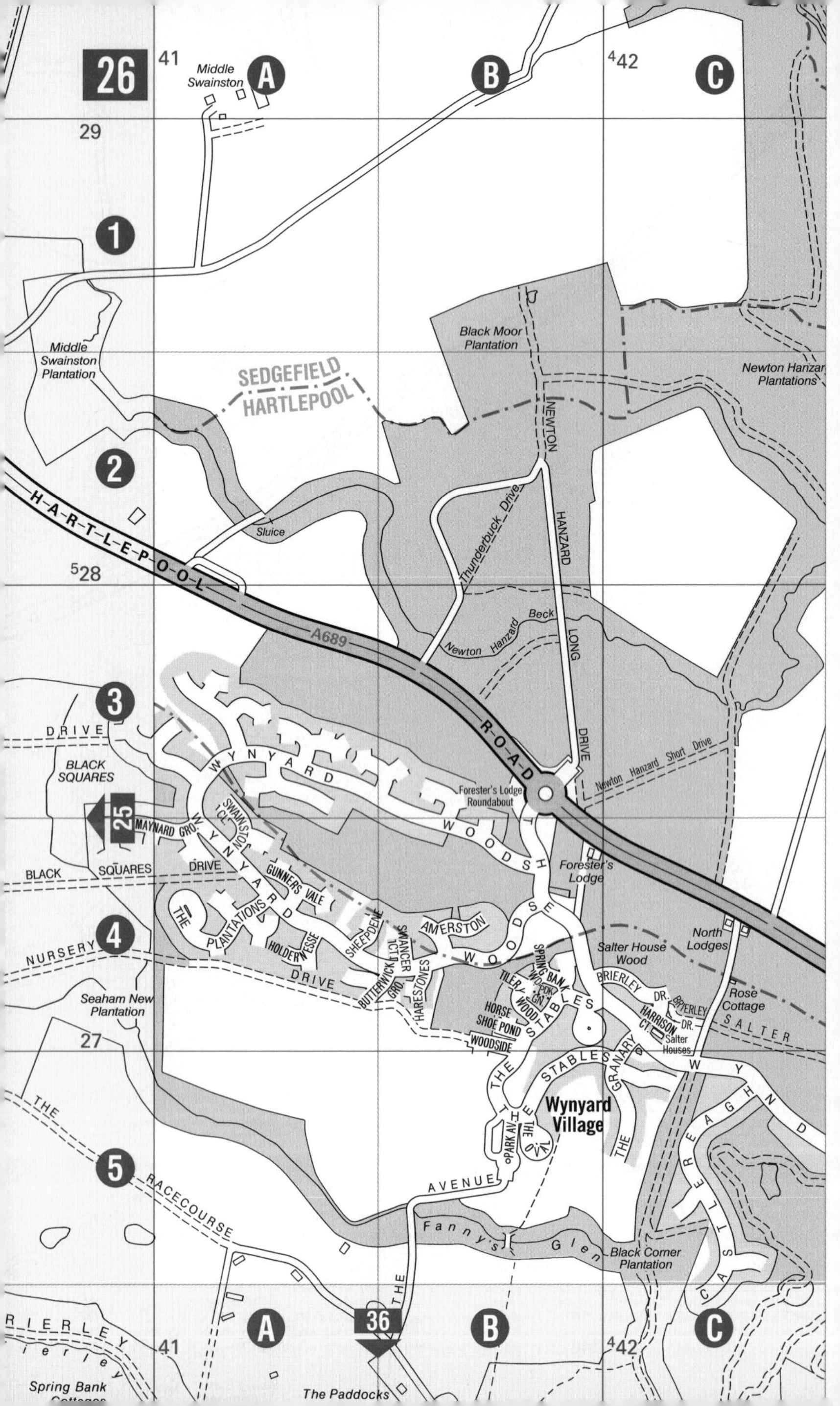

Middle Swainston
Middle Swainston Plantation
SEDGEFIELD
HARTLEPOOL
Black Moor Plantation
Newton Hanzard Plantations
NEWTON HANZARD LONG DRIVE
Thunderbuck Drive
Sluice
HARTLEPOOL ROAD
A689
Newton Hanzard Beck
Newton Hanzard Short Drive
Forester's Lodge Roundabout
Forester's Lodge
DRIVE
BLACK SQUARES
25
MAYNARD GRO.
SWAINSTON CL.
WYNYARD
WOODSIDE
BLACK SQUARES DRIVE
GUNNERS VALE
THE PLANTATIONS
HOLDERNESSE
SHEEPDENE
SWANCER CT.
AMERSTON
BUTTERWICK GRO.
HARESTONES
NURSERY DRIVE
Seaham New Plantation
North Lodges
Salter House Wood
SPRING BANK
WD. PDK.
WD. GN.
TILERY WOOD
HORSE SHOE POND
THE STABLES
BRIERLEY DR.
HARRISON CT.
Salter Houses
Rose Cottage
SALTER
WOODSIDE
GRANARY
Wynyard Village
THE OVAL
PARK AVE
THE AVENUE
WYNYARD ROAD
CASTLEREAGH
THE RACECOURSE
Fanny's Glen
Black Corner Plantation
THE
36
BRIERLEY
Brierley
Spring Bank Cottages
The Paddocks
41
42
29
28
27
A
B
C
1
2
3
4
5

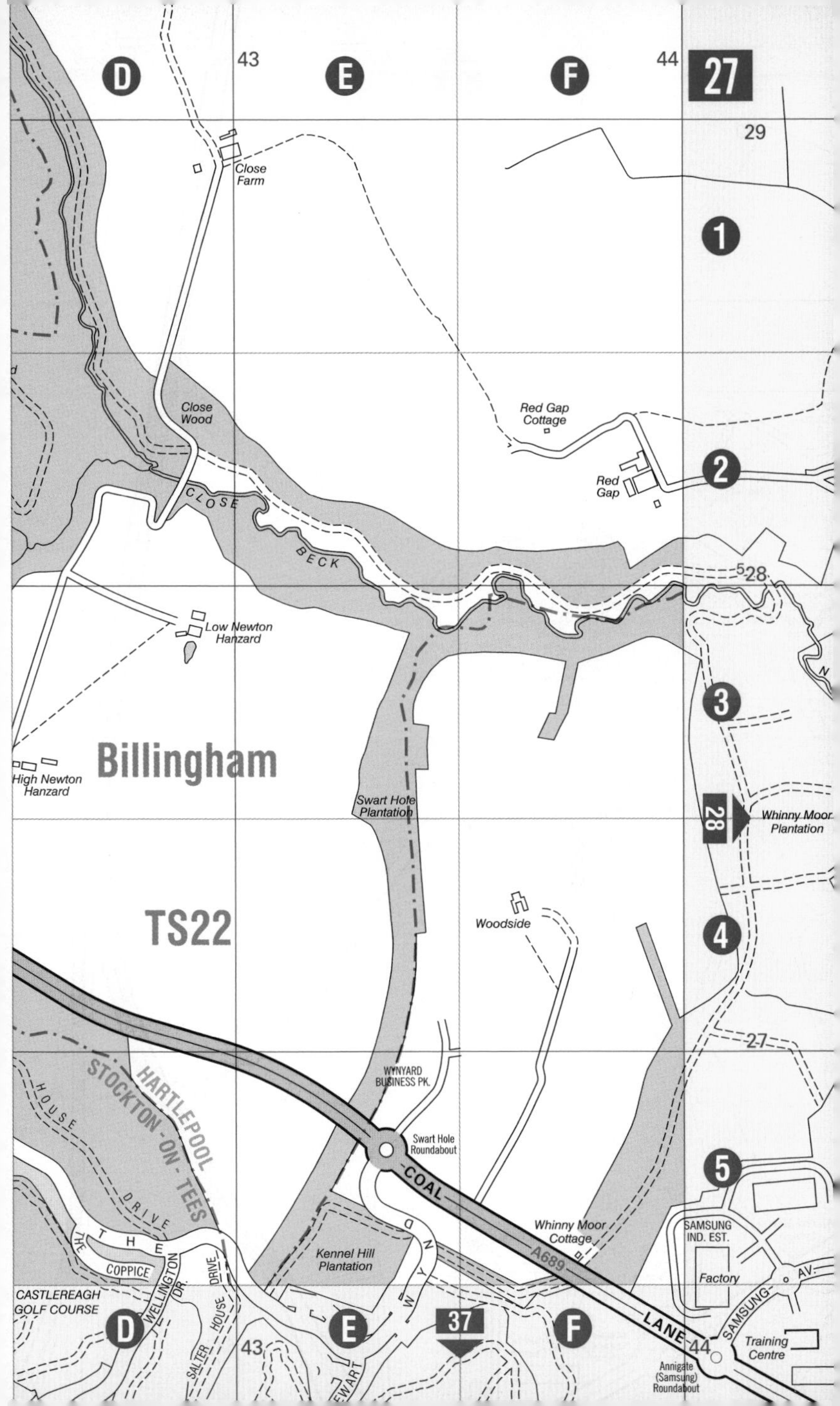

43
44
D
E
F
29
Close Farm
1
Close Wood
Red Gap Cottage
Red Gap
2
CLOSE BECK
28
Low Newton Hanzard
3
Billingham
High Newton Hanzard
Swart Hole Plantation
28
Whinny Moor Plantation
Woodside
4
TS22
27
STOCKTON-ON-TEES
HARTLEPOOL
HOUSE DRIVE
WYNYARD BUSINESS PK.
Swart Hole Roundabout
COAL
5
THE COPPICE
WELLINGTON DR.
SALTER HOUSE DRIVE
Kennel Hill Plantation
WYNYARD
Whinny Moor Cottage
A689
SAMSUNG IND. EST.
Factory
SAMSUNG AV.
CASTLEREAGH GOLF COURSE
LANE
37
Training Centre
Annigate (Samsung) Roundabout

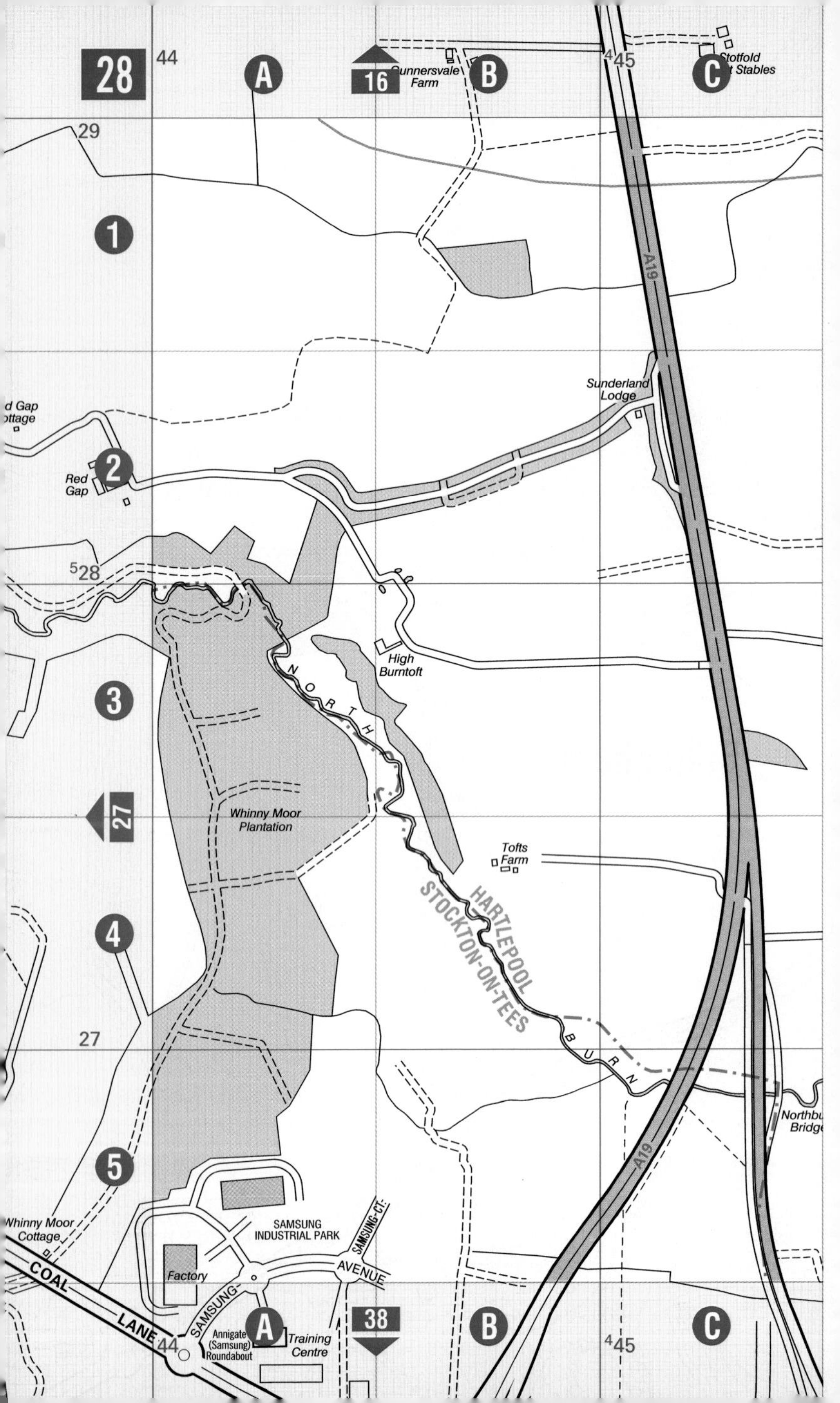

44
A
16
Gunnersvale Farm
B
445
C
Stotfold Stables
29
1
A19
Sunderland Lodge
d Gap Cottage
2
Red Gap
528
High Burntoft
NORTH
3
27
Whinny Moor Plantation
Tofts Farm
HARTLEPOOL
STOCKTON-ON-TEES
4
BURN
27
Northbu Bridge
5
A19
Whinny Moor Cottage
SAMSUNG INDUSTRIAL PARK
SAMSUNG CT.
COAL LANE
Factory
AVENUE
SAMSUNG
Annigate (Samsung) Roundabout
A
Training Centre
38
B
445
C
44

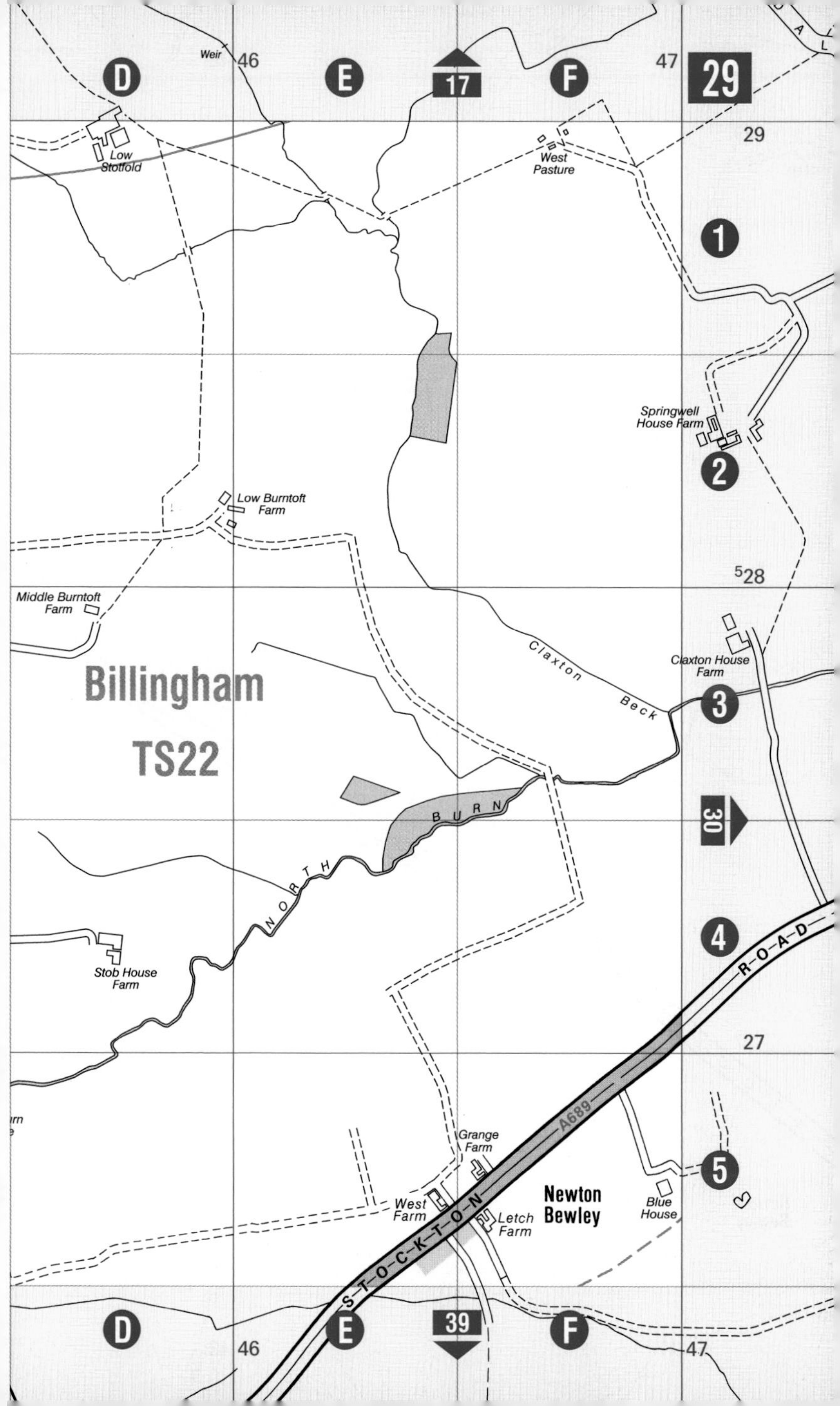

D Weir 46   **E** ⬆ **17**   **F**   47   **29**

29

Low
Stotfold

West
Pasture

1

Springwell
House Farm

2

⁵28

Low Burntoft
Farm

Claxton Beck

Claxton House
Farm

Middle Burntoft
Farm

3

Billingham

TS22

30 ▶

BURN

NORTH

4

R-O-A-D

Stob House
Farm

27

Grange
Farm

A689

5

West
Farm

S-T-O-C-K-T-O-N

**Newton
Bewley**

Letch
Farm

Blue
House

D 46   **E** ⬇ **39**   **F** 47

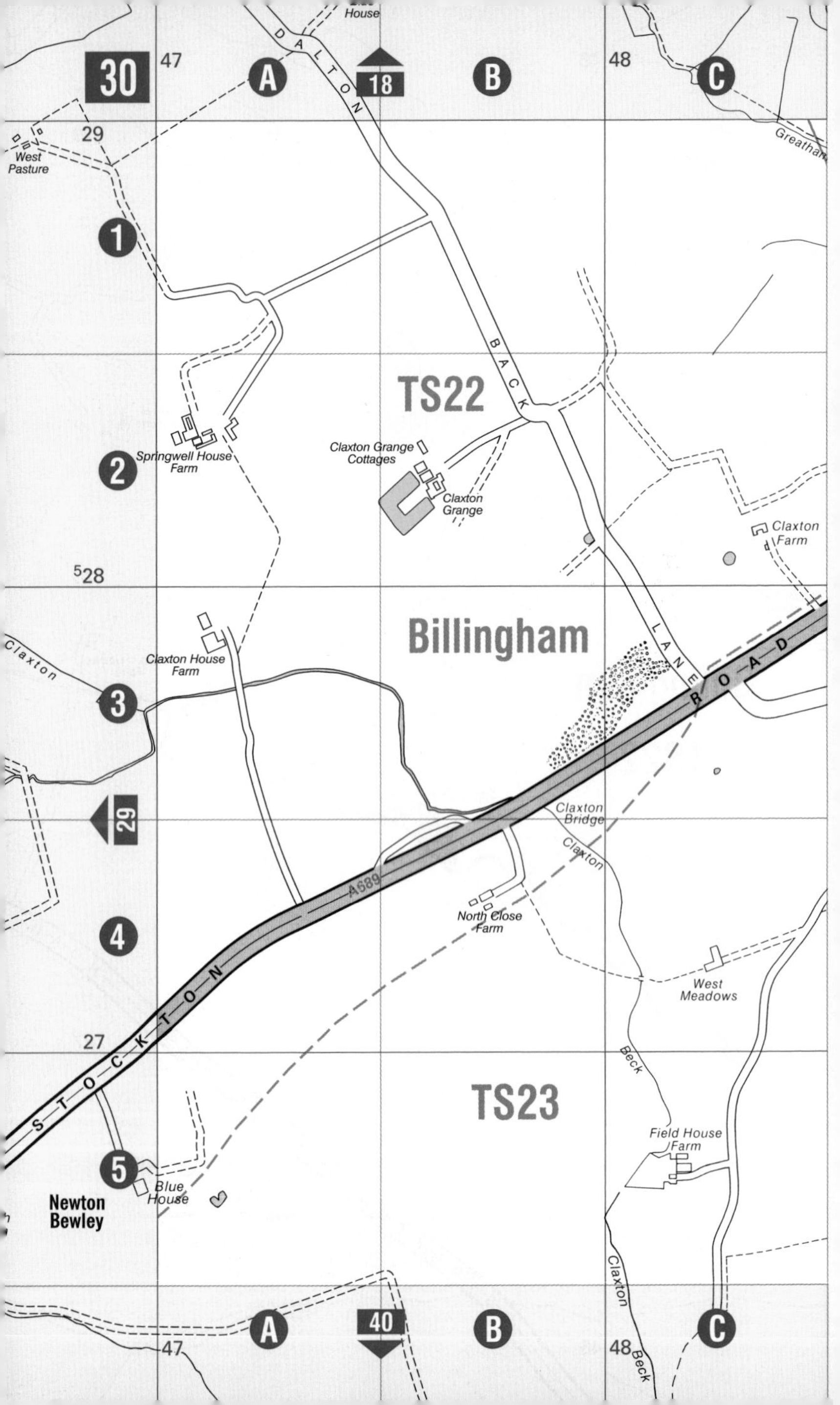

House
47
A
18
B
48
C
29
West Pasture
DALTON
Greatham
1
BACK
TS22
Springwell House Farm
Claxton Grange Cottages
Claxton Grange
2
Claxton Farm
528
Billingham
Claxton
Claxton House Farm
LANE
ROAD
3
29
Claxton Bridge
Claxton
A689
North Close Farm
4
West Meadows
STOCKTON
27
Beck
TS23
Field House Farm
5
Blue House
Newton Bewley
Claxton
A
40
B
C
47
48
Beck

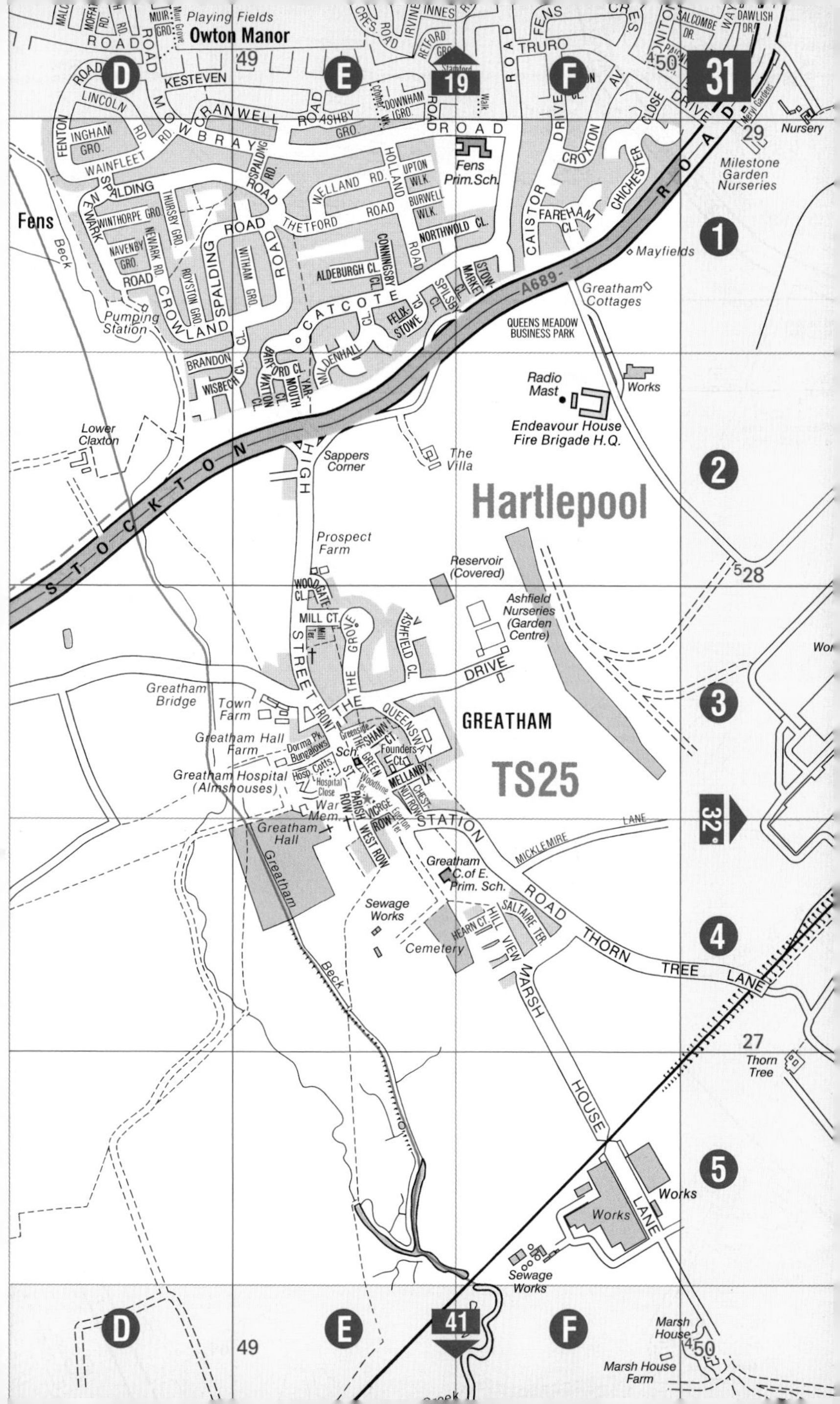

31
Owton Manor
Fens
Hartlepool
GREATHAM
TS25
Playing Fields
Fens Prim.Sch.
Milestone Garden Nurseries
Nursery
Mayfields
Greatham Cottages
QUEENS MEADOW BUSINESS PARK
Radio Mast
Works
Endeavour House Fire Brigade H.Q.
Pumping Station
Lower Claxton
Sappers Corner
The Villa
Prospect Farm
Reservoir (Covered)
Ashfield Nurseries (Garden Centre)
Greatham Bridge
Town Farm
Greatham Hall Farm
Greatham Hospital (Almshouses)
Greatham Hall
War Mem.
Greatham C.of E. Prim. Sch.
Sewage Works
Cemetery
Thorn Tree
Marsh House
Marsh House Farm
STOCKTON ROAD
A689
HIGH STREET
FRONT ST.
STATION ROAD
THORN TREE LANE
MARSH HOUSE LANE
MICKLEMIRE LANE
THE DRIVE
19
32
41
D
E
F
1
2
3
4
5
49
450
29
528
27

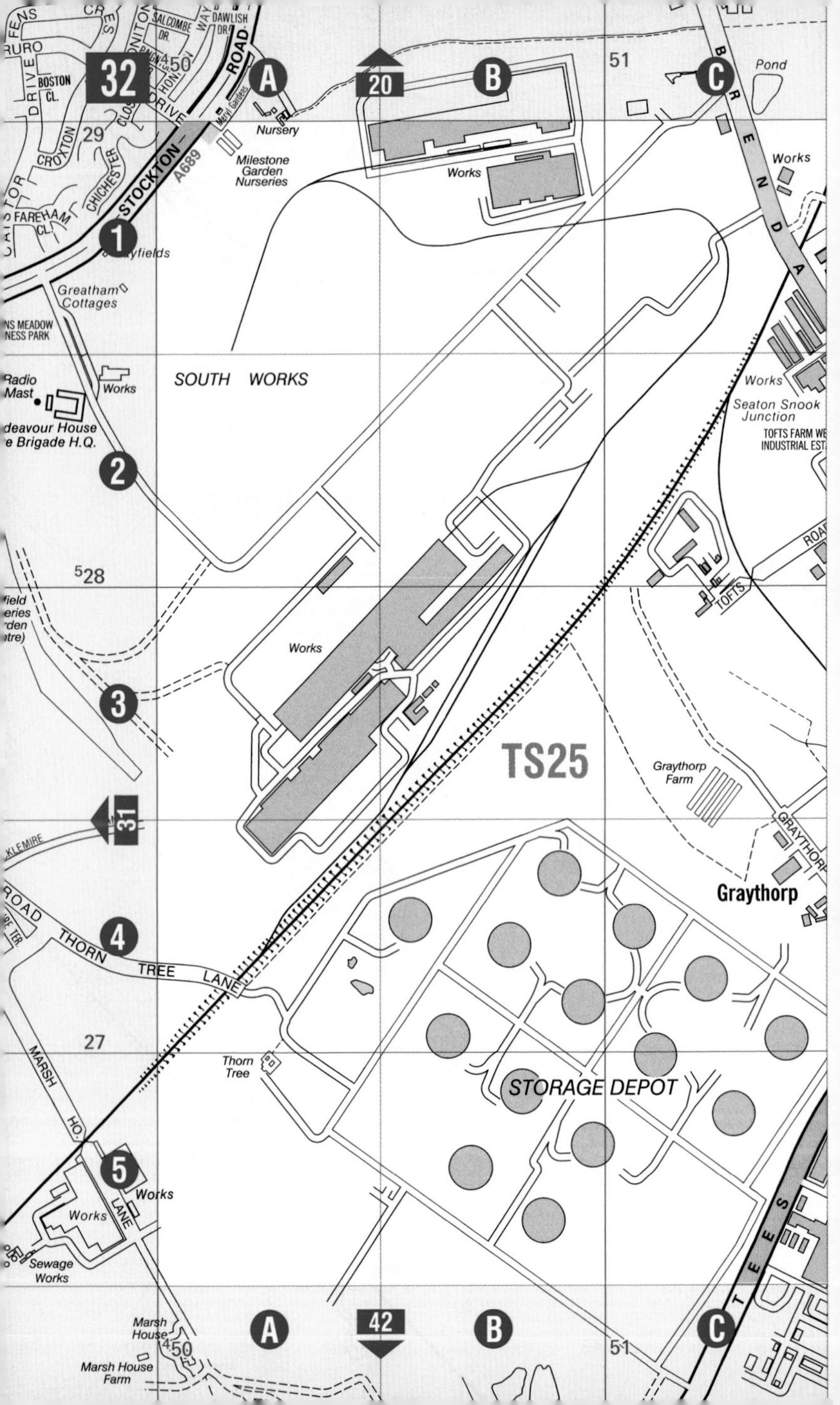
32
A
B
C
20
42
31
51
450
29
28
27
Nursery
Milestone Garden Nurseries
Works
Pond
Greatham Cottages
Radio Mast
Works
SOUTH WORKS
Seaton Snook Junction
TOFTS FARM WEST INDUSTRIAL ESTATE
TS25
Graythorp Farm
Graythorp
THORN TREE LANE
Thorn Tree
STORAGE DEPOT
Sewage Works
Marsh House
Marsh House Farm
STOCKTON ROAD
A689
BRENDA ROAD
TOFTS ROAD
MARSH HO. LANE
DAWLISH DR.
SALCOMBE DR.
HONITON WAY
BOSTON CL.
CROXTON CLOSE
CHICHESTER
FAREHAM CL.
TRURO DRIVE
Meryl Gardens

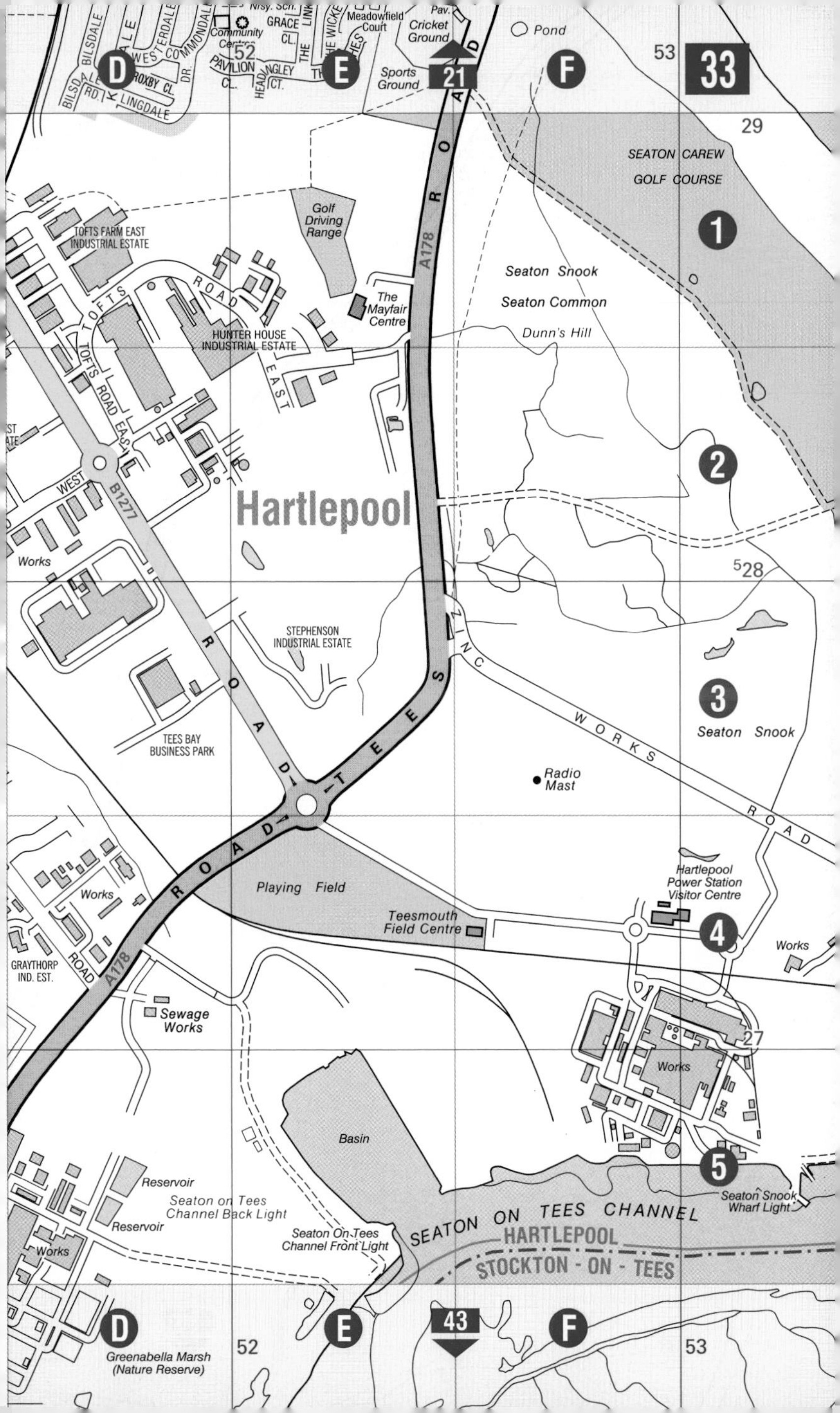

Hartlepool
SEATON CAREW GOLF COURSE
Seaton Snook
Seaton Common
Dunn's Hill
Pond
Cricket Ground
Sports Ground
Meadowfield Court
Community Centre
Golf Driving Range
The Mayfair Centre
TOFTS FARM EAST INDUSTRIAL ESTATE
HUNTER HOUSE INDUSTRIAL ESTATE
TOFTS ROAD
TOFTS ROAD EAST
WEST
B1277
A178
STEPHENSON INDUSTRIAL ESTATE
TEES BAY BUSINESS PARK
TEES ROAD
ZINC WORKS ROAD
Radio Mast
Works
Playing Field
Teesmouth Field Centre
Hartlepool Power Station Visitor Centre
GRAYTHORP IND. EST.
Sewage Works
Basin
Reservoir
Seaton on Tees Channel Back Light
Seaton On Tees Channel Front Light
Seaton Snook Wharf Light
SEATON ON TEES CHANNEL
HARTLEPOOL
STOCKTON - ON - TEES
Greenabella Marsh (Nature Reserve)
21
43
52
53
29
28
27
D
E
F
1
2
3
4
5

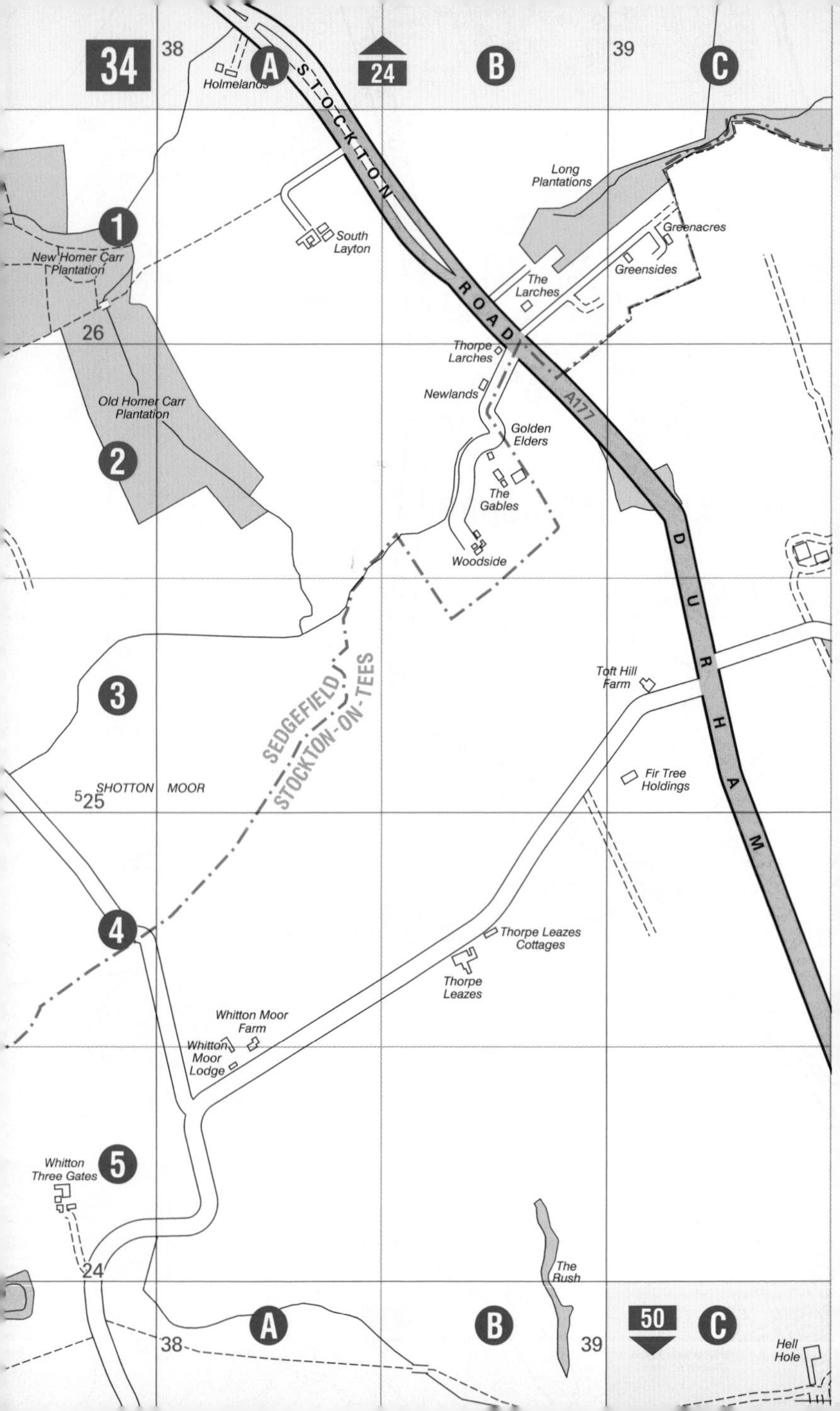

A
STOCKTON

24 B

39

C

Holmelands

Long Plantations

Greenacres

1

The Larches

Greensides

New Homer Carr Plantation

South Layton

ROAD

26

Thorpe Larches

Newlands

Old Homer Carr Plantation

Golden Elders

2

A177

The Gables

Woodside

3

Toft Hill Farm

SEDGEFIELD

STOCKTON-ON-TEES

D U R H A M

Fir Tree Holdings

5 25 SHOTTON MOOR

4

Thorpe Leazes Cottages

Thorpe Leazes

Whitton Moor Farm

Whitton Moor Lodge

Whitton Three Gates

5

24

The Bush

A

B

39

50 C

38

Hell Hole

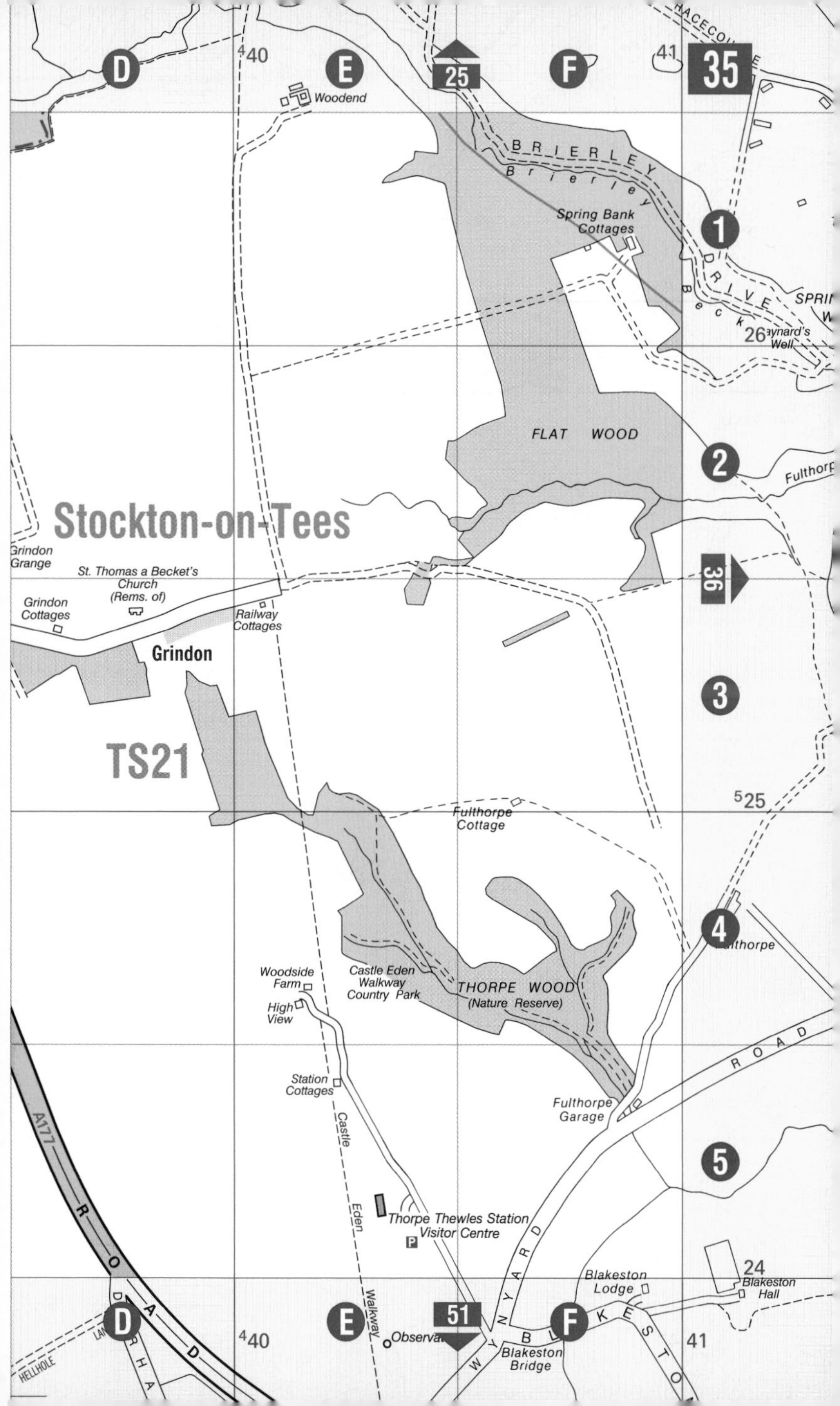

35
25
36
51
D
E
F
440
41
525
26
24
1
2
3
4
5
Woodend
BRIERLEY
Brierley
Spring Bank Cottages
DRIVE
Beck
SPRI
Maynard's Well
FLAT WOOD
Fulthorp
Stockton-on-Tees
Grindon Grange
St. Thomas a Becket's Church (Rems. of)
Grindon Cottages
Railway Cottages
Grindon
TS21
Fulthorpe Cottage
Fulthorpe
Woodside Farm
High View
Castle Eden Walkway Country Park
THORPE WOOD (Nature Reserve)
ROAD
Station Cottages
Fulthorpe Garage
Castle Eden Walkway
A177
ROAD
DURHAM
Thorpe Thewles Station Visitor Centre
P
WYNYARD
Blakeston Lodge
Blakeston Hall
BLAKESTON
Blakeston Bridge
HELLHOLE

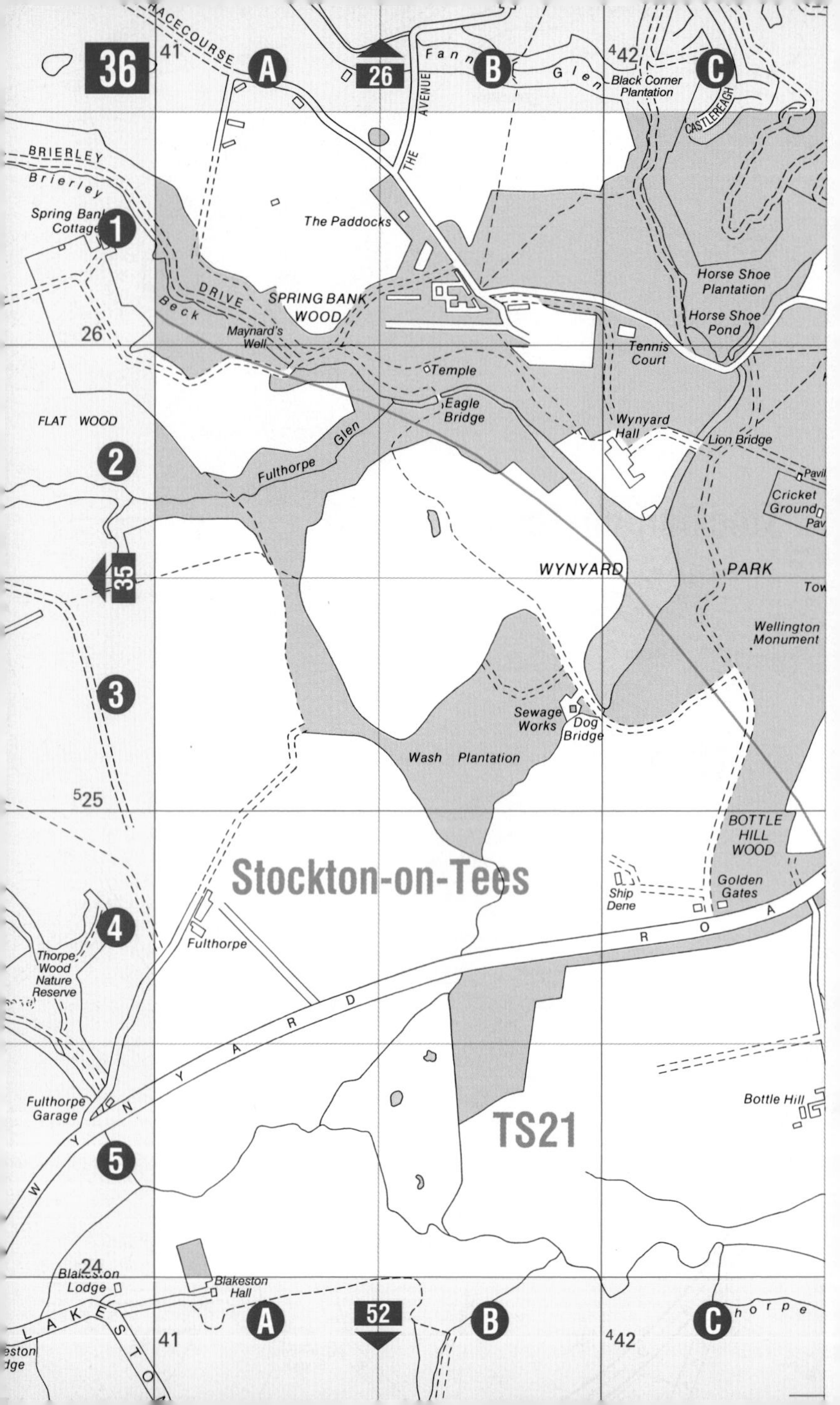

RACECOURSE
A
26
Fann
B
Glen
C
Black Corner Plantation
CASTLEREAGH
41
442
THE AVENUE
BRIERLEY
Brierley
Spring Bank Cottage
1
The Paddocks
Horse Shoe Plantation
Horse Shoe Pond
DRIVE
Beck
SPRING BANK WOOD
Maynard's Well
26
Tennis Court
Temple
Eagle Bridge
Wynyard Hall
Lion Bridge
FLAT WOOD
2
Fulthorpe Glen
Cricket Ground
35
WYNYARD
PARK
Wellington Monument
3
Sewage Works
Dog Bridge
Wash Plantation
525
BOTTLE HILL WOOD
Stockton-on-Tees
Ship Dene
Golden Gates
4
Thorpe Wood Nature Reserve
Fulthorpe
WYNYARD ROAD
Fulthorpe Garage
Bottle Hill
5
TS21
24
Blakeston Lodge
Blakeston Hall
BLAKESTON
A
52
B
C
41
442

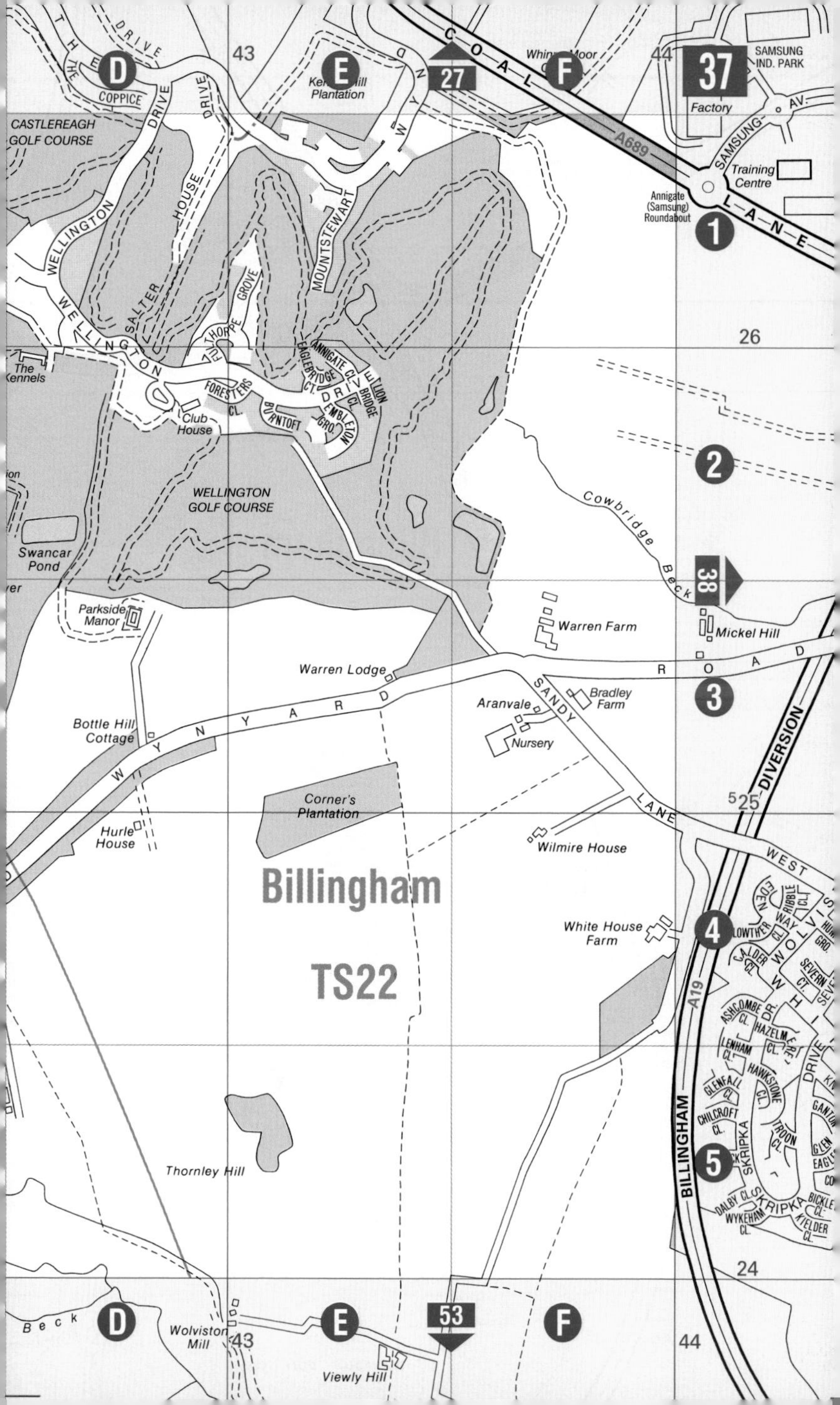

THE DRIVE
THE COPPICE
D
E
F
43
44
27
37
COAL LANE
A689
Whinny Moor
Kennel Hill Plantation
WYNYARD
SAMSUNG IND. PARK
Factory
SAMSUNG AV.
Training Centre
Annigate (Samsung) Roundabout
1
2
3
4
5
26
25
24
CASTLEREAGH GOLF COURSE
WELLINGTON DRIVE
SALTER HOUSE DRIVE
MOUNTSTEWART
FULTHORPE GROVE
ANNIGATE CL.
EAGLEBRIDGE CT.
LION BRIDGE CL.
DRIVE
EMBLETON GRO.
FORESTERS CL.
BURNTOFT
The Kennels
Club House
WELLINGTON GOLF COURSE
Swancar Pond
Cowbridge Beck
38
Warren Farm
Mickel Hill
Parkside Manor
Warren Lodge
ROAD
SANDY LANE
Bradley Farm
Aranvale
Nursery
WYNYARD ROAD
Bottle Hill Cottage
DIVERSION
Corner's Plantation
Hurle House
Wilmire House
WEST
Billingham
TS22
White House Farm
EDEN WAY
RIBBLE CL.
LOWTHER CL.
CALDER CL.
WOLVISTON
SEVERN CT.
A19
ASHCOMBE DR.
HAZELMERE
LENHAM CL.
HAWKSTONE CL.
DRIVE
GLENFALL CL.
CHILCROFT CL.
BILLINGHAM
SKRIPKA
TROON CL.
GLEN
EAGLE
GANTON
DALBY CL.
WYKEHAM CL.
SKRIPKA
BICKLEY CL.
KIELDER CL.
Thornley Hill
Beck
Wolviston Mill
53
Viewly Hill

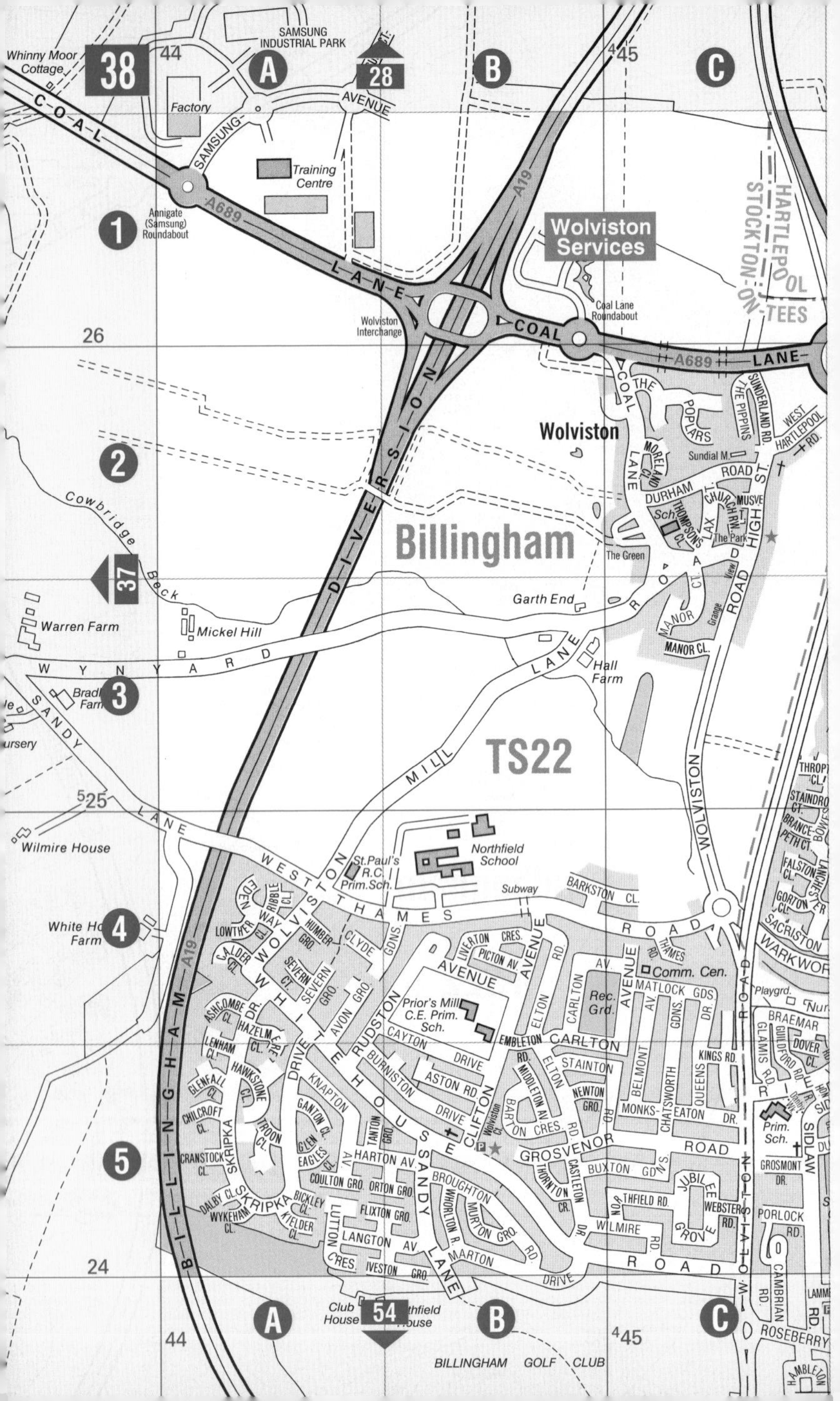
38
28
37
54
A
B
C
1
2
3
4
5
44
445
26
525
24
Whinny Moor Cottage
SAMSUNG INDUSTRIAL PARK
Factory
SAMSUNG AVENUE
Training Centre
Annigate (Samsung) Roundabout
COAL LANE
A689
A19
Wolviston Services
Wolviston Interchange
Coal Lane Roundabout
HARTLEPOOL
STOCKTON-ON-TEES
DIVERSION
Wolviston
Billingham
TS22
Cowbridge Beck
Warren Farm
Mickel Hill
WYNYARD ROAD
SANDY LANE
Wilmire House
White House Farm
Garth End
Hall Farm
MILL LANE
The Green
The Park
MANOR CL.
WOLVISTON ROAD
HIGH ST.
DURHAM ROAD
WEST HARTLEPOOL RD.
Sundial M.
THE POPLARS
THE PIPPINS
SUNDERLAND RD.
MORELAND CL.
THOMPSONS CL.
LAX CT.
CHURCH W.
Northfield School
St.Paul's R.C. Prim.Sch.
Subway
BARKSTON CL.
WEST THAMES ROAD
Comm. Cen.
Rec. Grd.
Prior's Mill C.E. Prim. Sch.
BILLINGHAM
WHITE HOUSE DRIVE
GROSVENOR ROAD
MARTON ROAD
BILLINGHAM GOLF CLUB
Club House
Northfield House
Playgrd.
Prim. Sch.
ROSEBERRY
CAMBRIAN RD.
SIDLAW
WARKWORTH
SACRISTON
LANCHESTER
Wolviston Ct.

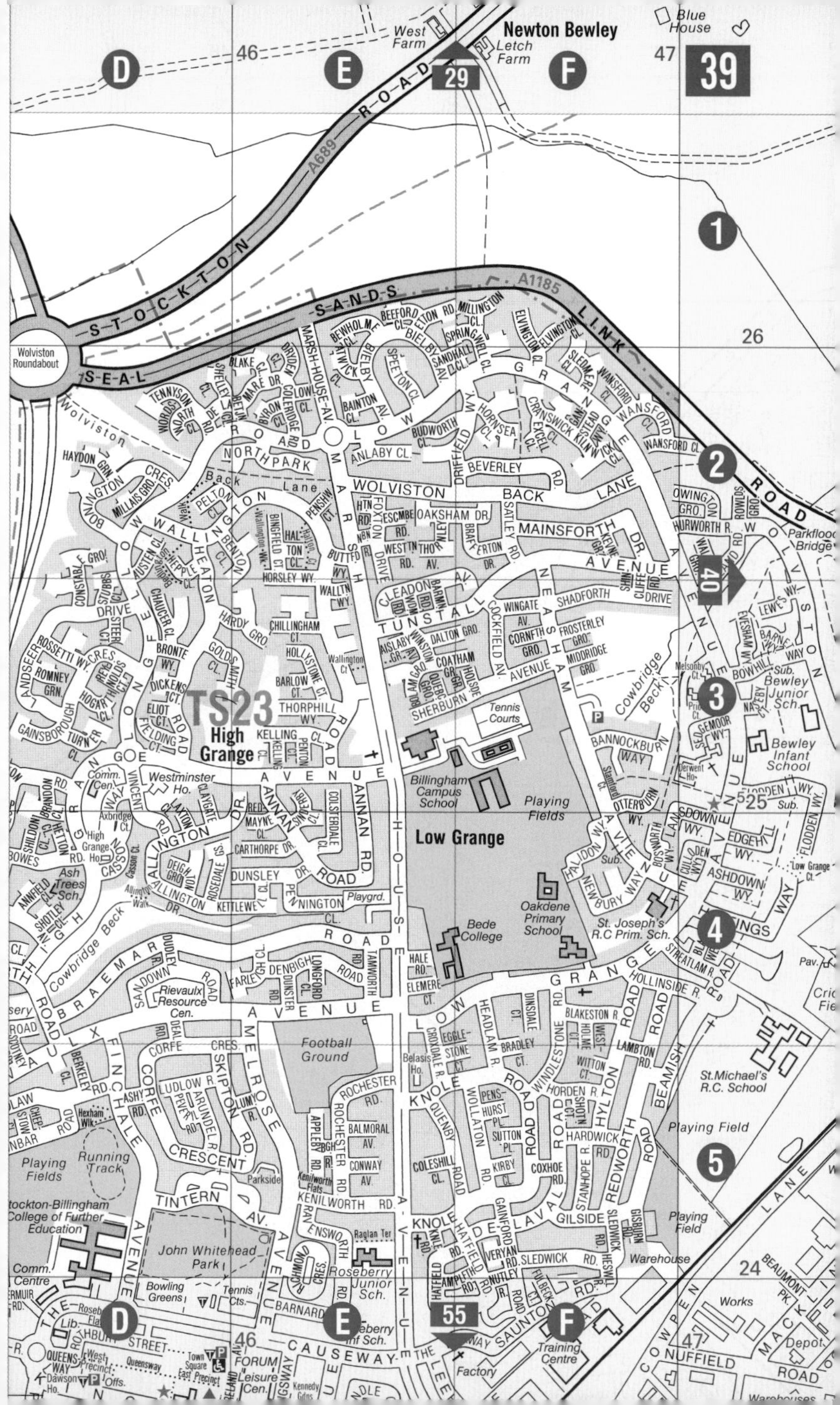
Newton Bewley
West Farm
Letch Farm
Blue House
STOCKTON ROAD
A689
SEAL SANDS LINK ROAD
A1185
Wolviston Roundabout
TS23
High Grange
Low Grange
Billingham Campus School
Playing Fields
Bede College
Oakdene Primary School
St. Joseph's R.C Prim. Sch.
Bewley Junior Sch.
Bewley Infant School
St.Michael's R.C. School
Playing Field
Football Ground
Running Track
Stockton-Billingham College of Further Education
John Whitehead Park
Roseberry Junior Sch.
Roseberry Inf Sch.
Training Centre
Factory
Works
Warehouse
Rievaulx Resource Cen.
Westminster Ho.
Ash Trees Sch.
Tennis Courts
Bowling Greens
Forum Leisure Cen.
Town Square
Parkflood Bridge
Cowbridge Beck
WOLVISTON BACK LANE
TUNSTALL AVENUE
GRANGE AVENUE
BRAEMAR ROAD
CAUSEWAY
THE AVENUE
MARSH HOUSE AVENUE
KNOLE ROAD
NUFFIELD ROAD
COWPEN LANE
40
29
55

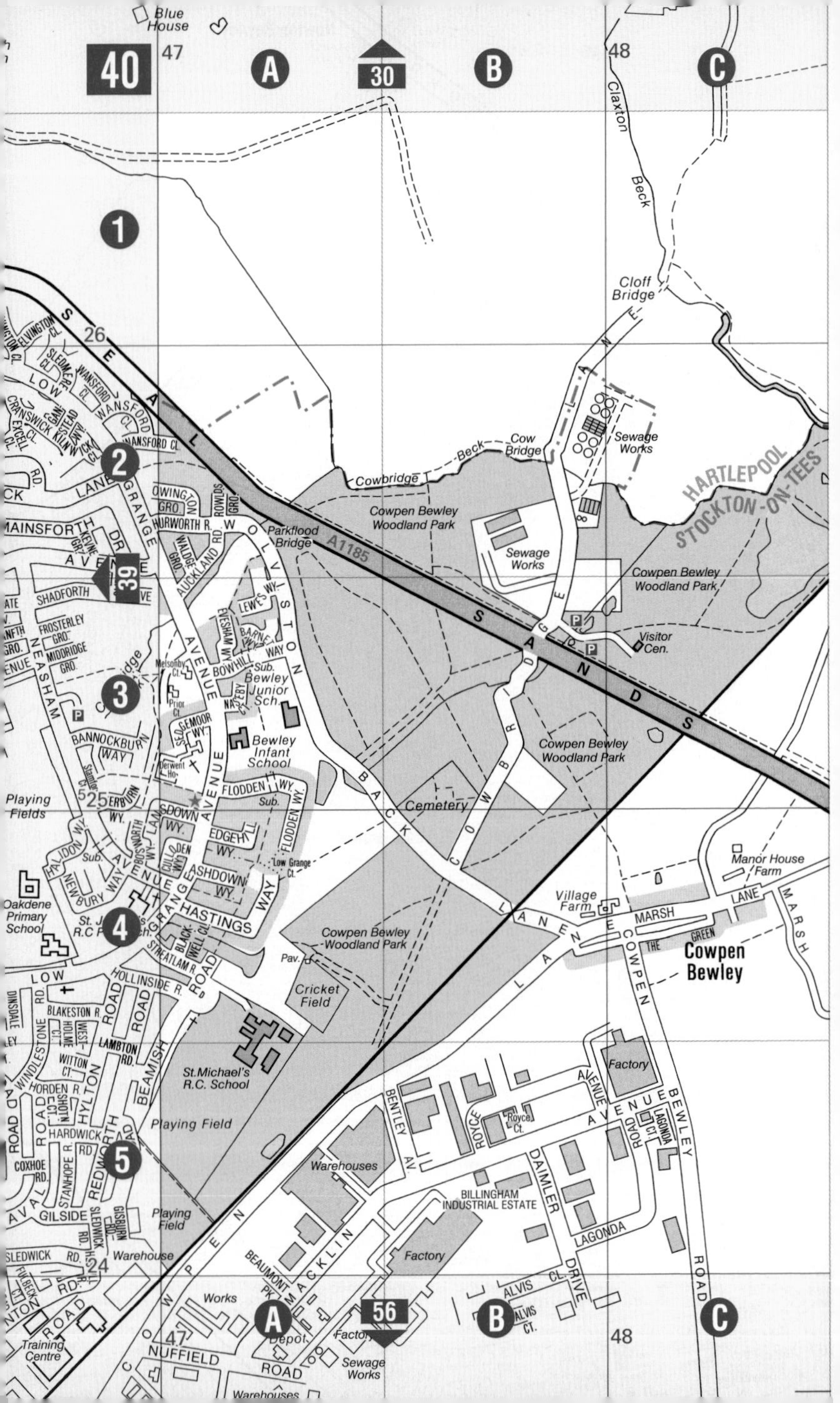
Blue House
47
A
30
B
48
C
Claxton Beck
1
Cloff Bridge
26
SEAL SANDS
LANE
ELVINGTON CL.
SLEDMERE CL.
WANSFORD CL.
LOW
CRANSWICK
KILNWICK CL.
EXCELL CL.
WANSFORD
2
Cow Bridge
Beck
Sewage Works
HARTLEPOOL
STOCKTON-ON-TEES
Cowbridge
Cowpen Bewley Woodland Park
LANE
GRANGE
OWINGTON GRO.
ROWLDS.
HURWORTH R.
MAINSFORTH
DRIVE
AVENUE
39
SHADFORTH
AUCKLAND RD.
Parkflood Bridge
A1185
OLVISTON
Sewage Works
Cowpen Bewley Woodland Park
FROSTERLEY GRO.
MIDDRIDGE GRO.
NEASHAM
LEWES WY.
EVESHAM WY
BARNET WY
BOWHILL WAY
Sub.
Bewley Junior Sch.
Visitor Cen.
BRIDGE
3
Melsonby Ct.
Prior Ct.
AVENUE
SEDGEMOOR WY.
NASEBY
BANNOCKBURN WAY
Bewley Infant School
Cowpen Bewley Woodland Park
Derwent Ho.
Playing Fields
25
FLODDEN WY.
Sub.
FLODDEN WY.
BACK
Cemetery
COWBRIDGE
LANSDOWN WY.
EDGEHILL WY.
HALIDON WY.
NEWBURY WAY
AVENUE
CULLODEN WY.
ASHDOWN WY.
Low Grange Ct.
WAY
Manor House Farm
Oakdene Primary School
St. J R.C P Sch.
4
GRANGE
HASTINGS
BLACKWELL CL.
Village Farm
LANE
MARSH
LANE
THE GREEN
COWPEN
MARSH
Cowpen Bewley
Cowpen Bewley Woodland Park
Pav.
STREATLAM R.
LOW
HOLLINSIDE R.
DINSDALE RD.
ROAD
ROAD
Cricket Field
BLAKESTON R.
HOLME CT.
WEST-
LAMBTON RD.
WITTON CT.
WINDLESTONE
HYLTON
BEAMISH
St. Michael's R.C. School
Factory
BENTLEY AV
ROYCE
Royce Ct.
AVENUE
AVENUE
LAGONDA CT.
BEWLEY
HORDEN R.
SHOTTON CT.
ROAD
HARDWICK
RD
Playing Field
ROAD
5
COXHOE RD.
STANHOPE R.
REDWORTH
Warehouses
DAIMLER
BILLINGHAM INDUSTRIAL ESTATE
GILSIDE
SLEDWICK RD.
GISBURN RD.
Playing Field
LAGONDA
SLEDWICK RD.
24
Warehouse
COWPEN
MACKLIN
BEAUMONT PK.
Factory
ROAD
RD.
ROAD
Works
ALVIS CL.
DRIVE
ALVIS CT.
56
A
B
C
Training Centre
47
Depot
Factory
48
NUFFIELD
ROAD
Sewage Works
Warehouses

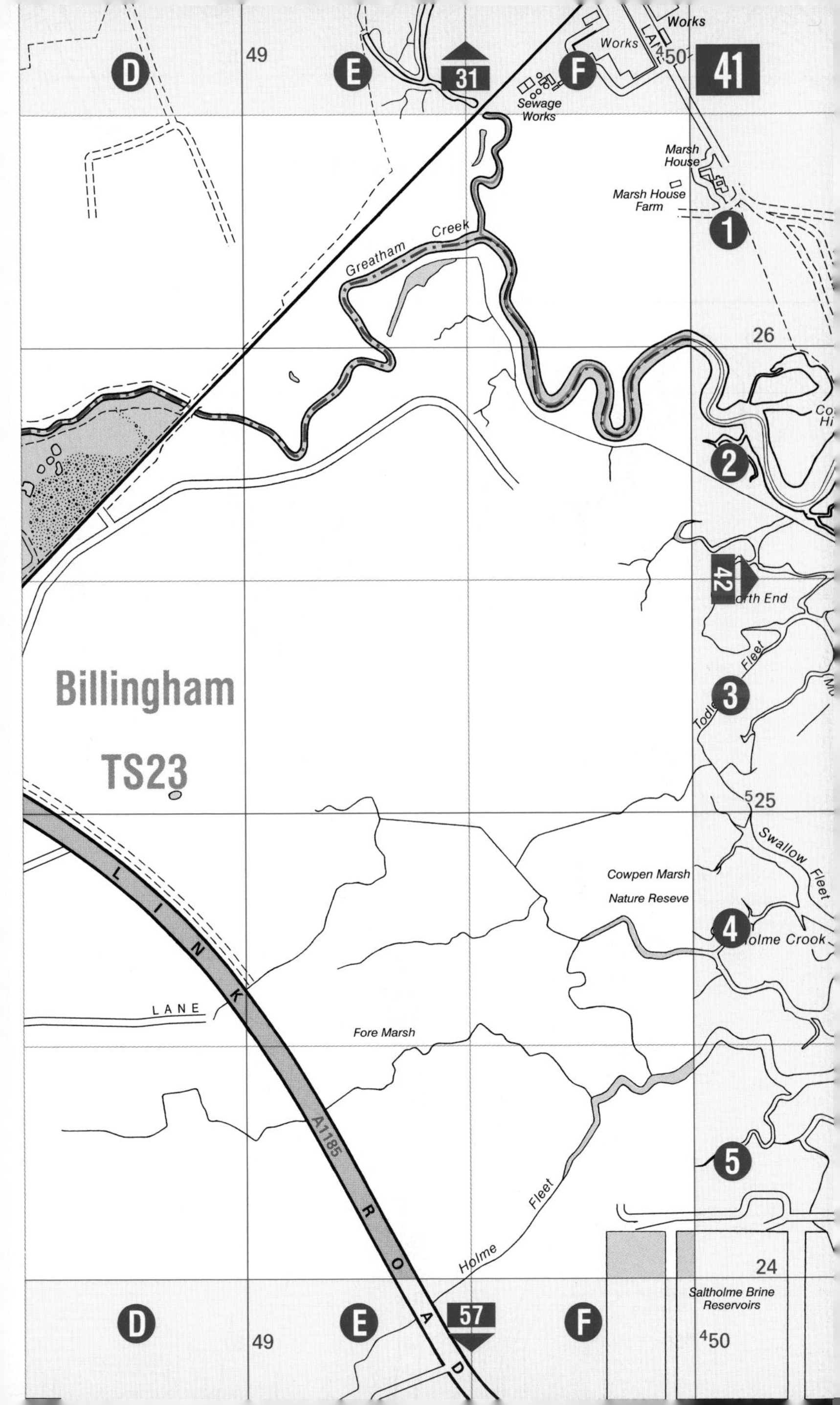

41
D
E
F
49
31
Works
Works
Sewage Works
Marsh House
Marsh House Farm
1
2
3
4
5
26
Greatham Creek
42
North End
Todle Fleet
525
Swallow Fleet
Cowpen Marsh
Nature Reseve
Holme Crook
Billingham
TS23
LINK ROAD
A1185
LANE
Fore Marsh
Holme Fleet
24
Saltholme Brine Reservoirs
450
57

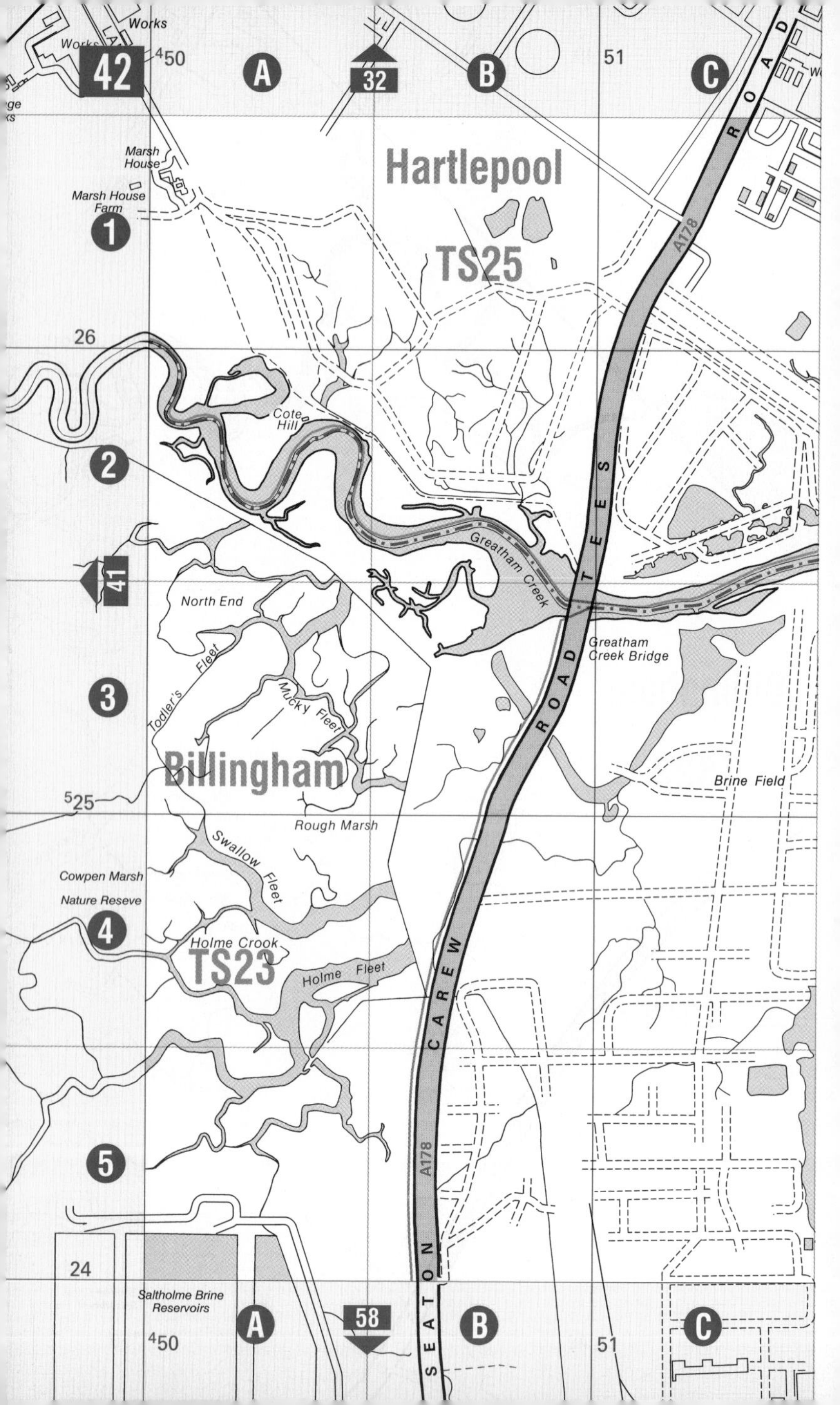

42

Works
Works
450

A

32

B

51

C

ROAD

ge
ks

Marsh
House
1
Marsh House
Farm

Hartlepool

TS25

A178

26

Cote
Hill

2

Greatham Creek

T
E
E
S

41

North End

Greatham
Creek Bridge

3

Todler's Fleet

Mucky Fleet

R
O
A
D

Billingham

Brine Field

5 25

Rough Marsh

Swallow Fleet

Cowpen Marsh
Nature Reseve
4

Holme Crook

TS23

Holme Fleet

C
A
R
E
W

5

A178

24

Saltholme Brine
Reservoirs

A

450

58

B

S
E
A
T
O
N

51

C

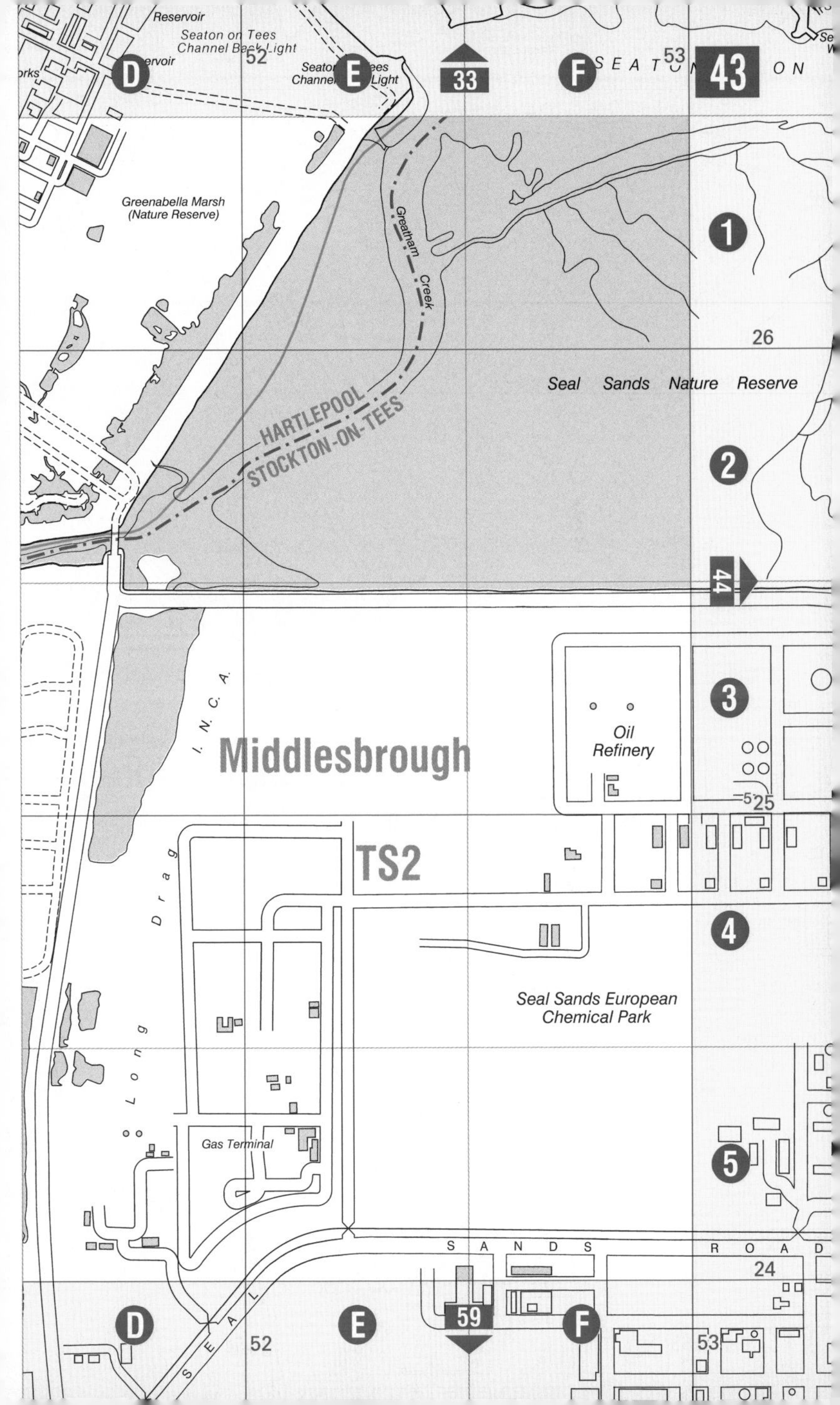

43
33
44
59
Reservoir
Seaton on Tees Channel Back Light
Seaton on Tees Channel Light
SEATON ON
Greenabella Marsh (Nature Reserve)
Greatham Creek
Seal Sands Nature Reserve
HARTLEPOOL
STOCKTON-ON-TEES
I. N. C. A.
Middlesbrough
Oil Refinery
TS2
Long Drag
Seal Sands European Chemical Park
Gas Terminal
SEAL SANDS ROAD
D
E
F
1
2
3
4
5
52
53
26
25
24

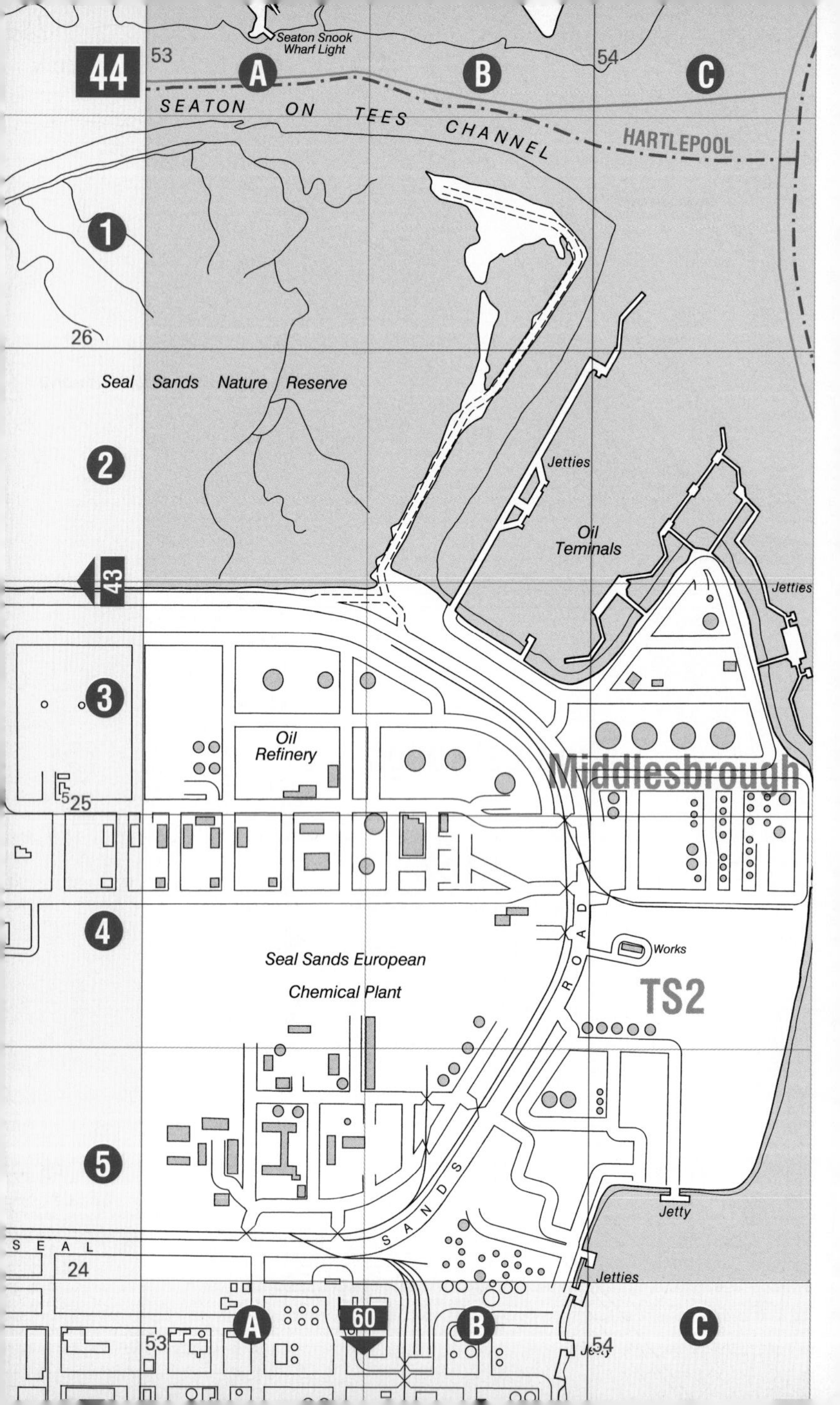

44 53 **A** **B** 54 **C**

Seaton Snook
Wharf Light

SEATON ON TEES CHANNEL HARTLEPOOL

1

26

Seal Sands Nature Reserve

2

Jetties

Oil
Teminals

◄**43**

Jetties

3

*Oil
Refinery*

Middlesbrough

25

4

Seal Sands European

Chemical Plant

ROAD

Works

TS2

5

Jetty

SEAL

24

Jetties

53 **A** **60** **B** 54 Jetty **C**

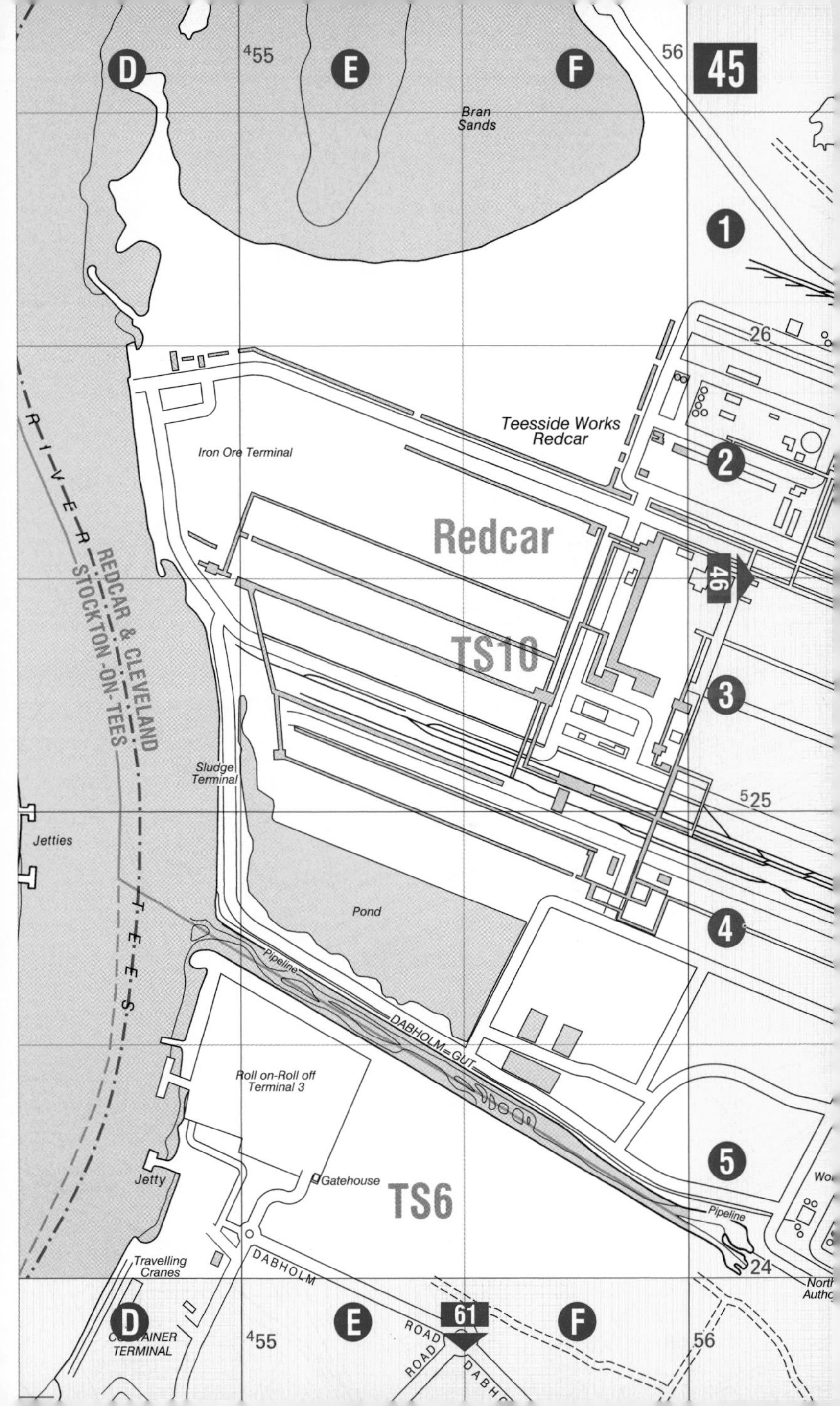

D
E
F
455
56
Bran Sands
1
26
Teesside Works Redcar
Iron Ore Terminal
2
Redcar
46
TS10
RIVER
REDCAR & CLEVELAND
STOCKTON-ON-TEES
3
Sludge Terminal
525
Jetties
Pond
4
Pipeline
DABHOLM GUT
TEES
Roll on-Roll off Terminal 3
5
Gatehouse
TS6
Pipeline
Jetty
Travelling Cranes
DABHOLM
24
ROAD
61
ROAD
TERMINAL

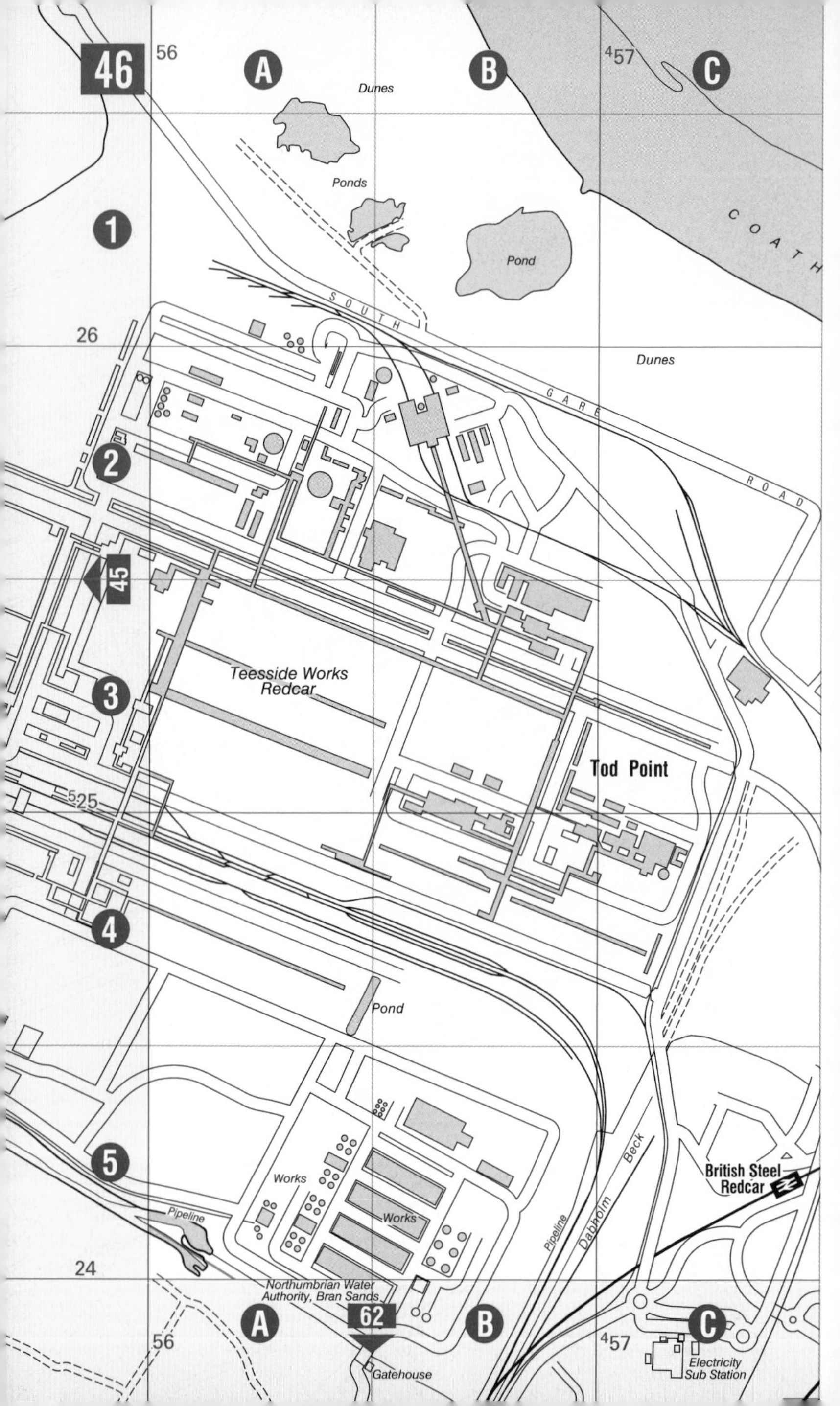
46
56
A
B
4 57
C
Dunes
Ponds
1
COATH
Pond
SOUTH
26
Dunes
GARE
2
ROAD
45
Teesside Works
Redcar
3
Tod Point
5 25
4
Pond
5
Works
Works
Pipeline
Pipeline
Dabholm
Beck
British Steel
Redcar
24
Northumbrian Water
Authority, Bran Sands
62
A
B
C
56
4 57
Gatehouse
Electricity
Sub Station

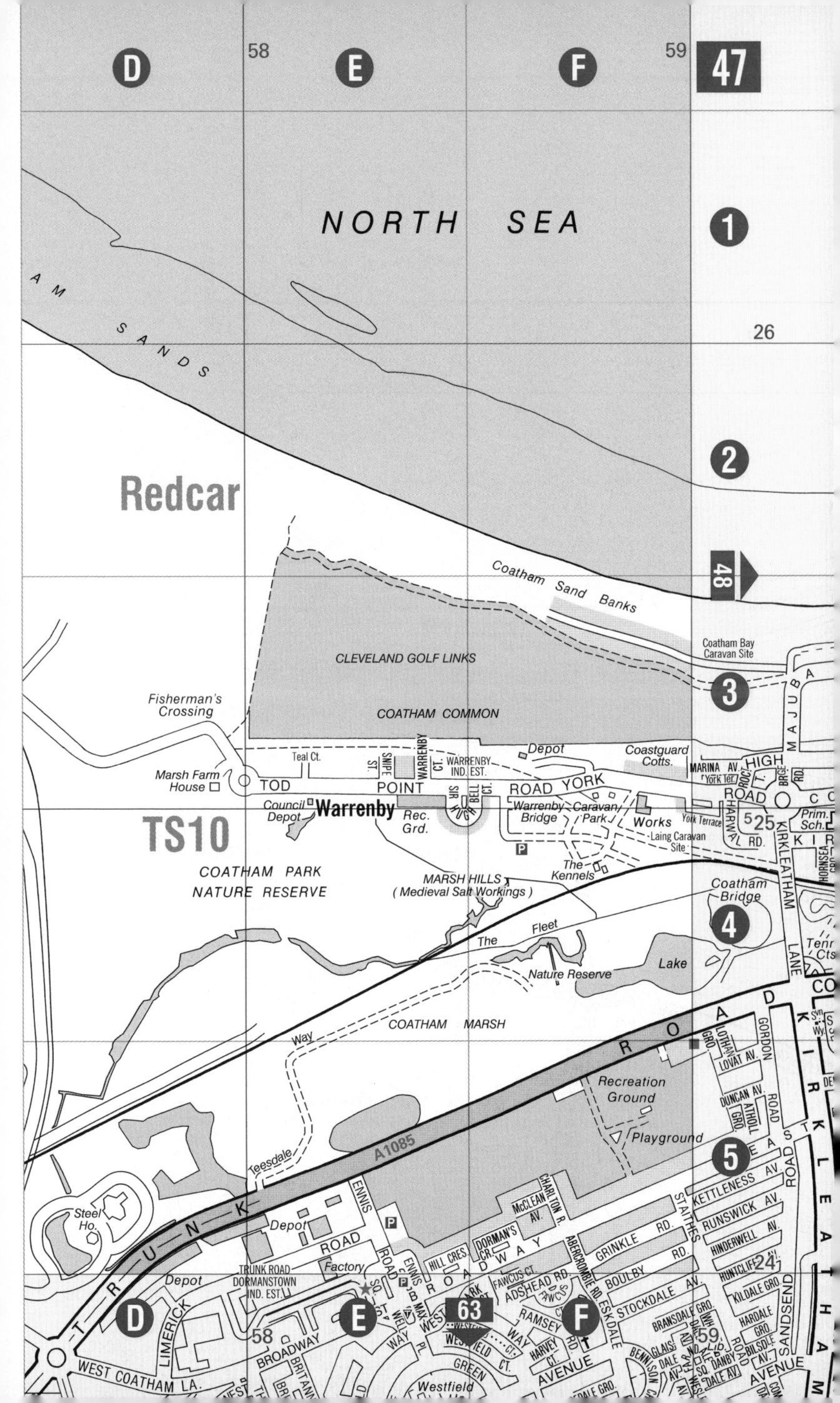

D
E
F
58
59
NORTH SEA
AM SANDS
26
Redcar
Coatham Sand Banks
48
CLEVELAND GOLF LINKS
Coatham Bay Caravan Site
COATHAM COMMON
Fisherman's Crossing
Marsh Farm House
TOD POINT ROAD YORK
Teal Ct.
SNIPE ST.
WARRENBY CT.
WARRENBY IND. EST.
Depot
Coastguard Cotts.
MARINA AV.
HIGH
York Ter.
ROAD
Council Depot
Warrenby
Rec. Grd.
SIR HUGH BELL CT.
Warrenby Bridge
Caravan Park
Works
York Terrace
HARWAL RD.
KIRKLEATHAM LANE
Prim. Sch.
TS10
Laing Caravan Site
The Kennels
COATHAM PARK NATURE RESERVE
MARSH HILLS (Medieval Salt Workings)
Coatham Bridge
The Fleet
Nature Reserve
Lake
COATHAM MARSH
Way
TRUNK ROAD
A1085
Recreation Ground
Playground
LOTHIAN GRO.
LOVAT AV.
GORDON ROAD
DUNCAN AV.
ATHOLL GRO.
Teesdale
ENNIS ROAD
Steel Ho.
Depot
Factory
TRUNK ROAD DORMANSTOWN IND. EST.
McCLEAN AV.
CHARLTON R.
DORMAN'S CR.
HILL CRES.
DWAY
GRINKLE RD.
STAITHES
KETTLENESS AV.
RUNSWICK AV.
HINDERWELL AV.
HUNTCLIFF AV.
KILDALE GRO.
HARDALE GRO.
BOULBY RD.
STOCKDALE AV.
ABERCROMBIE RD.
ADSHEAD RD.
FAWCUS CT.
RAMSEY
ESKDALE
BRANSDALE GRO.
63
Westfield
WEST COATHAM LA.
LIMERICK
BROADWAY
GREEN
AVENUE
SANDSEND
24

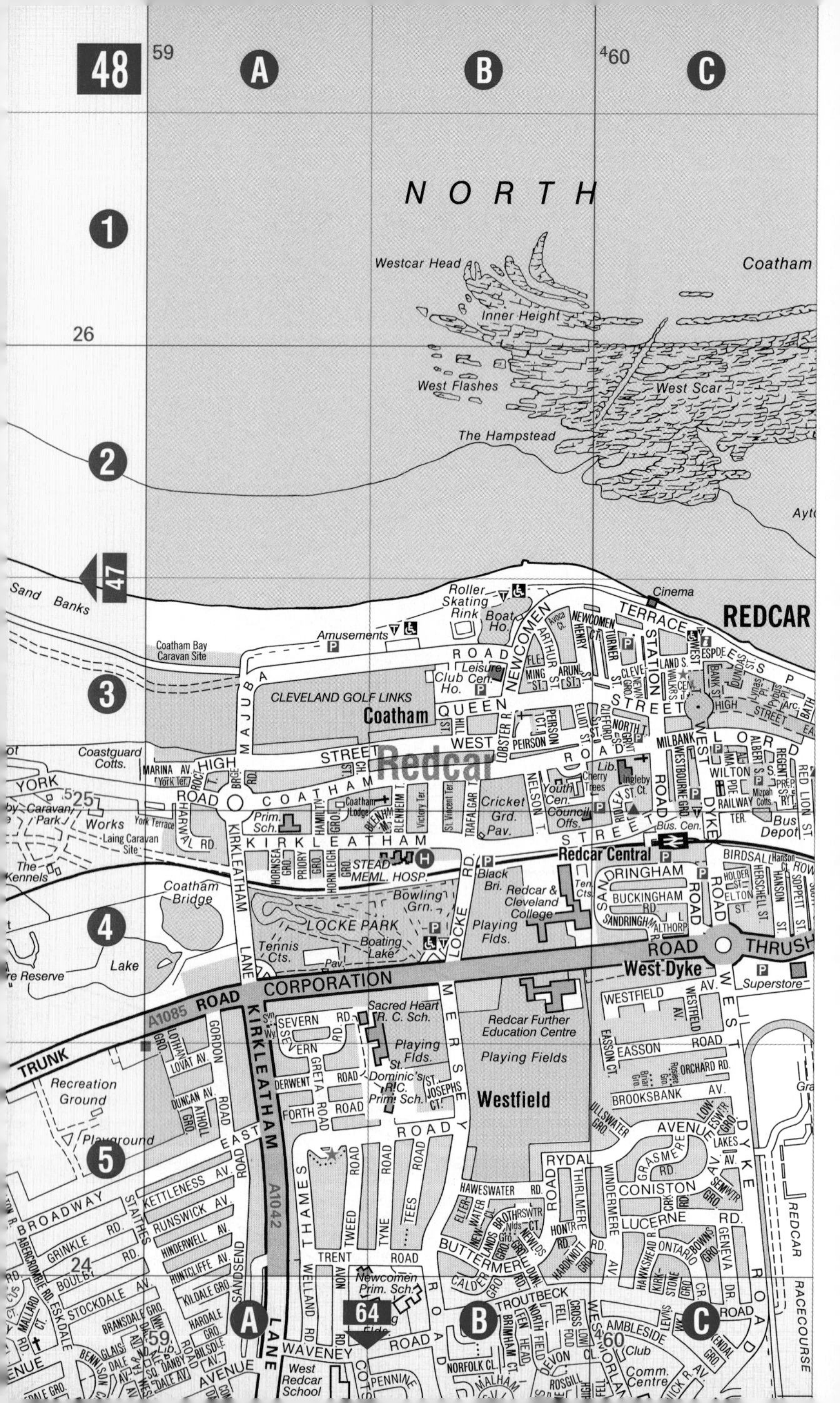

59
A
B
460
C
1
2
3
4
5
26
25
24
NORTH
Westcar Head
Coatham
Inner Height
West Flashes
West Scar
The Hampstead
Sand Banks
47
Roller Skating Rink
Boat Ho.
Cinema
REDCAR
Amusements
Coatham Bay Caravan Site
CLEVELAND GOLF LINKS
Coatham
Redcar
Coastguard Cotts.
YORK
Caravan Park
Works
Laing Caravan Site
The Kennels
Coatham Bridge
Lake
Reserve
Prim. Sch.
STEAD MEML. HOSP.
LOCKE PARK
Bowling Grn.
Tennis Cts.
Boating Lake
Pav.
Cricket Grd. Pav.
Youth Cen.
Council Offs.
Cherry Trees
Lib.
Ingleby Ct.
Redcar Central
Bus Cen.
Bus Depot
Black Bri.
Redcar & Cleveland College
Playing Flds.
West Dyke
Superstore
CORPORATION ROAD
A1085
TRUNK
KIRKLEATHAM
A1042
Recreation Ground
Playground
Sacred Heart R. C. Sch.
St. Dominic's R.C. Prim. Sch.
Redcar Further Education Centre
Playing Fields
Westfield
Newcomen Prim. Sch.
West Redcar School
Club
Comm. Centre
RACECOURSE
64

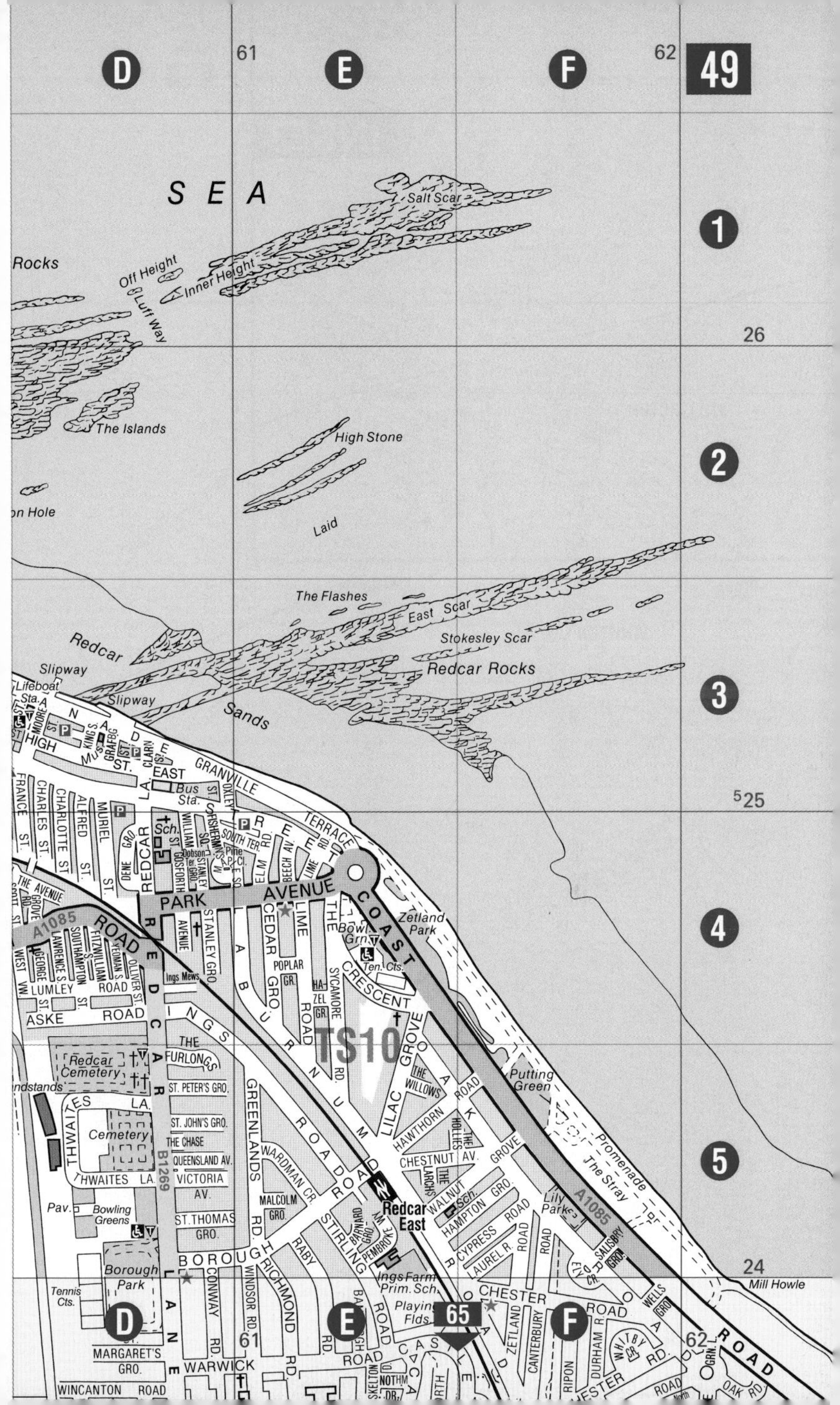

1

26

2

3

5 25

4

5

24

S E A

Salt Scar

Rocks

Off Height

Inner Height

Bluff way

The Islands

on Hole

High Stone

Laid

The Flashes

East Scar

Stokesley Scar

Redcar Rocks

Redcar

Slipway

Lifeboat Sta.

Slipway

Sands

HIGH

GRANVILLE

EAST

TERRACE

Bus Sta.

Sch.

REDCAR

FRANCE ST.

CHARLES ST.

CHARLOTTE ST.

ALFRED ST.

MURIEL ST.

Mus.

CLARN

WILLIAM ST.

SOUTH TER.

COATHAM

PARK

AVENUE

LIME

CEDAR GRO.

THE

Bowl Grn.

ZETLAND

Park

Ten. Cts.

COAST

POPLAR GR.

SYCAMORE

CRESCENT

GROVE

TS10

THE AVENUE

A1085

ROAD

GEORGE ST.

WEST VW.

LAWRENCE'S

SOUTHAMPTON

ROAD

LUMLEY

ROAD

ASKE

STANLEY GRO.

AVENUE

Ings Mews

KINGS

HAZEL GR.

LILAC

ROAD

NUM

HAWTHORN

THE

WILLOWS

Putting

Green

Promenade

The Stray

THE FURLONGS

ST. PETER'S GRO.

ST. JOHN'S GRO.

THE CHASE

QUEENSLAND AV.

VICTORIA AV.

WARDMAN CR.

MALCOLM GRO.

ST. THOMAS GRO.

GREENLANDS

ROAD

CHESTNUT AV.

THE LARCHS

THE WALNUT

HAMPTON GRO.

CYPRESS ROAD

LAUREL R.

A1085

Lily Park

SALSMR GROM.

Redcar Cemetery

ndstands

THWAITES LA.

Cemetery

B1269

THWAITES LA.

Pav.

Bowling Greens

Borough Park

Tennis Cts.

MARGARET'S GRO.

WINCANTON ROAD

WARWICK

D

BOROUGH

CONWAY RD.

WINDSOR RD.

STIRLING

RICHMOND

RUGBY

PEMBROKE

Redcar East

Ings Farm Prim. Sch.

Playing Flds.

65

CHESTER

E

ZETLAND

CANTERBURY

DURHAM R.

WHITBY

RIPON

CHESTER

ROAD

WELLS GRO.

Mill Howle

F

62

ROAD

OAK RD.

LANE

CASTLE

LINACRE

SKETL

NOTTM.

OGRM

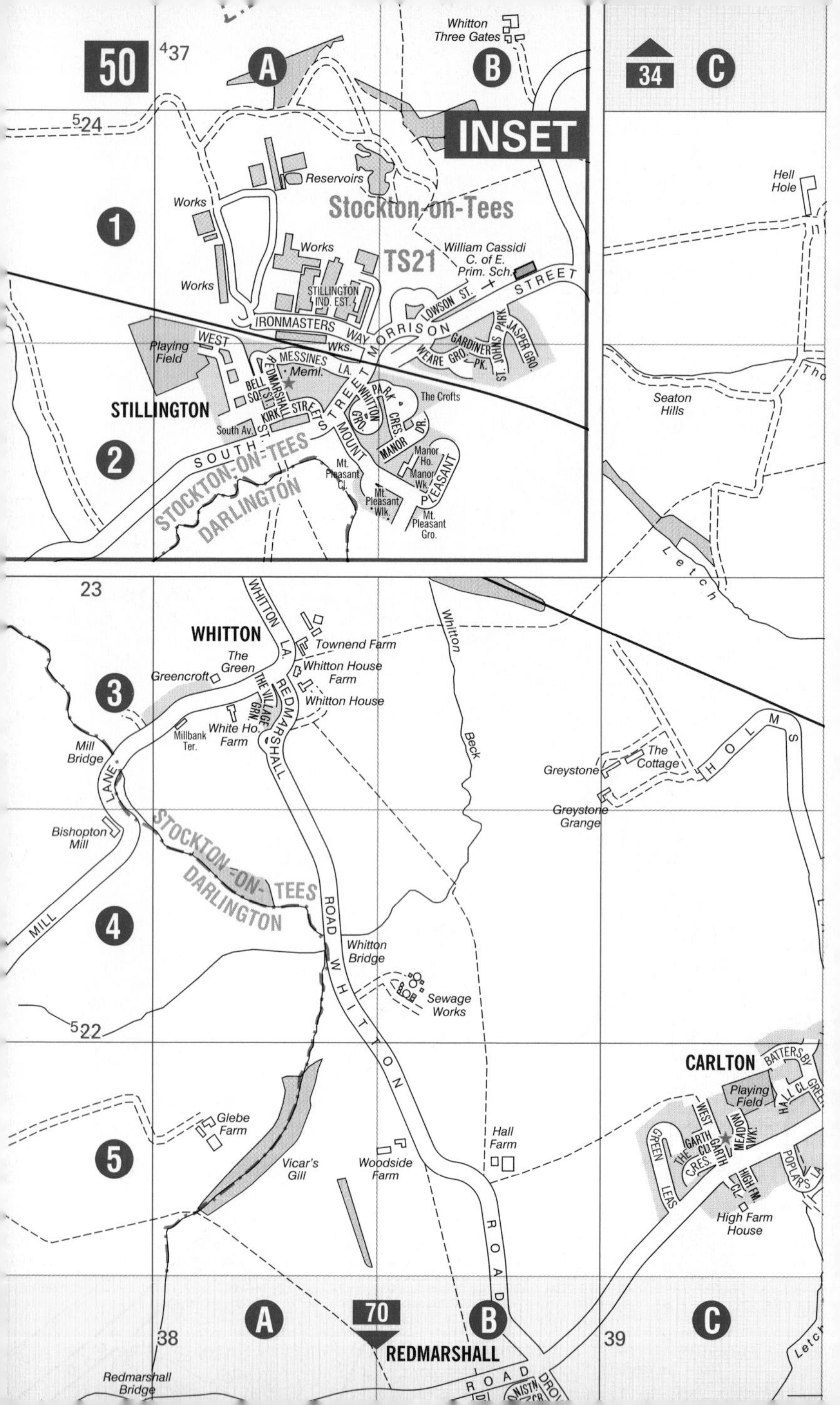

50 ⁴37

A

Whitton Three Gates **B**

🔺 **34** **C**

⁵24

1

Reservoirs

Stockton-on-Tees

Works

Hell Hole

Works

TS21

William Cassidi C. of E. Prim. Sch.

Works

STILLINGTON IND. EST.

WEARE GRO.

LOWSON ST.

STREET

SHORT ST.

GARDINER PK.

JASPER GRO.

IRONMASTERS WAY

MORRISON

Playing Field

WEST

WKS.

MESSINES LA.

Meml.

COMARSHAL LA.

BELL SQ.

KIRK STR.

WHITTON

CROFT

STREET

PARK CRES.

MANOR

DR.

The Crofts

STILLINGTON

South Av.

MOUNT

PLEASANT

Manor Ho.

Manor Wk.

Seaton Hills

SOUTH

STOCKTON-ON-TEES

DARLINGTON

Mt. Pleasant

Mt. Pleasant Wlk.

Mt. Pleasant Gro.

2

L e t c h

T h o

23

WHITTON LA.

Whitton

WHITTON

Townend Farm

Whitton

The Green

Whitton House Farm

REDMARSHALL

Greencroft

THE VILLAGE GRN.

Whitton House

3

Millbank Ter.

White Ho. Farm

Beck

Greystone

The Cottage

HOLMS

Mill Bridge

LANE

Greystone Grange

Bishopton Mill

STOCKTON-ON-TEES

DARLINGTON

4

ROAD

WHITTON

Whitton Bridge

⁵22

B.O.B.

B.O.B.

Sewage Works

CARLTON

BATTERSB.

Playing Field

HALL CL.

GREE

5

Glebe Farm

WEST GARTH CRES.

GARTH WK.

GREEN LEAS

THE GARTH

HIGH RW.

POPLARS LA.

Vicar's Gill

Woodside Farm

Hall Farm

High Farm House

A

🔻 **70** **B**

C

38

REDMARSHALL

39

Redmarshall Bridge

ROAD

VISTA

Letch

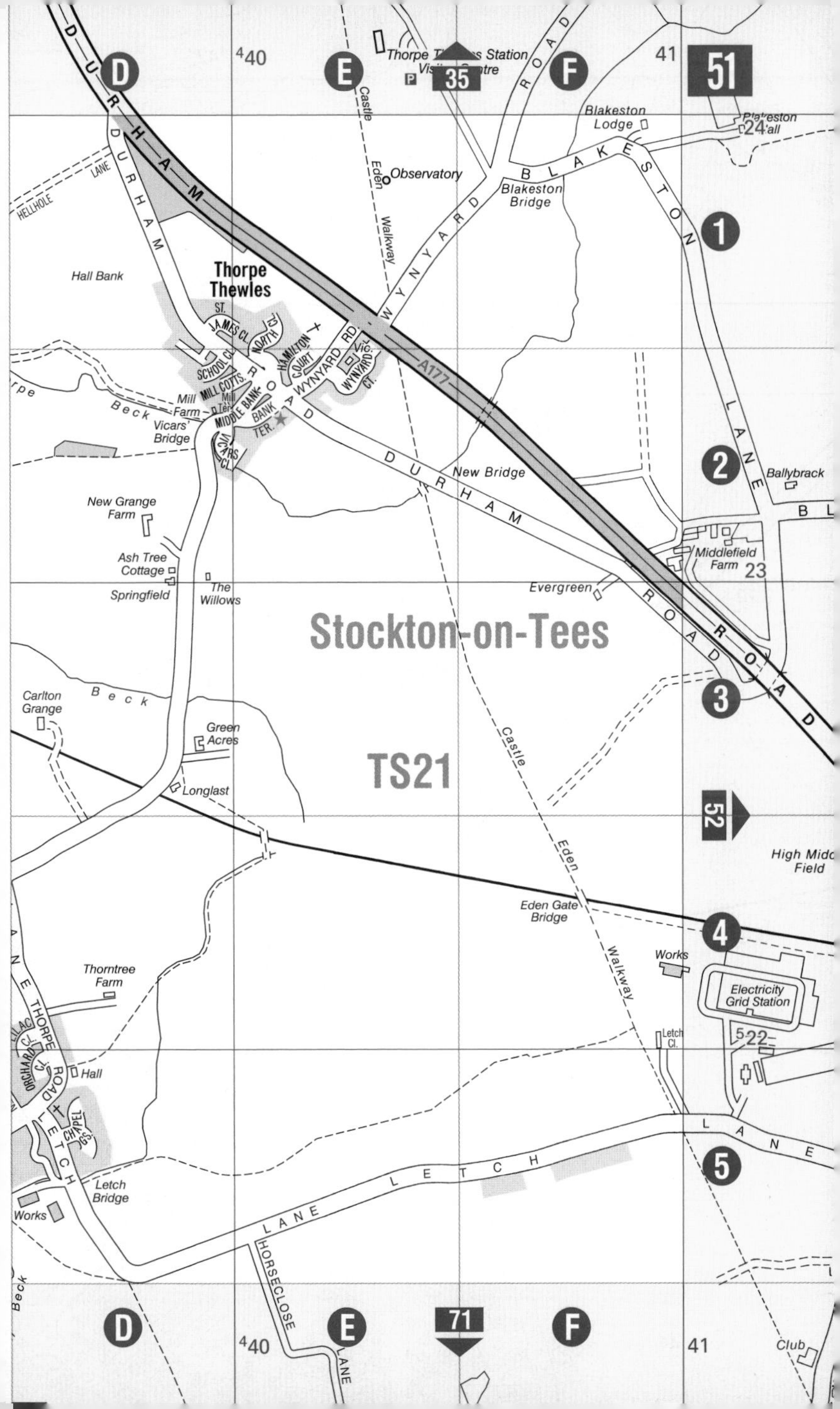

440
41
D
E
F
35
Thorpe Thewles Station Visitor Centre
Castle Eden Walkway
Observatory
Blakeston Lodge
Blakeston Hall
24
Blakeston Bridge
BLAKESTON LANE
WYNYARD ROAD
DURHAM ROAD
DURHAM LANE
HELLHOLE LANE
1
2
3
4
5
Hall Bank
Thorpe Thewles
ST. JAMES CL.
NORTH CL.
HAMILTON COURT
WYNYARD RD.
Vic.
WYNYARD CT.
SCHOOL CL.
MILL COTTS.
Mill Ter.
MIDDLE BANK
BANK TER.
VICARS CL.
Mill Farm
Beck
Vicars' Bridge
A177
New Bridge
Ballybrack
Middlefield Farm
23
New Grange Farm
Ash Tree Cottage
Springfield
The Willows
Evergreen
Stockton-on-Tees
Carlton Grange
Green Acres
Longlast
TS21
52
High Midd Field
Eden Gate Bridge
Works
Electricity Grid Station
Thorntree Farm
Letch Cl.
22
LILAC
ORCHARD CL.
THORPE ROAD
Hall
CHAPEL GS.
LETCH LANE
Letch Bridge
Works
HORSECLOSE LANE
71
Club

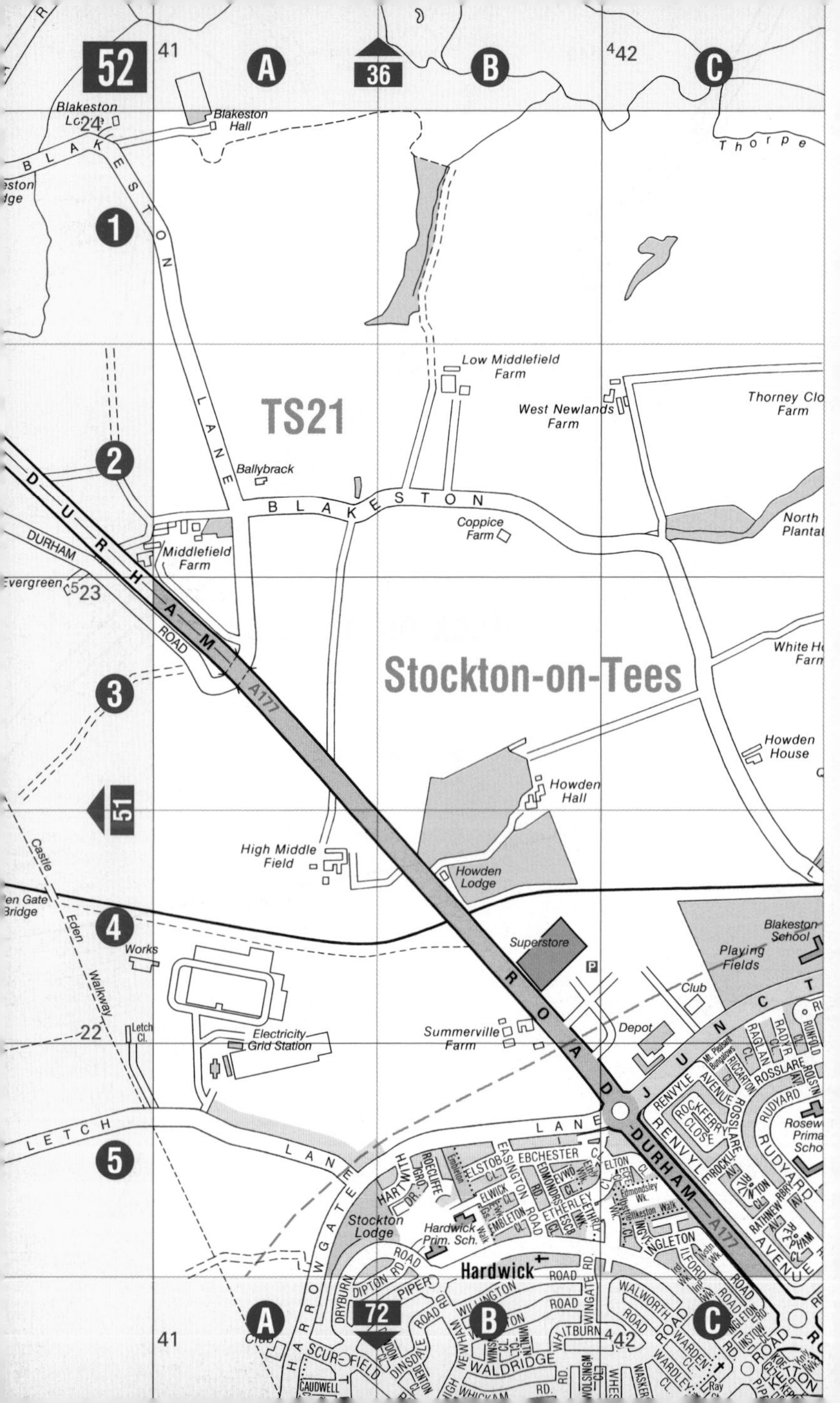

41
A
36
B
442
C
Blakeston Lodge
24
Blakeston Hall
BLAKESTON LANE
Thorpe
1
TS21
Low Middlefield Farm
West Newlands Farm
Thorney Clo Farm
2
DURHAM ROAD
Ballybrack
BLAKESTON
Coppice Farm
North Plantat
Middlefield Farm
Evergreen
23
Stockton-on-Tees
White H Farm
3
A177
Howden House
Howden Hall
51
High Middle Field
Howden Lodge
Castle Eden Walkway
4
Works
Superstore
Blakeston School
Playing Fields
Club
Summerville Farm
Depot
Electricity Grid Station
22
Letch Cl.
JUNCTION
LETCH LANE
5
HARROWGATE
Stockton Lodge
Hardwick Prim. Sch.
Hardwick
RENVYLE
RUDYARD AVENUE
Rosew Prima Scho
INGLETON
72
A
41
B
42
C
Club
WALDRIDGE
CAUDWELL
WALWORTH ROAD

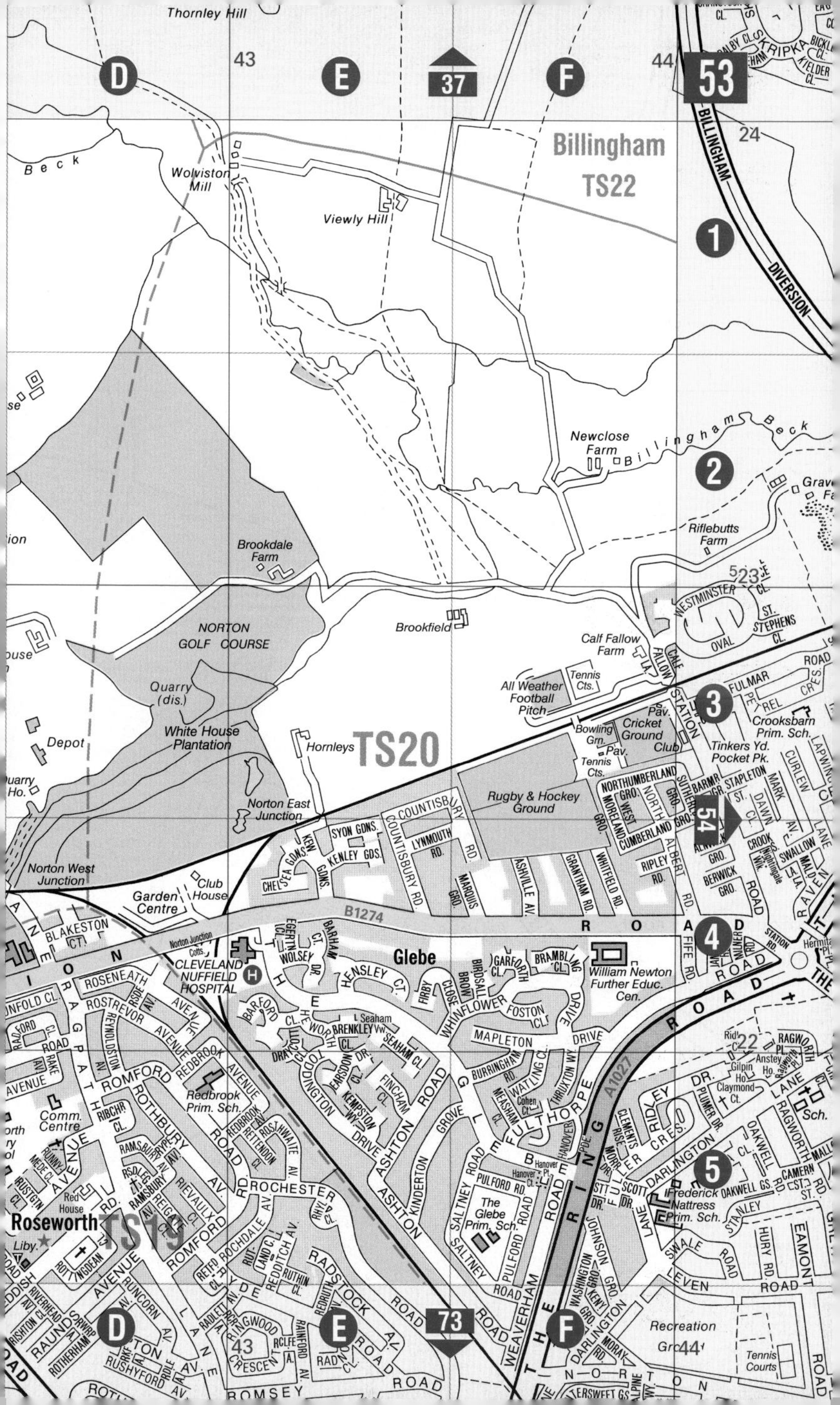

Thornley Hill
43
44
37
24
Billingham
TS22
Beck
Wolviston Mill
Viewly Hill
BILLINGHAM
DIVERSION
Newclose Farm
Billingham Beck
Riflebutts Farm
Brookdale Farm
NORTON GOLF COURSE
Brookfield
Calf Fallow Farm
WESTMINSTER
OVAL
ST. STEPHENS CL.
All Weather Football Pitch
Tennis Cts.
Quarry (dis.)
White House Plantation
Depot
Hornleys
TS20
Cricket Ground
Bowling Grn.
Pav.
Club
Crooksbarn Prim. Sch.
Tinkers Yd. Pocket Pk.
Rugby & Hockey Ground
Norton East Junction
Norton West Junction
NORTHUMBERLAND
CUMBERLAND GRO.
STAPLETON
CURLEW
COUNTISBURY
SYON GDNS.
KENLEY GDS.
LYNMOUTH RD.
CHELSEA GDNS.
ASHVILLE AV.
GRANTHAM RD.
WHITFIELD RD.
RIPLEY RD.
BERWICK GRO.
SWALLOW
Garden Centre
Club House
B1274
ROAD
BLAKESTON CT.
CLEVELAND NUFFIELD HOSPITAL
Glebe
HENSLEY CT.
WOLSEY DR.
GARFORTH CL.
BRAMBLING CL.
William Newton Further Educ. Cen.
FIFE RD.
MILNER
ROSENEATH
ROSTREVOR
REYNOLDSTON AV.
REDBROOK AVENUE
WHINFLOWER
FOSTON CL.
MAPLETON DRIVE
BRENKLEY CL.
SEAHAM CL.
TODDINGTON
FINCHAM CL.
KEMPSTON WY.
ASHTON ROAD
BURRINGHAM RD.
WATLING CL.
THRUXTON WY.
A1027
THE RING ROAD
RAGWORTH PL.
Anstey Ho.
Gilpin Ho.
Claymond Ct.
RIDLEY DR.
PLUMER DR.
Sch.
ROMFORD
ROTHBURY ROAD
Redbrook Prim. Sch.
Comm. Centre
RIEVAULX AV.
ROCHESTER
FULTHORPE
GLEBE
Hanover Ct.
PULFORD RD.
The Glebe Prim. Sch.
SALTNEY ROAD
WEAVERHAM ROAD
DARLINGTON LANE
OAKWELL GS.
Frederick Nattress Prim. Sch.
STANLEY
SWALE ROAD
LEVEN ROAD
EAMONT
Roseworth
Liby.
TS19
ROTTINGDEAN
RUNCORN AV.
RADSTOCK AV.
REDDITCH AV.
RUTHIN CL.
ROCHDALE AV.
73
RINGWOOD CRESCENT
RAINFORD AV.
ROMSEY
WASHINGTON GRO.
JOHNSON GRO.
Recreation Grd.
Tennis Courts
NORTON
RAUNDS
ROTHERHAM
RUSHYFORD AV.

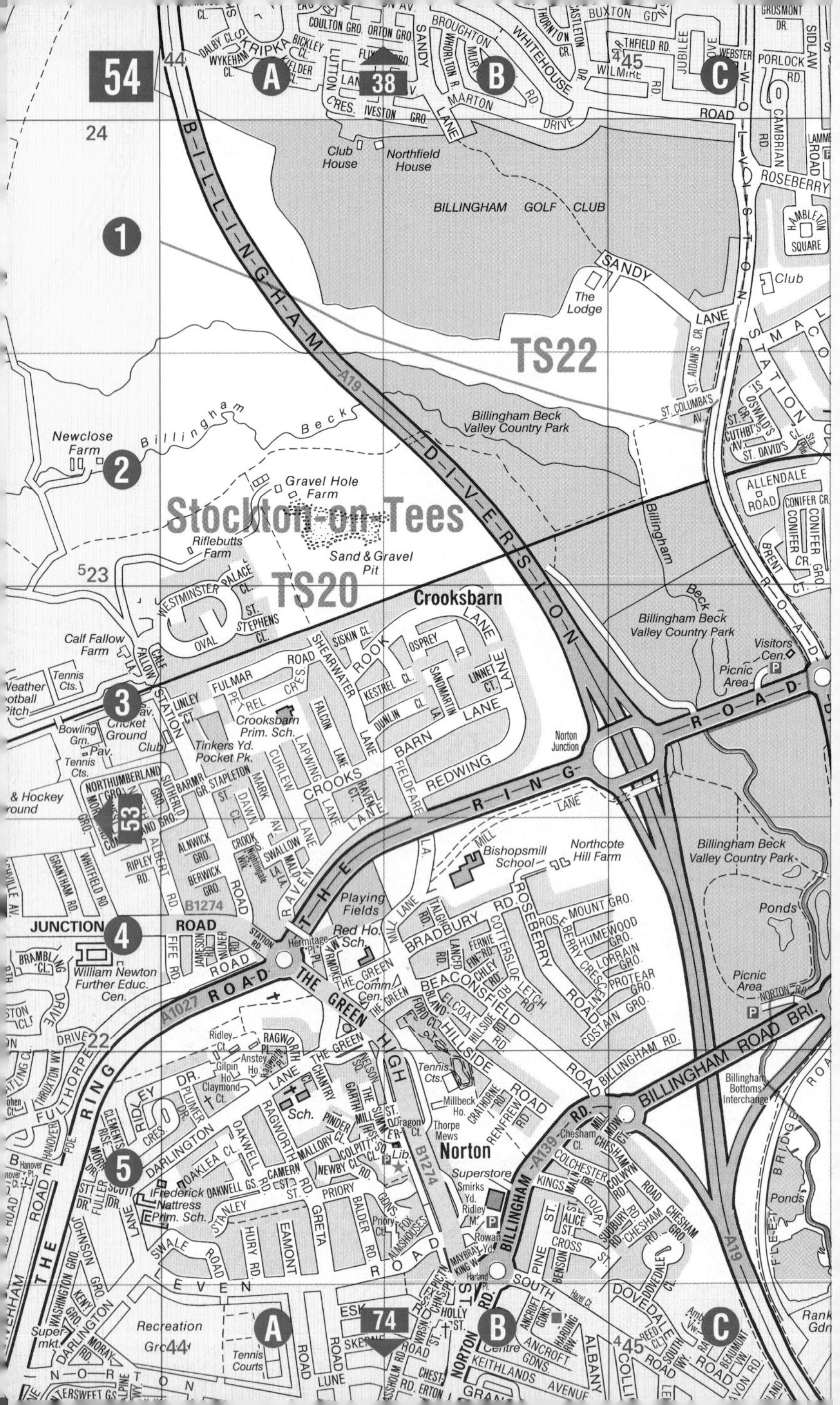

38
BILLINGHAM GOLF CLUB
Club House
Northfield House
SANDY LANE
The Lodge
TS22
BILLINGHAM DIVERSION
A19
Billingham Beck
Billingham Beck Valley Country Park
Newclose Farm
Gravel Hole Farm
Stockton-on-Tees
Riflebutts Farm
Sand & Gravel Pit
TS20
Crooksbarn
Calf Fallow Farm
Crooksbarn Prim. Sch.
Tinkers Yd. Pocket Pk.
Cricket Ground
Bowling Grn.
Tennis Cts.
Norton Junction
THE RING ROAD
Visitors Cen.
Picnic Area
Bishopsmill School
Northcote Hill Farm
Playing Fields
Red Ho. Sch.
Ponds
53
JUNCTION ROAD
William Newton Further Educ. Cen.
A1027
B1274
THE GREEN
HIGH ST.
BILLINGHAM ROAD BRI.
Billingham Bottoms Interchange
A139
Norton
Superstore
Frederick Nattress Prim. Sch.
Recreation Grd.
Tennis Courts
74
ROSEBERRY RD.
STATION ROAD
HAMBLETON SQUARE
ALLENDALE ROAD
CONIFER CRES.
DARLINGTON LANE
LEVEN ROAD
RAGWORTH RD.
HILLSIDE ROAD
BEACONSFIELD RD.
BRADBURY RD.
CHESHAM RD.
DOVEDALE
KEITHLANDS AVENUE
NORTON RD.

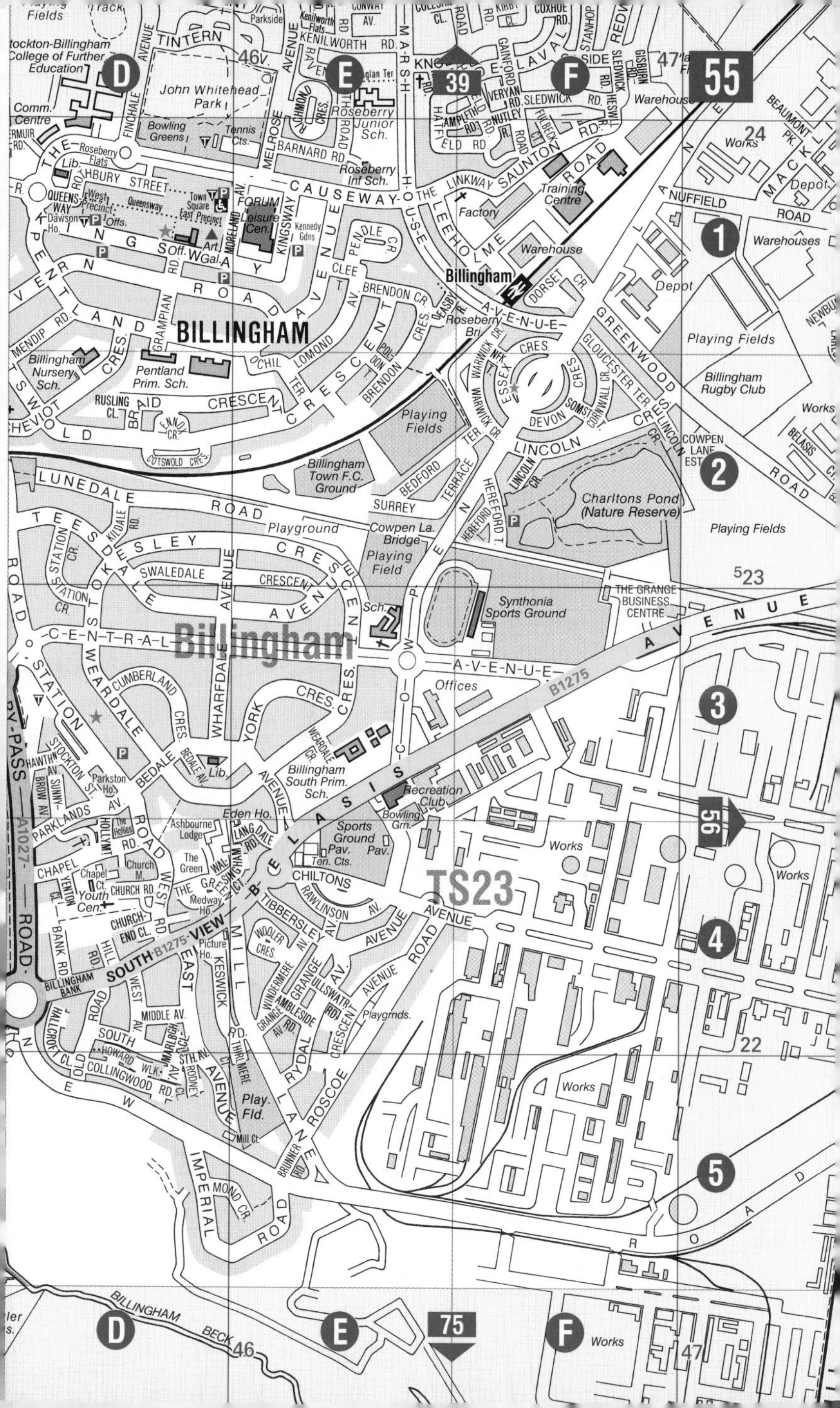
BILLINGHAM
Billingham
TS23
Stockton-Billingham College of Further Education
John Whitehead Park
Roseberry Junior Sch.
Roseberry Inf Sch.
Forum Leisure Cen.
Pentland Prim. Sch.
Billingham Nursery Sch.
Billingham Town F.C. Ground
Playing Fields
Billingham Rugby Club
Charltons Pond (Nature Reserve)
Synthonia Sports Ground
THE GRANGE BUSINESS CENTRE
Billingham South Prim. Sch.
Recreation Club
Works
Warehouses
Training Centre
Factory
Billingham
BELASIS AVENUE
B1275
CENTRAL AVENUE
KINGS ROAD
CAUSEWAY
THE LINKWAY
SAUNTON ROAD
COWPEN LANE
MARSH HOUSE AVENUE
LUNEDALE ROAD
TEESDALE
STOKESLEY CRESCENT
SOUTH VIEW
BILLINGHAM BANK
A1027 BY-PASS ROAD
NEW ROAD
IMPERIAL ROAD
ROSCOE ROAD
MILL LANE
BILLINGHAM BECK
39
56
75
D
E
F
1
2
3
4
5
46
47
24
23
22

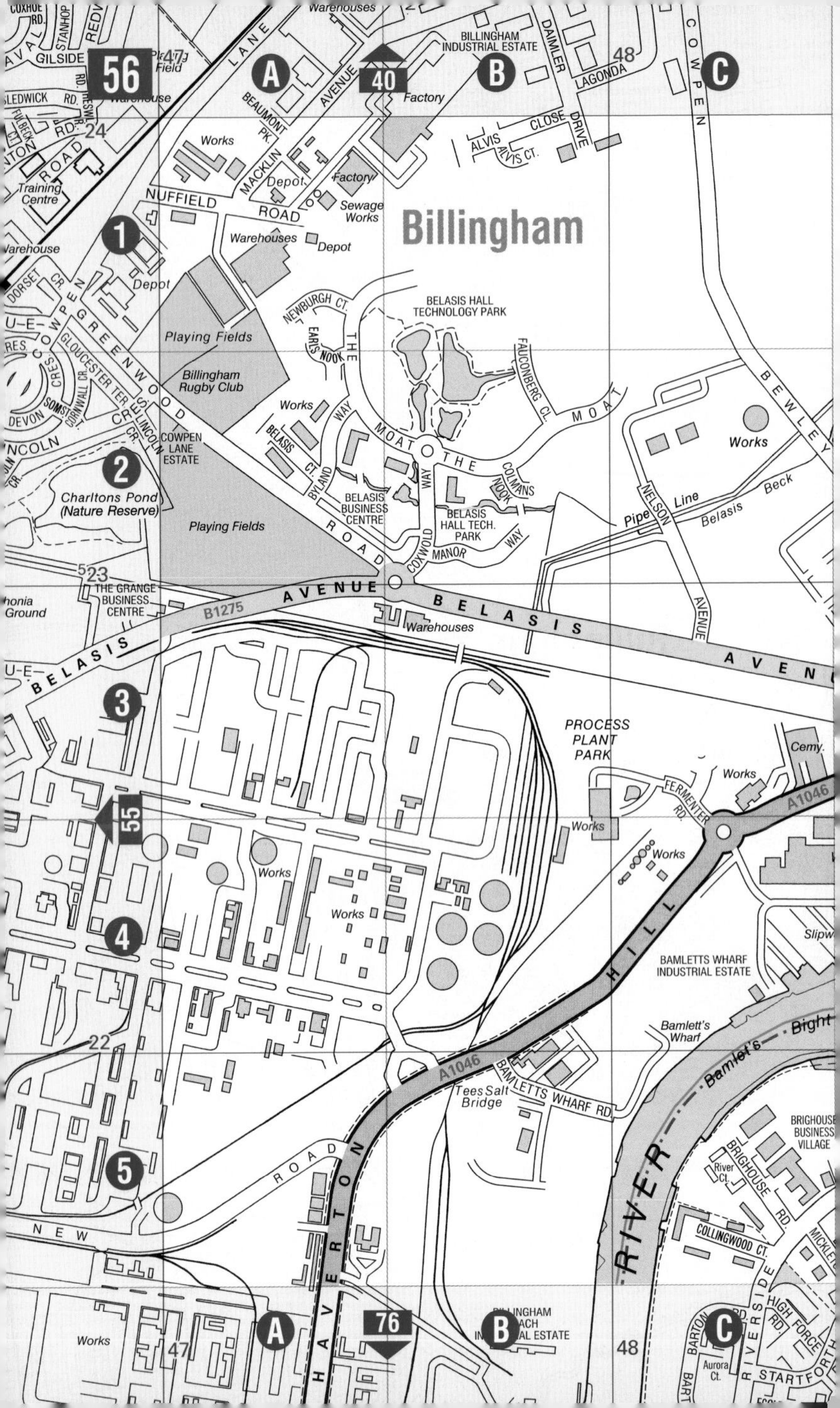
Billingham
BILLINGHAM INDUSTRIAL ESTATE
BELASIS HALL TECHNOLOGY PARK
Billingham Rugby Club
Playing Fields
Charltons Pond (Nature Reserve)
COWPEN LANE ESTATE
BELASIS BUSINESS CENTRE
BELASIS HALL TECH. PARK
THE GRANGE BUSINESS CENTRE
PROCESS PLANT PARK
BAMLETTS WHARF INDUSTRIAL ESTATE
Bamlett's Wharf
Tees Salt Bridge
BRIGHOUSE BUSINESS VILLAGE
BELASIS AVENUE
B1275
A1046
HAVERTON HILL
NEW ROAD
GREENWOOD ROAD
COWPEN LANE
COWPEN BEWLEY
NUFFIELD ROAD
MACKLIN AVENUE
BEAUMONT PK.
ALVIS CLOSE
ALVIS CT.
DAIMLER DRIVE
LAGONDA
THE MOAT
MOAT WAY
COXWOLD WAY
MANOR WAY
BYLAND CT.
BELASIS CT.
NEWBURGH CT.
EARLS NOOK
FAUCONBERG CL.
COLMANS NOOK
NELSON AVENUE
FERMENTER RD.
BAMLETTS WHARF RD.
RIVER
Bamlet's Bight
BRIGHOUSE RD.
River Ct.
COLLINGWOOD CT.
RIVERSIDE
HIGH FORCE RD.
STARTFORTH
BARTON RD.
Aurora Ct.
Pipe Line
Belasis Beck
Works
Warehouses
Factory
Depot
Sewage Works
Training Centre
Cemy.
GLOUCESTER TER.
CORNWALL CR.
SOMERSET
DEVON CR.
LINCOLN CR.
DORSET CR.
GILSIDE
STANHOPE
SLEDWICK RD.
FULBECK
COXHOE RD.
BILLINGHAM REACH INDUSTRIAL ESTATE
A
B
C
1
2
3
4
5
40
55
76
47
48
22
23
24

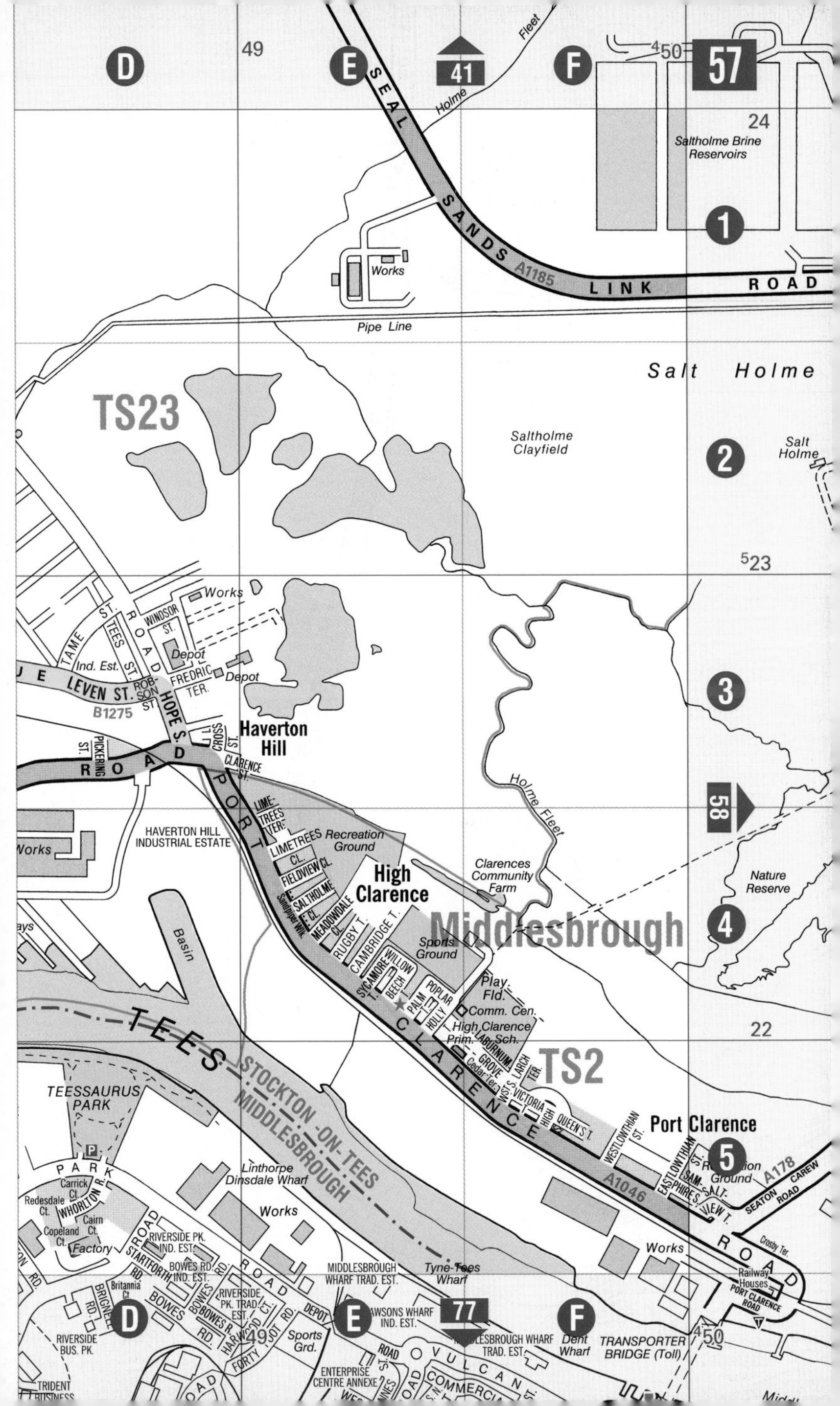
D
49
E
41
F
450
Fleet
Holme
SEAL SANDS LINK ROAD
A1185
24
Saltholme Brine Reservoirs
1
Works
Pipe Line
Salt Holme
TS23
Saltholme Clayfield
2
Salt Holme
523
Works
WINDSOR ST.
ROAD
TAME ST.
TEES ST.
Ind. Est.
Depot
FREDRIC TER.
Depot
LEVEN ST.
ROBSON ST.
HOPE S.
B1275
CROSS ST.
Haverton Hill
3
PICKERING ST.
ROAD
CLARENCE ST.
PORT
LIMETREES TER.
Holme Fleet
58
HAVERTON HILL INDUSTRIAL ESTATE
Works
Recreation Ground
LIMETREES CL.
FIELDVIEW CL.
SALTHOLME CL.
Sandpiper Wlk.
MEADOWDALE CL.
High Clarence
Clarences Community Farm
Nature Reserve
Basin
RUGBY T.
CAMBRIDGE T.
Middlesbrough
4
Sports Ground
SYCAMORE T.
WILLOW T.
BEECH T.
PALM
POPLAR
HOLLY
Play. Fld.
Comm. Cen.
High Clarence Prim. Sch.
LABURNUM
GROVE
Cedar Ter.
LARCH TER.
22
TEES
CLARENCE
TS2
STOCKTON-ON-TEES
MIDDLESBROUGH
VICTORIA
HIGH
QUEEN'S T.
WESTLOWTHIAN ST.
Port Clarence
TEESSAURUS PARK
EASTLOWTHIAN ST.
SAMPHIRE S.
SALTVIEW T.
5
Recreation Ground
A178
SEATON CAREW ROAD
P
PARK
Carrick Ct.
WHORLTON R.
Redesdale Ct.
Cairn Ct.
Copeland Ct.
Linthorpe Dinsdale Wharf
A1046
Works
Factory
ROAD
RIVERSIDE PK. IND. EST.
BOWES RD. IND. EST.
ROAD
Works
ROAD
Crosby Ter.
STARTFORTH RD.
Britannia Ct.
BRIGNELL RD.
BOWES RD.
BOWES R.
RIVERSIDE PK. TRAD. EST.
MIDDLESBROUGH WHARF TRAD. EST.
Tyne-Tees Wharf
Railway Houses
PORT CLARENCE ROAD
D
E
77
F
DEPOT
DAWSONS WHARF IND. EST.
HARWOOD CT.
49
FORTY FOOT RD.
Sports Grd.
RIVERSIDE BUS. PK.
MIDDLESBROUGH WHARF TRAD. EST.
Dent Wharf
TRANSPORTER BRIDGE (Toll)
450
ROAD
VULCAN ST.
ENTERPRISE CENTRE ANNEXE
COMMERCIAL
TRIDENT BUSINESS

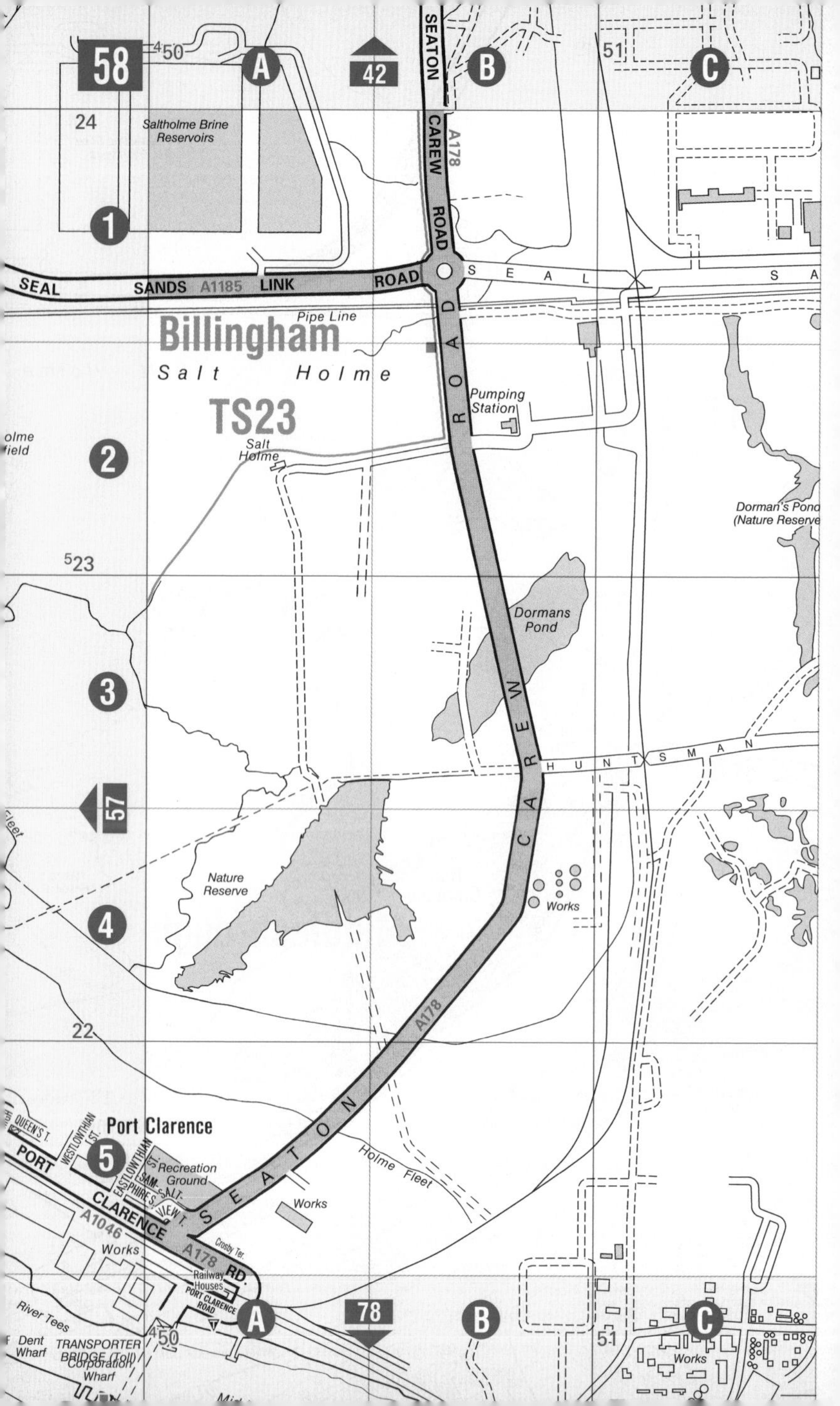

A
B
C
42
51
24
450
Saltholme Brine Reservoirs
SEATON CAREW ROAD
A178
SEAL SANDS A1185 LINK ROAD
SEAL SANDS
Pipe Line
Billingham
Salt Holme
TS23
Pumping Station
Salt Holme
olme ield
Dorman's Pond (Nature Reserve)
523
Dormans Pond
HUNTSMAN
57
Nature Reserve
Works
22
Port Clarence
QUEEN'S T.
WESTLOWTHIAN ST.
EASTLOWTHIAN ST.
PORT CLARENCE A1046
Recreation Ground
Holme Fleet
Works
Crosby Ter.
A178 RD.
Railway Houses
PORT CLARENCE ROAD
River Tees
Dent Wharf
TRANSPORTER BRIDGE (Toll)
Corporation Wharf
78
1
2
3
4
5

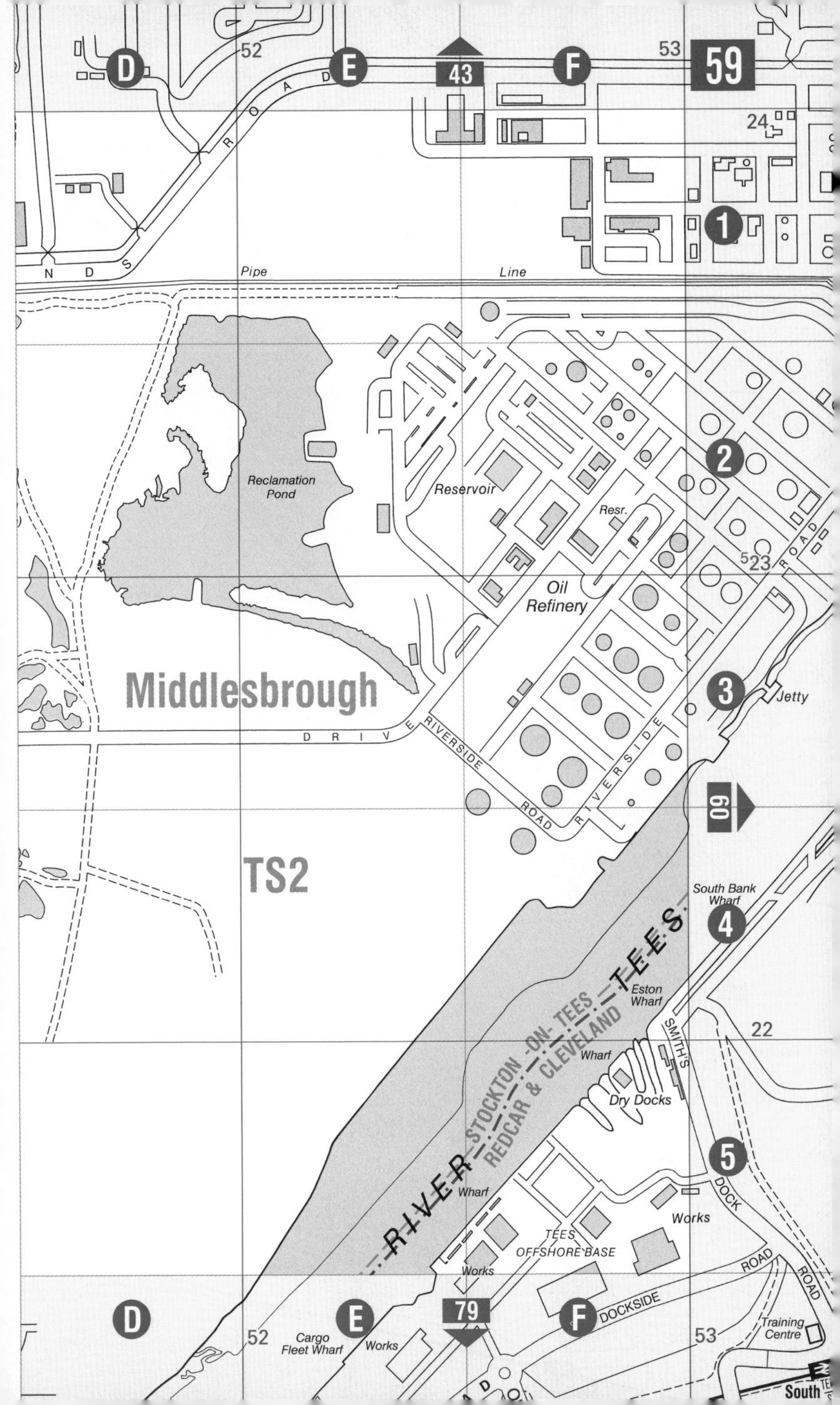

59
43
60
79
D
E
F
52
53
24
23
22
1
2
3
4
5
Pipe
Line
Reclamation Pond
Reservoir
Resr.
Oil Refinery
Middlesbrough
TS2
Jetty
RIVERSIDE ROAD
RIVERSIDE
ROAD
DRIVE
South Bank Wharf
Eston Wharf
SMITH'S
Wharf
Dry Docks
RIVER TEES
STOCKTON-ON-TEES
REDCAR & CLEVELAND
Wharf
Works
TEES OFFSHORE BASE
Works
DOCK
DOCKSIDE ROAD
ROAD
Cargo Fleet Wharf
Works
Training Centre
South

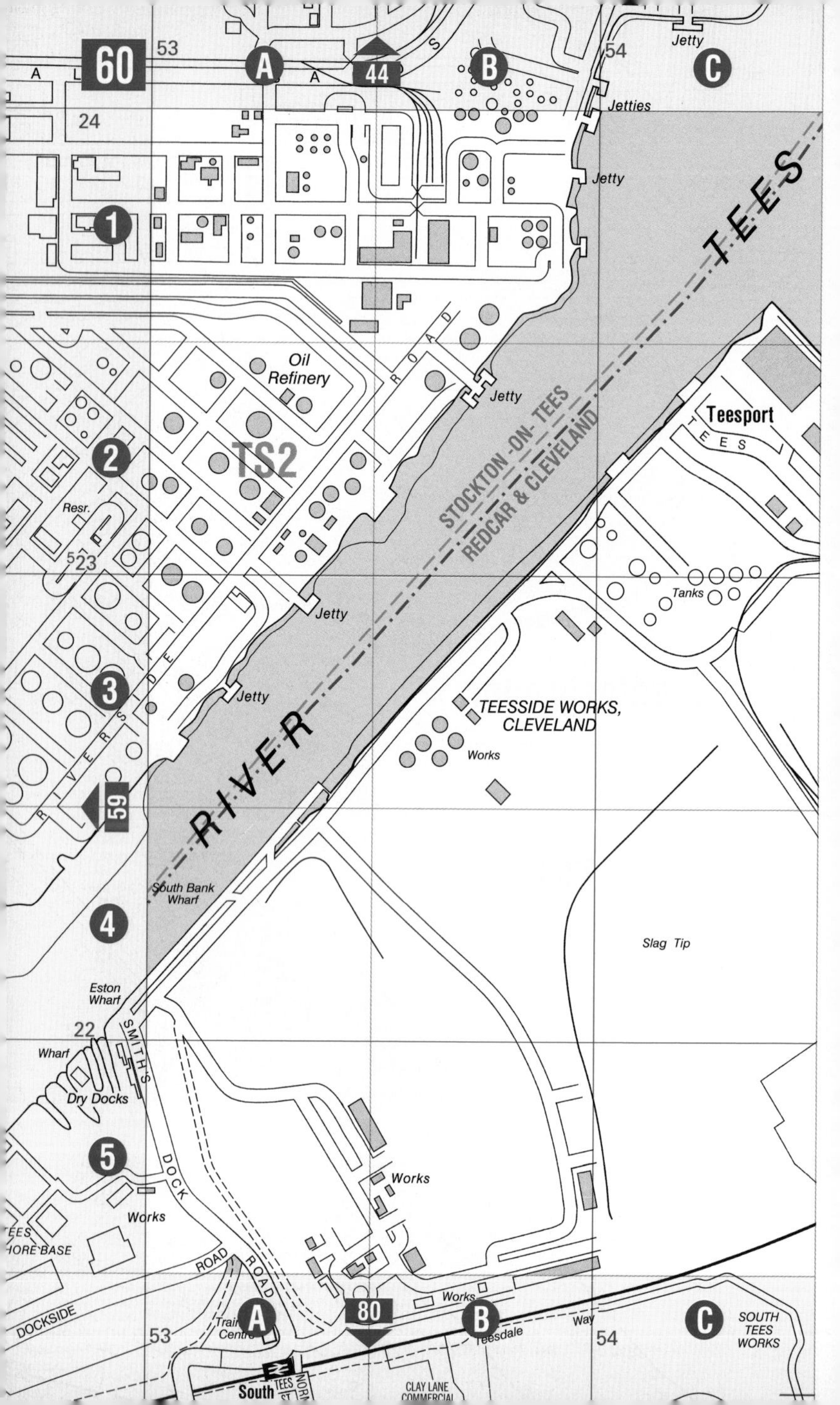

60 53

A

44

B

54 Jetty

C

24

Jetties

Jetty

1

Jetty

Oil Refinery

Jetty

Teesport

2

TS2

Resr.

23

Jetty

STOCKTON -ON- TEES
REDCAR & CLEVELAND

TEES

3

Jetty

Tanks

Jetty

RIVER

TEESSIDE WORKS, CLEVELAND

Works

59

South Bank Wharf

4

Slag Tip

Eston Wharf

22

Wharf

Dry Docks

5

TEES
HORE BASE

Works

Works

DOCK ROAD

ROAD

SMITH'S

Works

DOCKSIDE

53 Train Centre

A

80

Teesdale

B

Way

54

C

SOUTH TEES WORKS

South Tees

CLAY LANE
COMMERCIAL

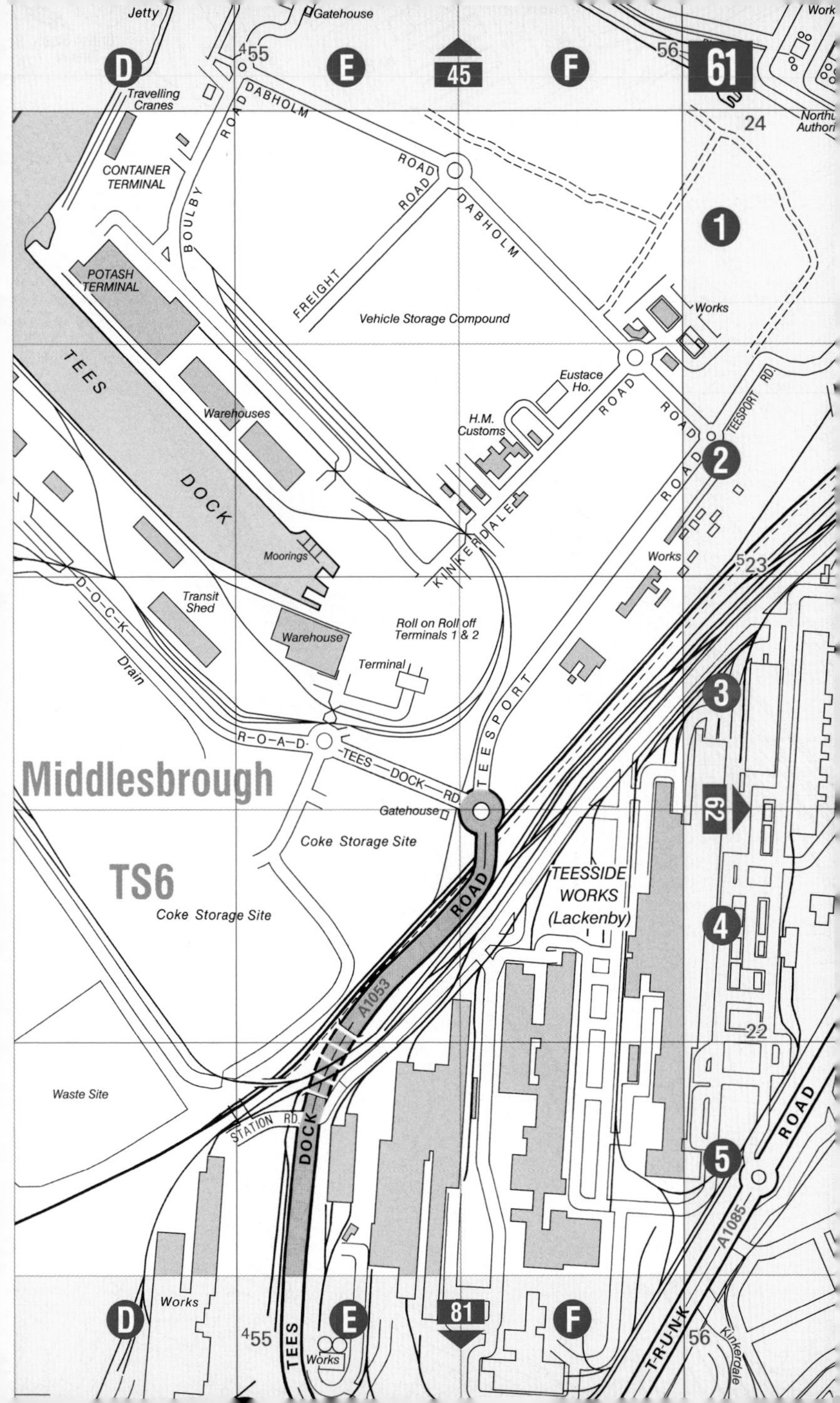
Jetty
Gatehouse
455
45
56
D
E
F
Travelling Cranes
DABHOLM
ROAD
BOULBY ROAD
CONTAINER TERMINAL
24
Northumbrian Authority
POTASH TERMINAL
FREIGHT ROAD
DABHOLM ROAD
Vehicle Storage Compound
Works
1
TEES DOCK
Warehouses
Eustace Ho.
H.M. Customs
TEESPORT RD.
2
Moorings
KINKERDALE ROAD
Works
523
Transit Shed
Warehouse
Roll on Roll off Terminals 1 & 2
D-O-C-K Drain
Terminal
TEESPORT ROAD
3
R-O-A-D TEES DOCK RD.
Middlesbrough
Gatehouse
62
Coke Storage Site
TS6
TEESSIDE WORKS (Lackenby)
Coke Storage Site
4
A1053
22
Waste Site
STATION RD.
TEES DOCK ROAD
5
A1085
TRUNK ROAD
Works
81
455
56
Kinkerdale
Works

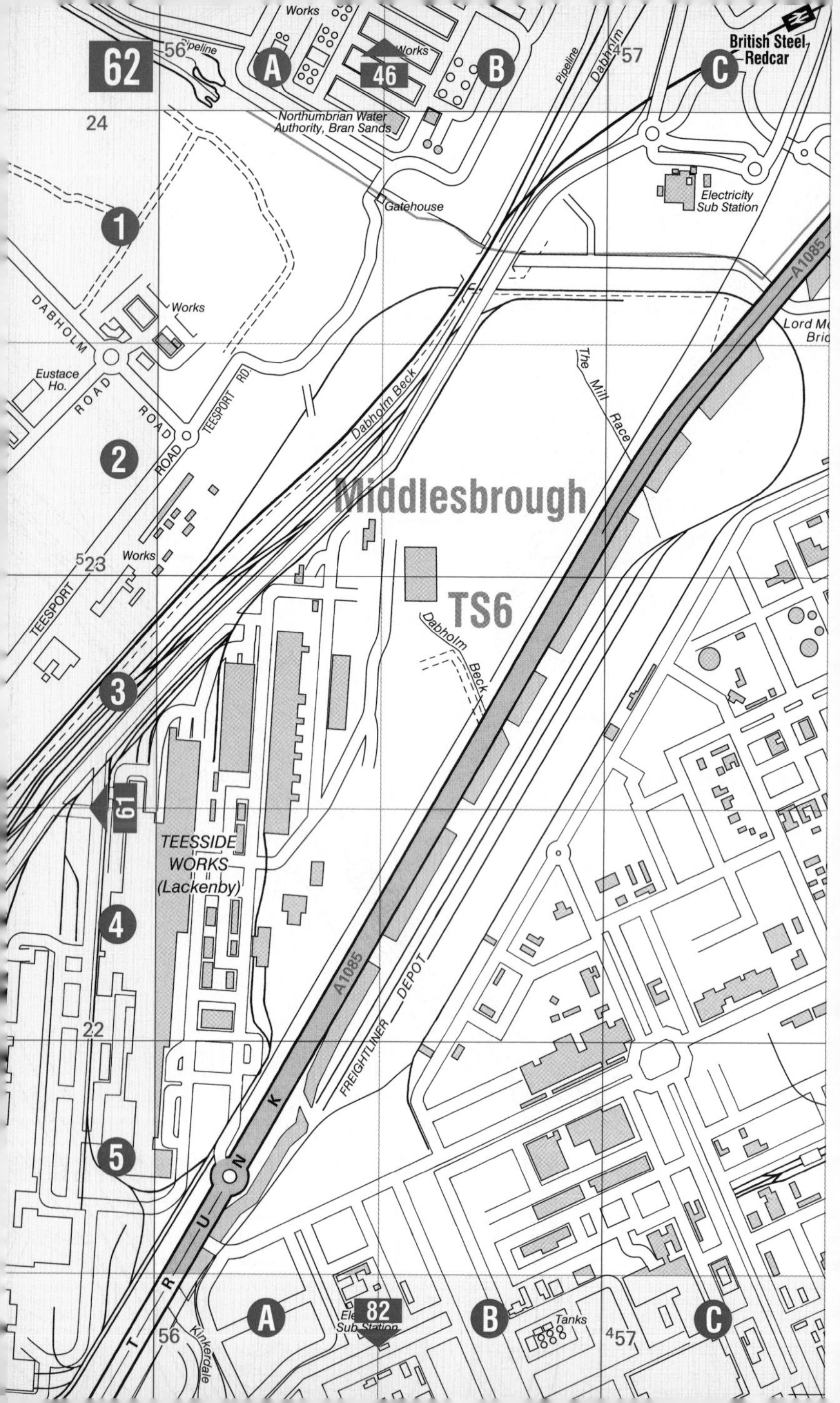

Works
Pipeline
56
A
46
Works
B
Pipeline
Dabholm
457
C
British Steel
Redcar
24
Northumbrian Water
Authority, Bran Sands
Gatehouse
Electricity
Sub Station
1
A1085
Works
DABHOLM
Lord M
Bri
Eustace
Ho.
ROAD
ROAD
TEESPORT RD.
The Mill Race
Dabholm Beck
2
ROAD
Middlesbrough
523
Works
TEESPORT
TS6
Dabholm
Beck
3
61
TEESSIDE
WORKS
(Lackenby)
4
A1085
DEPOT
FREIGHTLINER
22
K
5
N
U
R
T
A
Ele
Sub Station
82
B
Tanks
C
56
Kinkerdale
457

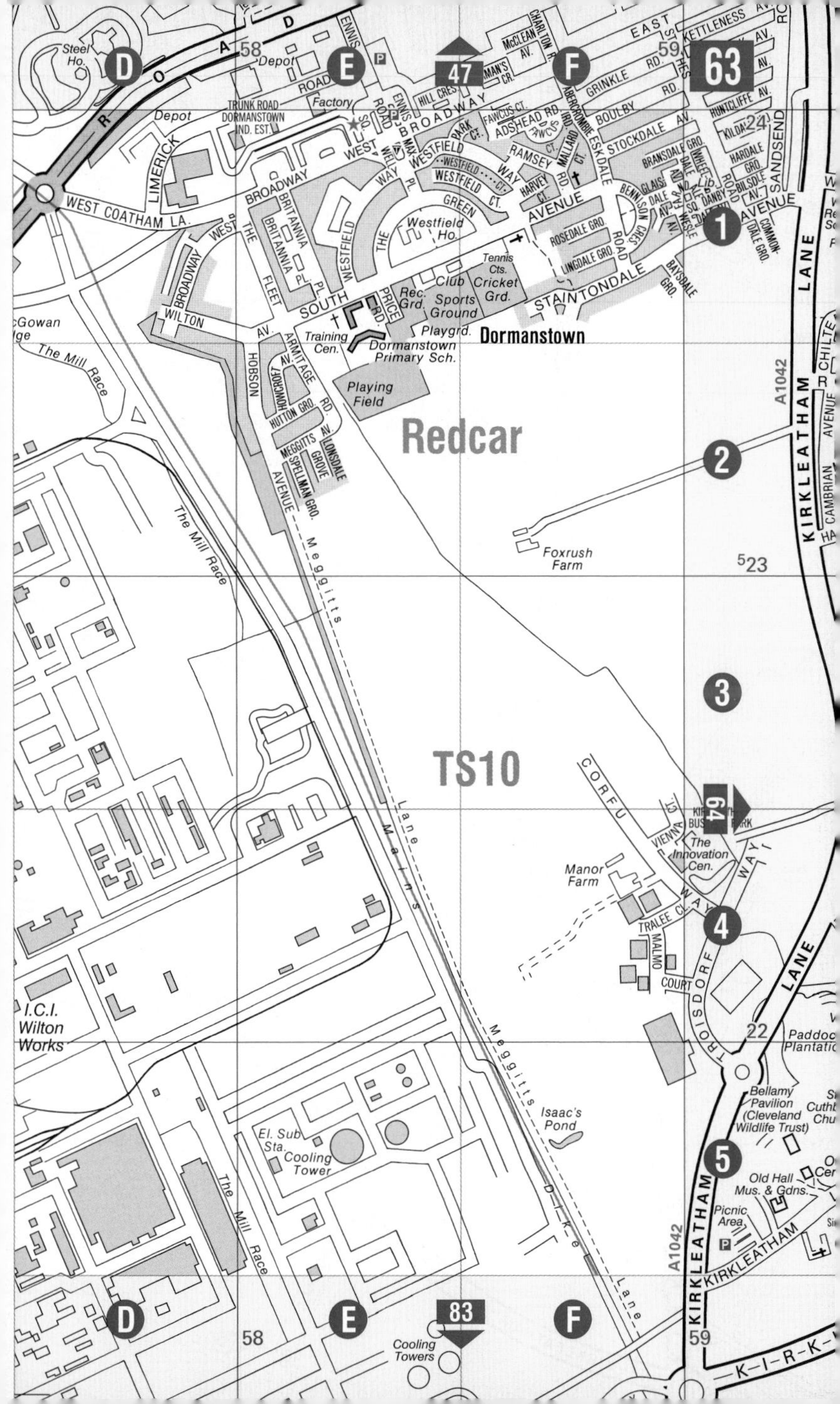
63
47
83
64
D
E
F
1
2
3
4
5
58
59
Redcar
TS10
Dormanstown
Steel Ho.
Depot
Factory
TRUNK ROAD
DORMANSTOWN IND. EST.
WEST COATHAM LA.
LIMERICK
BROADWAY
WEST BROADWAY
BRITANNIA
BRITANNIA PL.
WESTFIELD
THE GREEN
WESTFIELD WAY
WESTFIELD CT.
Westfield Ho.
THE FLEET
SOUTH AVENUE
PRICE RD.
Rec. Grd.
Club
Sports Ground
Tennis Cts.
Cricket Grd.
Playgrd.
Training Cen.
Dormanstown Primary Sch.
Playing Field
WILTON AV.
HOBSON AVENUE
ARMITAGE RD.
HOWCROFT AV.
HUTTON GRO.
MEGGITTS AV.
SPELLMAN GRO.
LONSDALE GROVE
The Mill Race
McGowan
Meggitts Lane
Mains Lane
Meggitts Dike Lane
EAST
KETTLENESS AV.
McCLEAN AV.
CHARLTON
GRINKLE RD.
BOULBY RD.
HUNTCLIFFE AV.
ABERCROMBIE RD.
ADSHEAD RD.
FAWCUS CT.
PARK CT.
HILL CRES.
RAMSEY WAY
HARVEY CT.
MALLARD CT.
ESKDALE ROAD
STOCKDALE AV.
BRANSDALE GRO.
KILDALE
HARDALE GRO.
BILSDALE AV.
SANDSEND
DANBY
ROSEDALE GRO.
LINGDALE GRO.
BENNISON CRES.
STAINTONDALE AVENUE
BAYSDALE GRO.
COMMONDALE GRO.
Lib.
Foxrush Farm
23
KIRKLEATHAM LANE
A1042
CAMBRIAN
CORFU
VIENNA CT.
The Innovation Cen.
Manor Farm
TRALEE CL.
MALMO COURT
TROISDORF WAY
22
Paddock Plantation
Bellamy Pavilion (Cleveland Wildlife Trust)
Old Hall Mus. & Gdns.
Picnic Area
KIRKLEATHAM
Isaac's Pond
El. Sub Sta.
Cooling Tower
Cooling Towers
I.C.I. Wilton Works

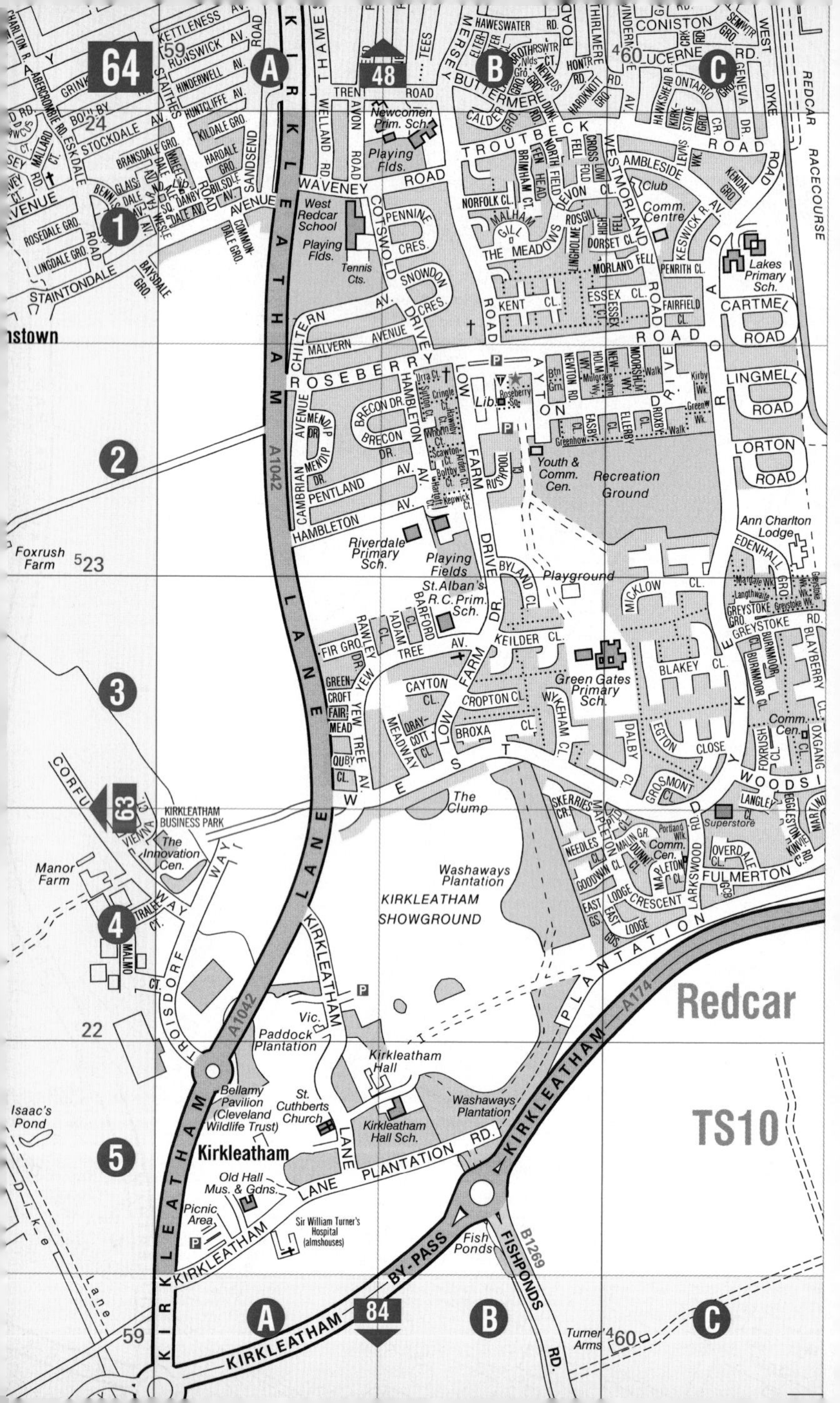
A
B
C
1
2
3
4
5
48
63
84
KIRKLEATHAM LANE
A1042
WAVENEY ROAD
TROUTBECK ROAD
ROSEBERRY ROAD
WESTMORLAND ROAD
WEST DYKE ROAD
WOODSIDE
PLANTATION RD.
KIRKLEATHAM BY-PASS
A174
FISHPONDS RD.
B1269
REDCAR RACECOURSE
West Redcar School
Newcomen Prim. Sch.
Playing Flds.
Tennis Cts.
Riverdale Primary Sch.
Playing Fields
St. Alban's R.C. Prim. Sch.
Green Gates Primary Sch.
Lakes Primary Sch.
Comm. Centre
Youth & Comm. Cen.
Recreation Ground
Playground
Ann Charlton Lodge
Superstore
The Clump
Washaways Plantation
KIRKLEATHAM SHOWGROUND
KIRKLEATHAM BUSINESS PARK
The Innovation Cen.
Manor Farm
Foxrush Farm
Isaac's Pond
Paddock Plantation
Vic.
Kirkleatham Hall
Kirkleatham Hall Sch.
St. Cuthberts Church
Bellamy Pavilion (Cleveland Wildlife Trust)
Kirkleatham
Old Hall Mus. & Gdns.
Picnic Area
Sir William Turner's Hospital (almshouses)
Fish Ponds
Turner's Arms
Redcar
TS10

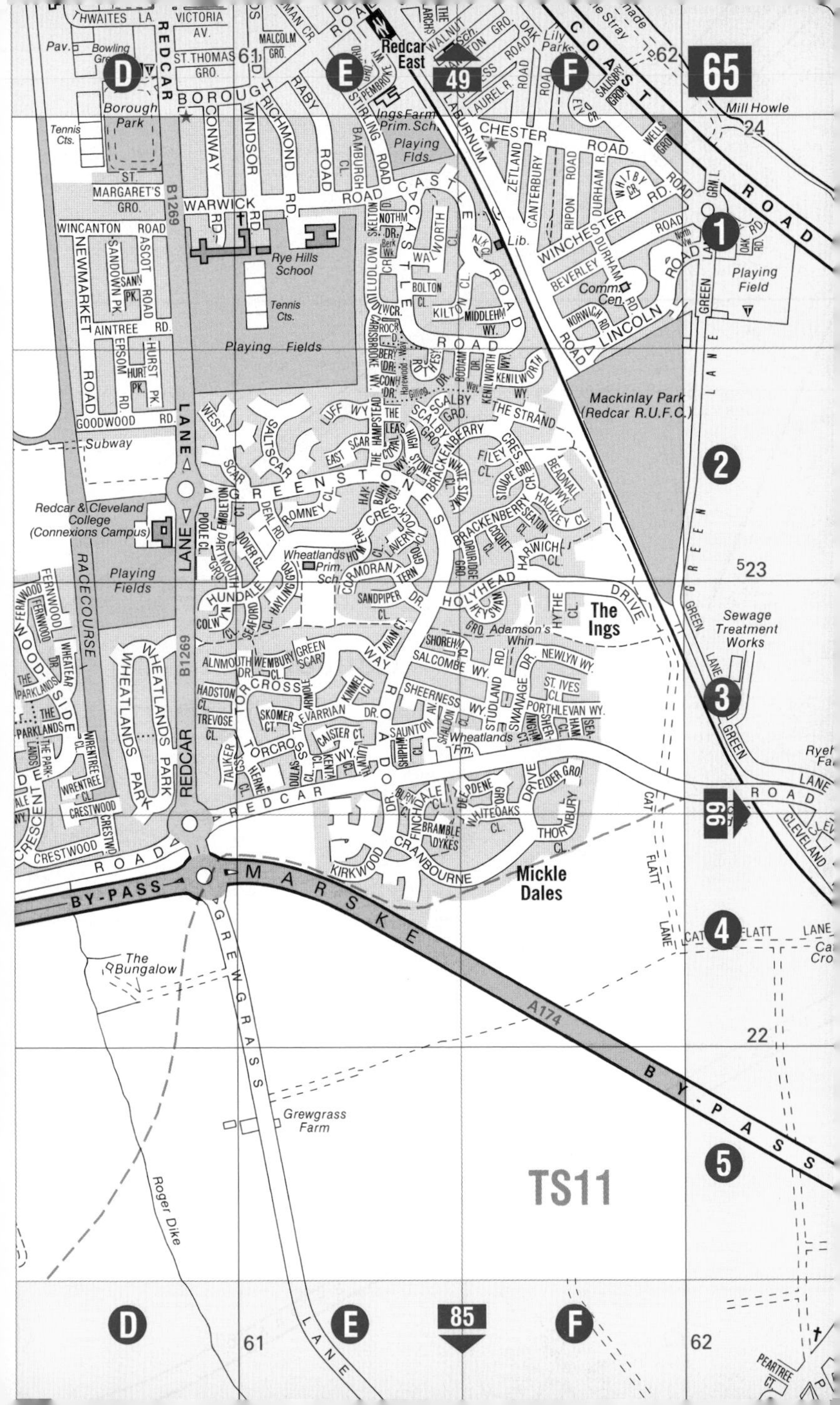
Redcar East
49
Mill Howle
COAST ROAD
REDCAR LANE
B1269
Borough Park
Rye Hills School
Playing Fields
Mackinlay Park (Redcar R.U.F.C.)
Redcar & Cleveland College (Connexions Campus)
Wheatlands Prim. Sch.
The Ings
Adamson's Whin
Sewage Treatment Works
GREEN LANE
REDCAR ROAD
MARSKE BY-PASS
A174
Mickle Dales
Wheatlands Fm.
The Bungalow
Grewgrass Farm
GREWGRASS LANE
Roger Dike
CAT FLATT LANE
TS11
99
85
D
E
F
1
2
3
4
5
61
62
24
23
22

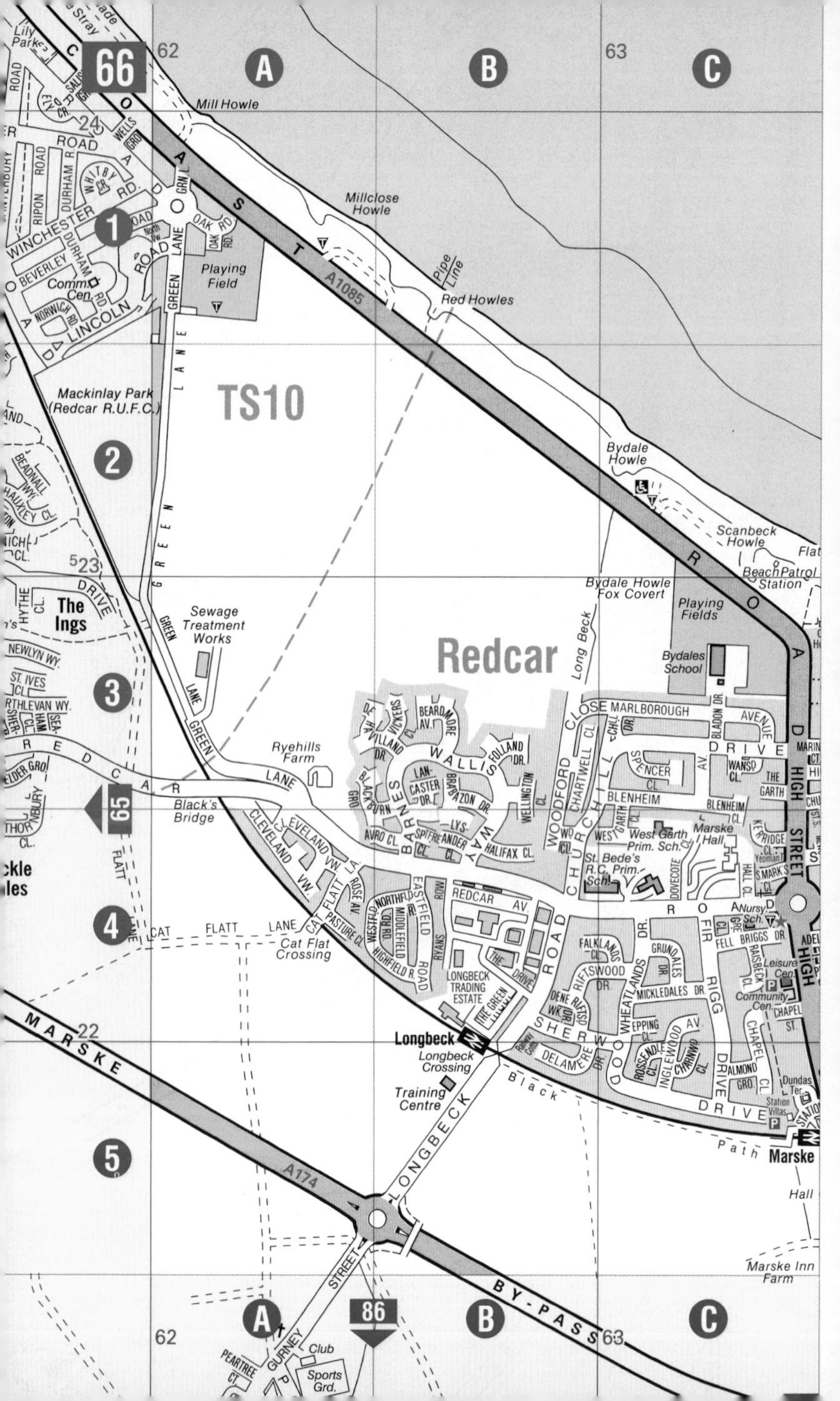

A
B
C
62
63
1
2
3
4
5
TS10
Redcar
Mill Howle
Millclose Howle
Pipe Line
Red Howles
Playing Field
A1085
COAST ROAD
GREEN LANE
Mackinlay Park (Redcar R.U.F.C.)
WINCHESTER RD.
DURHAM RD.
LINCOLN ROAD
Comm. Cen.
Bydale Howle
Scanbeck Howle
Beach Patrol Station
Bydale Howle Fox Covert
Long Beck
Playing Fields
Bydales School
Sewage Treatment Works
The Ings
Ryehills Farm
REDCAR LANE
Black's Bridge
CLEVELAND VW.
CAT FLATT LANE
Cat Flat Crossing
WALLIS WAY
BARNES WAY
MARLBOROUGH AVENUE
DRIVE
CHURCHILL ROAD
WOODFORD CLOSE
REDCAR AV.
West Garth Prim. Sch.
St. Bede's R.C. Prim. Sch.
Marske Hall
HIGH STREET
LONGBECK TRADING ESTATE
Longbeck
Longbeck Crossing
Training Centre
SHERWOOD DR.
Black Path
FIR RIGG DRIVE
Leisure Cen.
Community Cen.
Marske
Hall
Marske Inn Farm
MARSKE BY-PASS
A174
LONGBECK STREET
GURNEY
Club
Sports Grd.

65
86

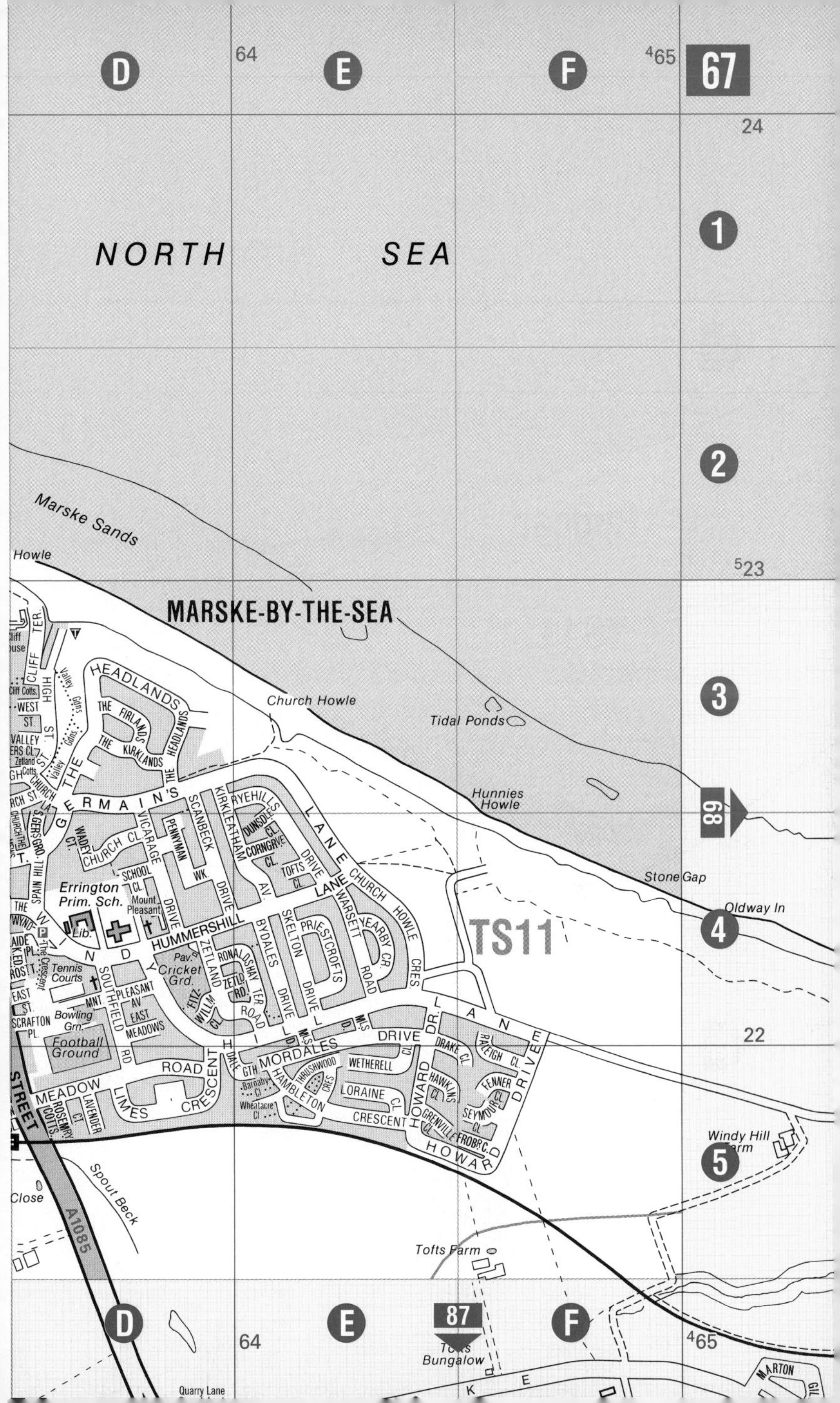

1

NORTH *SEA*

2

Marske Sands

Howle ⁵23

MARSKE-BY-THE-SEA

3

Church Howle

Tidal Ponds

Hunnies Howle

89 ►

Stone Gap

Oldway ln

TS11

4

Cliff Cotts.
Cliff House
WEST ST.
VALLEY GDNS. CT.
Zetland
HIGH ST.
CHURCH ST.
SPAIN HILL
ST.
THE WHAT AIDE PL.
PROST CT.
EAST ST.
SCRAFTON PL.

CLIFF TER.
THE FIRLANDS
THE HEADLANDS
THE HEADLANDS
THE KIRKLANDS
GERMAIN'S
WORD CT.
CHURCH LANE
VICARAGE
SCHOOL WK.
SCANBECK DRIVE
PENNYMAN WK.
RYEHILLS
KIRKLEATHAM
KINGSTON CL.
CORNGRAVE CL.
TOFTS CL.
Mount Pleasant
HUMMERSHILL
Pav.
Cricket Grd.
SOUTHFIELD
FITZ.
WILLM.
RONA.
ZETLAND
RD.
BYDALES DRIVE
SKELTON DRIVE
PRIESTCROFTS
WARSETT ROAD
YEARBY CR.
CHURCH HOWLE CRES.
LANE
CHURCH LANE

Errington Prim. Sch.
Elb.
Tennis Courts
Bowling Grn.
Football Ground
MEADOW
ROSEMARY
SCOTTS
LAVENDER
LIMES
CRESCENT
EAST MEADOWS
MNT.
PLEASANT AV.
ROAD
GTH. MORDALES
Barnaby CT.
WheatacreCT.
LONGSWOOD CL.
HAMBLETON
LORAINE
WETHERELL CL.
HAWK LN.
DRAKE CL.
SEYMOUR
GRENVILLE
FROBC.
HOWARD DR
RALEIGH CL.
FENNER CL.
DRIVE
LANE

DRIVE
ROAD

DRIVE

HOWARD
CRESCENT
HOWAR

Windy Hill Farm

5

22

STREET

Close

A1085

Spout Back

Tofts Farm

Quarry Lane

MARTON

MARSKE

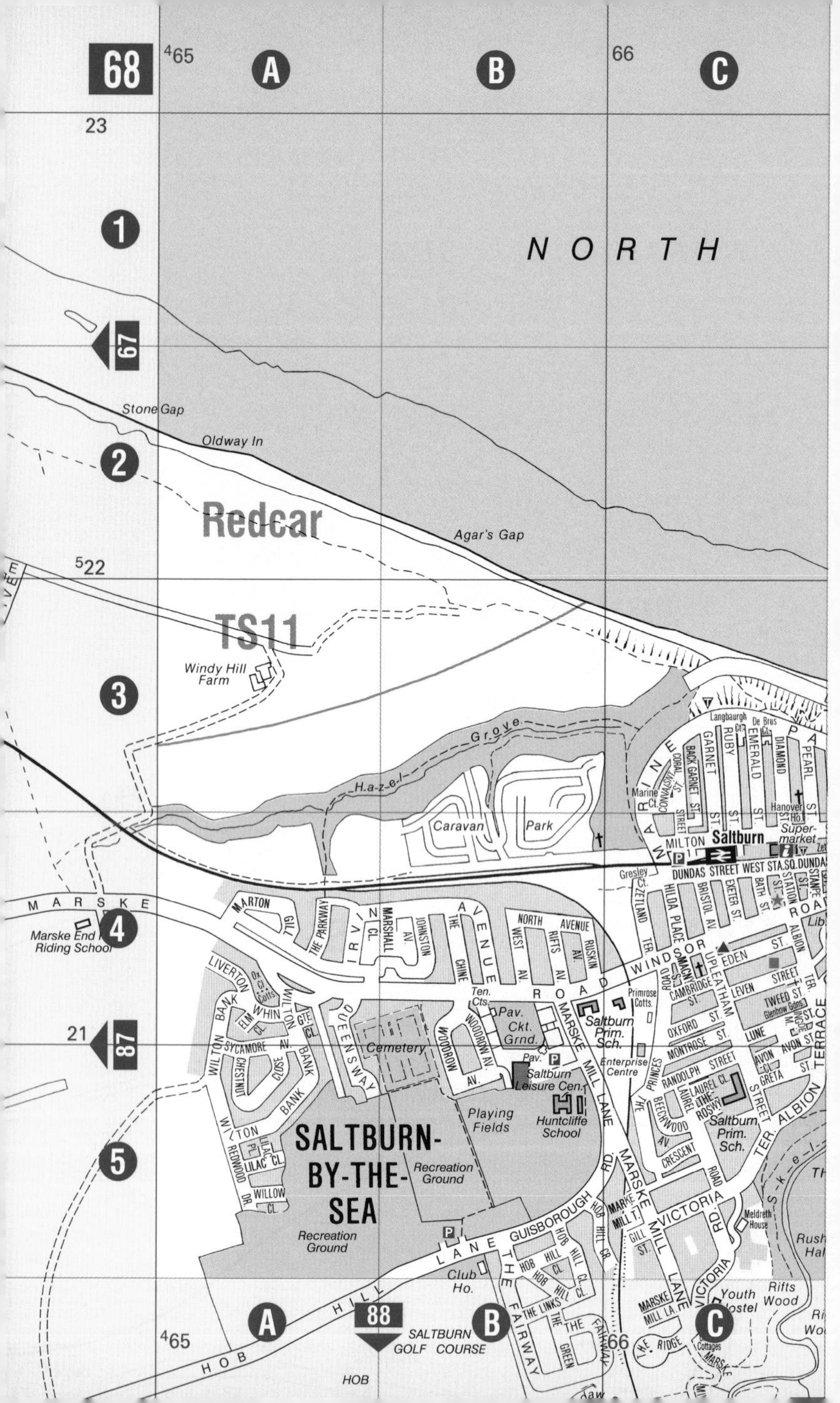

NORTH
Redcar
TS11
SALTBURN-BY-THE-SEA
Saltburn
Stone Gap
Oldway In
Agar's Gap
Windy Hill Farm
Hazel Grove
Caravan Park
Marske End Riding School
Cemetery
Pav. Ckt. Grnd.
Saltburn Leisure Cen.
Playing Fields
Huntcliffe School
Recreation Ground
Saltburn Prim. Sch.
Enterprise Centre
Primrose Cotts.
Club Ho.
Youth Hostel
Rifts Wood
Meldreth House
SALTBURN GOLF COURSE
MARSKE ROAD
WINDSOR ROAD
MARINE PARADE
MILTON ST.
DUNDAS STREET WEST
STATION ROAD
MARSKE MILL LANE
GUISBOROUGH LANE
HOB HILL
VICTORIA RD.
ALBION TER.
THE FAIRWAY
Super-market

67
87
88

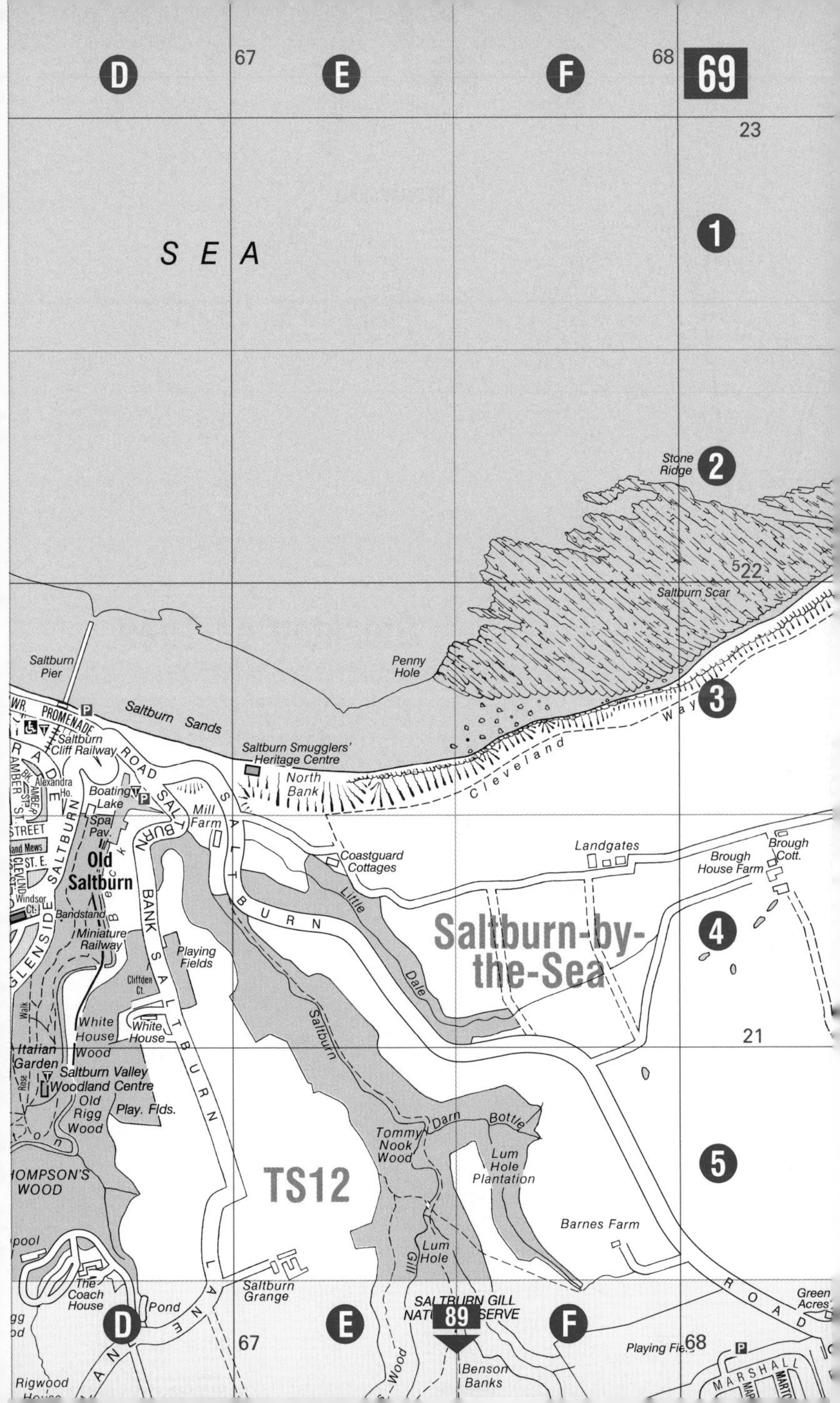
D
67
E
F
68
23
SEA
1
Stone Ridge
2
22
Saltburn Scar
Saltburn Pier
Penny Hole
3
PROMENADE
Saltburn Sands
Saltburn Cliff Railway
Saltburn Smugglers' Heritage Centre
North Bank
Cleveland Way
Alexandra Ho.
Boating Lake
Mill Farm
Spa Pav.
Coastguard Cottages
Landgates
Brough House Farm
Brough Cott.
Old Saltburn
Little Dale
Saltburn-by-the-Sea
4
Bandstand
Miniature Railway
Playing Fields
Cliffden Ct.
White House
White House
21
White House Wood
Italian Garden
Saltburn Valley Woodland Centre
Old Rigg Wood
Play. Flds.
Saltburn
Darn Bottle
Tommy Nook Wood
Lum Hole Plantation
5
HOMPSON'S WOOD
TS12
Barnes Farm
Lum Hole
Gill
The Coach House
Pond
Saltburn Grange
SALTBURN GILL NATURE RESERVE
89
Green Acres
D
E
F
67
68
Playing Fie.
Benson Banks
Rigwood House
SALTBURN BANK
SALTBURN LANE
ROAD
MARSHALL

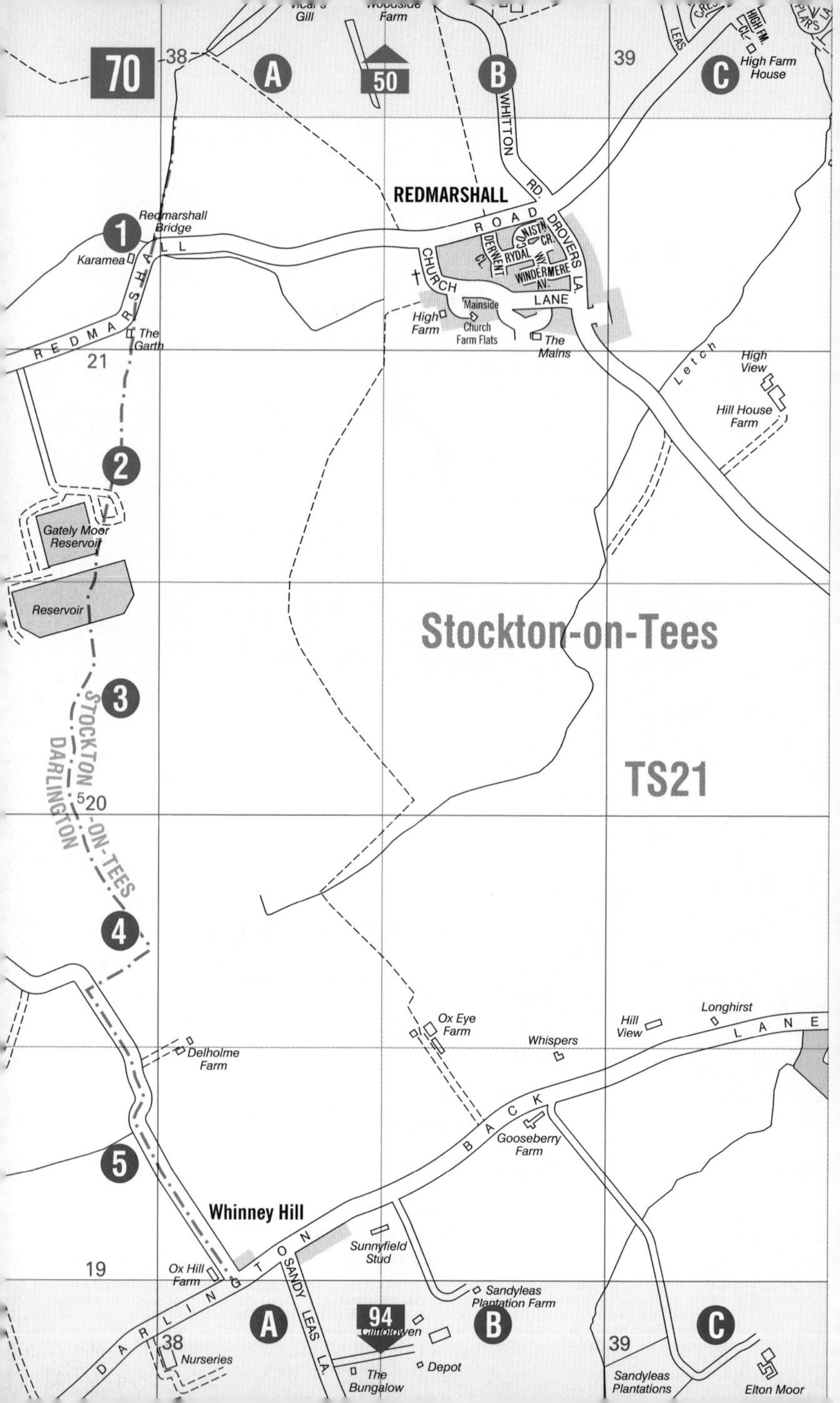

Vicar's Gill
Woodside Farm
50
38
A
B
39
C
High Farm House
HIGH FM. CL.
LEAS
WHITTON RD.
REDMARSHALL
Redmarshall Bridge
1
Karamea
ROAD
DROVERS LA.
CONISTN. CR.
DERWENT CL.
RYDAL WY.
WINDERMERE AV.
CHURCH
LANE
Mainside
High Farm
Church Farm Flats
The Mains
The Garth
REDMARSHALL
21
Letch
High View
Hill House Farm
2
Gately Moor Reservoir
Reservoir
Stockton-on-Tees
3
TS21
STOCKTON-ON-TEES
DARLINGTON
20
4
Ox Eye Farm
Longhirst
Hill View
LANE
Whispers
Delholme Farm
BACK
Gooseberry Farm
5
Whinney Hill
Sunnyfield Stud
19
Ox Hill Farm
DARLINGTON
SANDY LEAS LA.
Sandyleas Plantation Farm
A
94
B
C
38
39
Nurseries
Depot
The Bungalow
Sandyleas Plantations
Elton Moor

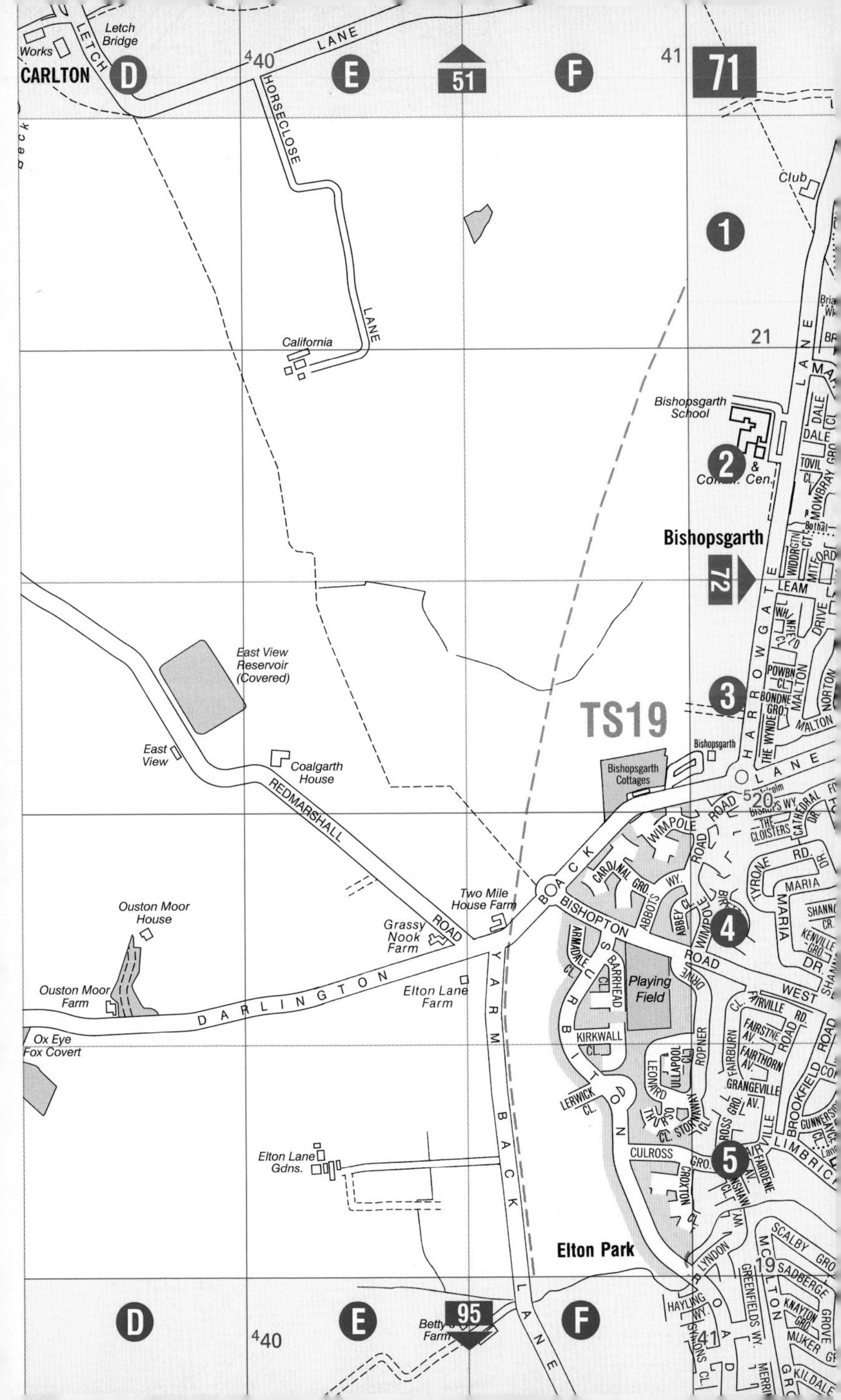

CARLTON
Letch Bridge
Works
LETCH
LANE
HORSECLOSE
LANE
California
Club
Bishopsgarth School
Bishopsgarth
TS19
East View Reservoir (Covered)
East View
Coalgarth House
REDMARSHALL ROAD
Bishopsgarth Cottages
BACK LANE
HARROWGATE LANE
WIMPOLE ROAD
BISHOPTON ROAD
CARDINAL GRO.
ABBOTS WY.
ABBEY CL.
Two Mile House Farm
Grassy Nook Farm
Ouston Moor House
Ouston Moor Farm
DARLINGTON
Elton Lane Farm
YARM BACK LANE
Ox Eye Fox Covert
ARMADALE CL.
BARRHEAD CL.
Playing Field
KIRKWALL CL.
LERWICK CL.
LEONARD
ULLAPOOL CL.
ROPNER
DRIVE
CULROSS GRO.
CROXTON CL.
Elton Lane Gdns.
Elton Park
Betty's Farm
FAIRBURN AV.
FAIRTHORN AV.
FAIRSTONE AV.
GRANGEVILLE AV.
BROOKFIELD ROAD
LIMBRICK
SCALBY GRO.
SADBERGE GROVE
KNAYTON GRO.
MUKER GRO.
KILDALE
GREENFIELDS WY.
HAYLING WY.
LYNDON
THE WYNDE
MALTON
NORTON
TYRONE RD.
MARIA DR.
THE CLOISTERS
CATHEDRAL DR.
POWBN CL.
BONDNE GRO.
TOVIL CL.
MOWBRAY GRO.
DALE
LEAM
WEST
51
72
95
D
E
F
1
2
3
4
5
440
41
21
20
19

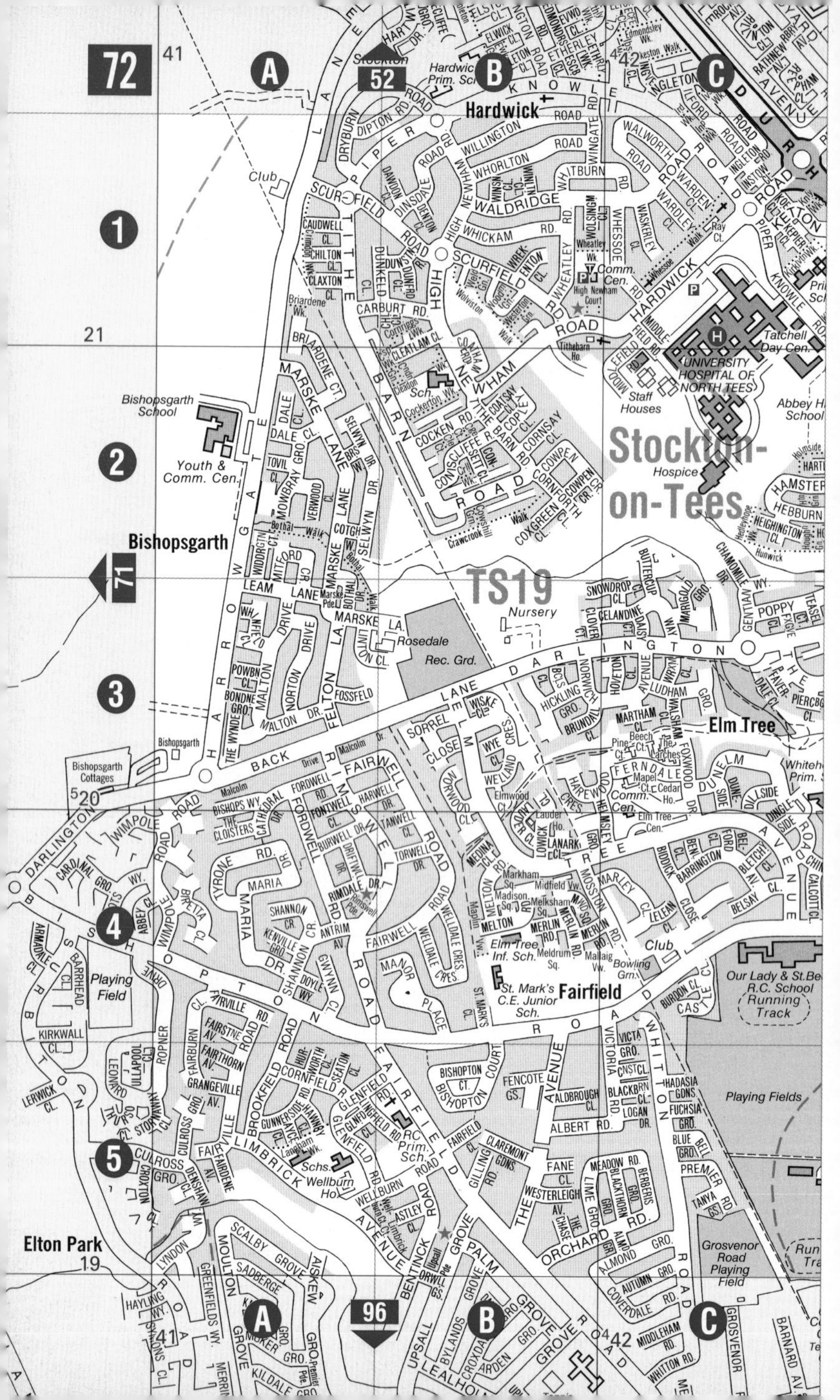

72
52
71
96
41
42
21
20
19
A
B
C
1
2
3
4
5
Stockton
Hardwick
Hardwick Prim. Sch.
Bishopsgarth
Bishopsgarth School
Youth & Comm. Cen.
Bishopsgarth Cottages
Stockton-on-Tees
TS19
Elm Tree
Fairfield
Elton Park
UNIVERSITY HOSPITAL OF NORTH TEES
Tatchell Day Cen.
Abbey Hill School
Hospice
Staff Houses
Titheburn Ho.
High Newham Court
Comm. Cen.
Club
Nursery
Rosedale Rec. Grd.
Elmwood Cen.
Elm Tree Comm. Cen.
Elm Tree Inf. Sch.
St. Mark's C.E. Junior Sch.
Bowling Grn.
Our Lady & St.Bede R.C. School
Running Track
Playing Fields
Playing Field
Grosvenor Road Playing Field
RC Prim. Sch.
Schs.
Wellburn Ho.
KNOWLE
ROAD
PIPER
SCURFIELD
HIGH NEWHAM
TITHE BARN
HARDWICK ROAD
HARROWGATE LANE
MARSKE LANE
LEAM LANE
DARLINGTON LANE
BACK LANE
BISHOPTON ROAD
FAIRFIELD ROAD
DURHAM ROAD
WIMPOLE ROAD
DARLINGTON ROAD
ELM TREE AVENUE
LIMBRICK AVENUE
WHITTON ROAD
GROVE ROAD

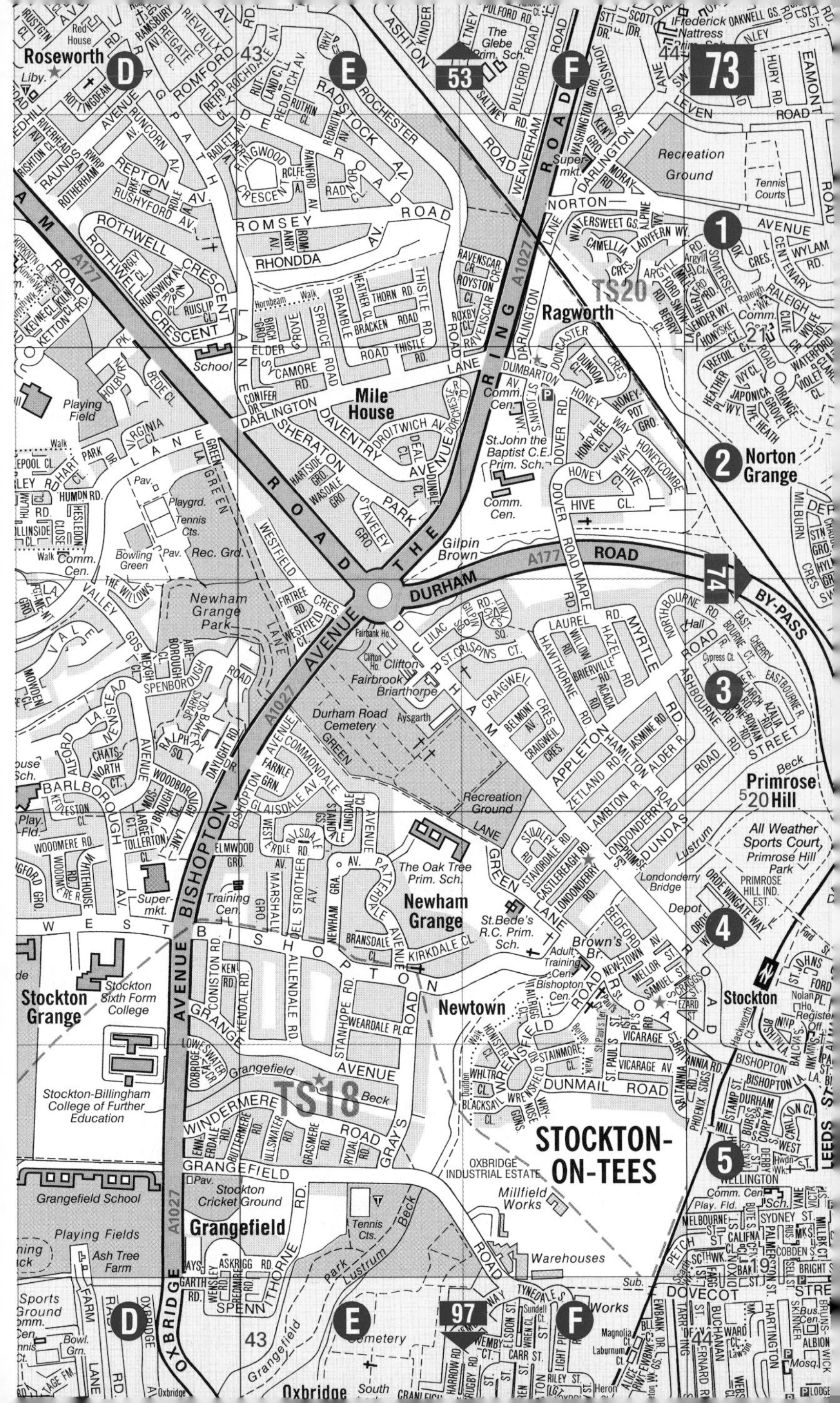
73
53
74
97
Roseworth
Ragworth
Mile House
Norton Grange
Primrose Hill
Newham Grange
Newtown
Stockton Grange
Grangefield
Oxbridge
STOCKTON-ON-TEES
TS20
TS18
DURHAM ROAD
BY-PASS
BISHOPTON AVENUE
OXBRIDGE AVENUE
THE RING ROAD
A177
A1027
NORTON AVENUE
DARLINGTON LANE
Durham Road Cemetery
Recreation Ground
Newham Grange Park
Rec. Grd.
Playing Field
Stockton Sixth Form College
Stockton-Billingham College of Further Education
Grangefield School
Playing Fields
Ash Tree Farm
Stockton Cricket Ground
OXBRIDGE INDUSTRIAL ESTATE
Millfield Works
Warehouses
The Oak Tree Prim. Sch.
St.Bede's R.C. Prim. Sch.
St.John the Baptist C.E. Prim. Sch.
The Glebe Prim. Sch.
All Weather Sports Court, Primrose Hill Park
PRIMROSE HILL IND. EST.
Londonderry Bridge
Stockton
Cemetery
Sports Ground

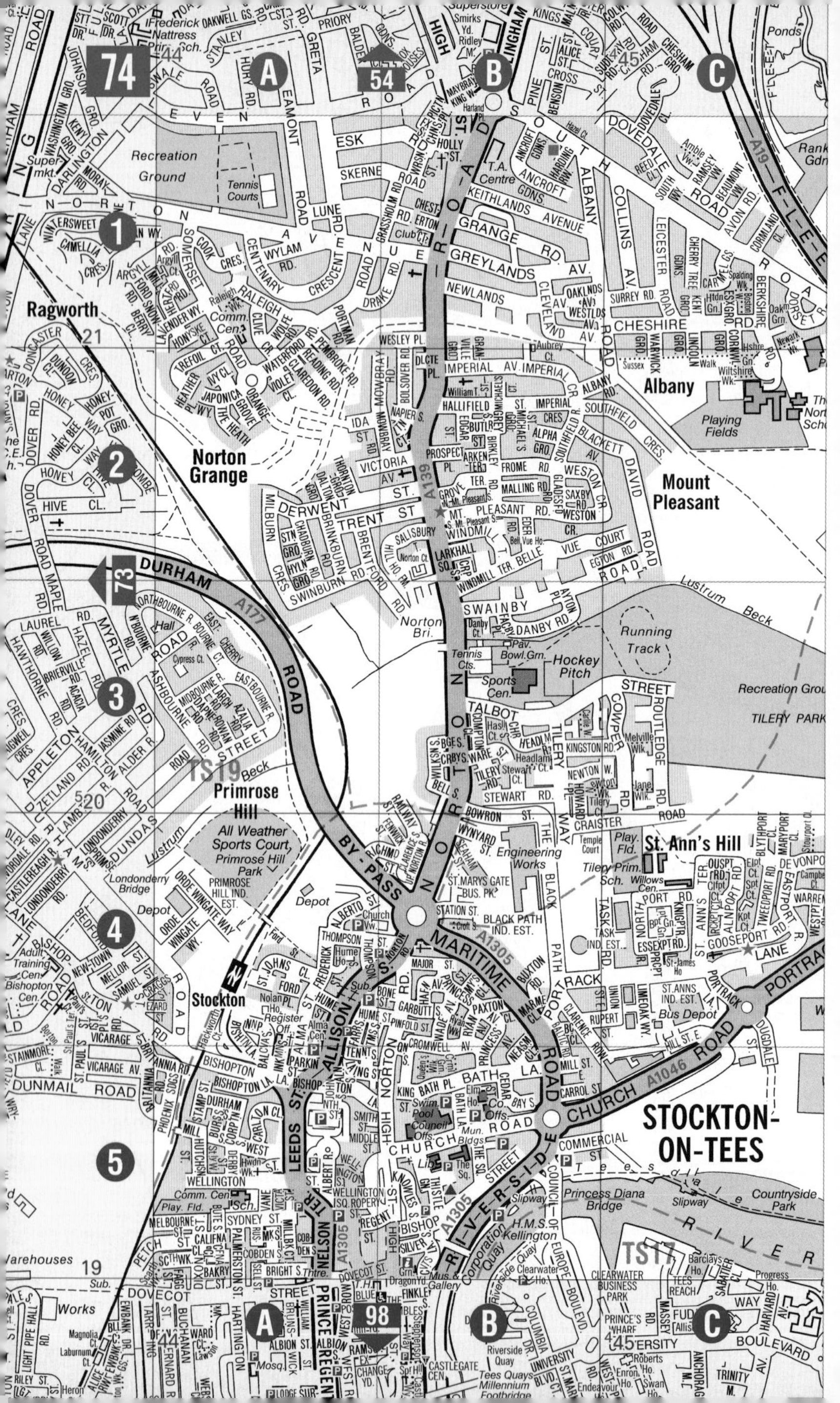

74
54
73
98
A
B
C
1
2
3
4
5
44
45
21
20
19
Ragworth
Norton Grange
Albany
Mount Pleasant
Primrose Hill
Stockton
STOCKTON-ON-TEES
St. Ann's Hill
TS19
TS17
Recreation Ground
Tennis Courts
Playing Fields
Running Track
Hockey Pitch
Sports Cen.
All Weather Sports Court, Primrose Hill Park
Engineering Works
Bus Depot
Princess Diana Bridge
Countryside Park
H.M.S. Kellington
Riverside Quay
Tees Quays Millennium Footbridge
Clearwater Business Park
Lustrum Beck
RIVER TEES
DURHAM ROAD
BY-PASS
NORTON ROAD
MARITIME ROAD
RIVERSIDE
CHURCH ROAD
PORTRACK LANE
NORTON AVENUE
LEVEN ROAD
DARLINGTON ROAD
HARDWICK ROAD
DUNMAIL ROAD
BISHOPTON ROAD
A19
A139
A177
A1305
A1046

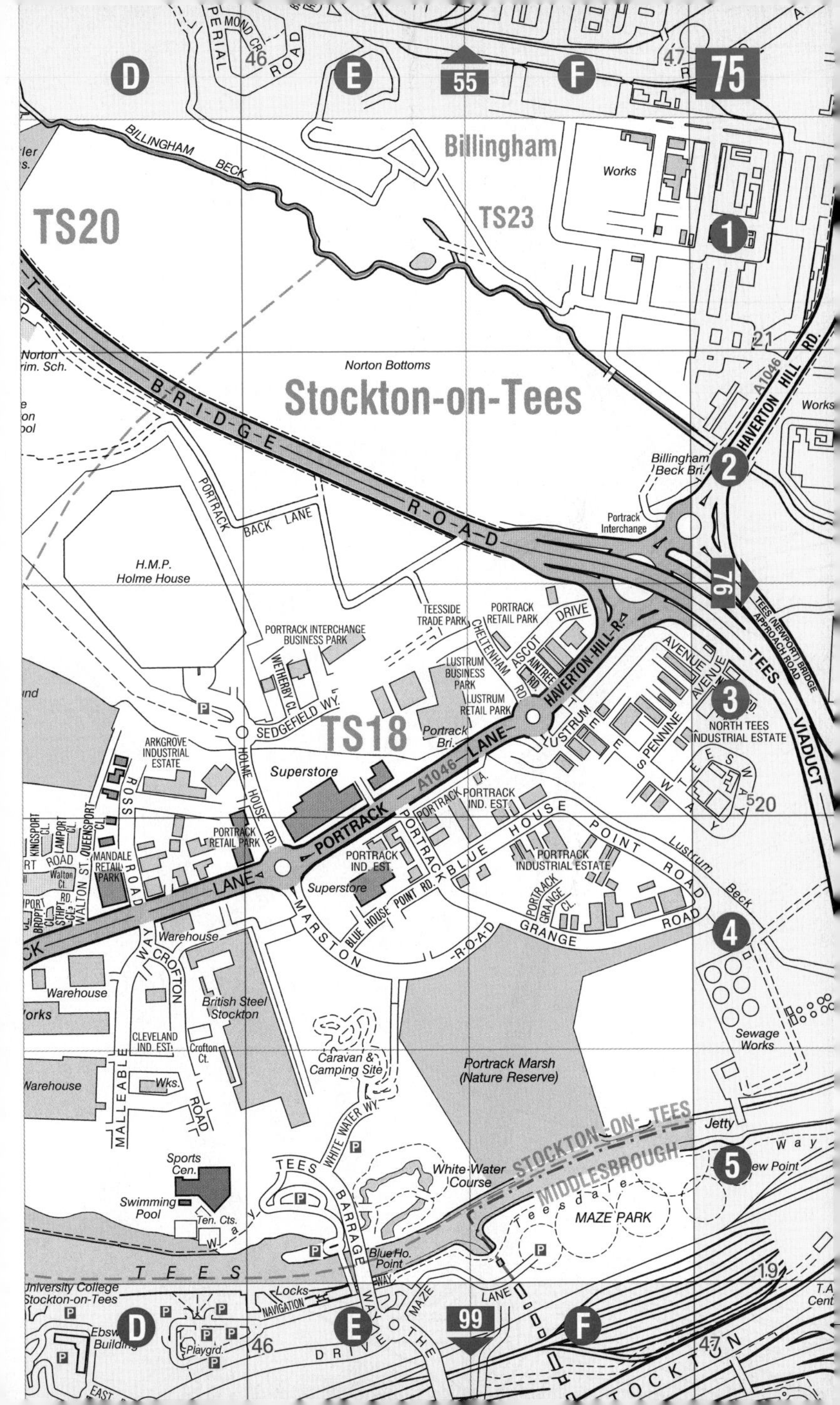

75
55
76
99
D
E
F
46
47
1
2
3
4
5
Billingham
Stockton-on-Tees
TS20
TS23
TS18
BILLINGHAM BECK
Works
Norton Bottoms
BRIDGE ROAD
HAVERTON HILL RD.
A1046
Billingham Beck Bri.
Portrack Interchange
TEES (NEWPORT) BRIDGE APPROACH ROAD
TEES VIADUCT
H.M.P. Holme House
PORTRACK BACK LANE
TEESSIDE TRADE PARK
PORTRACK RETAIL PARK
ASCOT DRIVE
PORTRACK INTERCHANGE BUSINESS PARK
LUSTRUM BUSINESS PARK
LUSTRUM RETAIL PARK
CHELTENHAM RD.
AINTREE RD.
HAVERTON HILL R.
WETHERBY CL.
SEDGEFIELD WY.
Portrack Bri.
NORTH TEES INDUSTRIAL ESTATE
PENNINE AVENUE
TEES WAY
ARKGROVE INDUSTRIAL ESTATE
Superstore
PORTRACK LANE
HOLME HOUSE RD.
PORTRACK IND. EST.
PORTRACK RETAIL PARK
MANDALE RETAIL PARK
PORTRACK INDUSTRIAL ESTATE
BLUE HOUSE POINT ROAD
PORTRACK GRANGE CL.
GRANGE ROAD
Lustrum Beck
MARSTON ROAD
Warehouse
CROFTON WAY
British Steel Stockton
CLEVELAND IND. EST.
Crofton Ct.
Wks.
MALLEABLE WAY
CROFTON ROAD
Caravan & Camping Site
Portrack Marsh (Nature Reserve)
Sewage Works
Jetty
STOCKTON-ON-TEES
MIDDLESBROUGH
WHITE WATER WY.
White-Water Course
Sports Cen.
Swimming Pool
Ten. Cts.
TEES BARRAGE
Teesdale Way
MAZE PARK
Blue Ho. Point
TEES
University College Stockton-on-Tees
Locks
NAVIGATION WAY
MAZE LANE
THE DRIVE
Playgrd.
STOCKTON
EAST

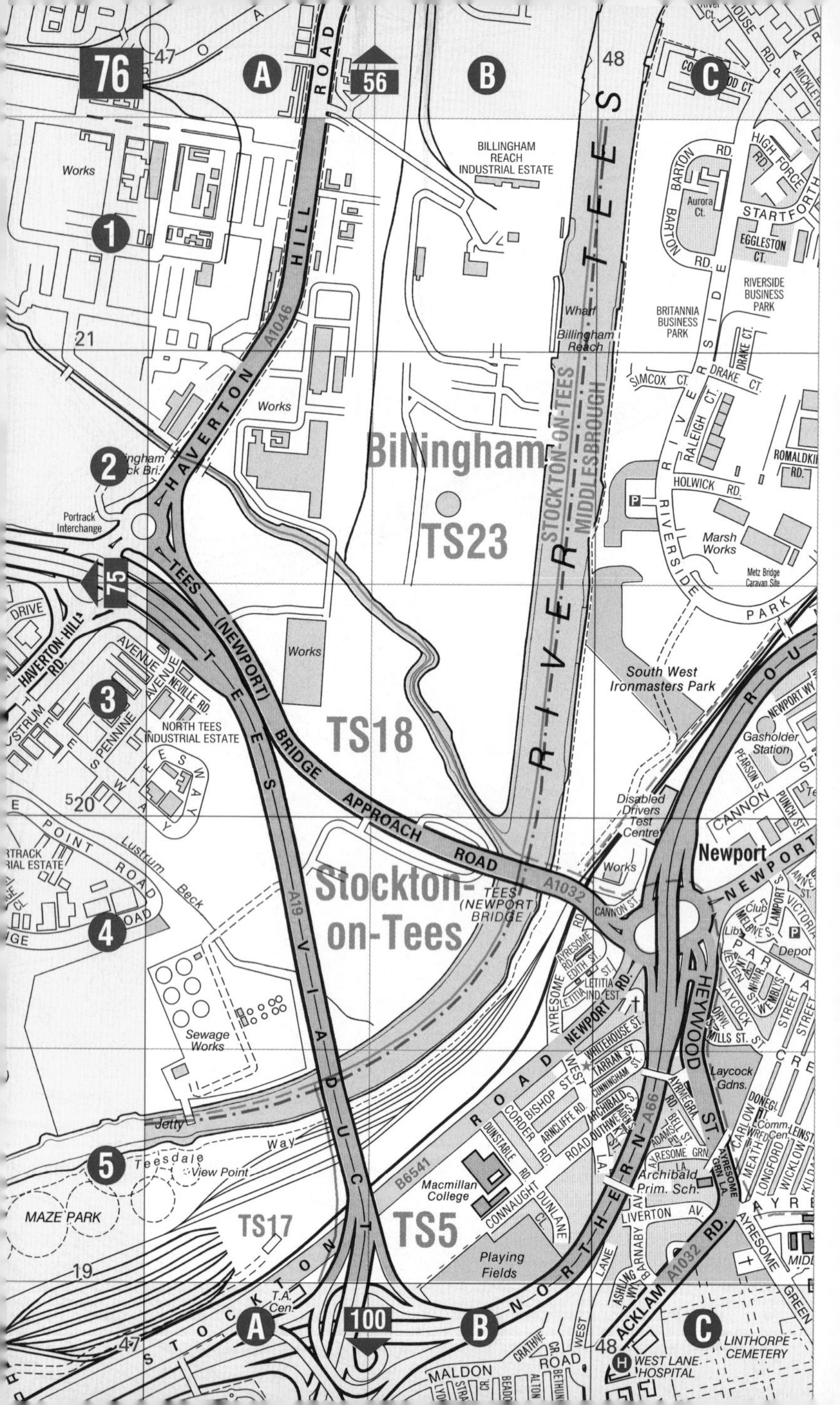
76
56
75
100
A
B
C
Billingham
TS23
TS18
Stockton-on-Tees
TS17
TS5
Newport
HAVERTON HILL ROAD
A1046
BILLINGHAM REACH INDUSTRIAL ESTATE
Works
RIVER TEES
STOCKTON-ON-TEES
MIDDLESBROUGH
Wharf
Billingham Reach
Portrack Interchange
TEES (NEWPORT) BRIDGE APPROACH ROAD
A1032
TEES (NEWPORT) BRIDGE
TEES VIADUCT
A19
NORTH TEES INDUSTRIAL ESTATE
Lustrum Beck
Sewage Works
Jetty
Teesdale Way
View Point
MAZE PARK
T.A. Cen.
STOCKTON ROAD
NORTHERN ROUTE
A66
NEWPORT ROAD
B6541
Macmillan College
Playing Fields
South West Ironmasters Park
Gasholder Station
Disabled Drivers Test Centre
Marsh Works
Metz Bridge Caravan Site
RIVERSIDE BUSINESS PARK
BRITANNIA BUSINESS PARK
Aurora Ct.
HIGH FORCE RD.
STARTFORTH
EGGLESTON CT.
BARTON RD.
SIMCOX CT.
DRAKE CT.
RALEIGH CT.
HOLWICK RD.
RIVERSIDE PARK
ROMALDKIRK RD.
CANNON ST.
PEARSON S.
PUNCH ST.
LAMPORT S.
VICTORIA
PARLIAMENT
LAYCOCK
STREET
MILLS ST.
Laycock Gdns.
HEYWOOD ST.
AYRESOME RD.
EDITH ST.
LETITIA ST.
LETITIA IND. EST.
WHITEHOUSE ST.
TARRAN ST.
CUNNINGHAM ST.
BISHOP ST.
CORDER RD.
ARNCLIFFE RD.
ARCHIBALD ST.
DUNSTABLE RD.
CONNAUGHT RD.
DUNLANE CL.
AYRESOME GRN.
Archibald Prim. Sch.
LIVERTON AV.
BARNABY AV.
WEST LANE
ACKLAM RD.
AYRESOME GREEN
LINTHORPE CEMETERY
WEST LANE HOSPITAL
MALDON ROAD
CRATHNE
Club
Lib.
Depot
CARLOW
MEATH
LONGFORD
WICKLOW
DONEGAL
Comm. Cen.
LEINSTER
47
48
21
20
19
AVENUE
NEVILLE RD.
PENNINE AVENUE
TEES WAY
HAVERTON HILL RD.
DRIVE
POINT ROAD

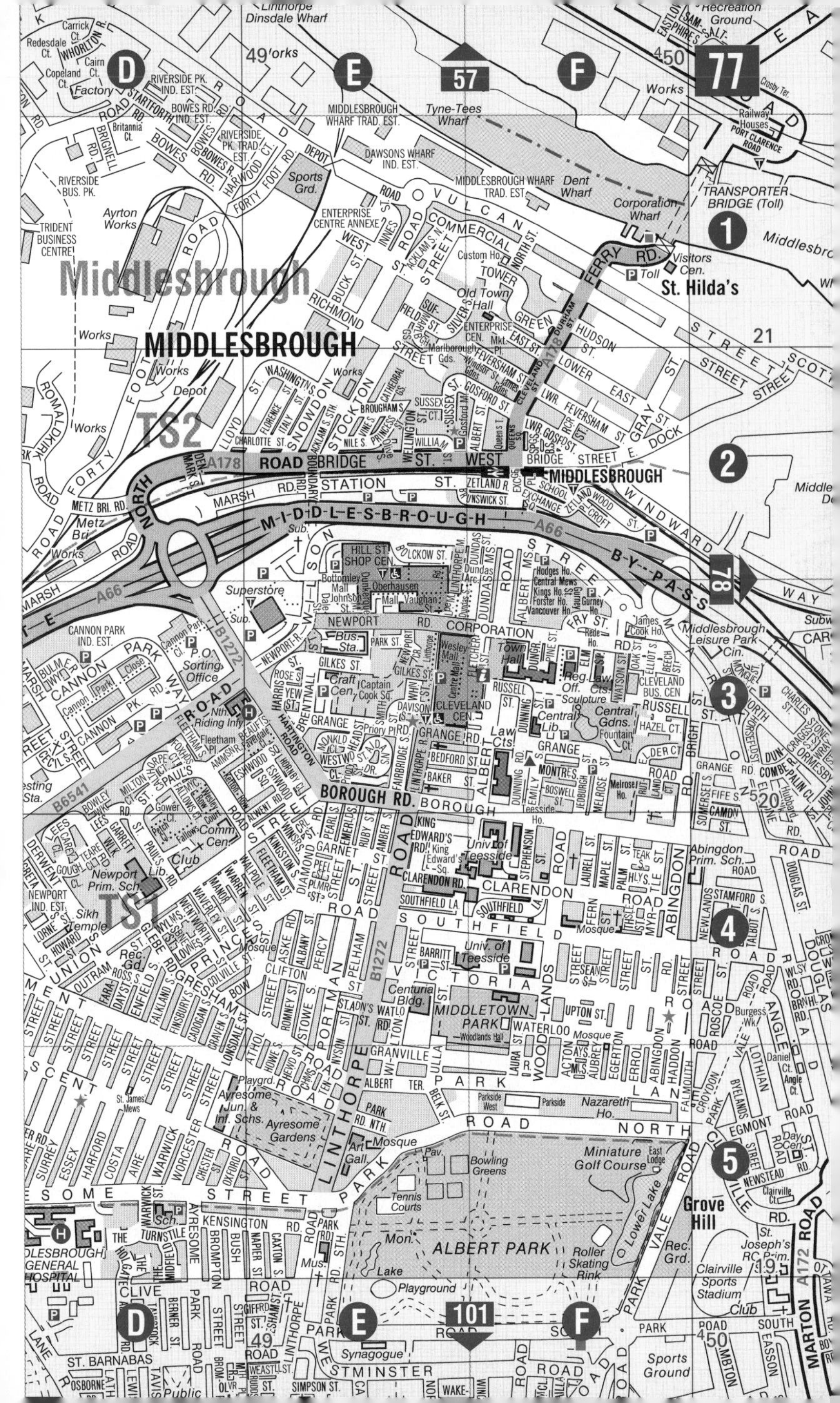

77
57
101
78
D
E
F
1
2
3
4
5
Middlesbrough
MIDDLESBROUGH
TS2
TS1
St. Hilda's
Grove Hill
Recreation Ground
Linthorpe Dinsdale Wharf
Tyne-Tees Wharf
Dent Wharf
Corporation Wharf
TRANSPORTER BRIDGE (Toll)
Visitors Cen.
MIDDLESBROUGH WHARF TRAD. EST.
DAWSONS WHARF IND. EST.
RIVERSIDE PK. IND. EST.
BOWES RD. IND. EST.
RIVERSIDE PK. TRAD. EST.
RIVERSIDE BUS. PK.
TRIDENT BUSINESS CENTRE
Ayrton Works
ENTERPRISE CENTRE ANNEXE
Custom Ho.
Old Town Hall
ENTERPRISE CEN.
Mkt. Pl.
Marlborough Gds.
VULCAN ST.
COMMERCIAL STREET
FERRY RD.
DURHAM ST.
HUDSON ST.
LOWER EAST STREET
GRAY ST.
DOCK ST.
BRIDGE STREET WEST
BRIDGE STREET E.
STATION ST.
MARSH RD.
NORTH ROAD
METZ BRI. RD.
MIDDLESBROUGH BY-PASS
A66
A178
B1272
B6541
HILL ST. SHOP CEN.
Oberhausen Mall
Bus Sta.
CORPORATION RD.
NEWPORT RD.
Town Hall
Reg. Off.
Law Cts.
Central Lib.
Central Gdns.
CLEVELAND CEN.
CLEVELAND BUS. CEN
Middlesbrough Leisure Park
Superstore
P.O. Sorting Office
CANNON PARK IND. EST.
Nth. Riding Infy.
BOROUGH RD.
GRANGE RD.
Univ. of Teesside
CLARENDON ROAD
SOUTHFIELD ROAD
VICTORIA ROAD
Centuria Bldg.
MIDDLETOWN PARK
WOODLANDS ROAD
ABINGDON ROAD
Abingdon Prim. Sch.
Newport Prim. Sch.
NEWPORT IND. EST.
Sikh Temple
Mosque
UNION ST.
PRINCES RD.
PARK LANE
PARK ROAD NORTH
Nazareth Ho.
LINTHORPE ROAD
Ayresome Jun. & Inf. Schs.
Ayresome Gardens
Art Gall.
ALBERT PARK
Miniature Golf Course
Bowling Greens
Tennis Courts
Roller Skating Rink
Lower Lake
Lake
Playground
PARK VALE ROAD
Rec. Grd.
Clairville Sports Stadium
St. Joseph's RC Prim.
MARTON ROAD
A172
AYRESOME STREET
MIDDLESBROUGH GENERAL HOSPITAL
PARK ROAD SOUTH
Synagogue
Sports Ground
WESTMINSTER ROAD
ST. BARNABAS RD.

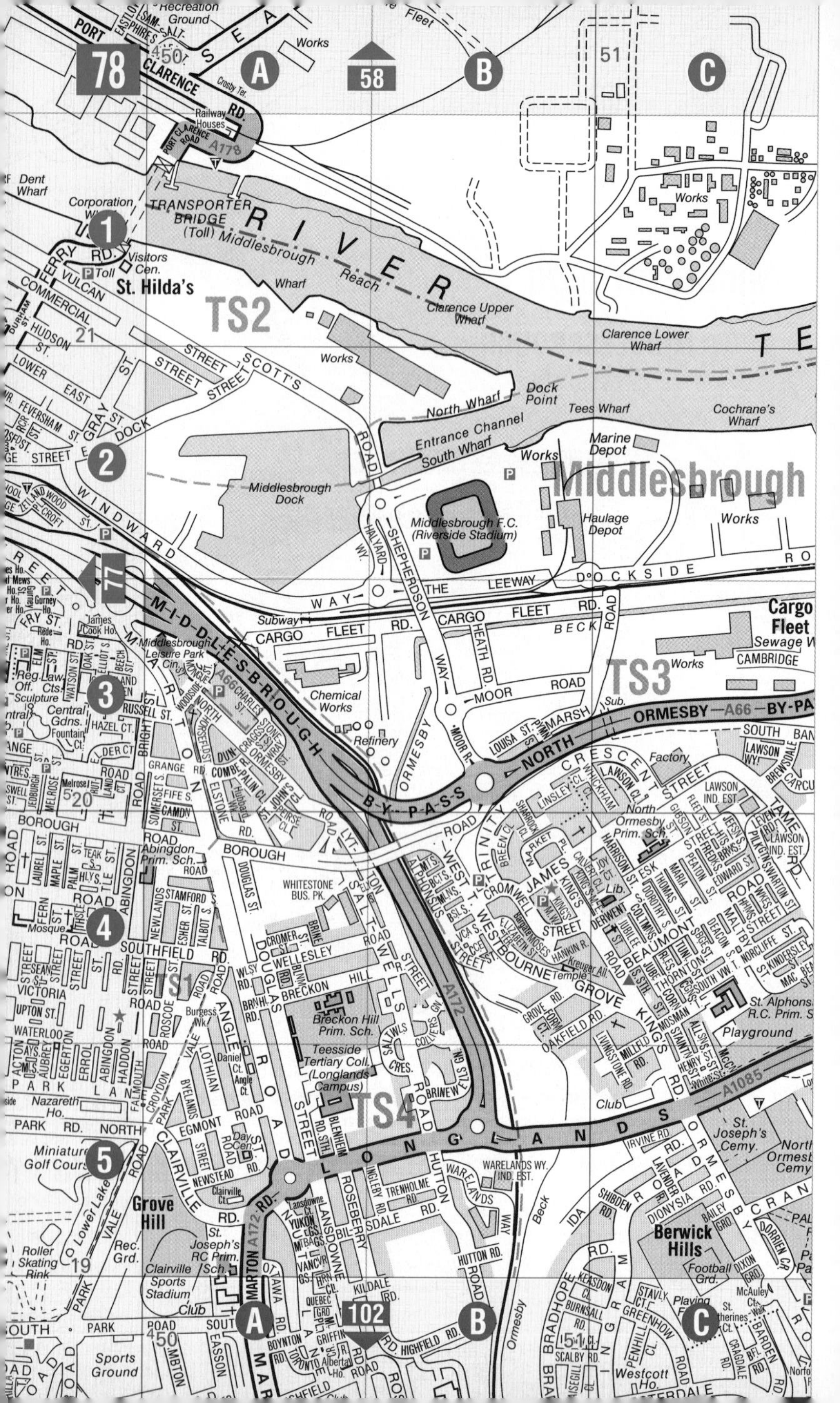
58
77
102
A
B
C
1
2
3
4
5
TS1
TS2
TS3
TS4
RIVER TEES
Middlesbrough
Transporter Bridge (Toll)
Middlesbrough Reach
St. Hilda's
Middlesbrough Dock
Middlesbrough F.C. (Riverside Stadium)
Entrance Channel
South Wharf
North Wharf
Dock Point
Tees Wharf
Cochrane's Wharf
Clarence Upper Wharf
Clarence Lower Wharf
Marine Depot
Haulage Depot
Cargo Fleet
Middlesbrough Leisure Park
Chemical Works
Refinery
Whitestone Bus. Pk.
Breckon Hill Prim. Sch.
Teesside Tertiary Coll. (Longlands Campus)
North Ormesby Prim. Sch.
St. Alphonsus R.C. Prim. Sch.
Playground
St. Joseph's Cemy.
Berwick Hills
Grove Hill
Clairville Sports Stadium
St. Joseph's RC Prim. Sch.
Miniature Golf Course
Roller Skating Rink
Sports Ground
Warelands Wy. Ind. Est.
Lawson Ind. Est.
Middlesbrough By-Pass
North Ormesby By-Pass
Longlands Rd.
Marton Rd.
Cargo Fleet Rd.
Dockside Rd.
The Leeway
Shepherdson Way
Windward Way
Borough Road
Abingdon Road
Park Lane
Park Rd. North
Park Rd. South
Southfield Rd.
Westbourne Grove
Kings Rd.
Ormesby Rd.
Hutton Rd.
Highfield Rd.
Breckon Hill
Saltwells Rd.
Douglas Street
Angle Road
Clairville Rd.
Lower Lake
Port Clarence Rd.
A66
A172
A178
A1085
Works
Factory
Club
Temple
Mosque
Central Gdns.
Reg. Off.
Law Cts.
Nazareth Ho.
Burgess Wk.
Rec. Grd.
Football Grd.
Westcott Ho.

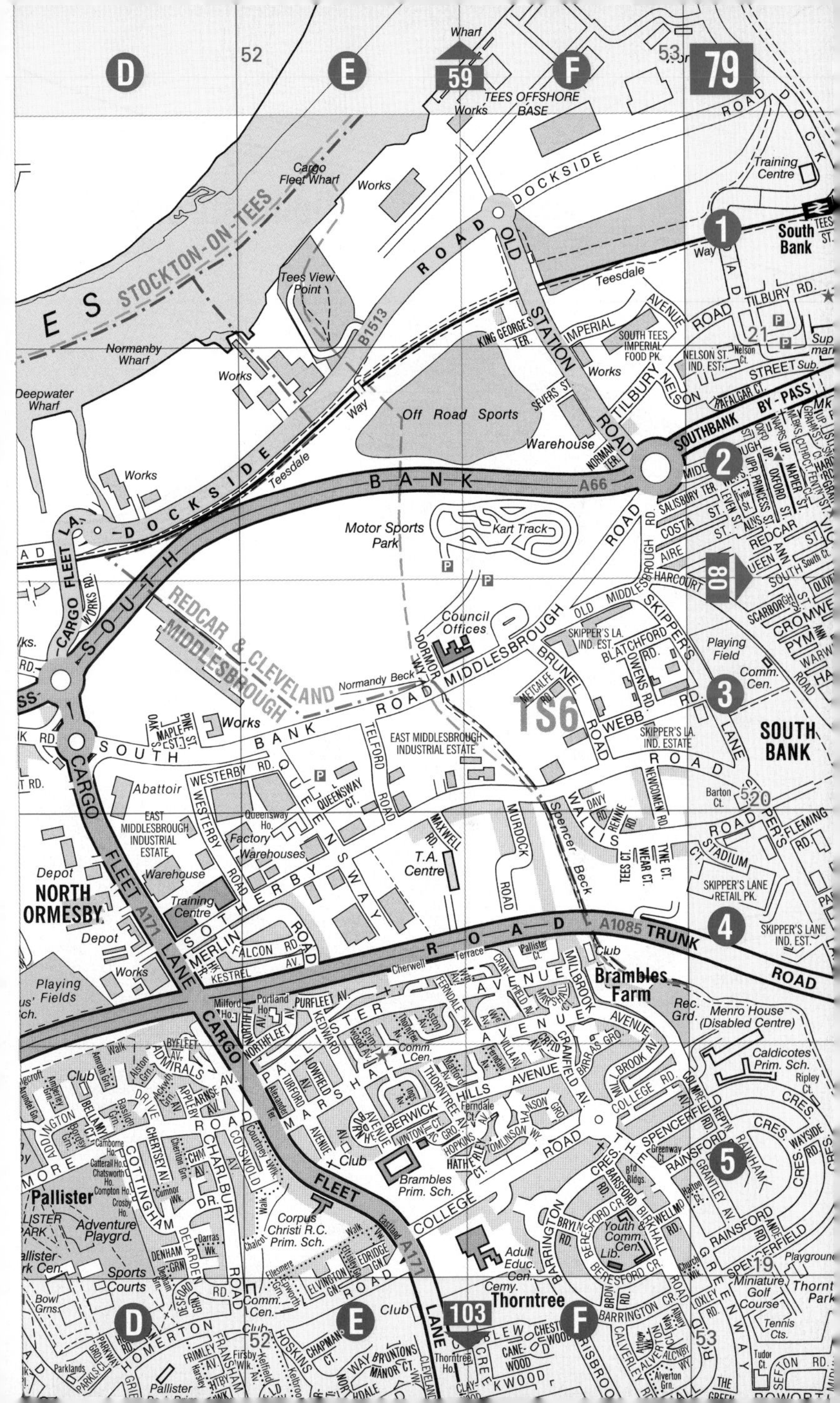

TEES OFFSHORE BASE
Cargo Fleet Wharf
STOCKTON-ON-TEES
Tees View Point
Normanby Wharf
Deepwater Wharf
DOCKSIDE ROAD
OLD STATION ROAD
SOUTH BANK
Off Road Sports
Motor Sports Park
Kart Track
Council Offices
REDCAR & CLEVELAND
MIDDLESBROUGH
TS6
SOUTHBANK BY-PASS
EAST MIDDLESBROUGH INDUSTRIAL ESTATE
SKIPPER'S LA. IND. EST.
SKIPPER'S LANE RETAIL PK.
NORTH ORMESBY
Brambles Farm
Pallister
Thorntree
CARGO FLEET LANE
A1085 TRUNK ROAD
SOUTH TEES IMPERIAL FOOD PK.
T.A. Centre
Brambles Prim. Sch.
Corpus Christi R.C. Prim. Sch.
Caldicotes Prim. Sch.
Menro House (Disabled Centre)
Adult Educ. Cen.
Pallister Park
Playing Fields
Miniature Golf Course

59
80
103

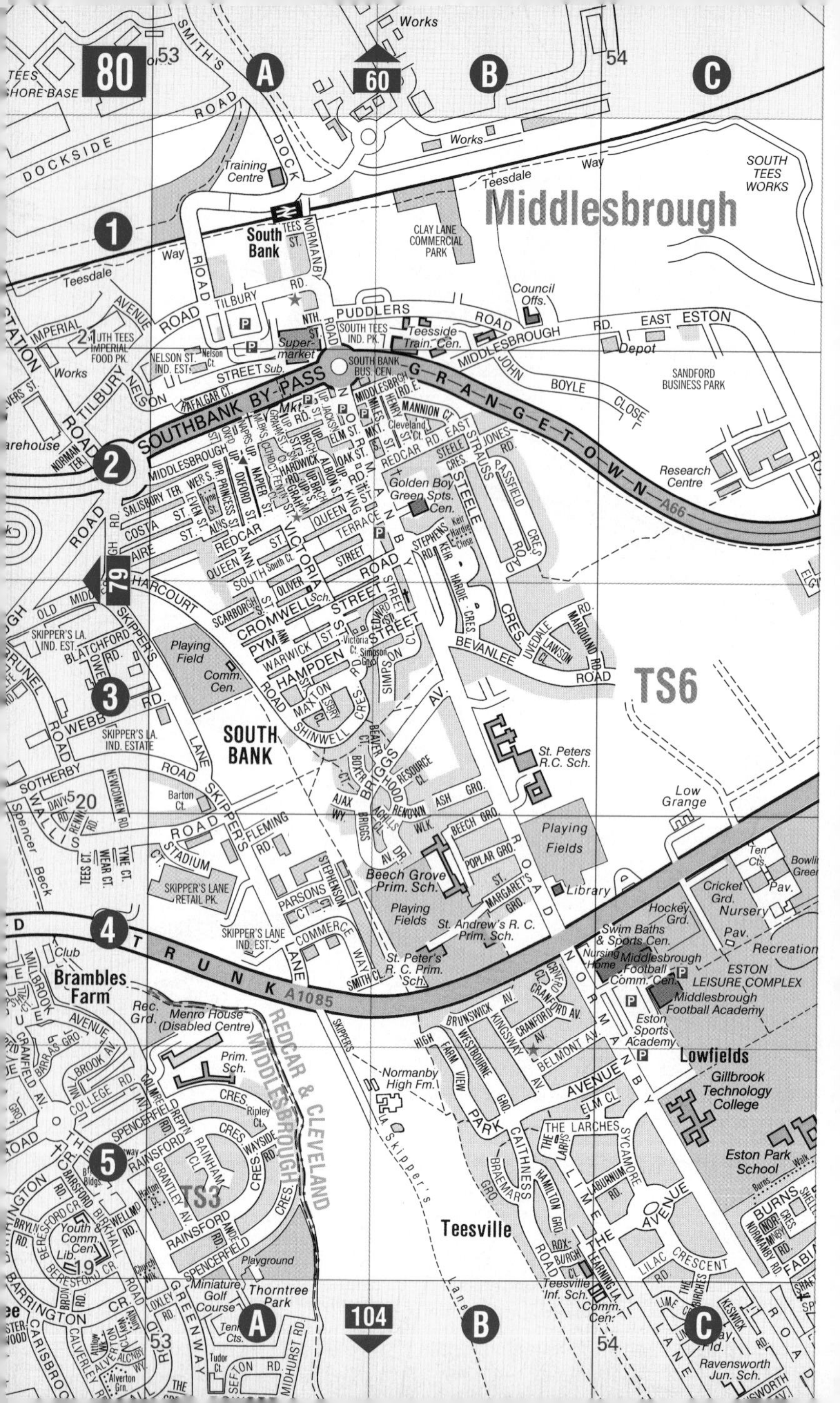
60
104
79
A
B
C
1
2
3
4
5
53
54
Middlesbrough
South Bank
SOUTH BANK
TS6
TS3
Brambles Farm
Teesville
Lowfields
Works
SOUTH TEES WORKS
Teesdale Way
Training Centre
CLAY LANE COMMERCIAL PARK
Council Offs.
Depot
SANDFORD BUSINESS PARK
Research Centre
Super-market
SOUTH TEES IND. PK.
Teesside Train. Cen.
SOUTH BANK BUS. CEN.
SOUTHBANK BY-PASS
GRANGETOWN
A66
PUDDLERS ROAD
MIDDLESBROUGH RD. EAST
ESTON
JOHN BOYLE CLOSE
TILBURY ROAD
DOCKSIDE ROAD
DOCK ROAD
NORMANBY ROAD
Golden Boy Green Spts. Cen.
REDCAR RD. EAST
STRAUSS
STEELE CRES.
PASSFIELD CRES.
KEIR HARDIE CRES.
BEVANLEE ROAD
UVEDALE
LAWSON CL.
MARQUAND RD.
HARCOURT
CROMWELL STREET
PYM
WARWICK ST.
HAMPDEN ST.
VICTORIA
QUEEN ANN
REDCAR
COSTA ST.
AIRE ST.
SALISBURY TER.
Playing Field
Comm. Cen.
SKIPPER'S LA. IND. EST.
SKIPPER'S LA. IND. ESTATE
SKIPPER'S LANE RETAIL PK.
SKIPPER'S LANE IND. EST.
SKIPPER'S LANE
BLATCHFORD RD.
WEBB RD.
BRUNEL ROAD
SOTHERBY ROAD
WALLIS
Spencer Beck
STADIUM
Barton Ct.
FLEMING RD.
PARSONS CT.
STEPHENSON
COMMERCE WAY
SMITH CL.
SHINWELL CRES.
BRIGGS AV.
Beech Grove Prim. Sch.
Playing Fields
St. Andrew's R. C. Prim. Sch.
St. Peter's R. C. Prim. Sch.
St. Peters R.C. Sch.
Library
Low Grange
Cricket Grd.
Hockey Grd.
Nursery
Swim Baths & Sports Cen.
Nursing Home
Middlesbrough Football Comm. Cen.
ESTON LEISURE COMPLEX
Middlesbrough Football Academy
Eston Sports Academy
Recreation
Gillbrook Technology College
Eston Park School
TRUNK
A1085
Club
Rec. Grd.
Menro House (Disabled Centre)
Prim. Sch.
REDCAR & CLEVELAND
MIDDLESBROUGH
Normanby High Fm.
Skipper's Lane
SPENCERFIELD CRES.
RAINSFORD CRES.
RAINHAM CL.
GRANTLEY AV.
Youth & Comm. Cen.
Lib.
Playground
Miniature Golf Course
Thorntree Park
Tenn. Cts.
GREENWAY
BARRINGTON CR.
CARISBROOKE
SEFTON RD.
MIDHURST RD.
BRUNSWICK AV.
KINGSWAY
CRANFORD AV.
BELMONT AV.
WESTBOURNE GRO.
HIGH FARM VIEW
PARK AVENUE
CAITHNESS
BRAEMAR GRO.
HAMILTON GRO.
THE LARCHES
SYCAMORE
LIME
LABURNUM RD.
THE AVENUE
LILAC CRESCENT
Teesville Inf. Sch.
Comm. Cen.
ROXBURGH CL.
Ravensworth Jun. Sch.
KESWICK
BURNS
FABIAN

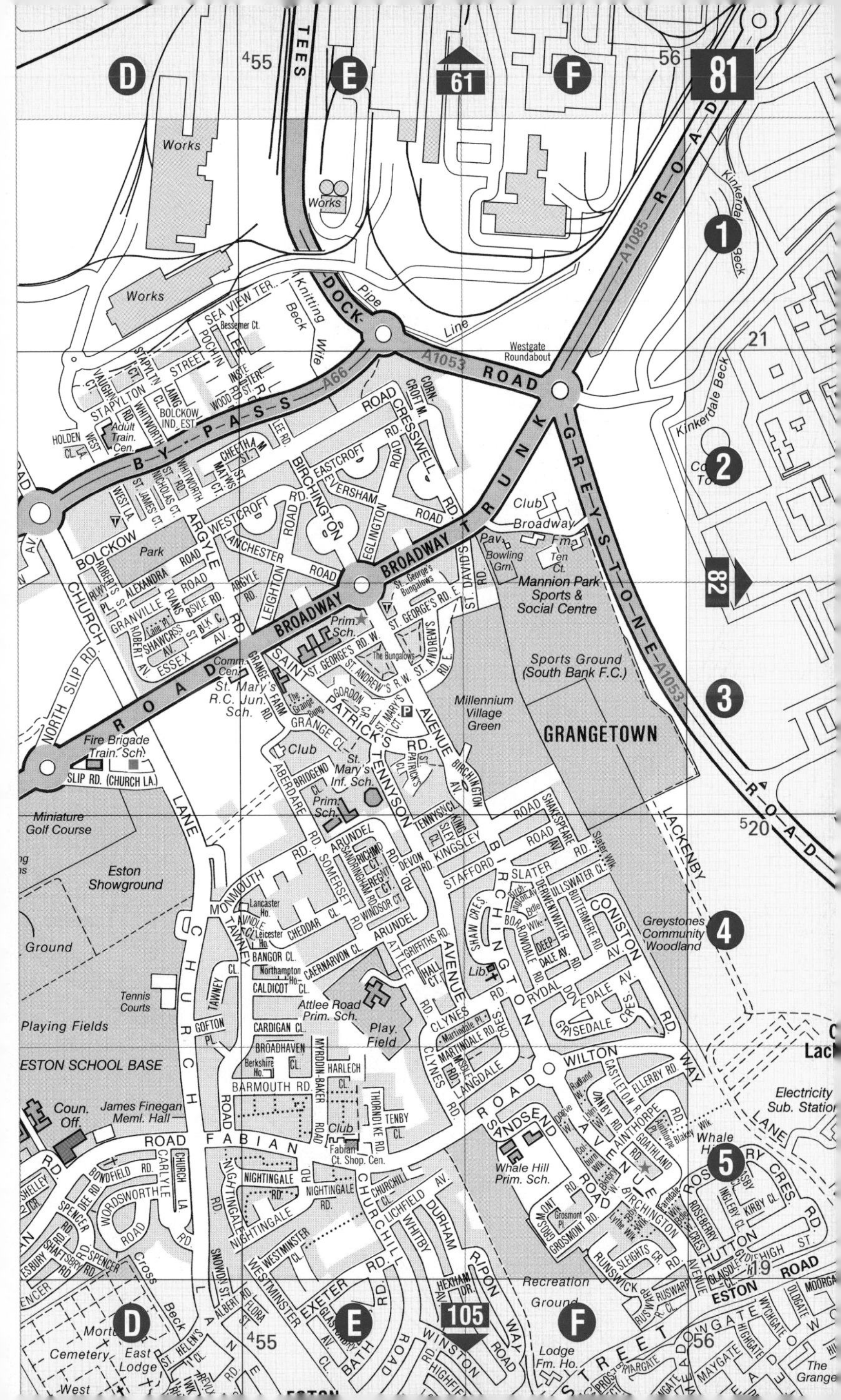
D
E
F
455
56
61
TEES DOCK
Works
Works
Works
Knitting Beck
Wife
Pipe Line
A1053 ROAD
Westgate Roundabout
A1085 ROAD
TRUNK ROAD
GREYSTONE ROAD
A1053
A66
BY-PASS
SEA VIEW TER.
Bessemer Ct.
POCHIN
LEE
STAPYLTON
STREET
LAING CL.
BOLCKOW IND. EST.
WHITWORTH
Adult Train. Cen.
HOLDEN
WEST
CHEETHAM ST.
WHITWORTH
ST. NICHOLAS CT.
ST. JAMES' CT.
WEST LA.
CROFT
CRESSWELL RD.
EASTCROFT
EVERSHAM
ROAD
BIRCHINGTON
WESTCROFT
LANCHESTER
ROAD
EGLINGTON
LEIGHTON ROAD
BOLCKOW
Park
ARGYLE
ALEXANDRA
ROAD
EVANS
GRANVILLE
ROBERT AV.
SHAWCROSS AV.
ESSEX AV.
BROADWAY
St. George's Bungalows
ST. GEORGE'S RD. E.
ST. DAVID'S RD.
Club
Broadway Fm.
Pav.
Bowling Grn.
Ten. Ct.
Mannion Park Sports & Social Centre
Sports Ground (South Bank F.C.)
Prim. Sch.
ST. GEORGE'S RD. W.
The Bungalows
ST. ANDREW'S R.W.
ST. ANDREWS RD. E.
Comm. Cen.
St. Mary's R.C. Jun. Sch.
GRANGE FARM RD.
SAINT PATRICK'S RD.
GORDON CL.
ST. MARY'S CT.
AVENUE
Millennium Village Green
GRANGETOWN
NORTH SLIP RD.
CHURCH
Fire Brigade Train. Sch.
SLIP RD. (CHURCH LA.)
Club
GRANGE CL.
ABERDARE RD.
BRIDGEND CL.
St. Mary's Inf. Sch.
Prim. Sch.
TENNYSON
BIRCHINGTON AV.
ROAD
SHAKESPEARE AV.
Slater Wlk.
LACKENBY
Miniature Golf Course
Eston Showground
LANE
MONMOUTH RD.
ARUNDEL
SOMERSET RD.
RICHMOND CT.
REGENT CT.
SANDRINGHAM RD.
WINDSOR CT.
DEVON RD.
KINGSLEY
STAFFORD
SLATER
ULLSWATER CL.
DERWENTWATER
BUTTERMERE RD.
CONISTON AV.
Greystones Community Woodland
Lancaster Ho.
Leicester Ho.
CHEDDAR CL.
ARUNDEL
TAWNEY
BANGOR CL.
CAERNARVON CL.
ATTLEE
GRIFFITHS RD.
HALL CT.
SHAW CRES.
BORROWDALE RD.
DEEPDALE AV.
Lib.
RYDAL
EDALE AV.
DOVEDALE
GRISEDALE CRES.
Ground
Tennis Courts
Playing Fields
Northampton Ho.
CALDICOT CL.
CARDIGAN CL.
Attlee Road Prim. Sch.
Play. Field
GOFTON PL.
CLYNES
Martindale Pl.
MARTINDALE RD.
LANGDALE
WILTON
ROAD
CASTLETON R.
ELLERBY RD.
WAY
ESTON SCHOOL BASE
Coun. Off.
James Finegan Meml. Hall
BROADHAVEN CL.
Berkshire Ho.
MYRDDIN-BAKER ROAD
HARLECH CL.
BARMOUTH RD.
THORNDIKE RD.
TENBY CL.
Club
Fabian Ct. Shop. Cen.
FABIAN
ROAD
SANDSEND
AVENUE
AINTHORPE
GOATHLAND
Blakey Wlk.
Whale Hill
Whale Hill Prim. Sch.
Electricity Sub. Station
LANE
BONDFIELD RD.
CARLYLE
CHURCH LA.
NIGHTINGALE
CHURCHILL CL.
LICHFIELD AV.
DURHAM
WHITBY
SHELLEY
SPENCER
WORDSWORTH
ROAD
DEE RD.
GROSMONT
Grosmont Pl.
GROSMONT RD.
Lythe Wlk.
BIRCHINGTON
RUNSWICK
SLEIGHTS GR.
ROSEBERRY CRES.
INGLEBY CL.
KIRBY CL.
HUTTON
HIGH ST.
19
Cross Beck
SNOWDON ST.
WESTMINSTER CL.
WESTMINSTER
EXETER RD.
CHURCHILL
ROAD
HEXHAM DR.
RIPON WAY
Recreation Ground
RUSWARP
ESTON
ROAD
MOORGATE
GLAISDALE
Mortuary
Cemetery
East Lodge
ST. HELEN'S CL.
ALBERT RD.
FLORA
GLASTONBURY
BATH
WINSTON
HIGHFIELD
105
Lodge Fm. Ho.
STREET
MEADOWGATE
WYCHGATE
OLDGATE
HIGHGATE
MAYGATE
The Grange
West
ESTON
21
Kinkerdale Beck
Kinkerdale Beck
82
520

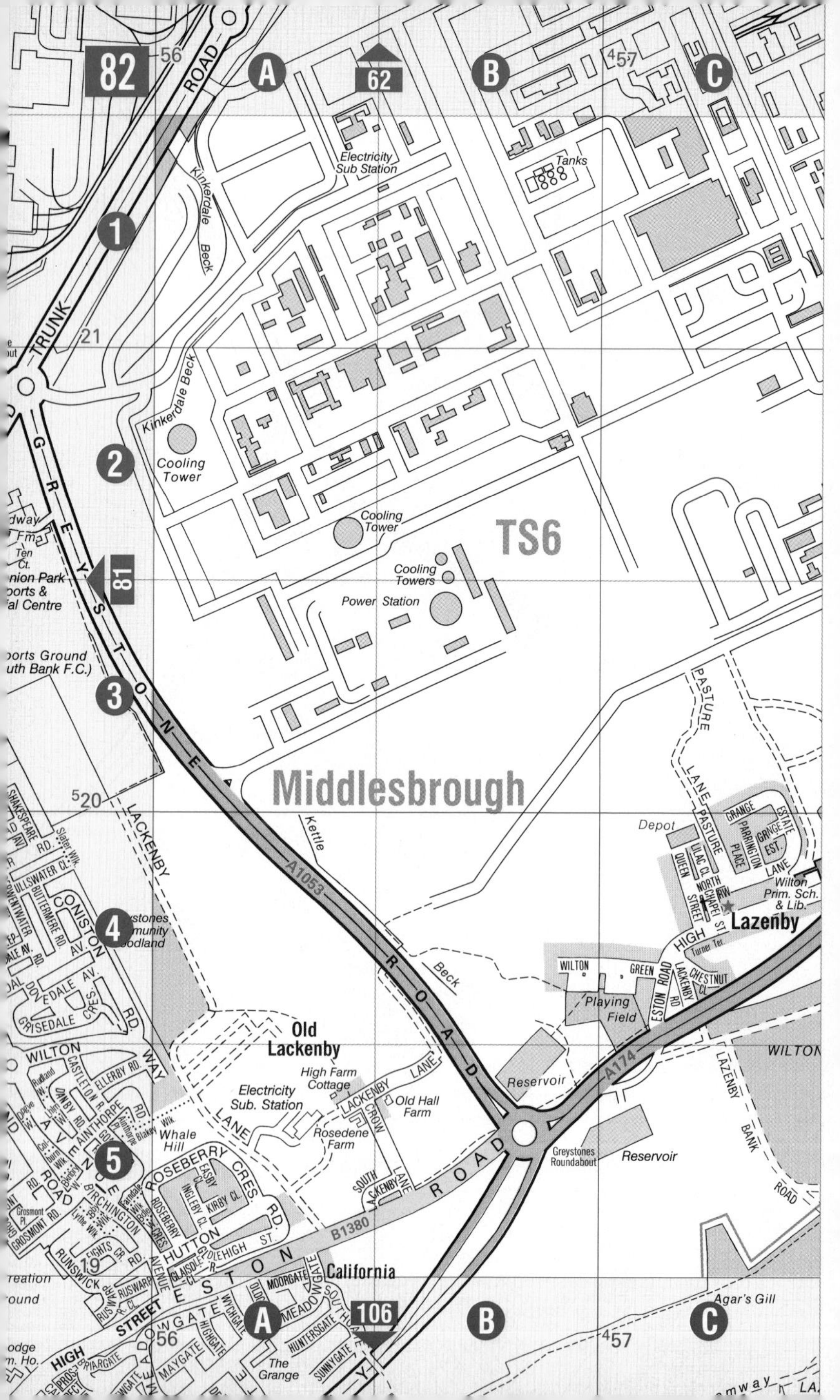

82
62
81
106
A
B
C
1
2
3
4
5
TRUNK ROAD
GREYSTONE ROAD
A1053
Electricity Sub Station
Tanks
Kinkerdale Beck
Cooling Tower
Cooling Towers
Power Station
TS6
Middlesbrough
Kettle Beck
LACKENBY
Depot
PASTURE LANE
GRANGE ESTATE
PARRINGTON PLACE
LILAC CL.
QUEEN STREET
NORTH
CHAPEL ST.
Wilton Prim. Sch. & Lib.
Lazenby
HIGH GREEN
WILTON
Turner Ter.
CHESTNUT CL.
ESTON ROAD
LACKENBY RD
Playing Field
Reservoir
A174
WILTON
LAZENBY BANK ROAD
Greystones Roundabout
Old Lackenby
High Farm Cottage
Electricity Sub. Station
LACKENBY LANE
Old Hall Farm
Rosedene Farm
CROW LANE
SOUTH LACKENBY LANE
Whale Hill
ROSEBERRY CRES
EASBY CL.
INGLEBY CL.
KIRBY CL.
B1380
HUTTON AVENUE
HIGH ST.
ESTON STREET
HIGH STREET
California
MOORGATE
MEADOWGATE
SOUTHGATE
WYCHGATE
HIGHGATE
MAYGATE
HUNTERSGATE
SUNNYGATE
The Grange
Agar's Gill
SHAKESPEARE
ULLSWATER CL.
BUTTERMERE RD.
CONISTON AV.
EDALE AV.
GRISEDALE CRES.
WILTON AVENUE
CASTLETON R.
ELLERBY RD.
DANBY RD.
AINTHORPE
BIRCHINGTON
GROSMONT RD.
RUNSWICK
RUSWARP
Sports Ground (South Bank F.C.)
Union Park Sports & Leisure Centre
Ten Ct.
Greystones Community Woodland
WAY

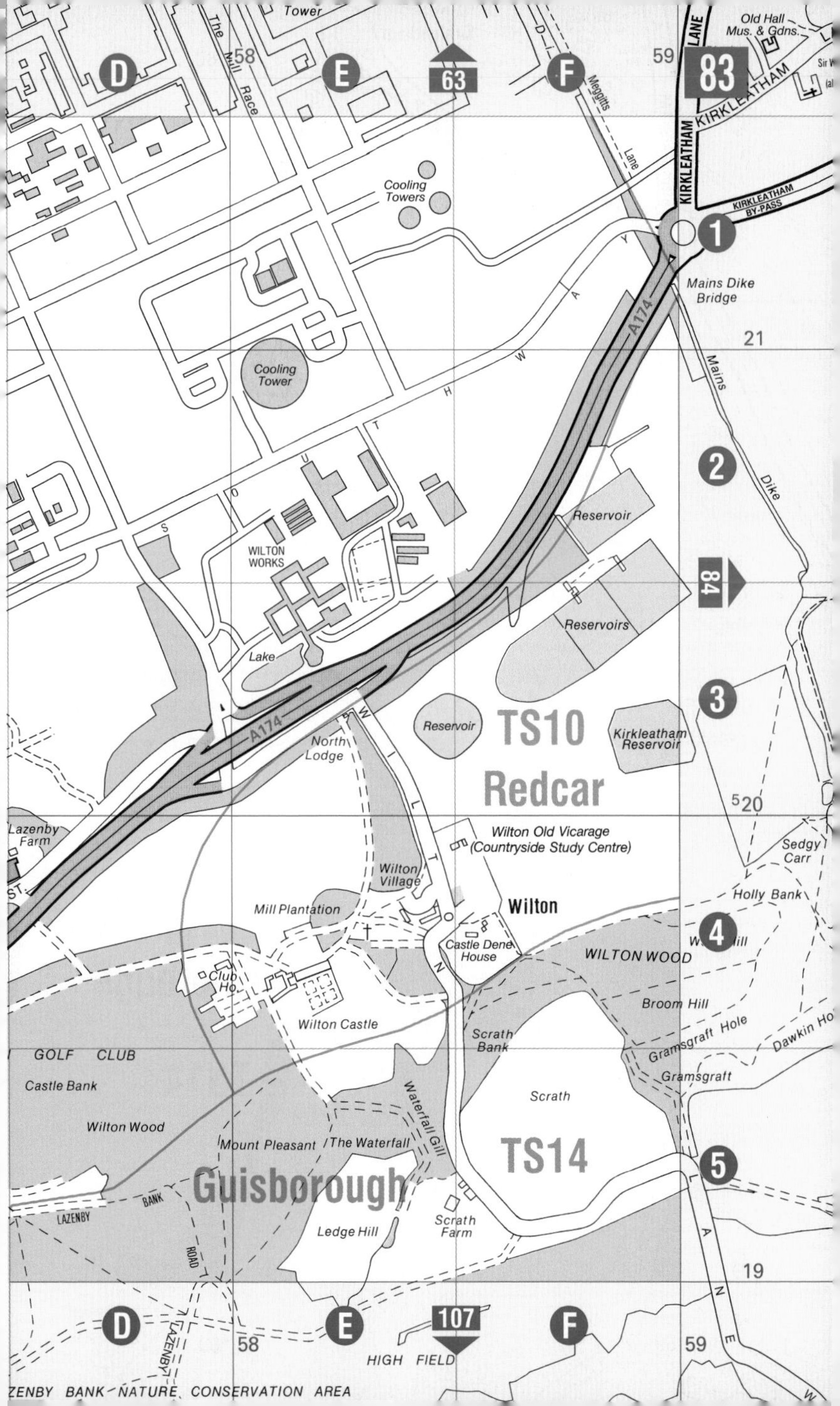
Tower
The Mill Race
58
59
D
E
F
63
Meggitts Lane
Old Hall Mus. & Gdns.
KIRKLEATHAM LANE
KIRKLEATHAM
KIRKLEATHAM BY-PASS
Cooling Towers
Cooling Tower
1
Mains Dike Bridge
21
Mains Dike
A174
WILTON WORKS
Lake
2
Reservoir
84
Reservoirs
3
Reservoir
TS10
Redcar
Kirkleatham Reservoir
North Lodge
520
Lazenby Farm
Wilton Old Vicarage (Countryside Study Centre)
Sedgy Carr
Wilton Village
Mill Plantation
Wilton
Holly Bank
4
Castle Dene House
WILTON WOOD
Club Ho.
Broom Hill
Wilton Castle
Scrath Bank
Gramsgraft Hole
Gramsgraft
GOLF CLUB
Castle Bank
Scrath
Wilton Wood
Waterfall Gill
Mount Pleasant
The Waterfall
TS14
5
Guisborough
LAZENBY BANK
ROAD
Ledge Hill
Scrath Farm
19
107
HIGH FIELD
ZENBY BANK NATURE CONSERVATION AREA

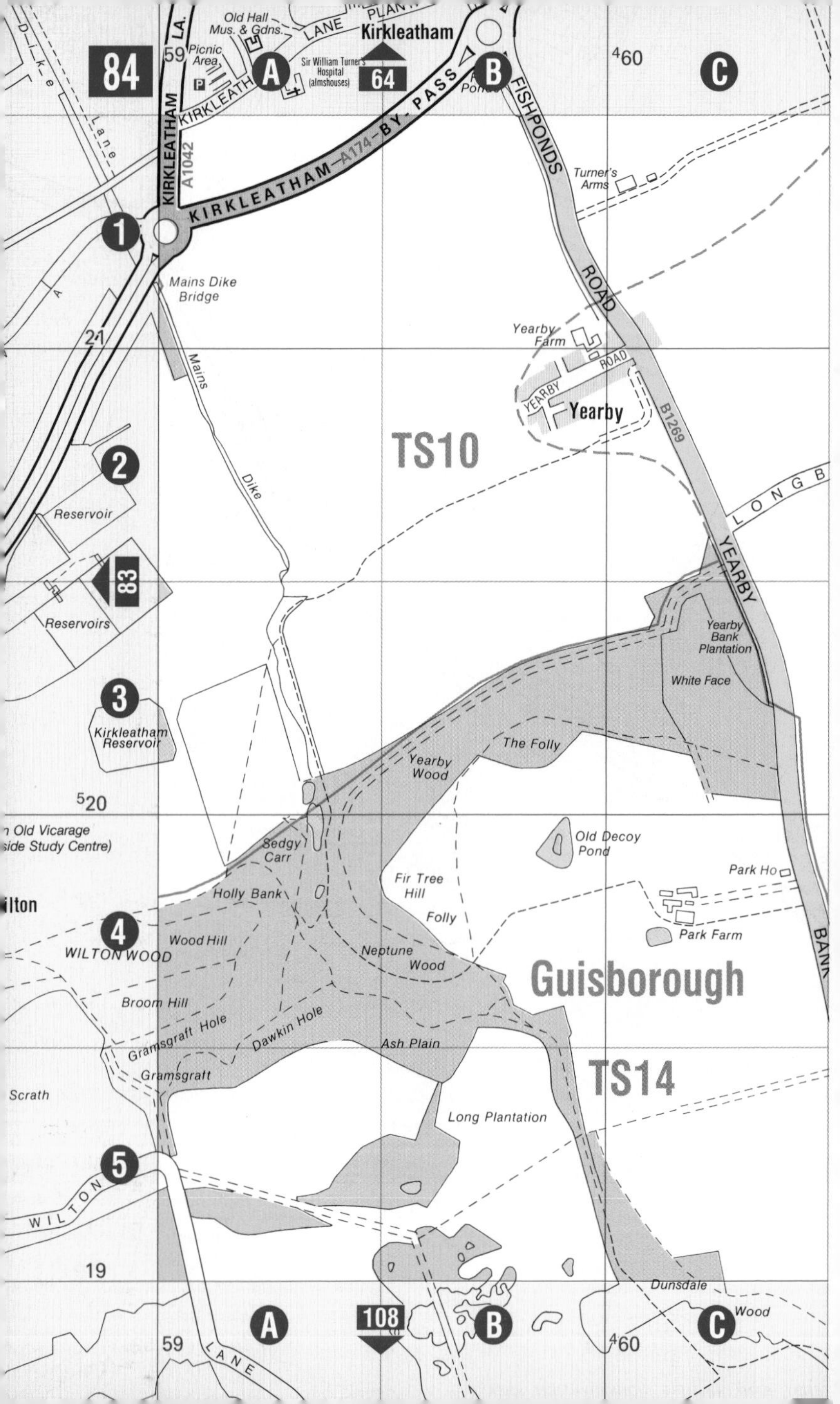
Old Hall
Mus. & Gdns.
LANE
PLAN
Kirkleatham
64
Sir William Turner's
Hospital
(almshouses)
Picnic
Area
59
LA.
KIRKLEATHAM
KIRKLEATHAM
A1042
KIRKLEATHAM — A174 — BY - PASS
FISHPONDS
ROAD
460
Turner's
Arms
Dike
Lane
Mains Dike
Bridge
Mains
Dike
21
Yearby
Farm
YEARBY
ROAD
Yearby
B1269
TS10
Reservoir
83
Reservoirs
LONG B
YEARBY
Yearby
Bank
Plantation
White Face
Kirkleatham
Reservoir
The Folly
Yearby
Wood
520
Old Vicarage
side Study Centre)
Sedgy
Carr
Old Decoy
Pond
Park Ho
Fir Tree
Hill
Holly Bank
ilton
Folly
Wood Hill
WILTON WOOD
Neptune
Wood
Park Farm
BANK
Guisborough
Broom Hill
Gramsgraft Hole
Dawkin Hole
Ash Plain
Gramsgraft
TS14
Scrath
Long Plantation
WILTON
19
Dunsdale
Wood
108
59
LANE
460

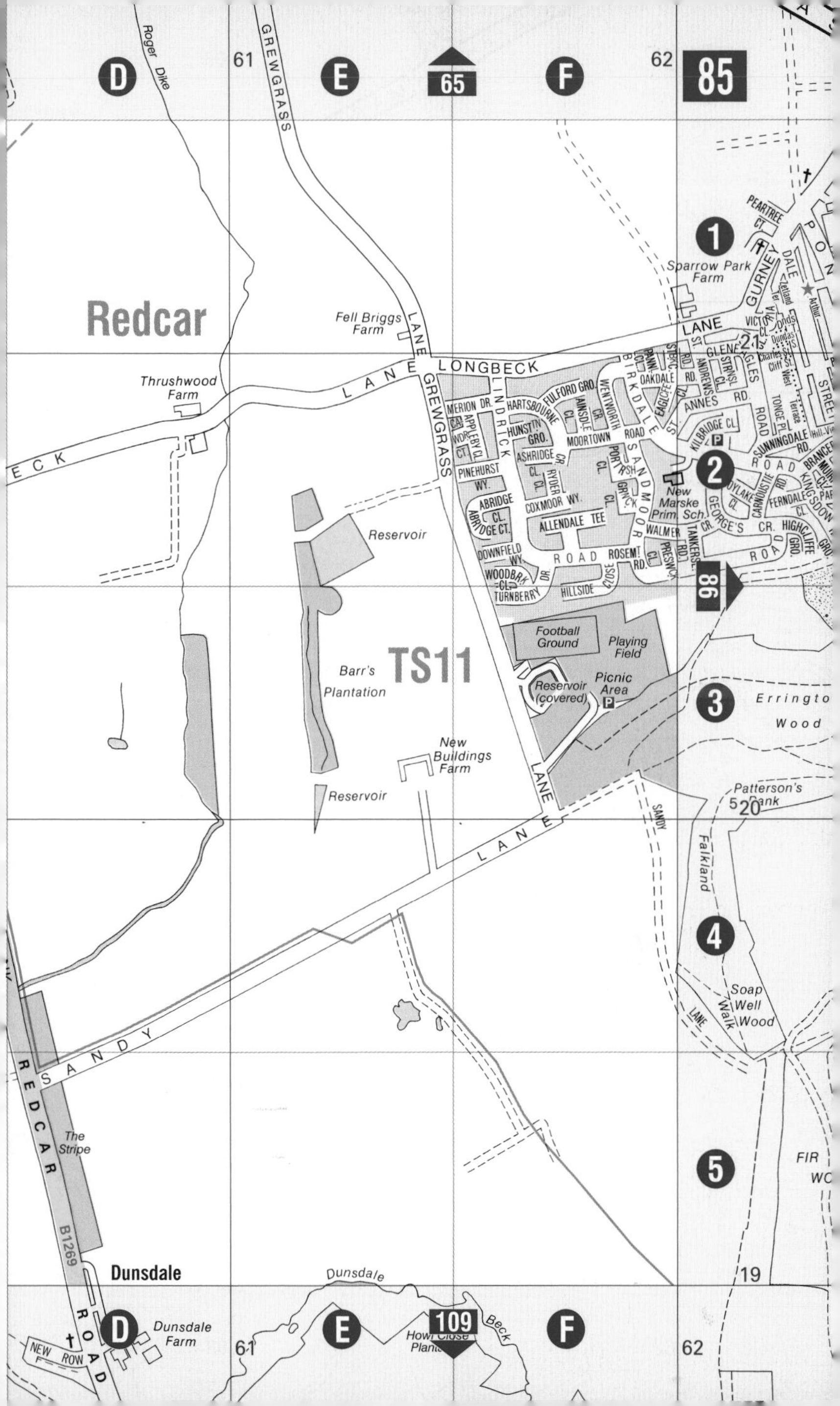

Redcar

Roger Dike

GREWGRASS

Thrushwood Farm

Fell Briggs Farm

ECK

LANE LONGBECK

LANE

GREWGRASS

MERION DR.
LINDRICK
APPLEBY CL.
HARTSBOURNE
TILFORD GRO.
WENTWORTH
Road
OAKDALE CL.
PARK
KILBRIDGE CL. P
PINEHURST WY.
HUNSLEY GRO.
AINSDALE CL.
MOORTOWN
SANDMOOR
ABRIDGE CL.
ASHRIDGE CL.
RYDER
DR.
DORSET CL.
GRANGE CR.
ABRIDGE CT.
COXMOOR WY.
ALLENDALE TEE
WALMER
DOWNFIELD WY.
ROAD
ROSEMT
TANKERSLEY
WOODBK CL.
ROAD
PRESMX
TURNBERRY
HILLSIDE

Sparrow Park Farm

PEARTREE CT.
GURNEY
DALE
PON

GLENE
SPRING
GILES
VICTORIA
ST.
ANDREWS
Cliff
Wood

ST.
ANNES
RD.
TONGE
PL.
PAF

New Marske Prim. Sch.
GEORGE'S
CR.
DYLANE
CASHMERE
RD.
CAWTHORNE
HIGHCLIFFE GRO.
ROAD
FERNDALE CL.
KINGSDOWN
ROAD

TS11

Barr's Plantation

Reservoir

Reservoir

New Buildings Farm

Reservoir

Football Ground
Reservoir (covered)
Playing Field
Picnic Area P

LANE

SANDY

1

2

86

3 Errington Wood

Patterson's Bank
5 20

Falkland

4

SANDY

REDCAR

The Stripe

B1269

Dunsdale

LANE

Soap Well Wood

LANE
WALK

5

FIR WO

19

Dunsdale

Howl Close Plant

NEW ROW

Dunsdale Farm

ROAD

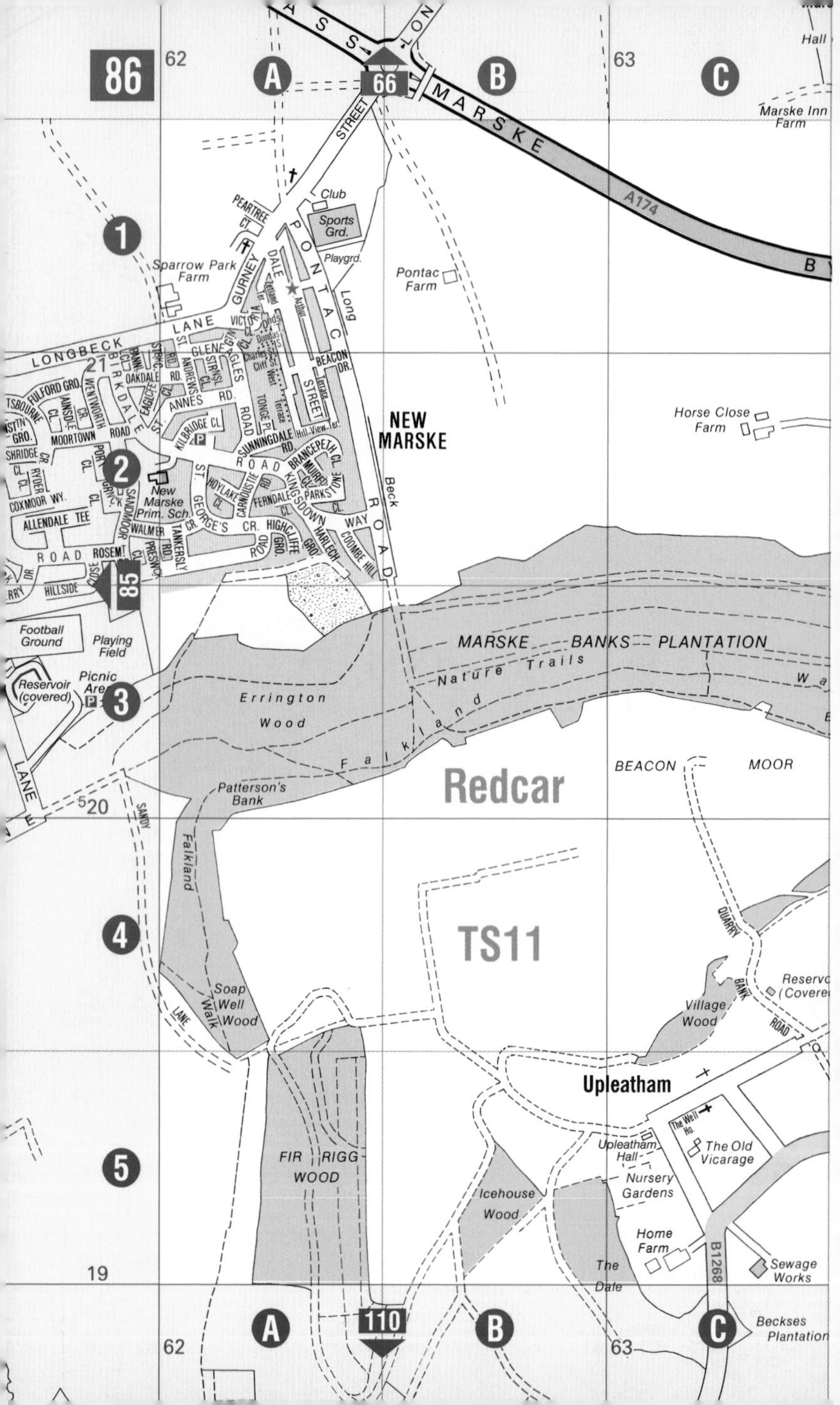

66
85
110
A
B
C
1
2
3
4
5
62
63
21
20
19
MARSKE
A174
Marske Inn Farm
Hall
Club
Sports Grd.
Playgrd.
Pontac Farm
Sparrow Park Farm
PEARTREE CT.
STREET
GURNEY
PONTAC
DALE
Long
LANE
LONGBECK
BIRKDALE
OAKDALE
FULFORD GRO.
WENTWORTH
MOORTOWN
ROAD
ST. ANDREWS
ST. ANNES RD.
KILBRIDGE CL.
GLENEAGLES
ROAD
TONGE PL.
SUNNINGDALE RD.
BEACON DR.
STREET
Terrace
Hill View Ter.
NEW MARSKE
Beck
ROAD
BRANCEPETH CL.
MUIRFIELD CL.
PARKSTONE
KINGSDOWN
FERNDALE
CARNOUSTIE
HOYLAKE CL.
ST. GEORGE'S CR.
HIGHCLIFFE GRO.
HARLECH GRO.
COOMBE HILL
WAY
New Marske Prim. Sch.
COXMOOR WY.
ALLENDALE TEE
SANDMOOR
WALMER
TANKERSLY RD.
PRESWICK
ROSEMT CL.
HILLSIDE
CLOSE
Football Ground
Playing Field
Picnic Area
Reservoir (covered)
LANE
SANDY
MARSKE BANKS PLANTATION
Nature Trails
Errington Wood
Falkland
Patterson's Bank
Horse Close Farm
Redcar
BEACON MOOR
TS11
QUARRY BANK ROAD
Reservoir (Covered)
Village Wood
Soap Well Wood
Walk
Upleatham
The Well Ho.
The Old Vicarage
Upleatham Hall
Nursery Gardens
Icehouse Wood
FIR RIGG WOOD
Home Farm
The Dale
B1268
Sewage Works
Beckses Plantation

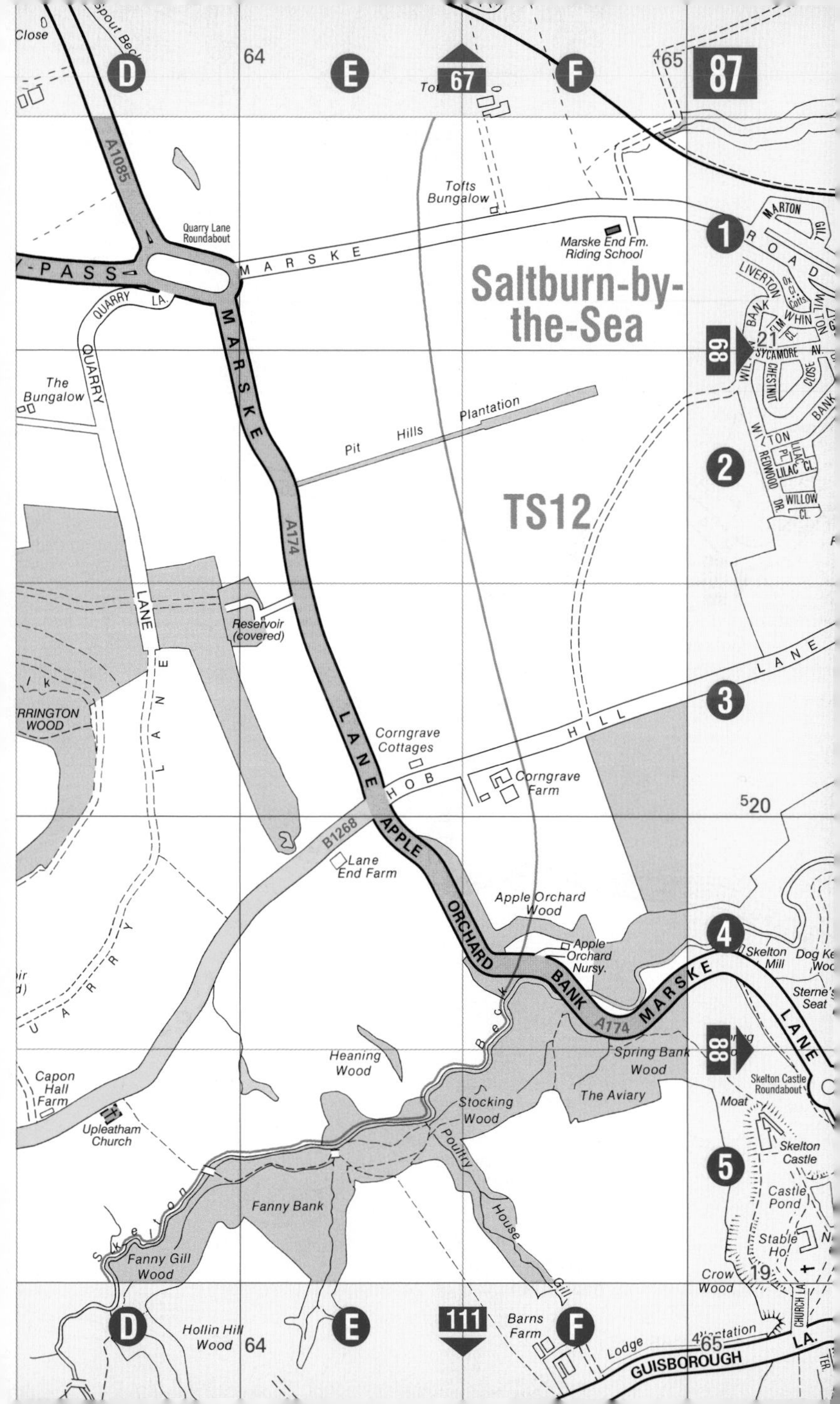
D
64
E
67
F
465
A1085
Tofts Bungalow
Quarry Lane Roundabout
MARSKE
Marske End Fm. Riding School
Saltburn-by-the-Sea
-PASS
QUARRY LA.
MARSKE
MARTON
ROAD
LIVERTON
WHIN
SYCAMORE AV.
89
21
CHESTNUT
CLOSE
BANK
The Bungalow
QUARRY
Pit Hills Plantation
WILTON
LILAC CL.
REDWOOD DR.
WILLOW CL.
TS12
A174
LANE
Reservoir (covered)
LANE
HILL
HOB
Corngrave Cottages
Corngrave Farm
520
B1268
APPLE
Lane End Farm
Apple Orchard Wood
ORCHARD
Apple Orchard Nursy.
Skelton Mill
BANK
MARSKE
LANE
Sterne's Seat
A174
Beck
Spring Bank Wood
88
Heaning Wood
Capon Hall Farm
Skelton Castle Roundabout
Stocking Wood
The Aviary
Moat
Upleatham Church
Poultry
Skelton Castle
Castle Pond
Fanny Bank
House
Stable Ho.
Fanny Gill Wood
Gill
Crow Wood
19
CHURCH LA.
111
Barns Farm
Hollin Hill Wood
Lodge
465
GUISBOROUGH LA.

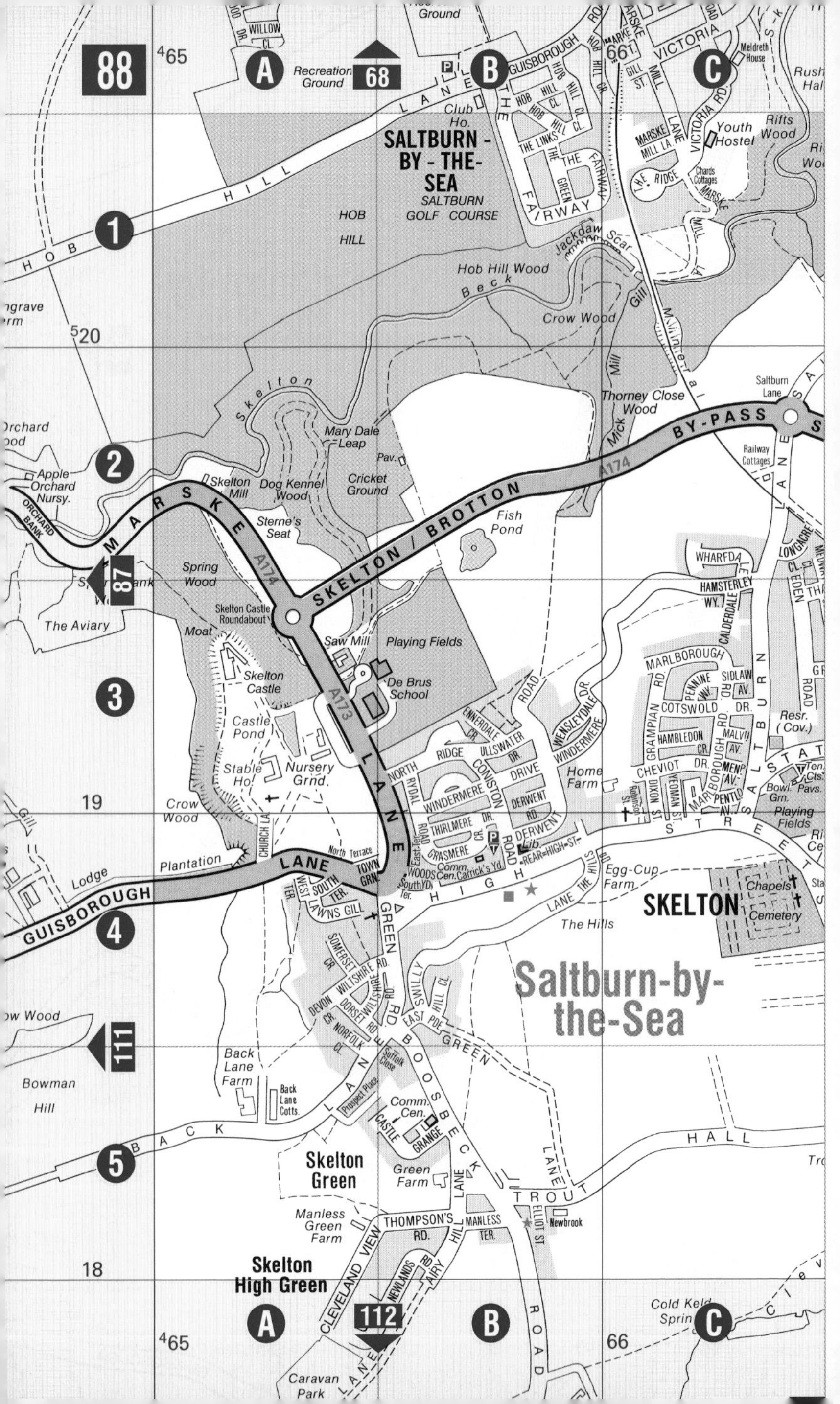

SALTBURN - BY - THE- SEA
SALTBURN GOLF COURSE
HOB HILL
HOB HILL LANE
Recreation Ground
68
Club Ho.
Hob Hill Wood
Crow Wood
Thorney Close Wood
Skelton Beck
Mary Dale Leap
Cricket Ground
Dog Kennel Wood
Skelton Mill
Sterne's Seat
Spring Wood
Apple Orchard Nursy.
ORCHARD BANK
MARSKE
87
The Aviary
Skelton Castle Roundabout
SKELTON / BROTTON BY-PASS
A174
A173
Fish Pond
Saw Mill
Playing Fields
De Brus School
Skelton Castle
Castle Pond
Stable Ho.
Nursery Grnd.
Moat
Crow Wood
Plantation
Lodge
GUISBOROUGH LANE
CHURCH LA.
North Terrace
TOWN GRN.
HIGH STREET
SKELTON
Saltburn-by-the-Sea
The Hills
Egg-Cup Farm
Home Farm
Chapels
Cemetery
Resr. (Cov.)
Bowl. Grn.
Playing Fields
SALTBURN LANE
Saltburn Lane
Railway Cottages
Youth Hostel
Rifts Wood
Meldreth House
VICTORIA RD.
MARSKE MILL LANE
THE RIDGE
Chards Cottages
Jackdaw Scar
Mineral
Mill Gill
Mick Gill
THE FAIRWAY
THE LINKS
THE GREEN
HOB HILL CL.
GUISBOROUGH RD.
WHARFDALE
HAMSTERLEY WY.
CALDERDALE
LONGACRE
MARLBOROUGH RD.
PENNINE WY.
SIDLAW AV.
COTSWOLD DR.
GRAMPIAN RD.
HAMBLEDON CR.
MALVN AV.
CHEVIOT DR.
MENP. AV.
PENTLD AV.
DIXON ST.
YEOMAN ST.
Robinson St.
WENSLEYDALE DR.
WINDERMERE
ENNERDALE CR.
ULLSWATER DR.
CONISTON DRIVE
NORTH RIDGE
RYDAL ROAD
WINDERMERE
DERWENT RD.
THIRLMERE DR.
GRASMERE CR.
Comm. Cen.
Catrick's Yd.
REAR HIGH ST.
Lib.
WOODS
South YD.
East Ter.
WEST TER.
SOUTH TER.
LAWNS GILL
GREEN RD.
SOMERSET CR.
WILTSHIRE RD.
DEVON CR.
DORSET RD.
NORFOLK CL.
SWILLY HILL CL.
EAST PDE.
GREEN
BOOSBECK
Back Lane Farm
Back Lane Cotts.
BACK LANE
Suffolk Close
Prospect Place
Comm. Cen.
CASTLE GRANGE
Skelton Green
Green Farm
HALL LANE
TROUT
Newbrook
ELLIOT ST.
Manless Green Farm
THOMPSON'S RD.
MANLESS TER.
HILL LANE
AIRY HILL
NEWLANDS RD.
CLEVELAND VIEW
Skelton High Green
112
ROAD
Caravan Park
Cold Keld Spring
Bowman Hill
ow Wood
111
ngrave rm
Orchard ood
465
520
19
18
66
A
B
C
1
2
3
4
5

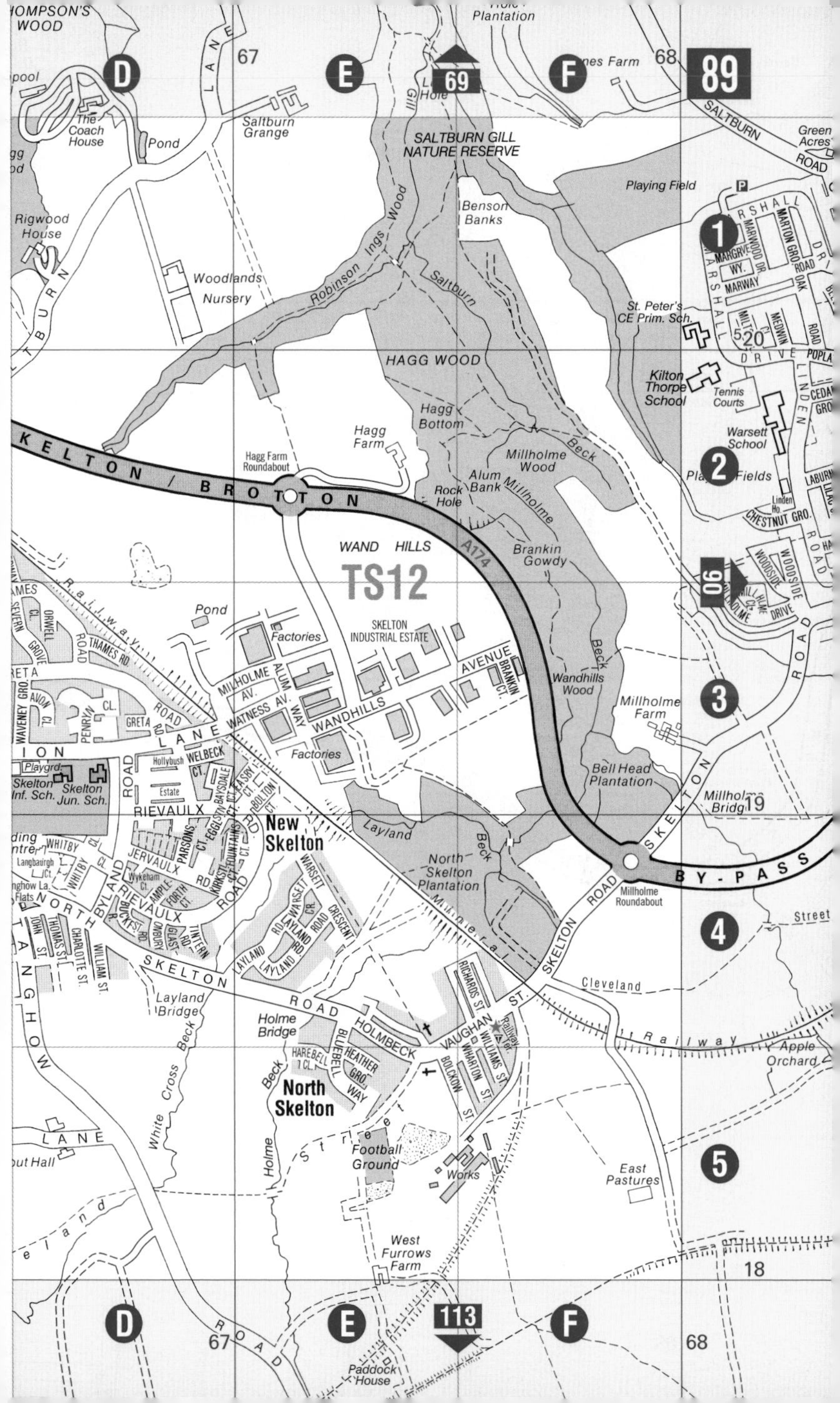

SALTBURN GILL NATURE RESERVE
Saltburn Grange
The Coach House
Pond
Rigwood House
Woodlands Nursery
Benson Banks
Robinson Ings Wood
Saltburn
HAGG WOOD
Hagg Bottom
Hagg Farm
Hagg Farm Roundabout
Playing Field
St. Peter's CE Prim. Sch.
Kilton Thorpe School
Tennis Courts
Warsett School
Playing Fields
Linden Ho.
SALTBURN ROAD
Green Acres
MARSHALL DRIVE
MARGRVE WY.
MARWOOD DR.
MARTON GRO.
MARWAY
MEDWIN
LINDEN ROAD
CHESTNUT GRO.
WOODSIDE
Millholme Wood
Alum Bank
Rock Hole
Millholme Beck
Brankin Gowdy
WAND HILLS
TS12
A174
SKELTON INDUSTRIAL ESTATE
Factories
Pond
AVENUE
BRANKIN CT.
MILHOLME AV.
ALUM WAY
WATNESS AV.
WANDHILLS
Wandhills Wood
Millholme Farm
Bell Head Plantation
Millholme Bridge
SKELTON / BROTTON BY-PASS
Millholme Roundabout
Railway
THAMES RD
ORWELL GROVE
SEVERN CL.
AVON CL.
PENRYN CL.
GRETA
WAVENEY GRO.
Skelton Inf. Sch.
Skelton Jun. Sch.
Playgrd.
Hollybush Estate
WELBECK CT.
RIEVAULX
New Skelton
Layland
North Skelton Plantation
Beck
Mineral
SKELTON ROAD
Cleveland
Street
Railway
Apple Orchard
WHITBY
Langbaurgh Ct.
JERVAULX RD
PARSONS
BYLAND
NORTH
CHARLOTTE ST.
WILLIAM ST.
THOMAS ST.
JOHN ST.
Layland Bridge
LAYLAND
WARSETT
CRESCENT
RICHARDS ST.
VAUGHAN ST.
Holme Bridge
HOLMBECK
HAREBELL CL.
BLUEBELL
HEATHER GRO.
WAY
WHARTON ST.
WILLIAMS ST.
BOLCKOW ST.
North Skelton
White Cross Beck
Holme Beck
Football Ground
Works
East Pastures
West Furrows Farm
Paddock House
LANE
ROAD
Saltburn Gill
Plantation
THOMPSON'S WOOD
D E F
1 2 3 4 5
67 68 18 19 20

69
90
113

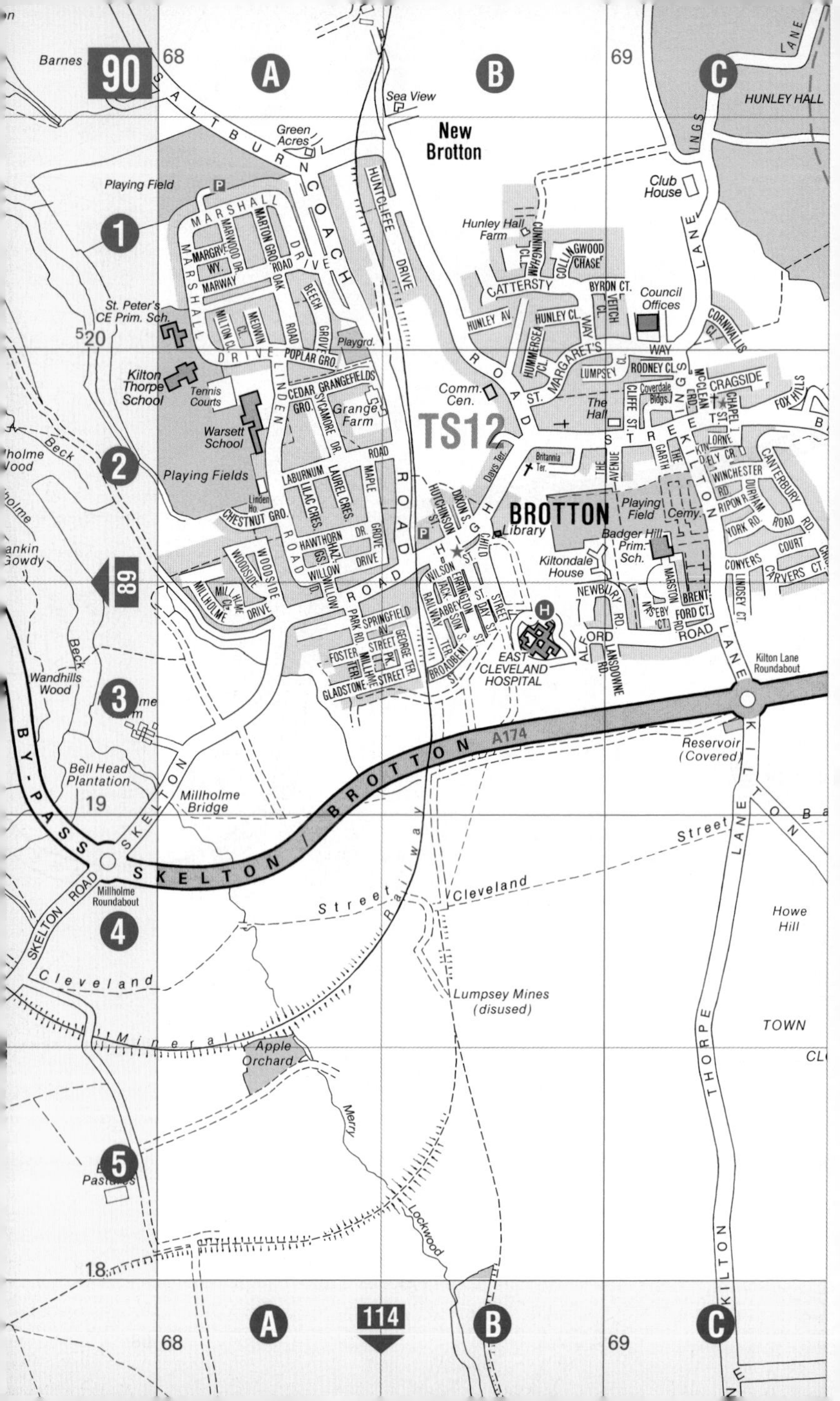

68
A
B
69
C
New Brotton
HUNLEY HALL
Sea View
Green Acres
Playing Field
SALTBURN
COACH ROAD
HUNTCLIFFE DRIVE
MARSHALL DRIVE
Club House
Hunley Hall Farm
CUNNINGHAM CL.
COLLINGWOOD CHASE
GATTERSTY
BYRON CT.
VEITCH CL.
Council Offices
HUNLEY AV.
HUNLEY CL.
HUMMERSEA CL.
ST. MARGARET'S WAY
CORNWALLIS CL.
RODNEY CL.
LUMPSEY CL.
CRAGSIDE
FOX HILLS
KILTON LANE
St. Peter's CE Prim. Sch.
Kilton Thorpe School
Tennis Courts
Warsett School
Playing Fields
Playgrd.
POPLAR GRO.
CEDAR GRO.
GRANGEFIELDS
SYCAMORE DR.
Grange Farm
LINDEN ROAD
Comm. Cen.
TS12
The Hall
Coverdale Bldgs.
CLIFFE ST.
McCLEAN CRD.
CHAPEL ST.
HIGH STREET
Britannia Ter.
Days Ter.
THE AVENUE
THE GARTH
LORNE
KINDELY CR.
WINCHESTER RD.
CANTERBURY
RIPON RD.
DURHAM ROAD
YORK RD.
LABURNUM
LILAC CRES.
LAUREL CRES.
MAPLE ROAD
Linden Ho.
CHESTNUT GRO.
HAWTHORN DR.
GROVE DRIVE
HUTCHINSON ST.
DIXON S.
BROTTON
Library
Playing Field
Cemy.
Badger Hill Prim. Sch.
COURT
CONYERS
CARVERS CT.
LINDSEY CT.
WOODSIDE DRIVE
MILLHOLME
WILLOW ROAD
WILSON ST.
ERRINGTON
JACK
ABBEY
OLD STREET
Kiltondale House
NEWBURY RD.
MARSTON RD.
NASEBY CT.
BRENT
FORD CT.
ROAD
ALFORD ROAD
LANSDOWNE RD.
EAST CLEVELAND HOSPITAL
Kilton Lane Roundabout
PARK RD.
SPRINGFIELD AV.
GEORGE TER.
FOSTER TER.
MILLHOLME PK.
GLADSTONE STREET
RAILWAY TER.
BROADBENT ST.
DAY ST.
A174
Reservoir (Covered)
Holme Wood
Beck
Rankin Gowdy
Wandhills Wood
Bell Head Plantation
19
BY-PASS
SKELTON ROAD
BROTTON
Millholme Bridge
SKELTON
Millholme Roundabout
Street
Cleveland Street
Railway
Howe Hill
Lumpsey Mines (disused)
TOWN
Cleveland
Mineral
Apple Orchard
Merry
Lockwood
THORPE LANE
KILTON LANE
18
1
2
3
4
5
20

89

114

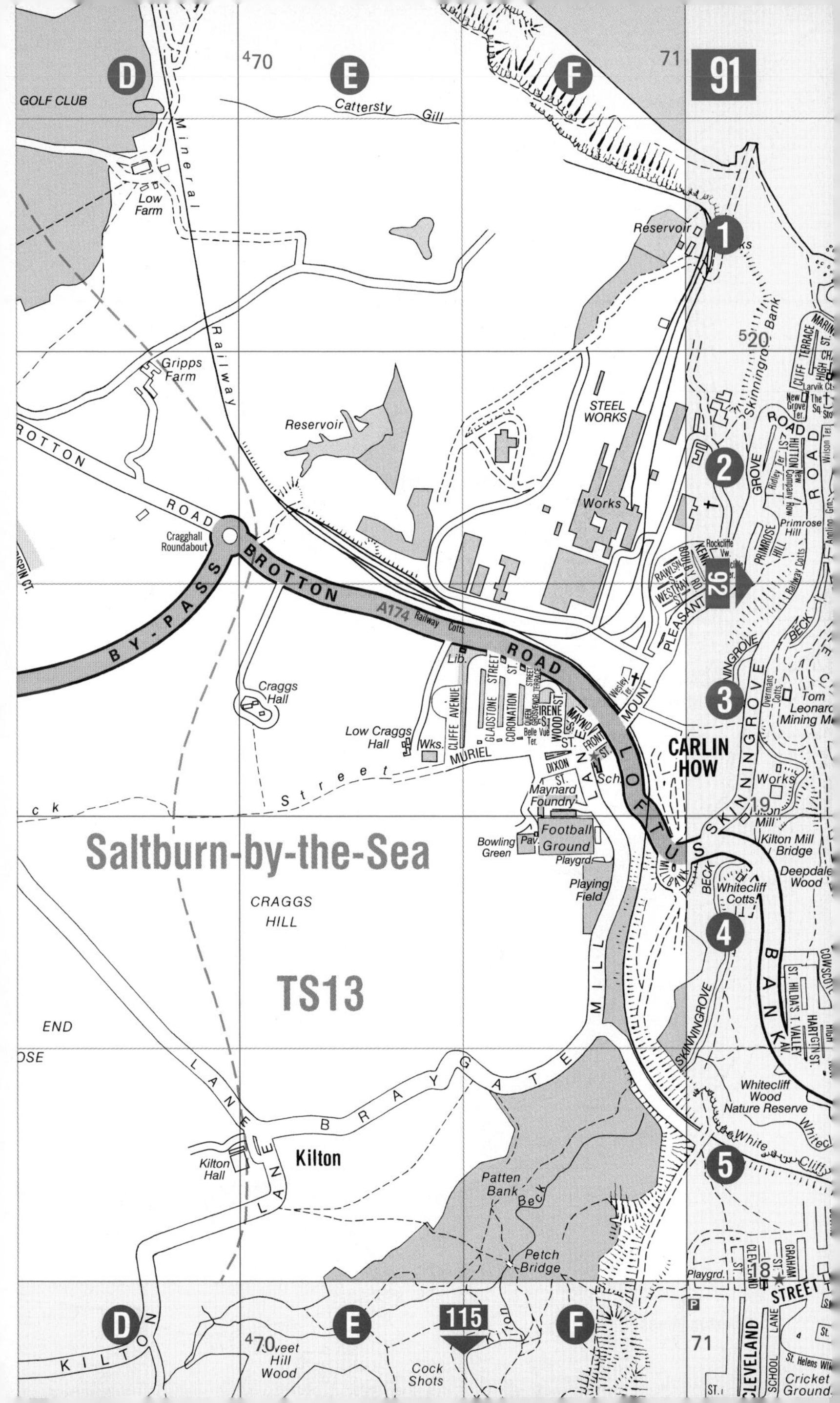

GOLF CLUB

⁴70

D

E

Cattersty Gill

F

Low Farm

Mineral

Railway

Gripps Farm

Reservoir

Reservoir

BROTTON

ROAD

Cragghall Roundabout

Craggs Hall

Low Craggs Hall

CRAGGS HILL

Saltburn-by-the-Sea

TS13

END

ROSE

BRAYGATE MILL LANE

KILTON LANE

Kilton Hall

Kilton

Sweet Hill Wood

⁴70

KILTON

D

E

115

Cock Shots

F

71

Reservoir

1

Rks

520

STEEL WORKS

Works

GROVE ROAD

MARINE

CLIFF TERRACE

Navik Ct

New Co

The Sea

2

Primrose Hill

PRIMROSE

Rockcliffe Vw.

92

RAWLINSON WESTFIELD PLEASANT

MOUNT

CARLIN HOW

SKINNINGROVE

BECK

Tom Leonard Mining Mu

3

Lib

GLADSTONE STREET CORONATION ST. IRENE ST. DIXON ST. BELLE VUE TER. MURIEL CLIFFE AVENUE

Wks.

Maynard Foundry

Bowling Green

Pav.

Football Ground

Playgrd

Playing Field

LOFTUS

Works

Mill

Kilton Mill Bridge

Deepdale Wood

Whitecliff Cotts

4

SKINNINGROVE BANK

COWSCOTE

ST. HILDA'S VALLEY

HARTGILL ST.

Whitecliff Wood Nature Reserve

White Cliffs

Whorl

5

Patten Bank

Beck

Petch Bridge

Playgrd.

P

SCHOOL

CLEVELAND LANE

GRAHAM STREET

ST.

ST. HELENS WH

Cricket Ground.

71

ST.

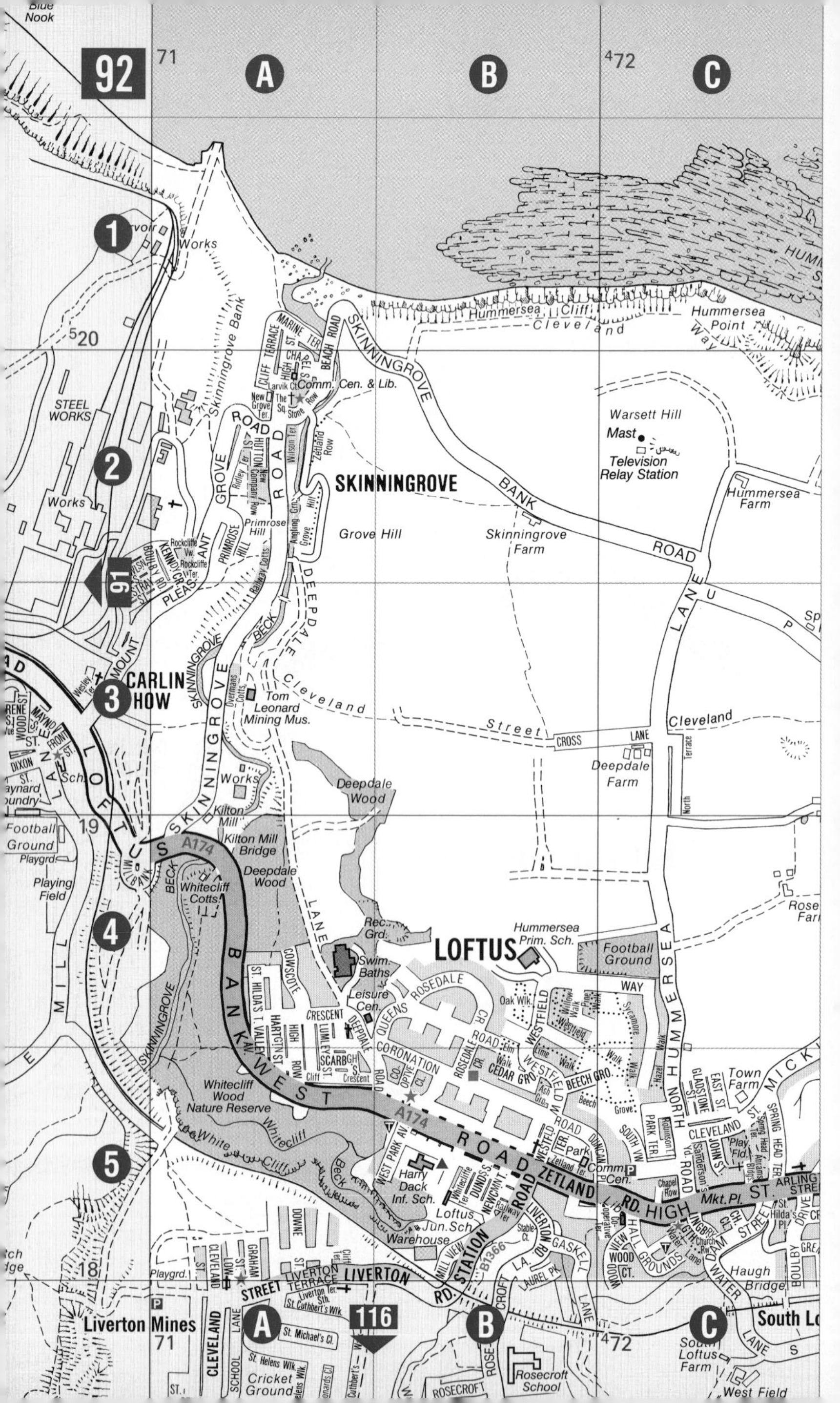
A
B
C
SKINNINGROVE
LOFTUS
CARLIN HOW
Liverton Mines
South Loftus
Hummersea Cliff
Hummersea Point
Cleveland Way
Warsett Hill
Mast
Television Relay Station
Hummersea Farm
Skinningrove Farm
Grove Hill
Deepdale Farm
Deepdale Wood
Tom Leonard Mining Mus.
Kilton Mill Bridge
Whitecliff Wood Nature Reserve
Whitecliff Cotts.
STEEL WORKS
Works
Football Ground
Playing Field
Swim. Baths
Leisure Cen.
Hummersea Prim. Sch.
Harry Dack Inf. Sch.
Loftus Jun. Sch.
Rosecroft School
Town Farm
South Loftus Farm
Comm. Cen. & Lib.
SKINNINGROVE BANK ROAD
ZETLAND ROAD
WEST ROAD
BANK
A174
B1366
STATION RD.
LIVERTON TERRACE
LIVERTON RD.
HIGH ST.
NORTH HUMMERSEA LANE
DEEPDALE LANE
CROSS LANE
Cleveland Street
Cricket Ground
Haugh Bridge
West Field
Rose Farm

91
116

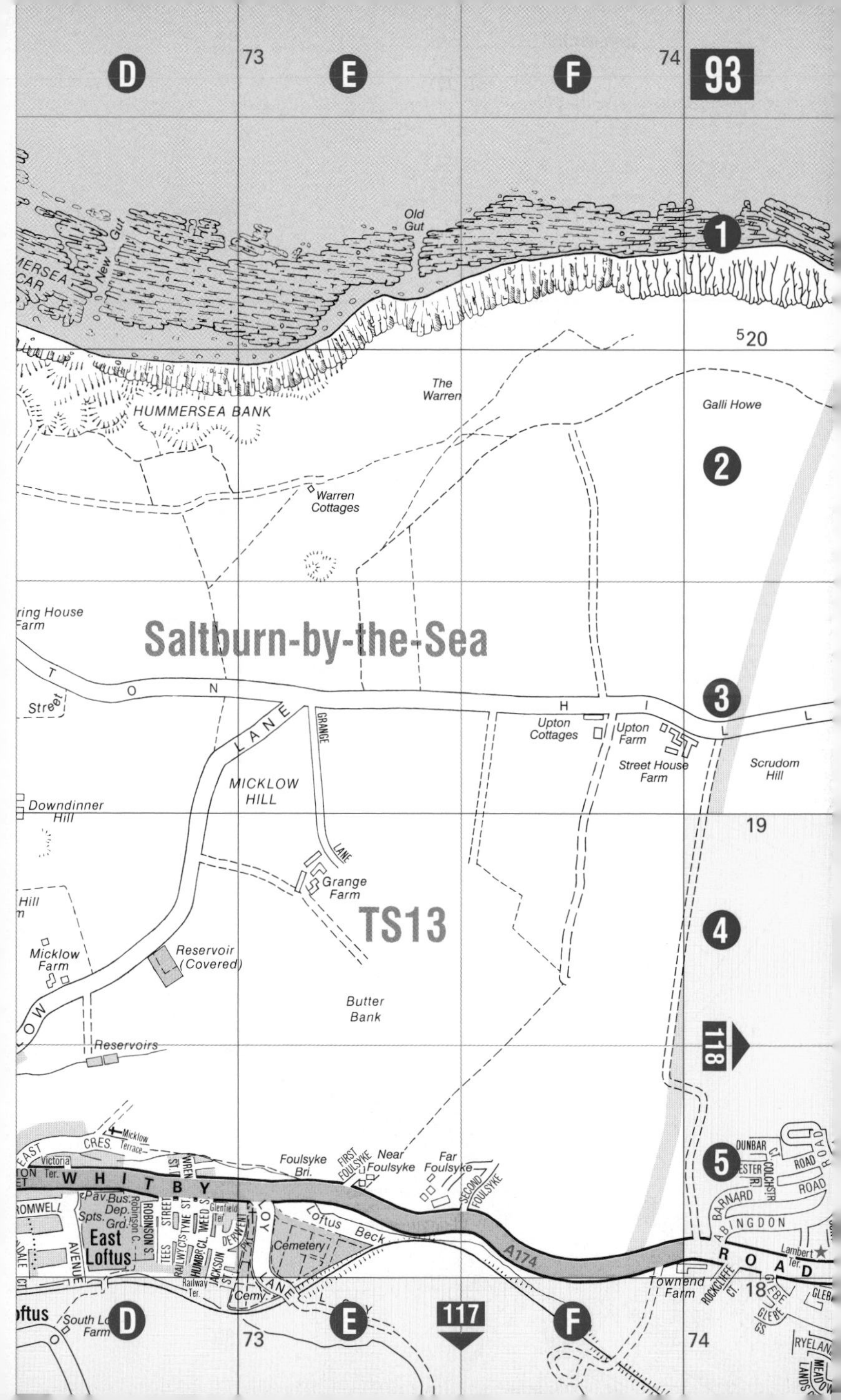

D
E
F
73
74
Old Gut
New Gut
HUMMERSEA BANK
The Warren
Galli Howe
Warren Cottages
5 20
Saltburn-by-the-Sea
Street
Upton Cottages
Upton Farm
Street House Farm
Scrudom Hill
GRANGE LANE
MICKLOW HILL
Downdinner Hill
19
Grange Farm
TS13
Micklow Farm
Reservoir (Covered)
Butter Bank
Reservoirs
Micklow Terrace
Foulsyke Bri.
FIRST FOULSYKE
Near Foulsyke
Far Foulsyke
SECOND FOULSYKE
DUNBAR CT.
COLCHESTER RD.
BARNARD
ROAD
ABINGDON
WHITBY
ROAD
East Loftus
Cemetery
Loftus Beck
A174
Lambert Ter.
Townend Farm
ROCKCLIFFE CT.
GLEBE GS
18
Cemy.
Railway Ter.
LOY LANE
ROBINSON ST.
TEES STREET
TYNE ST.
TWEED S
JACKSON ST.
DERWENT
AVENUE
Pav.
Bus Dep.
Spts. Grd.
Victoria Ter.
CRES.
South Loftus Farm
Loftus
RYELANDS

118

117

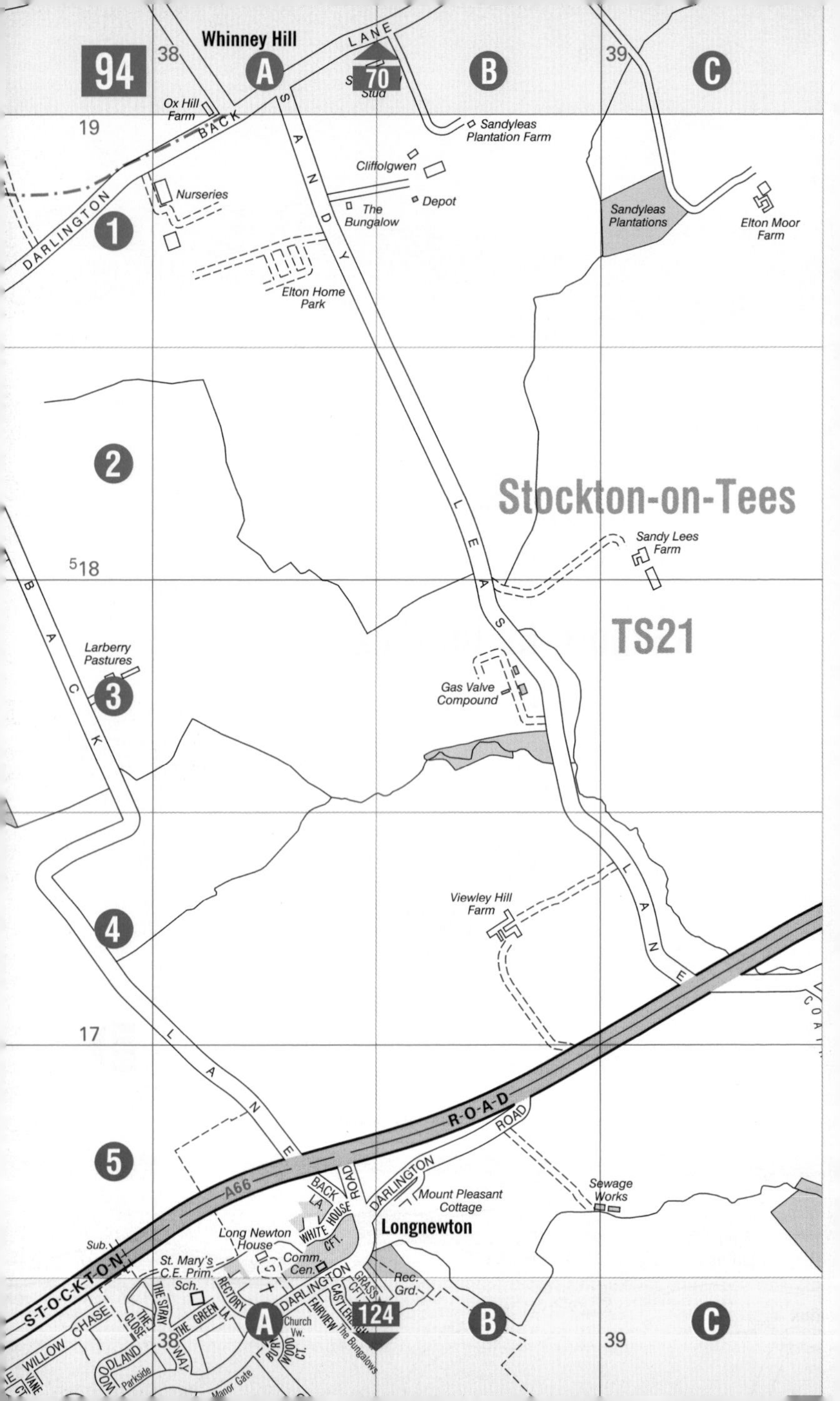

Whinney Hill
70
Ox Hill Farm
BACK LANE
Sandyleas Plantation Farm
Cliffolgwen
Nurseries
Depot
The Bungalow
DARLINGTON
SANDY LEAS LANE
Sandyleas Plantations
Elton Moor Farm
Elton Home Park
Stockton-on-Tees
Sandy Lees Farm
TS21
Larberry Pastures
BACK LANE
Gas Valve Compound
Viewley Hill Farm
COAT
STOCKTON ROAD
A66
DARLINGTON ROAD
Mount Pleasant Cottage
Sewage Works
BACK LA.
WHITE HOUSE CFT.
Longnewton
Long Newton House
Comm. Cen.
St. Mary's C.E. Prim. Sch.
Sub.
Rec. Grd.
GRASS CFT
CASTLERIGG
DARLINGTON
RECTORY LA.
THE GREEN
THE STRAY
THE CLOSE
WILLOW CHASE
WOODLAND
Parkside
Manor Gate
VANE CT.
FAIRVIEW
The Bungalows
Church Vw.
BURNWOOD CT.
124
A B C
1 2 3 4 5
38 39
19 518 17

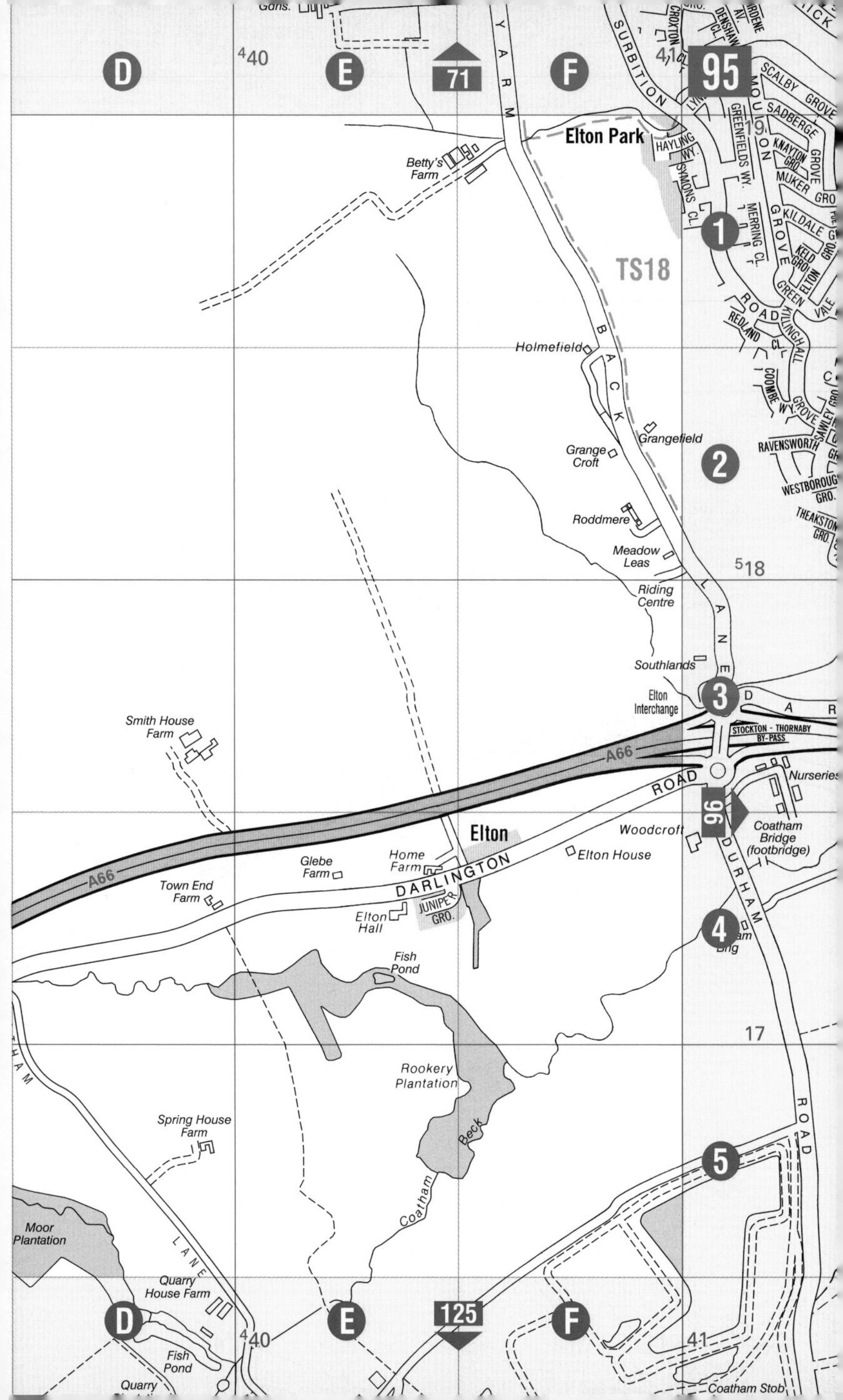

95
71
125
96
D
E
F
440
41
Elton Park
TS18
Betty's Farm
Holmefield
Grangefield
Grange Croft
Roddmere
Meadow Leas
Riding Centre
Southlands
Elton Interchange
YARM BACK LANE
SURBITION
HAYLING WY.
SYMONS CL.
GREENFIELDS WY.
MERRING CL.
MOULTON GROVE
SCALBY GROVE
SADBERGE
KNAYTON GRO.
MUKER GRO
KILDALE
KELD GRO.
ELTON
GREEN VALE
ROAD
REDLAND CL.
KILLINGHALL
COOMBE WY.
GROVE
SAWLEY
RAVENSWORTH
WESTBOROUGH GRO.
THEAKSTON GRO.
CROXTON CL.
DENSHAW AV.
518
1
2
3
4
5
STOCKTON - THORNABY BY-PASS
A66
Nurseries
Coatham Bridge (footbridge)
Woodcroft
Elton House
DARLINGTON ROAD
DURHAM ROAD
Elton
Home Farm
Glebe Farm
Town End Farm
Smith House Farm
JUNIPER GRO.
Elton Hall
Fish Pond
Rookery Plantation
Coatham Beck
Spring House Farm
Moor Plantation
LANE
Quarry House Farm
Quarry
17
Coatham Stob

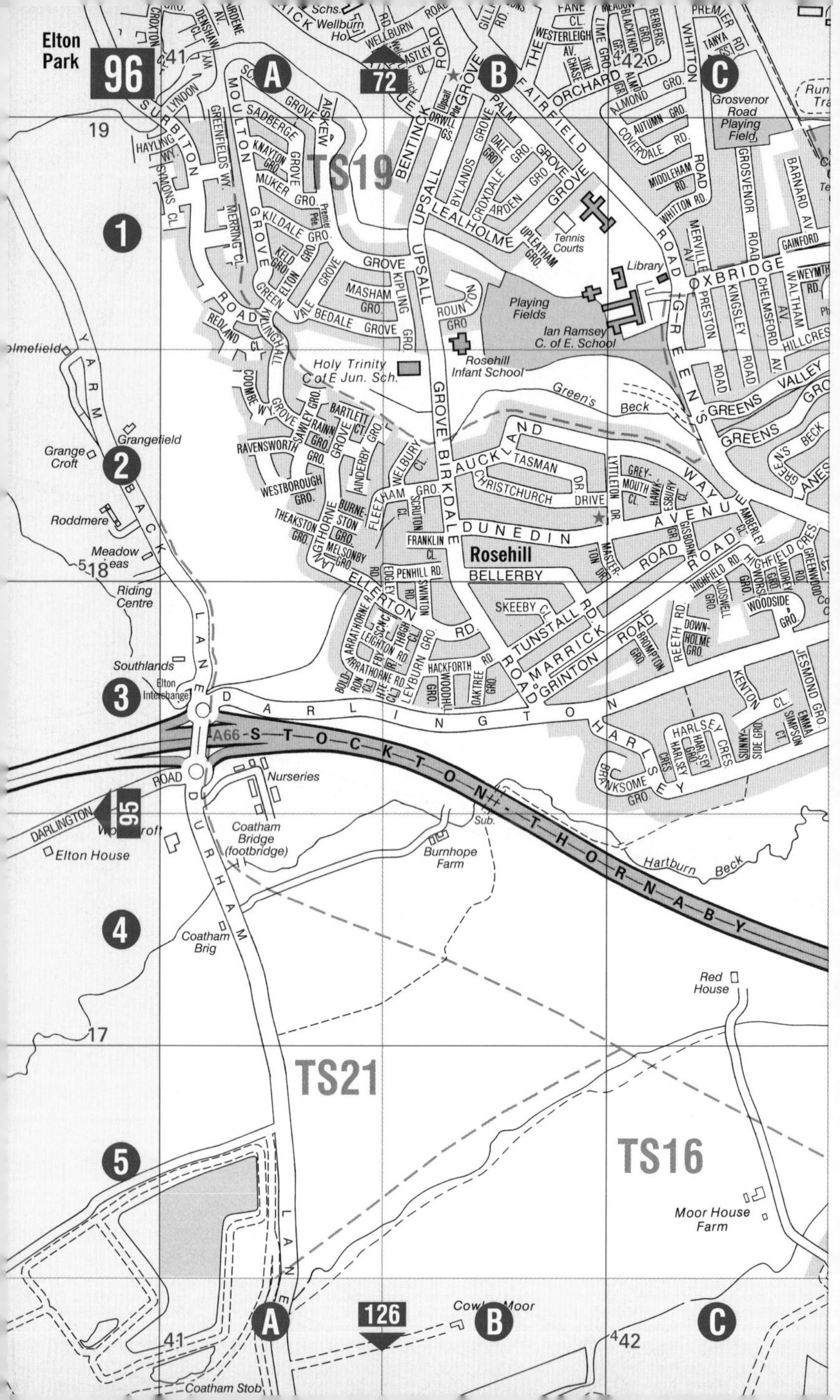
TS19
TS21
TS16
Rosehill
A66 STOCKTON - THORNABY
DARLINGTON ROAD
DURHAM LANE
YARM BACK LANE
Holy Trinity C of E Jun. Sch.
Rosehill Infant School
Ian Ramsey C. of E. School
Playing Fields
Tennis Courts
Library
Grosvenor Road Playing Field
Green's Beck
Hartburn Beck
Grangefield
Grange Croft
Roddmere
Meadow Leas
Riding Centre
Southlands
Elton Interchange
Nurseries
Coatham Bridge (footbridge)
Burnhope Farm
Elton House
Coatham Brig
Red House
Moor House Farm
Cowley Moor
Coatham Stob
72
95
126

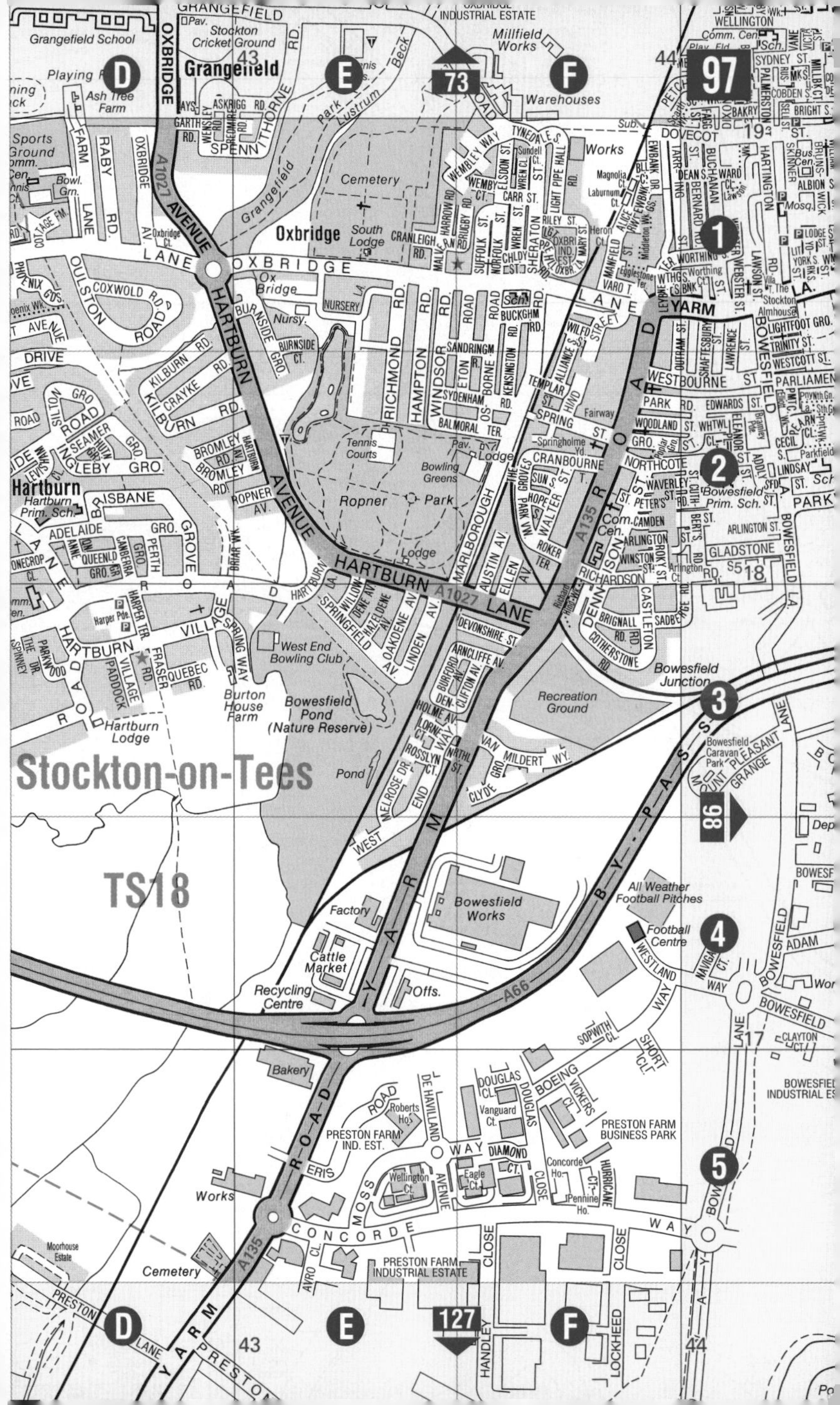
97
Grangefield School
Grangefield
Oxbridge
Hartburn
Stockton-on-Tees
TS18
Cemetery
South Lodge
Ropner Park
Tennis Courts
Bowling Greens
West End Bowling Club
Bowesfield Pond (Nature Reserve)
Burton House Farm
Hartburn Lodge
Recreation Ground
Bowesfield Junction
Bowesfield Works
All Weather Football Pitches
Football Centre
Cattle Market
Recycling Centre
Factory
Bakery
Works
Cemetery
Moorhouse Estate
PRESTON FARM IND. EST.
PRESTON FARM BUSINESS PARK
PRESTON FARM INDUSTRIAL ESTATE
BOWESFIELD INDUSTRIAL ES
Bowesfield Caravan Park
Stockton Cricket Ground
Millfield Works
Warehouses
OXBRIDGE AVENUE
HARTBURN AVENUE
HARTBURN LANE
OXBRIDGE LANE
YARM ROAD
YARM LANE
BOWESFIELD LANE
CONCORDE WAY
PRESTON LANE
BY-PASS
A1027
A135
A66
73
86
127
43
44

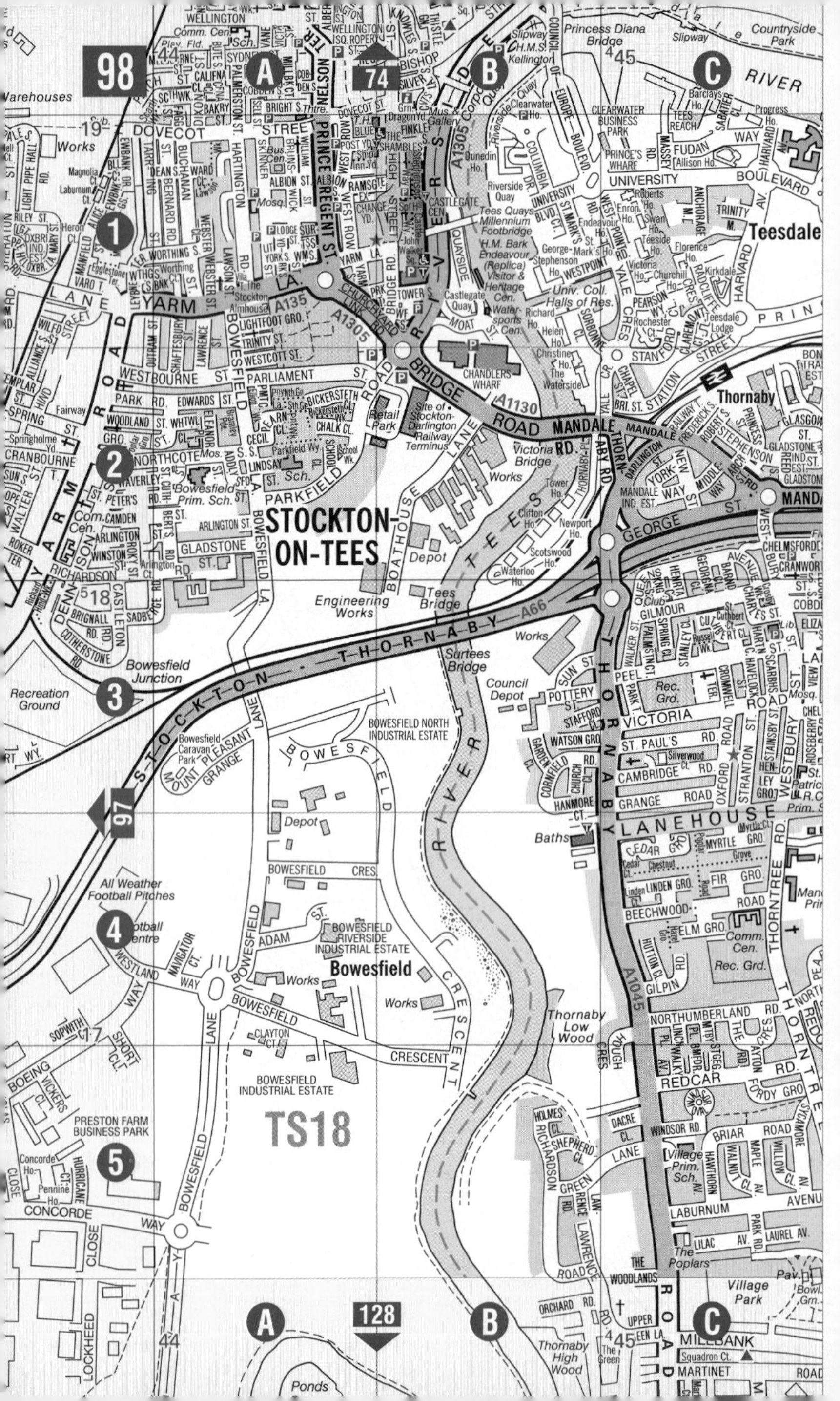
STOCKTON-ON-TEES
Thornaby
Teesdale
Bowesfield
TS18
74
97
128
A
B
C
1
2
3
4
5
RIVER TEES
DOVECOT STREET
YARM LANE
YARM ROAD
PRINCE REGENT ST.
BRIDGE ROAD
MANDALE RD.
GEORGE ST.
STOCKTON - THORNABY
A66
A135
A1305
A1130
A1045
THORNABY ROAD
LANEHOUSE
BOWESFIELD LA.
BOWESFIELD CRESCENT
WESTBOURNE ST.
PARLIAMENT ST.
PARKFIELD
UNIVERSITY BOULEVARD
Princess Diana Bridge
Countryside Park
Tees Quays Millennium Footbridge
H.M. Bark Endeavour (Replica) Visitor & Heritage Cen.
Victoria Bridge
Tees Bridge
Surtees Bridge
Bowesfield Junction
Recreation Ground
Engineering Works
Council Depot
Depot
Works
BOWESFIELD NORTH INDUSTRIAL ESTATE
BOWESFIELD RIVERSIDE INDUSTRIAL ESTATE
BOWESFIELD INDUSTRIAL ESTATE
PRESTON FARM BUSINESS PARK
All Weather Football Pitches
Thornaby Low Wood
Thornaby High Wood
Village Park
CHANDLERS WHARF
CLEARWATER BUSINESS PARK
PRINCE'S WHARF
TEES REACH
Site of Stockton-Darlington Railway Terminus
Retail Park
Univ. Coll. Halls of Res.
MANDALE IND. EST.
Baths
Rec. Grd.
Ponds
Warehouses
CONCORDE WAY
WESTLAND WAY
VICTORIA RD.
CAMBRIDGE RD.
GRANGE ROAD
NORTHUMBERLAND RD.
REDCAR RD.
GREEN LANE
LABURNUM
MILLBANK
THORNTREE RD.

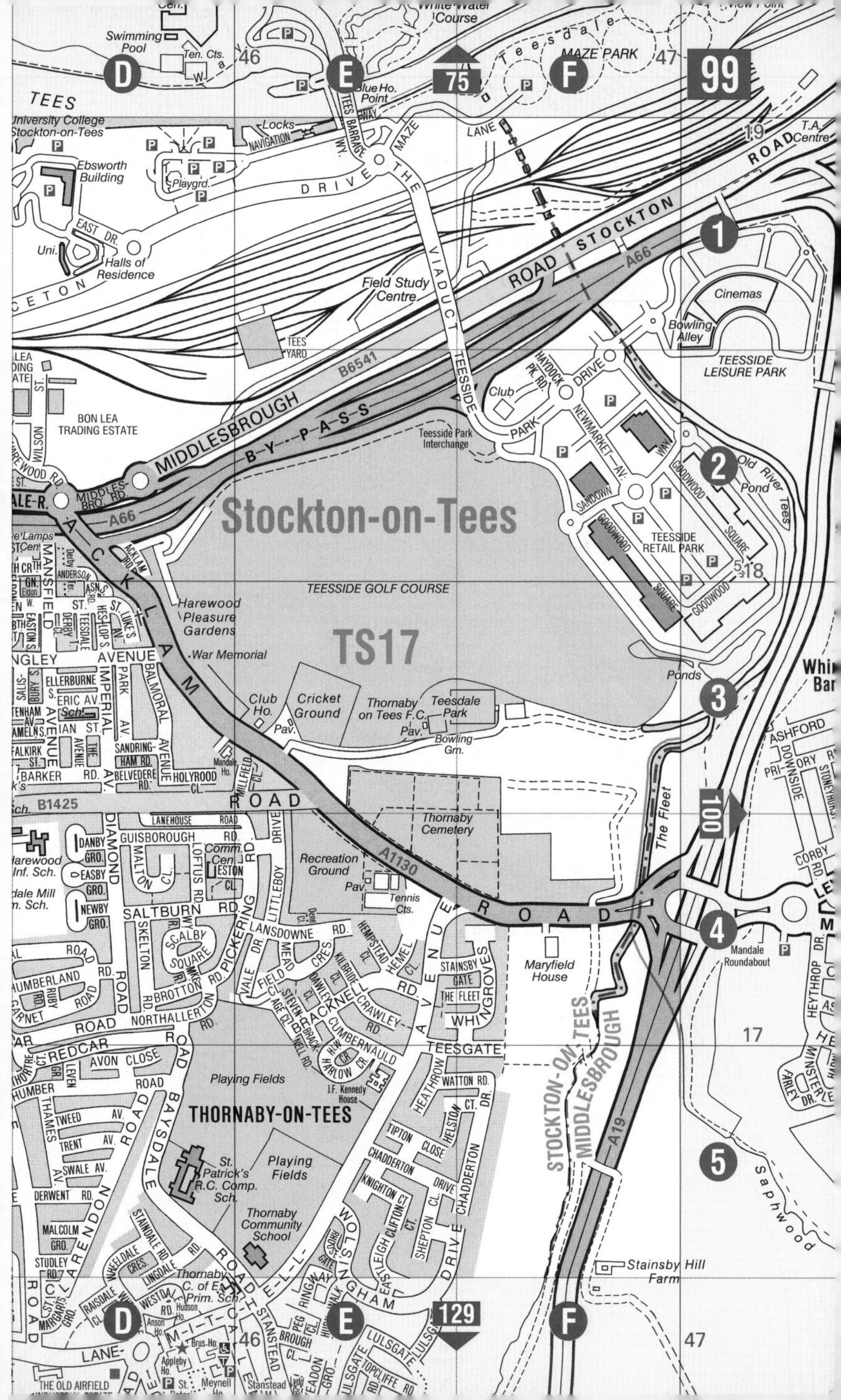

99
75
100
129
Swimming Pool
Ten. Cts.
White Water Course
Teesdale
MAZE PARK
Blue Ho. Point
TEES
University College Stockton-on-Tees
Locks
TEES BARRAGE WAY
NAVIGATION
LANE
THE MAZE
Ebsworth Building
Playgrd.
DRIVE
EAST DR.
Uni.
Halls of Residence
T.A. Centre
STOCKTON ROAD
A66
VIADUCT
TEESSIDE
Field Study Centre
TEES YARD
Cinemas
Bowling Alley
TEESSIDE LEISURE PARK
HAYDOCK PK. RD.
DRIVE
Club
PARK
NEWMARKET AV.
WAY
Old River Tees
Pond
GOODWOOD SQUARE
SANDOWN
TEESSIDE RETAIL PARK
B6541
MIDDLESBROUGH
BY-PASS
Teesside Park Interchange
BON LEA TRADING ESTATE
WILSON
MIDDLES-BRO' RD.
Stockton-on-Tees
TEESSIDE GOLF COURSE
ACKLAM
Harewood Pleasure Gardens
War Memorial
TS17
Ponds
Club Ho.
Cricket Ground
Thornaby on Tees F.C.
Teesdale Park
Pav.
Bowling Grn.
MANSFIELD
ANDERSON
DERBY
TEESDALE
ST. LUKE'S AV.
AVENUE
PARK
BALMORAL
IMPERIAL
ELLERBURNE
ERIC AV.
Sch.
IAN ST.
SANDRING-HAM RD.
BELVEDERE RD.
HOLYROOD CL.
BARKER RD.
MILLFIELD CL.
Mandale Ho.
B1425
ROAD
ASHFORD
DOWNSIDE
PRIORY
STONEYHURST
The Fleet
Thornaby Cemetery
LANEHOUSE ROAD
GUISBOROUGH RD.
DANBY GRO.
EASBY GRO.
NEWBY GRO.
DIAMOND
MALTON CL.
LOFTUS RD.
Comm. Cen.
LESTON CL.
Harewood Inf. Sch.
SALTBURN RD.
SKELTON
SCALBY SQUARE
PICKERING
Recreation Ground
Pav.
Tennis Cts.
LITTLEBOY DRIVE
A1130
CORBY RD.
Mandale Roundabout
LANSDOWNE RD.
HEMPSTEAD
HEMEL CL.
KILBRIDE CL.
VALE DR.
FIELD MEAD
CRES.
DAWLEY CL.
BRACKNELL
CRAWLEY RD.
CUMBERNAULD
HARLOW CR.
STAINSBY GATE
THE FLEET
WHINGROVES
Maryfield House
BROTTON RD
NORTHALLERTON RD.
RUBY RD.
REDCAR
AVON CLOSE
LEVEN
HUMBER
THAMES
TWEED AV.
TRENT AV.
SWALE AV.
DERWENT RD.
MALCOLM GRO.
STUDLEY RD.
CLARENDON ROAD
BAYSDALE
Playing Fields
J.F. Kennedy House
TEESGATE
HEATHROW
WATTON RD.
HELSTON CT.
THORNABY-ON-TEES
TIPTON CLOSE
CHADDERTON
KNIGHTON CT.
CLIFTON CT.
SHEPTON CL.
DRIVE
St. Patrick's R.C. Comp. Sch.
Playing Fields
Thornaby Community School
STOCKTON-ON-TEES
MIDDLESBROUGH
A19
HEYTHROP DR.
MINSTERLEY DR.
FARLEY
17
Saphwood
Stainsby Hill Farm
STAINDALE RD.
WHEELDALE CRES.
LINGDALE
WESTDALE
RAISDALE
Thornaby C. of E. Prim. Sch.
Hudson Ho.
Anson Ho.
Brus Ho.
Appleby Ho.
Meynell Ho.
Stanstead
STANSTEAD
MITCHELL
LANE
BROUGH CL.
RINGWAY
WALK
WOLSINGHAM
EASTLEIGH
LULSGATE
TOPCLIFFE RD.
THE OLD AIRFIELD
ST. MARGARETS GRO.
46
47
D
E
F
1
2
3
4
5
18
19

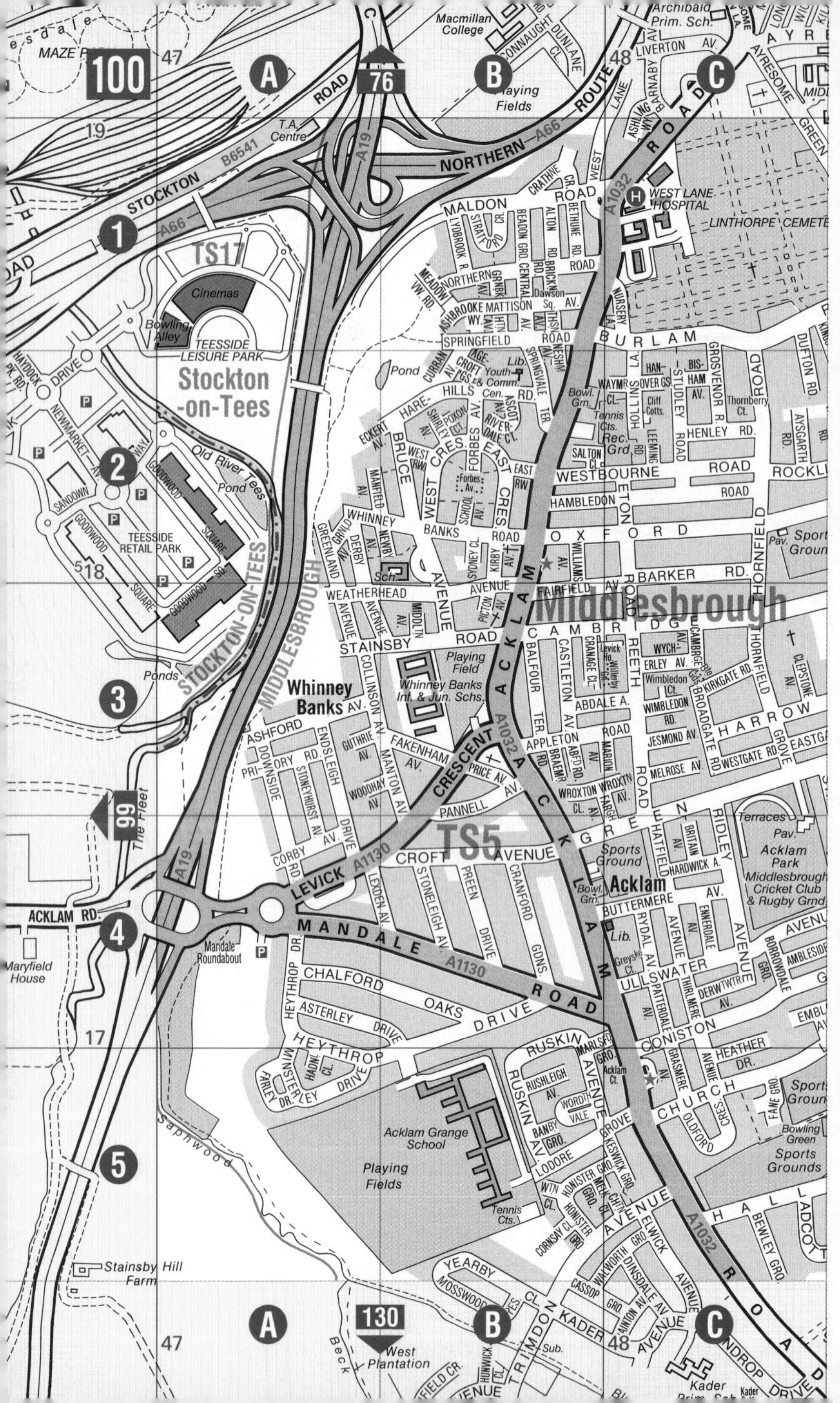

Stockton -on-Tees
Middlesbrough
Whinney Banks
Acklam
TS17
TS5
TEESSIDE LEISURE PARK
TEESSIDE RETAIL PARK
STOCKTON ROAD
NORTHERN ROUTE
MANDALE ROAD
LEVICK CRESCENT
ACKLAM ROAD
Mandale Roundabout
West Lane Hospital
Linthorpe Cemetery
Acklam Grange School
Whinney Banks Inf. & Jun. Schs.
Acklam Park Middlesbrough Cricket Club & Rugby Grnd.
Macmillan College
Stainsby Hill Farm
Maryfield House
West Plantation
Old River Tees
Playing Fields
Sports Ground
Kader Prim. Sch.

76
99
130

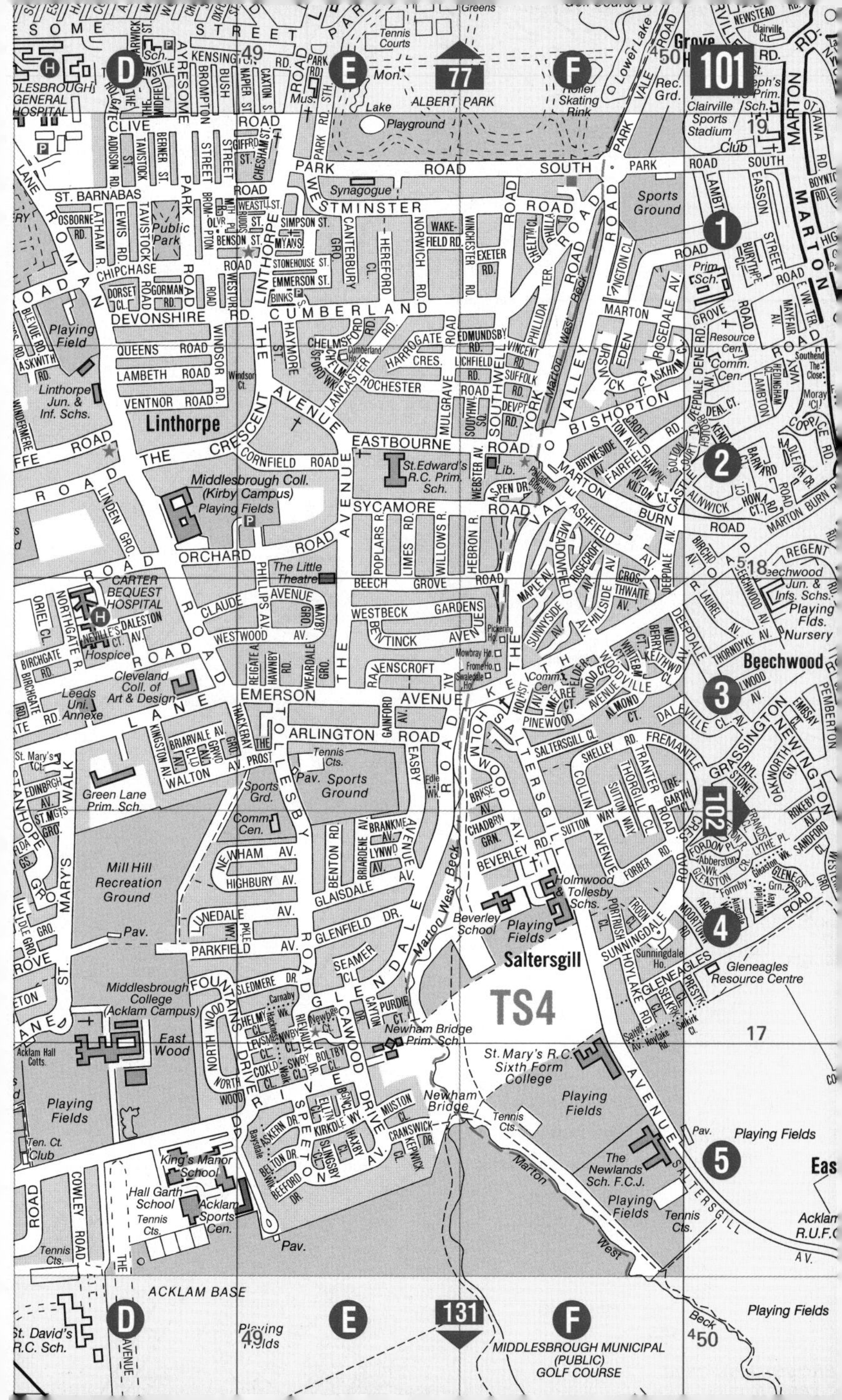
D
E
F
77
ALBERT PARK
Linthorpe
Beechwood
Saltersgill
TS4
Middlesbrough General Hospital
Middlesbrough Coll. (Kirby Campus)
Carter Bequest Hospital
Cleveland Coll. of Art & Design
Leeds Uni. Annexe
Green Lane Prim. Sch.
Mill Hill Recreation Ground
Middlesbrough College (Acklam Campus)
East Wood
King's Manor School
Hall Garth School
Acklam Sports Cen.
St. Edward's R.C. Prim. Sch.
The Little Theatre
Beverley School
Holmwood & Tollesby Schs.
St. Mary's R.C. Sixth Form College
The Newlands Sch. F.C.J.
Newham Bridge Prim. Sch.
Gleneagles Resource Centre
Clairville Sports Stadium
Beechwood Jun. & Infs. Schs.
Linthorpe Jun. & Inf. Schs.
Public Park
Sports Ground
Marton West Beck
ACKLAM BASE
MIDDLESBROUGH MUNICIPAL (PUBLIC) GOLF COURSE
St. David's R.C. Sch.
102
131
1
2
3
4
5
17
18
19
49
50

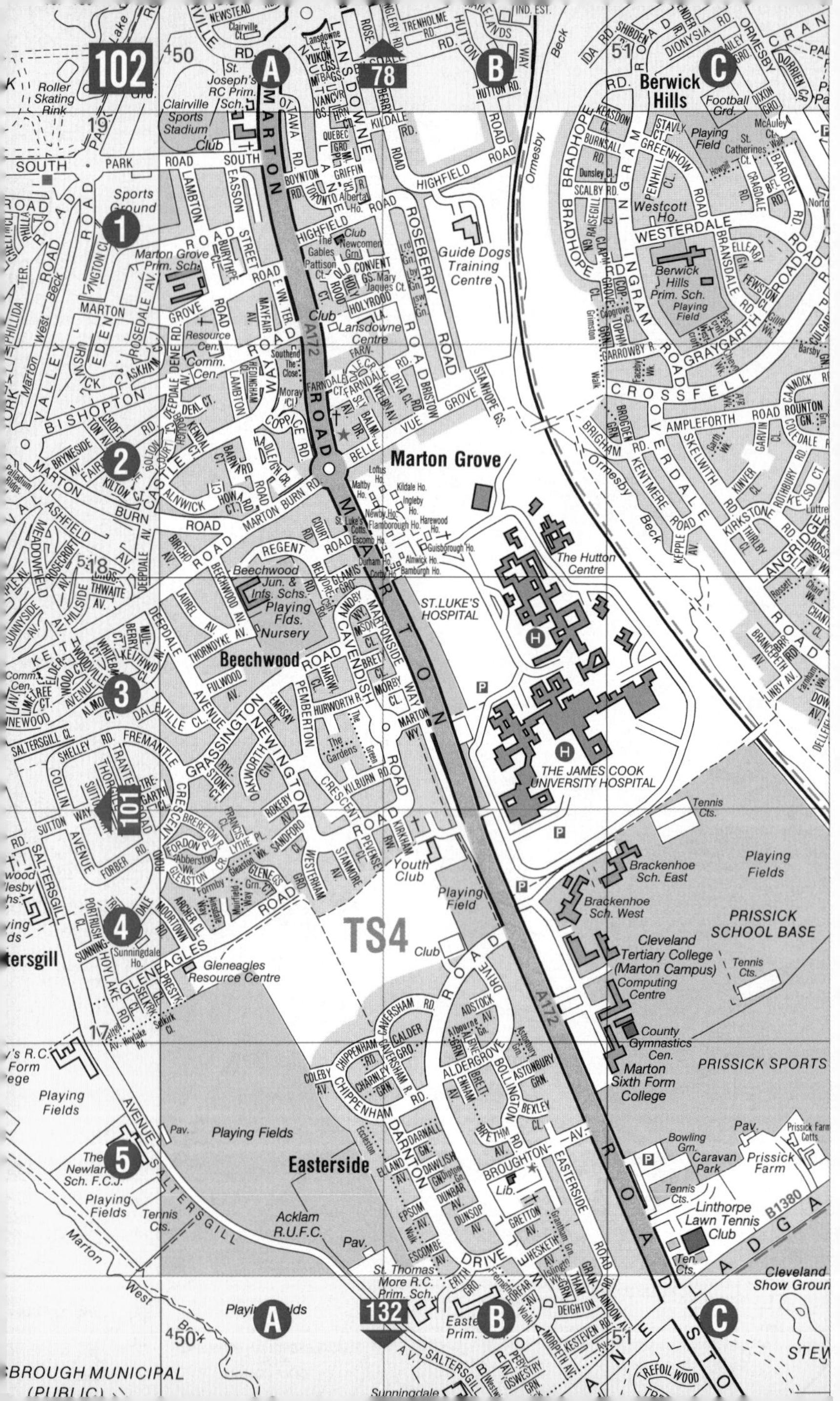

Marton Grove
Berwick Hills
Beechwood
Easterside
TS4
St. Luke's Hospital
The James Cook University Hospital
The Hutton Centre
Guide Dogs Training Centre
Marton Grove Prim. Sch.
Beechwood Jun. & Infs. Schs.
Berwick Hills Prim. Sch.
Brackenhoe Sch. East
Brackenhoe Sch. West
Cleveland Tertiary College (Marton Campus)
Computing Centre
County Gymnastics Cen.
Marton Sixth Form College
Prissick School Base
Prissick Sports
Prissick Farm
Linthorpe Lawn Tennis Club
Cleveland Show Groun
Acklam R.U.F.C.
St. Thomas More R.C. Prim. Sch.
Gleneagles Resource Centre
Clairville Sports Stadium
St. Joseph's RC Prim. Sch.
Roller Skating Rink
Sports Ground
Playing Fields
Youth Club
Lansdowne Centre
Marton Road
A172
B1380
Ormesby Beck
Marton West Beck
78
101
132

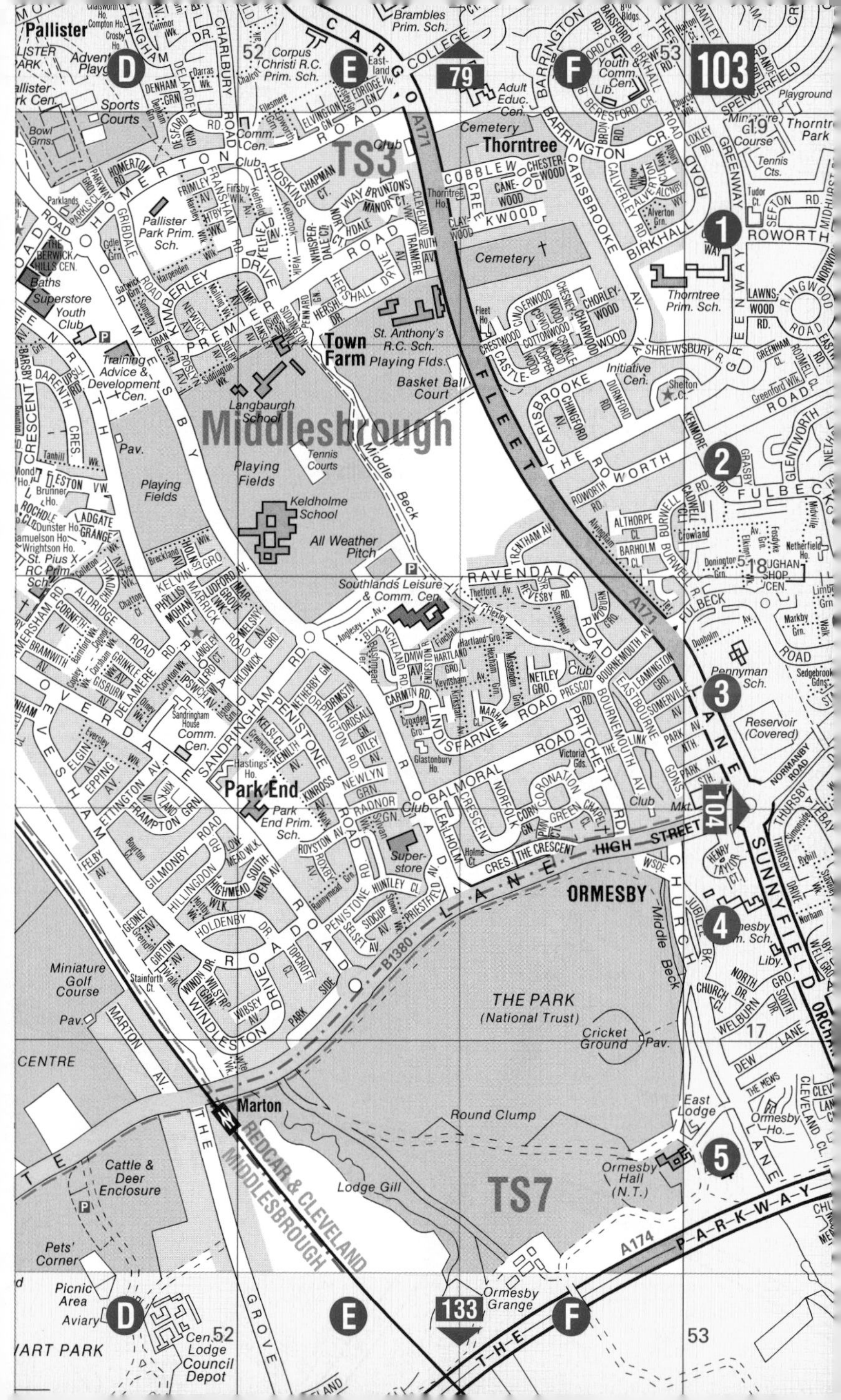

103
Pallister
Thorntree
Middlesbrough
Town Farm
Park End
ORMESBY
TS3
TS7
79
104
133
D
E
F
52
53
1
2
3
4
5
Brambles Prim. Sch.
Corpus Christi R.C. Prim. Sch.
Adult Educ. Cen.
Youth & Comm. Cen.
Lib.
Cemetery
Pallister Park Prim. Sch.
Thorntree Prim. Sch.
St. Anthony's R.C. Sch.
Playing Flds.
Basket Ball Court
Langbaugh School
Tennis Courts
Playing Fields
Keldholme School
All Weather Pitch
Southlands Leisure & Comm. Cen.
Initiative Cen.
Pennyman Sch.
Reservoir (Covered)
Sandringham House Comm. Cen.
Park End Prim. Sch.
Super-store
THE PARK (National Trust)
Cricket Ground
Round Clump
Lodge Gill
Ormesby Hall (N.T.)
Ormesby Grange
East Lodge
Ormesby Ho.
Marton
Miniature Golf Course
Cattle & Deer Enclosure
Pets' Corner
Picnic Area
Aviary
Cen. Lodge
Council Depot
Training Advice & Development Cen.
Youth Club
Superstore
Baths
Sports Courts
Bowl Grns.
Miniature Golf Course
Tennis Cts.
Thorntree Park
Playground
A171
A174
B1380
FLEET
CARGO
HIGH STREET
THE PARKWAY
REDCAR & CLEVELAND
MIDDLESBROUGH
HOMERTON RD.
PREMIER RD.
KIMBERLEY
MARSH RD.
OVERDALE RD.
EVESHAM
SANDRINGHAM
PENISTONE RD.
BALMORAL RD.
LINDISFARNE RD.
RAVENDALE RD.
BIRKHALL RD.
BARRINGTON CR.
CARISBROOKE AV.
THE ROWORTH
ROWORTH RD.
GREENWAY
SUNNYFIELD
CHURCH LANE
MARTON AV.
THE GROVE
Middle Beck

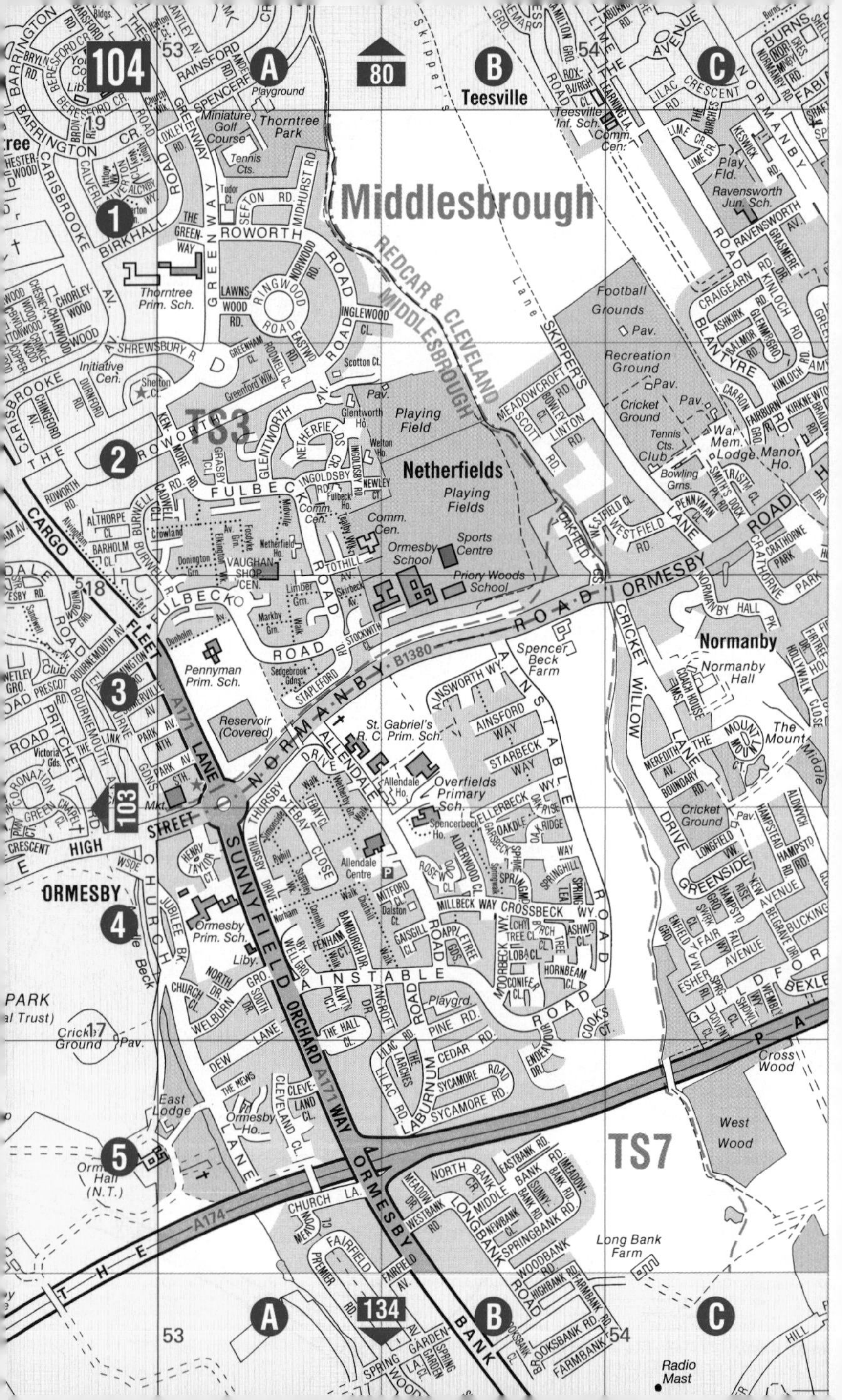
104
80
A
B
C
Teesville
Middlesbrough
Thorntree Park
Miniature Golf Course
Thorntree Prim. Sch.
Initiative Cen.
TS3
Netherfields
Playing Field
Playing Fields
Ormesby School
Sports Centre
Priory Woods School
Pennyman Prim. Sch.
Reservoir (Covered)
St. Gabriel's R. C. Prim. Sch.
Overfields Primary Sch.
Allendale Centre
Spencer Beck Farm
Normanby
Normanby Hall
The Mount
Football Grounds
Recreation Ground
Cricket Ground
Ravensworth Jun. Sch.
REDCAR & CLEVELAND
MIDDLESBROUGH
ORMESBY ROAD
NORMANBY ROAD
B1380
SKIPPER'S LANE
ORMESBY
Ormesby Prim. Sch.
Ormesby Ho.
Ormesby Hall (N.T.)
East Lodge
SUNNYFIELD
ORCHARD WAY
A171
A174
ORMESBY BANK
TS7
West Wood
Cross Wood
Long Bank Farm
Radio Mast
103
134
1
2
3
4
5
53
54
18
17
19

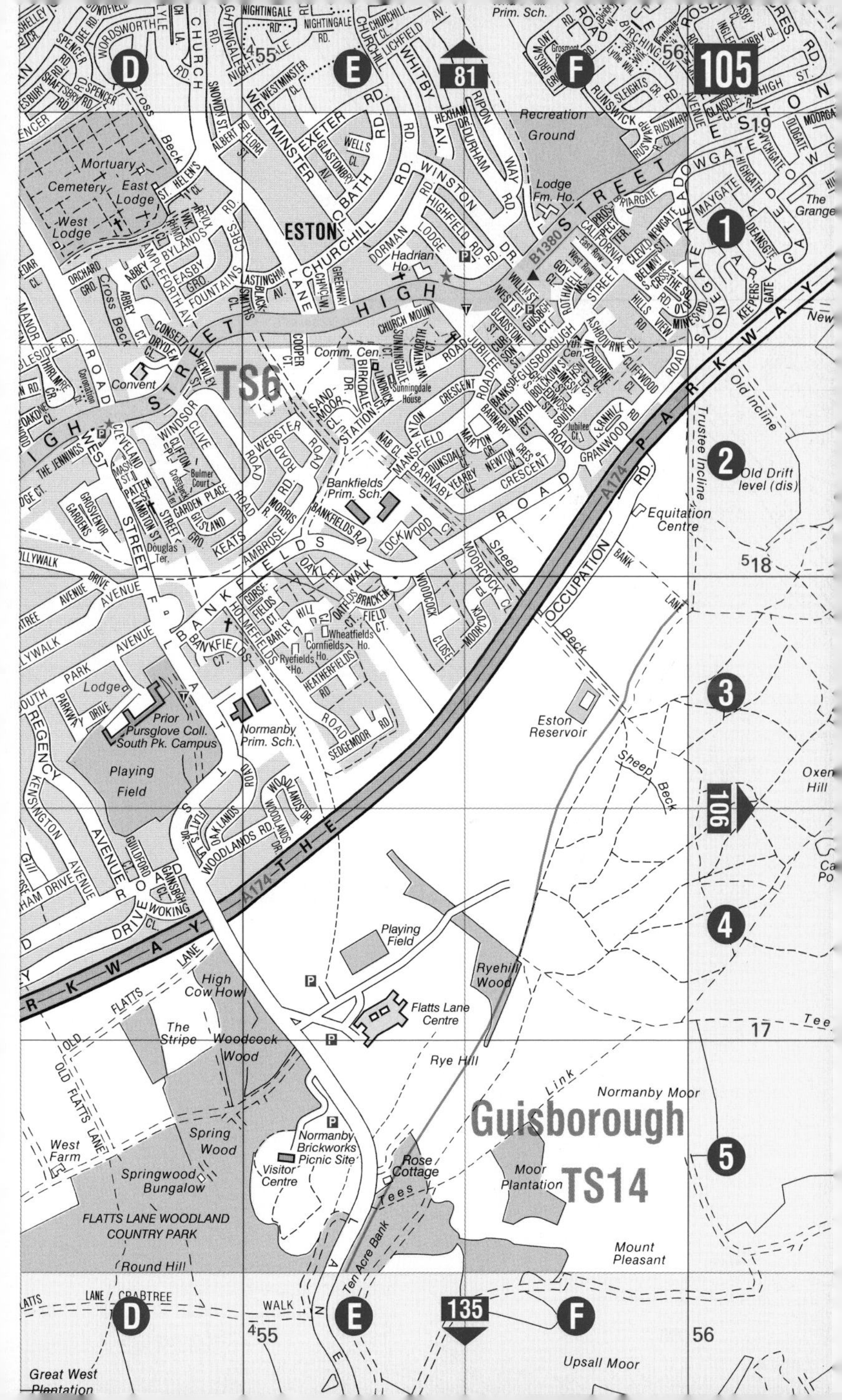

ESTON
TS6
Guisborough
TS14
HIGH STREET
WEST STREET
FLATTS LANE
THE PARKWAY
A174
B1380
Recreation Ground
Cemetery
Mortuary
East Lodge
West Lodge
Convent
Comm. Cen.
Sunningdale House
Hadrian Ho.
Bankfields Prim. Sch.
Normanby Prim. Sch.
Prior Pursglove Coll. South Pk. Campus
Playing Field
Equitation Centre
Eston Reservoir
Old Drift level (dis)
Old Incline
Trustee Incline
Ryehill Wood
Flatts Lane Centre
Rye Hill
Normanby Moor
Moor Plantation
Mount Pleasant
High Cow Howl
The Stripe
Woodcock Wood
Spring Wood
West Farm
Springwood Bungalow
FLATTS LANE WOODLAND COUNTRY PARK
Round Hill
Normanby Brickworks Picnic Site
Visitor Centre
Rose Cottage
Ten Acre Bank
Upsall Moor
Great West Plantation
Oxen Hill
The Grange
Lodge Fm. Ho.
81
106
135

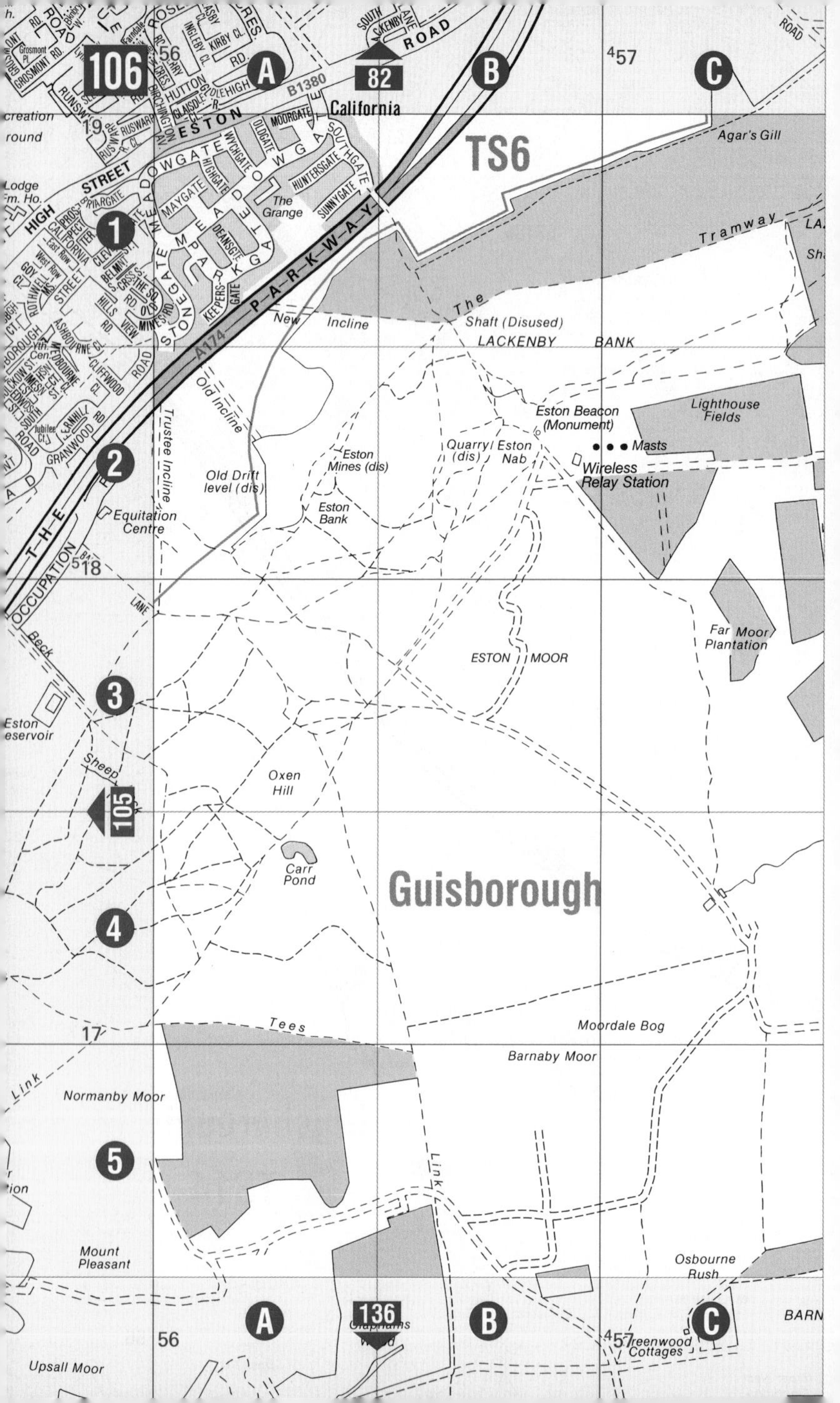
A
B
C
1
2
3
4
5
TS6
California
ESTON
HIGH STREET
B1380
ROAD
82
THE PARKWAY
A174
Agar's Gill
Tramway
The Grange
The Shaft (Disused)
New Incline
LACKENBY BANK
Old Incline
Trustee Incline
Eston Beacon (Monument)
Lighthouse Fields
Masts
Wireless Relay Station
Quarry (dis)
Eston Nab
Eston Mines (dis)
Eston Bank
Old Drift level (dis)
Equitation Centre
OCCUPATION LANE
ESTON MOOR
Far Moor Plantation
Eston Reservoir
Sheep
105
Oxen Hill
Carr Pond
Guisborough
Tees
Link
Moordale Bog
Barnaby Moor
Normanby Moor
Mount Pleasant
Osbourne Rush
136
Greenwood Cottages
Upsall Moor
BARN
56
457
518
17
19

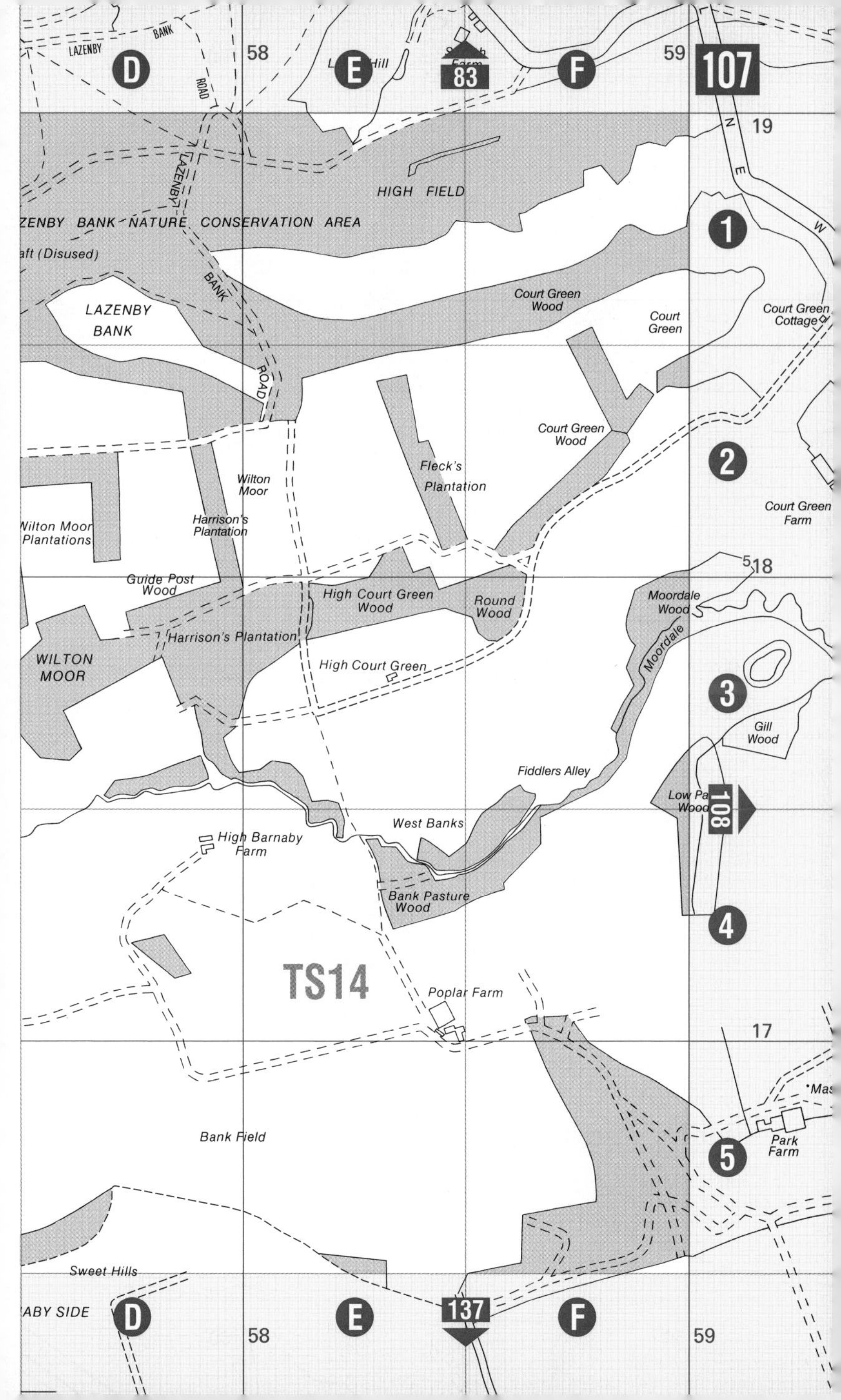

LAZENBY
BANK
ROAD
58
D
E
Hill
Farm
83
F
59
L
N
E
19
W
LAZENBY
HIGH FIELD
ZENBY BANK NATURE CONSERVATION AREA
aft (Disused)
BANK
LAZENBY
BANK
ROAD
Court Green
Wood
Court
Green
Court Green
Cottage
1
Court Green
Wood
Fleck's
Plantation
Wilton
Moor
Harrison's
Plantation
Wilton Moor
Plantations
2
Court Green
Farm
Guide Post
Wood
High Court Green
Wood
Round
Wood
18
Moordale
Wood
Moordale
Harrison's Plantation
WILTON
MOOR
High Court Green
3
Gill
Wood
Fiddlers Alley
Low Pa
Wood
108
West Banks
High Barnaby
Farm
Bank Pasture
Wood
4
TS14
Poplar Farm
17
Mas
Bank Field
Park
Farm
5
Sweet Hills
ABY SIDE
D
E
137
F
58
59

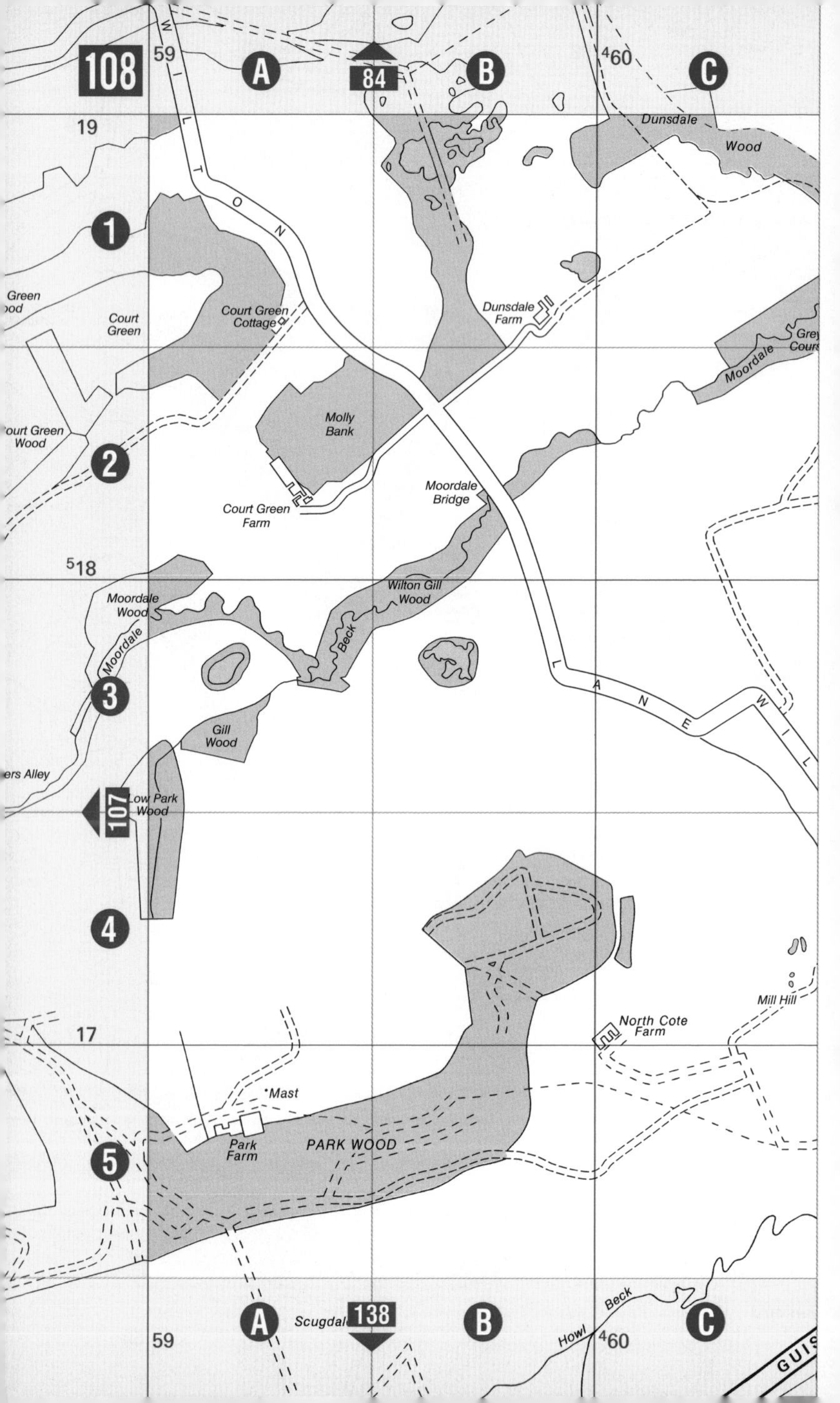

108

59
19

A

84

B

460

C

Dunsdale Wood

1

Green Wood

Court Green

Court Green Cottage

Dunsdale Farm

Moordale

Grey Court

2

Court Green Wood

Molly Bank

Court Green Farm

Moordale Bridge

⁵18

Moordale Wood

Wilton Gill Wood

Moordale

Beck

3

Gill Wood

ers Alley

107

Low Park Wood

4

LANE

WILTON

WILTON

17

North Cote Farm

Mill Hill

*Mast

5

Park Farm

PARK WOOD

A

Scugdale

138

B

Howl Beck

460

C

59

GUIS

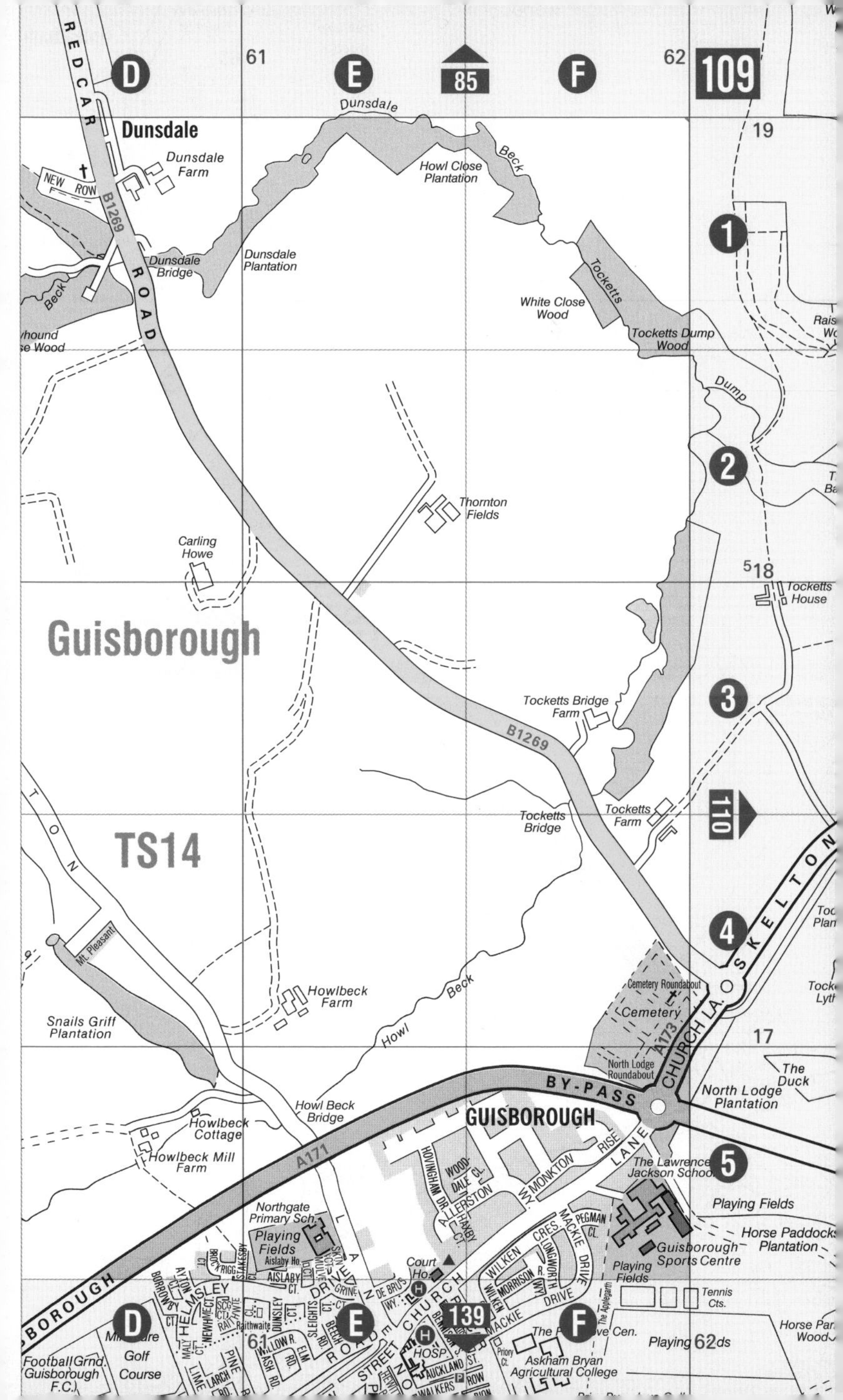
D
E
F
61
62
85
Dunsdale
Dunsdale
Dunsdale Farm
NEW ROW
REDCAR ROAD
B1269
Howl Close Plantation
Beck
Dunsdale Bridge
Dunsdale Plantation
Tocketts
White Close Wood
Tocketts Dump Wood
Dump
19
1
2
3
4
5
18
17
Thornton Fields
Carling Howe
Guisborough
Tocketts House
Tocketts Bridge Farm
B1269
Tocketts Bridge
Tocketts Farm
110
TS14
SKELTON
Mt. Pleasant
Snails Griff Plantation
Howlbeck Farm
Howl Beck
Cemetery Roundabout
Cemetery
A173
CHURCH LA.
North Lodge Roundabout
The Duck
North Lodge Plantation
BY-PASS
Howl Beck Bridge
GUISBOROUGH
Howlbeck Cottage
Howlbeck Mill Farm
A171
HOVINGHAM DR.
WOODDALE CL.
ALLERSTON
HAXBY CT.
WY.
MONKTON
RISE
LANE
The Lawrence Jackson School
Playing Fields
Horse Paddocks Plantation
Northgate Primary Sch.
Playing Fields
Aislaby Ho.
AISLABY CT.
Court Ho.
WILKEN
CRES.
MACKIE
LONGWORTH
DRIVE
PEGMAN CL.
MORRISON
Guisborough Sports Centre
Playing Fields
Tennis Cts.
GUISBOROUGH
HELMSLEY
STAKESBY
DRIVE
DE BRUS WY.
CHURCH
139
HOSP.
AUCKLAND
ST.
ROW
MACKIE
Priory Ct.
Askham Bryan Agricultural College
Playing Fields
Horse Park Wood
Golf Course
Football Grnd. (Guisborough F.C.)
PINE
LARCH
LIME
ASH RD.
ELM RD.
SLEIGHTS
BEECH
ROAD
STREET
WALKERS
Raithwaite
DUNSLEY
AYTON
BORROWBY
NEWHOLME CT.

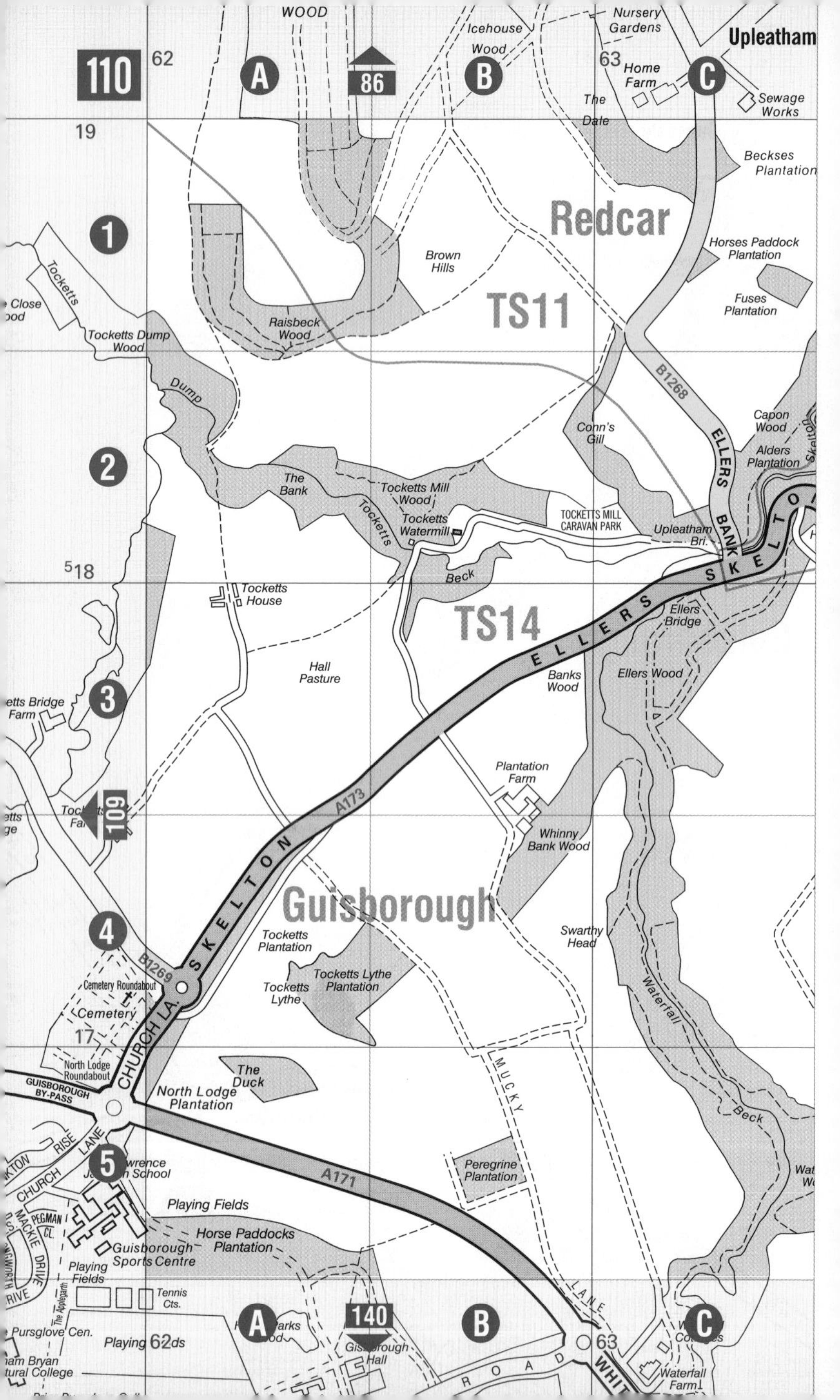

Upleatham
Nursery Gardens
Icehouse Wood
Home Farm
The Dale
Sewage Works
Beckses Plantation
Redcar
Horses Paddock Plantation
Brown Hills
Fuses Plantation
TS11
Tocketts
Tocketts Dump Wood
Raisbeck Wood
Dump
B1268
Conn's Gill
Capon Wood
Alders Plantation
ELLERS BANK
The Bank
Tocketts Mill Wood
Tocketts Watermill
TOCKETTS MILL CARAVAN PARK
Upleatham Bri.
Beck
SKELTON
Tocketts House
TS14
ELLERS
Ellers Bridge
Hall Pasture
Banks Wood
Ellers Wood
Plantation Farm
A173
Whinny Bank Wood
Guisborough
Tocketts Plantation
Swarthy Head
B1269
Cemetery Roundabout
Tocketts Lythe Plantation
Tocketts Lythe
Waterfall
Cemetery
CHURCH LA.
North Lodge Roundabout
The Duck
MUCKY
GUISBOROUGH BY-PASS
North Lodge Plantation
Beck
Peregrine Plantation
A171
CHURCH LANE
Playing Fields
PEGMAN CL.
MACKIE DRIVE
Horse Paddocks Plantation
Guisborough Sports Centre
Playing Fields
The Applegarth
Tennis Cts.
LANE
Pursglove Cen.
Gisborough Hall
ROAD
Cottages
Waterfall Farm

86
109
140

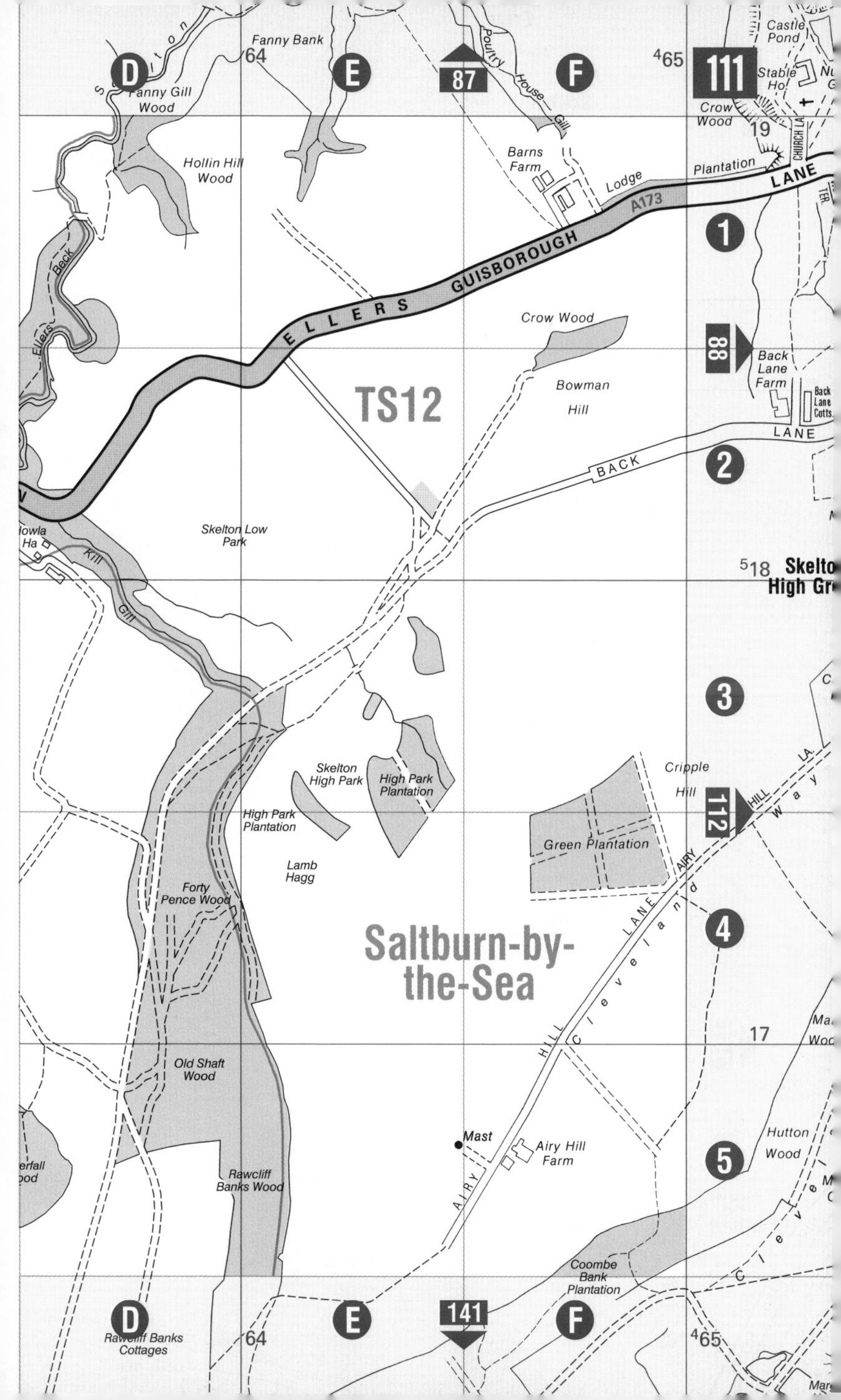

111
87
141
88
112
D
E
F
1
2
3
4
5
64
465
518
19
17
TS12
Saltburn-by-the-Sea
ELLERS GUISBOROUGH LANE
A173
BACK LANE
AIRY HILL LANE
HILL LA.
CHURCH LA
Cleveland Way
Fanny Bank
Fanny Gill Wood
Hollin Hill Wood
Poultry House Gill
Barns Farm
Lodge
Plantation
Castle Pond
Stable Ho
Crow Wood
Back Lane Farm
Back Lane Cotts.
Bowman Hill
Skelton Low Park
Skelton High Park
High Park Plantation
Lamb Hagg
Cripple Hill
Green Plantation
Forty Pence Wood
Old Shaft Wood
Rawcliff Banks Wood
Rawcliff Banks Cottages
Mast
Airy Hill Farm
Hutton Wood
Coombe Bank Plantation
Ellers Beck
Kill Gill

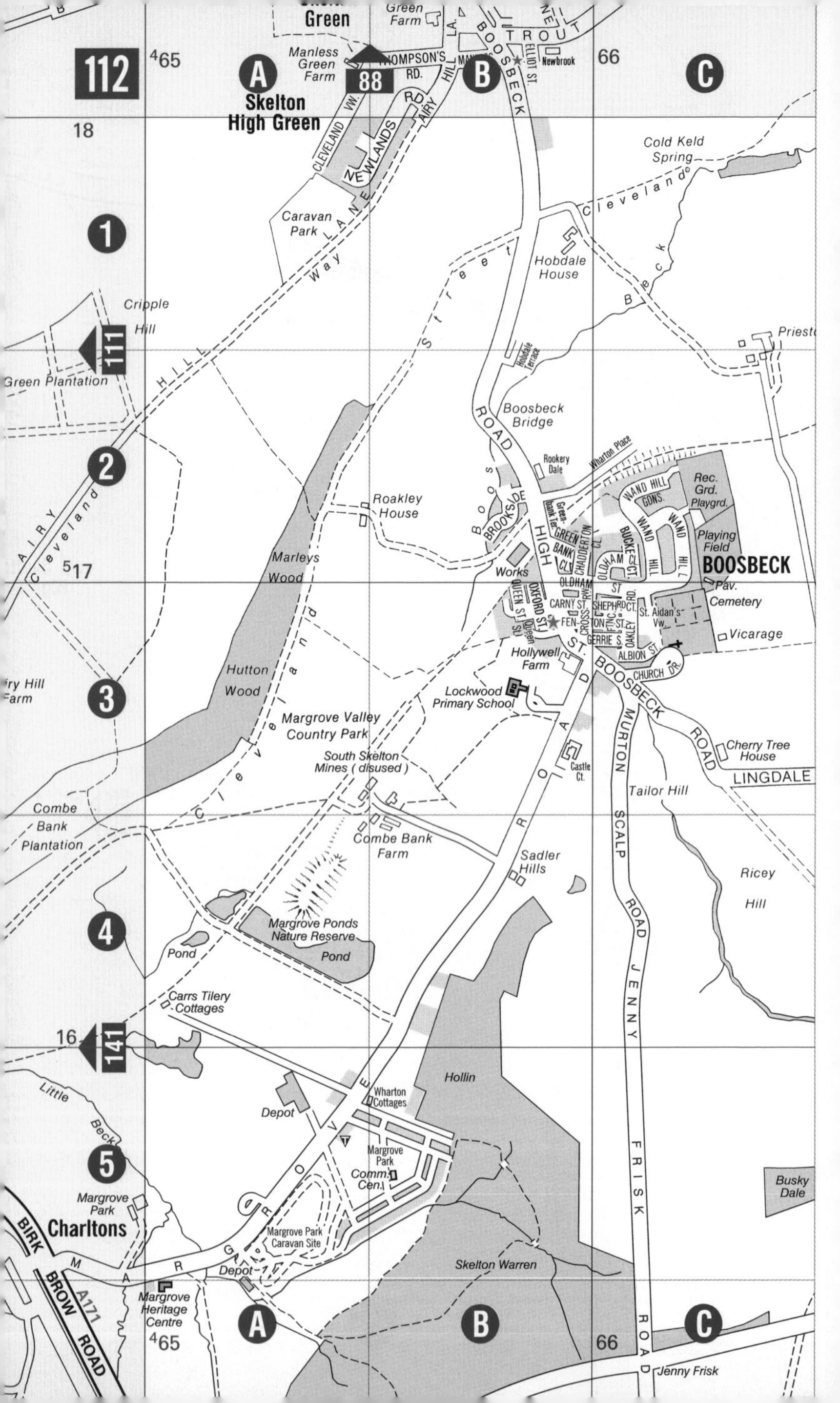

112
Skelton High Green
Manless Green Farm
88
Thompson's Rd.
Newbrook
Trout
Elliot St.
Boosbeck Road
Airy Hill La.
Cleveland Vw.
Newlands Rd.
Caravan Park
Cold Keld Spring
Cleveland Way
Hobdale House
Hobdale Terrace
Beck
Priestc
Cripple Hill
111
Green Plantation
Boosbeck Bridge
Rookery Dale
Wharton Place
Roakley House
Brookside
Green-bank Ter.
Green Bank Cly.
Chadderton Cl.
Wand Hill Gdns.
Wand Hill
Bucke Ct.
Oldham Ct.
Oldham St.
Rec. Grd.
Playgrd.
Playing Field
BOOSBECK
Pav.
Cemetery
Works
Marleys Wood
Airy Hill Farm
Oxford St.
Queen St.
Carny St.
Fenton St.
Cross Rw.
Shepherd Ct.
Oakley Rd.
Gerrie St.
Albion St.
Church Dr.
St. Aidan's Vw.
Vicarage
High St.
Hollywell Farm
Lockwood Primary School
Hutton Wood
Margrove Valley Country Park
South Skelton Mines (disused)
Castle Ct.
Cherry Tree House
Lingdale
Murton Scalp Road
Tailor Hill
Combe Bank Plantation
Combe Bank Farm
Sadler Hills
Ricey Hill
Margrove Ponds Nature Reserve
Pond
Carrs Tilery Cottages
141
Little Beck
Hollin
Depot
Wharton Cottages
Margrove Park
Comm. Cen.
Busky Dale
Jenny Frisk Road
Margrove Park Caravan Site
Margrove Road
Charltons
Birk Brow Road
A171
Skelton Warren
Margrove Heritage Centre
Jenny Frisk

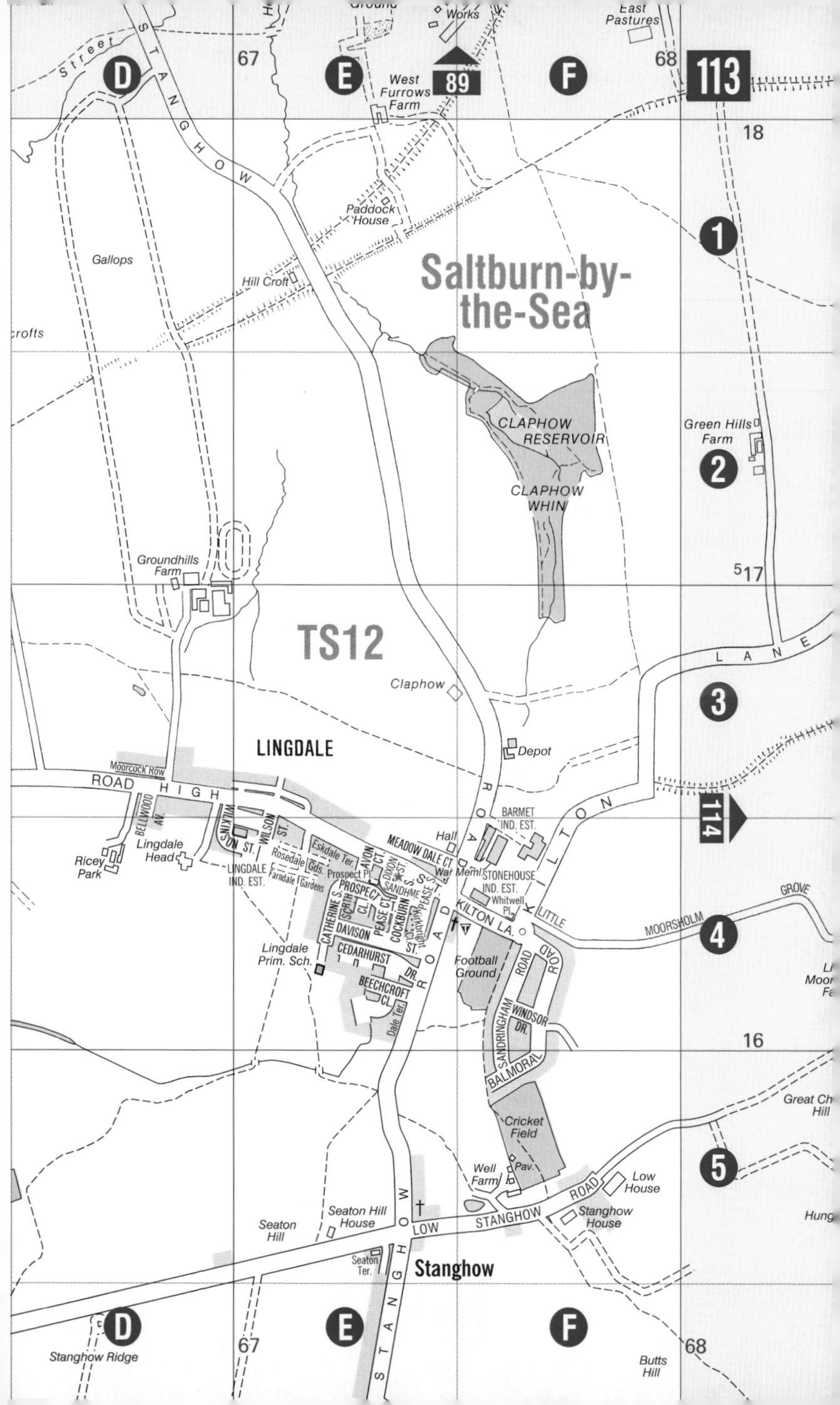

Saltburn-by-the-Sea
TS12
LINGDALE
Stanghow
West Furrows Farm
Paddock House
Hill Croft
Gallops
Groundhills Farm
CLAPHOW RESERVOIR
CLAPHOW WHIN
Green Hills Farm
Claphow
Depot
BARMET IND. EST.
STONEHOUSE IND. EST.
LINGDALE IND. EST.
Lingdale Head
Ricey Park
Lingdale Prim. Sch.
Football Ground
Cricket Field
Well Farm
Pav.
Low House
Stanghow House
Seaton Hill House
Seaton Hill
Seaton Ter.
Stanghow Ridge
Butts Hill
East Pastures
Works
STANGHOW
HIGH ROAD
Moorcock Row
BELLWOOD AV.
WILKINSON ST.
WILSON ST.
Eskdale Ter.
Rosedale Gds.
Prospect Pl.
Farndale Gardens
AVON CT.
MEADOW DALE CT.
Hall
War Meml.
DIXON ST.
SANDHME
PROSPECT CL.
PEASE CT.
PEASE ST.
COCKBURN ST.
CATHERINE ST.
DAVISON
CEDARHURST DR.
BEECHCROFT CL.
Dale Ter.
Whitwell Pl.
KILTON LA.
KILTON LANE
LITTLE MOORSHOLM GROVE
WINDSOR DR.
SANDRINGHAM
BALMORAL
LOW STANGHOW ROAD
STANGHOW ROAD
89
114

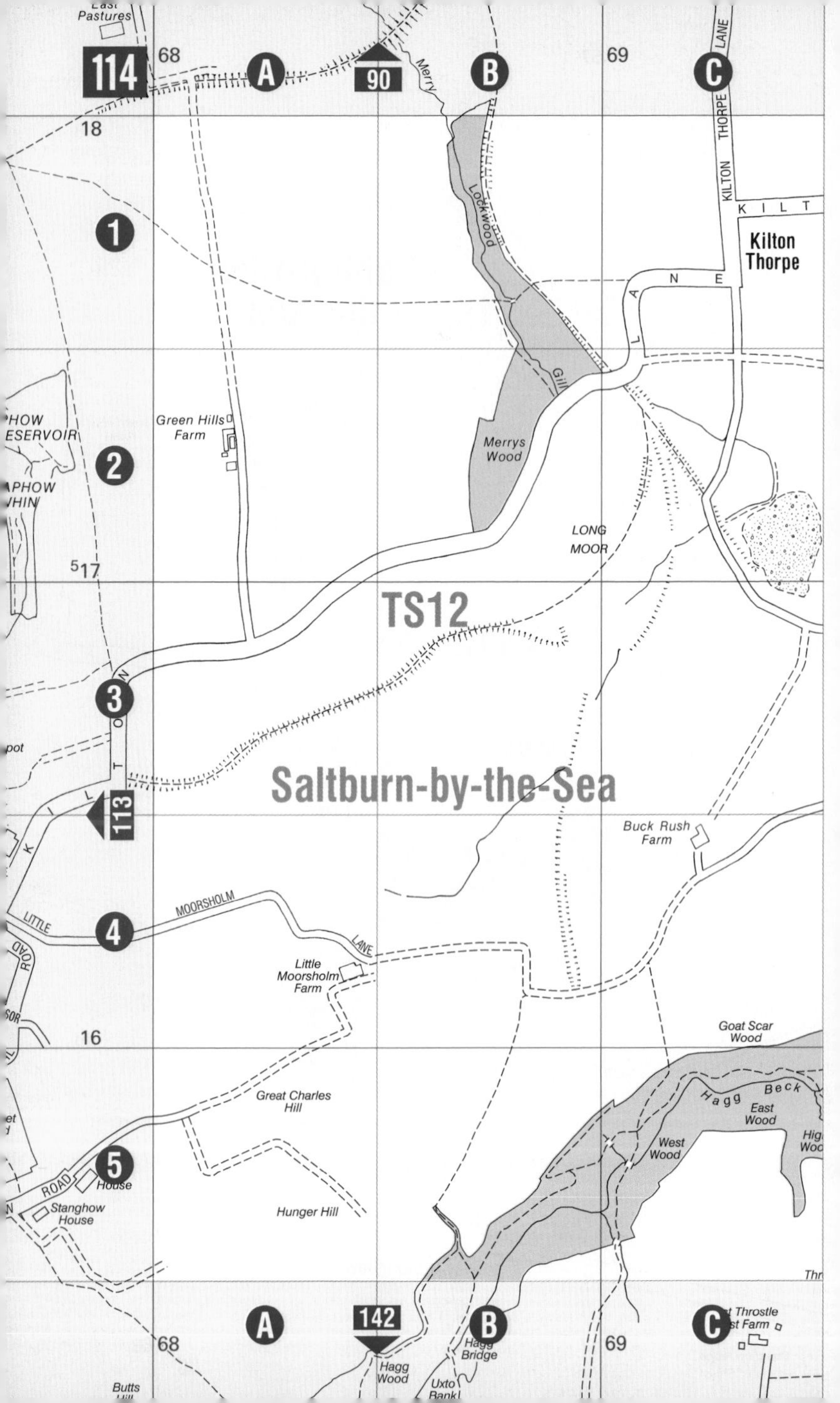
East Pastures
68
A
90
Merry
B
69
C
KILTON THORPE LANE
18
Lockwood
Gill
KILTON LANE
Kilton Thorpe
1
Green Hills Farm
Merrys Wood
2
LONG MOOR
17
TS12
3
KILTON
113
Saltburn-by-the-Sea
Buck Rush Farm
4
LITTLE MOORSHOLM LANE
Little Moorsholm Farm
16
Goat Scar Wood
Great Charles Hill
Hagg Beck
East Wood
West Wood
5
House
ROAD
Stanghow House
Hunger Hill
A
142
B
C
Hagg Bridge
Hagg Wood
68
69
Butts

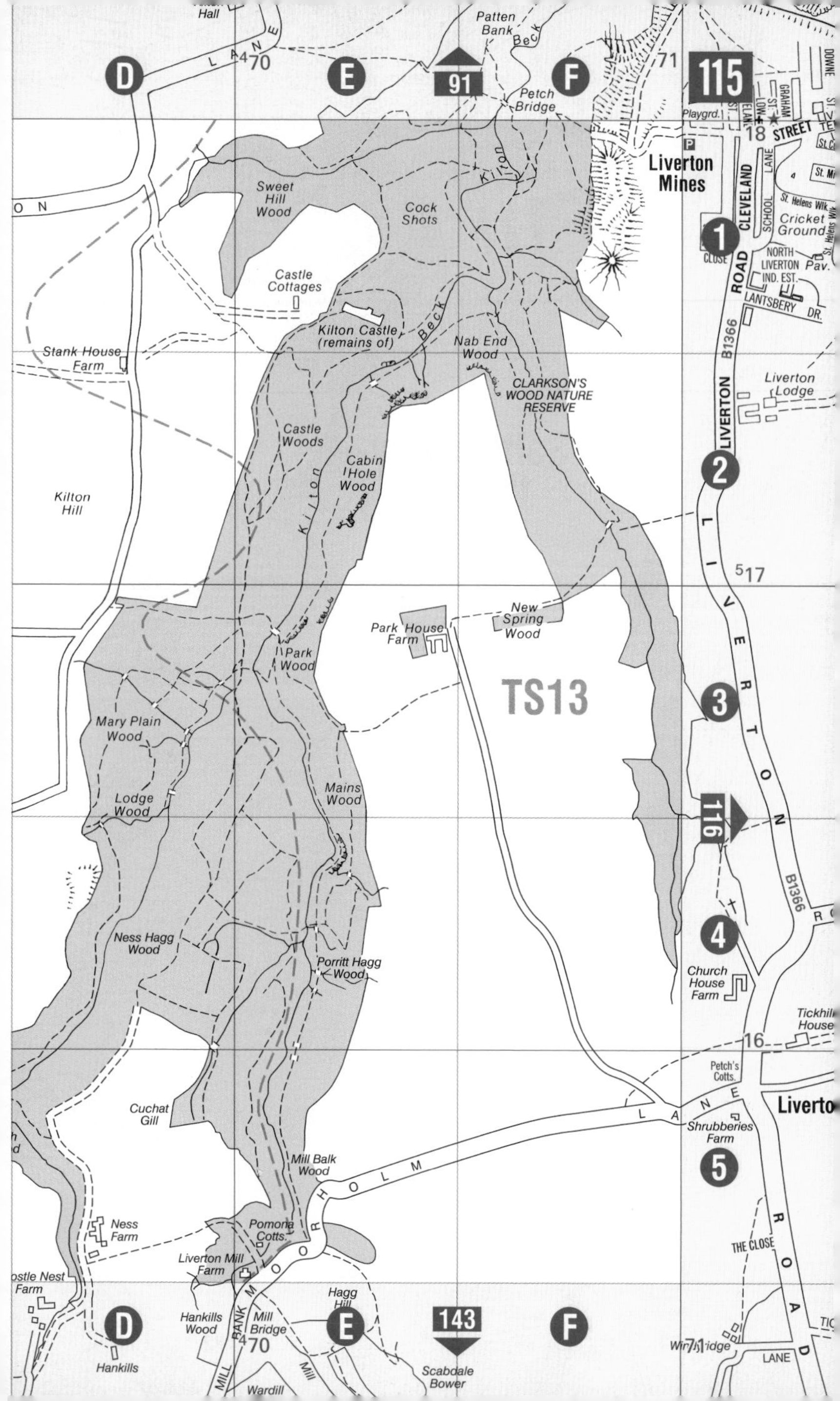

Hall
LANE
470
Patten Bank
Beck
91
Petch Bridge
71
D
E
F
Playgrd.
Liverton Mines
CLEVELAND
ROAD
SCHOOL LANE
STREET
GRAHAM
18
St. Helens Wlk.
Cricket Ground
CLOSE
NORTH LIVERTON IND. EST.
Pav.
LANTSBERY DR.
B1366
Sweet Hill Wood
Cock Shots
Kilton
Castle Cottages
Kilton Castle (remains of)
Beck
Nab End Wood
Stank House Farm
CLARKSON'S WOOD NATURE RESERVE
Liverton Lodge
LIVERTON
Castle Woods
Cabin Hole Wood
Kilton
Kilton Hill
517
New Spring Wood
Park House Farm
Park Wood
TS13
Mary Plain Wood
Lodge Wood
Mains Wood
116
LIVERTON ROAD
B1366
Ness Hagg Wood
Porritt Hagg Wood
Church House Farm
Tickhill House
16
Petch's Cotts.
Cuchat Gill
LANE
Liverto
Shrubberies Farm
Mill Balk Wood
MOORHOLM
Ness Farm
Pomona Cotts.
THE CLOSE
Liverton Mill Farm
ROAD
Hagg Hill
Hankills Wood
Mill Bridge
MOOR BANK
470
143
Scabdale Bower
LANE
Hankills
MILL
Wardill
Mill

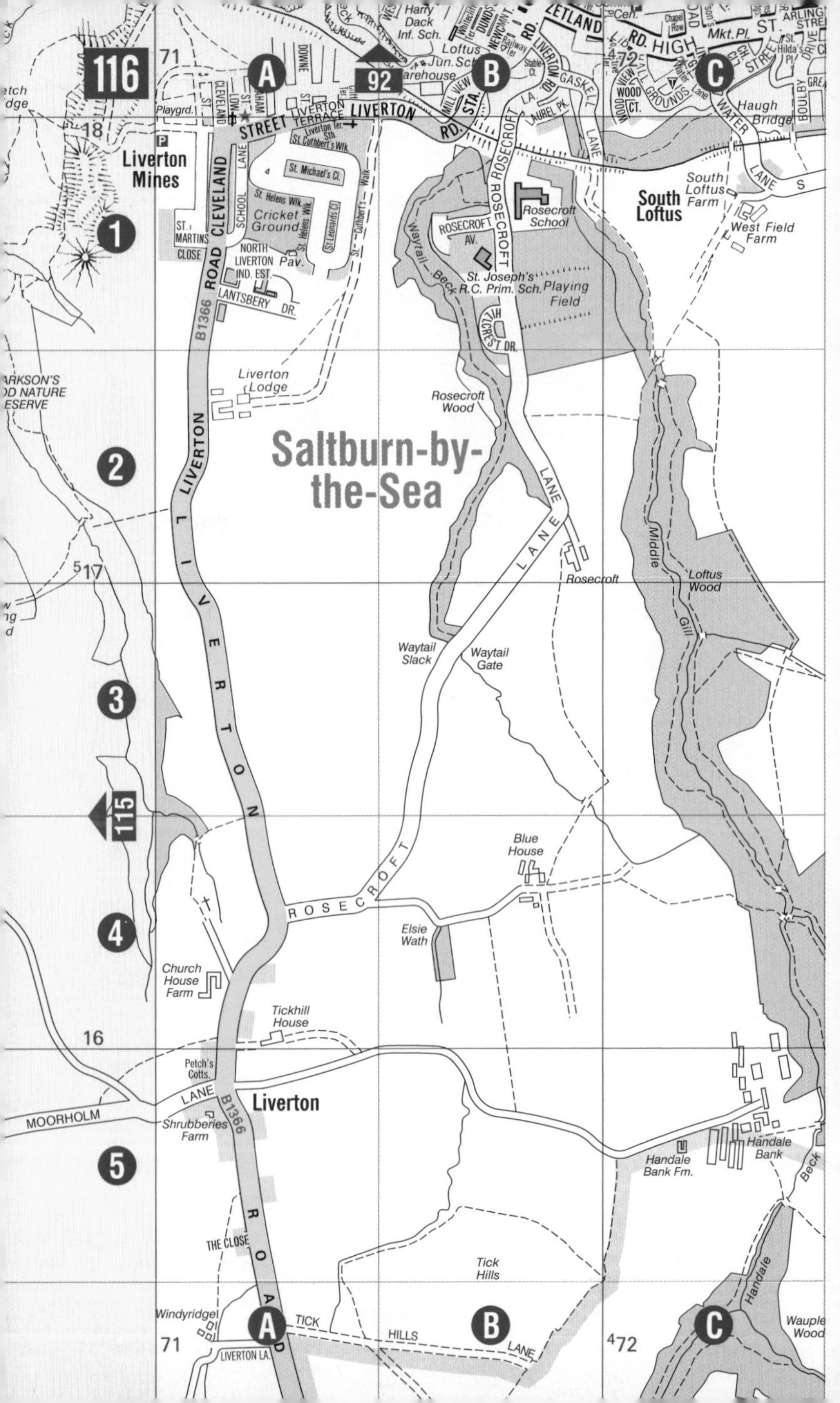
116
A
B
C
92
115
71
18
17
16
472
1
2
3
4
5
Liverton Mines
Saltburn-by-the-Sea
South Loftus
Liverton
LIVERTON ROAD
CLEVELAND ROAD
B1366
LIVERTON STREET
LIVERTON RD.
ROSECROFT LANE
MOORHOLM LANE
TICK HILLS LANE
HIGH ST.
ZETLAND RD.
WATER LANE
Cricket Ground
St. Michael's Cl.
St. Helens Wlk.
NORTH LIVERTON IND. EST.
LANTSBERY DR.
ST. MARTINS CLOSE
Liverton Lodge
Rosecroft School
St. Joseph's R.C. Prim. Sch.
Playing Field
ROSECROFT AV.
HILLCREST DR.
Rosecroft Wood
Waytail Beck
Rosecroft
Waytail Slack
Waytail Gate
Middle Gill
Loftus Wood
South Loftus Farm
West Field Farm
Haugh Bridge
Blue House
Elsie Wath
Church House Farm
Tickhill House
Petch's Cotts.
Shrubberies Farm
Handale Bank Fm.
Handale Bank
Handale Beck
Tick Hills
THE CLOSE
Windyridge
LIVERTON LA.
Waupley Wood
Harry Dack Inf. Sch.
Loftus Jun. Sch.
Mkt. Pl.
Chapel Row
Playgrd.

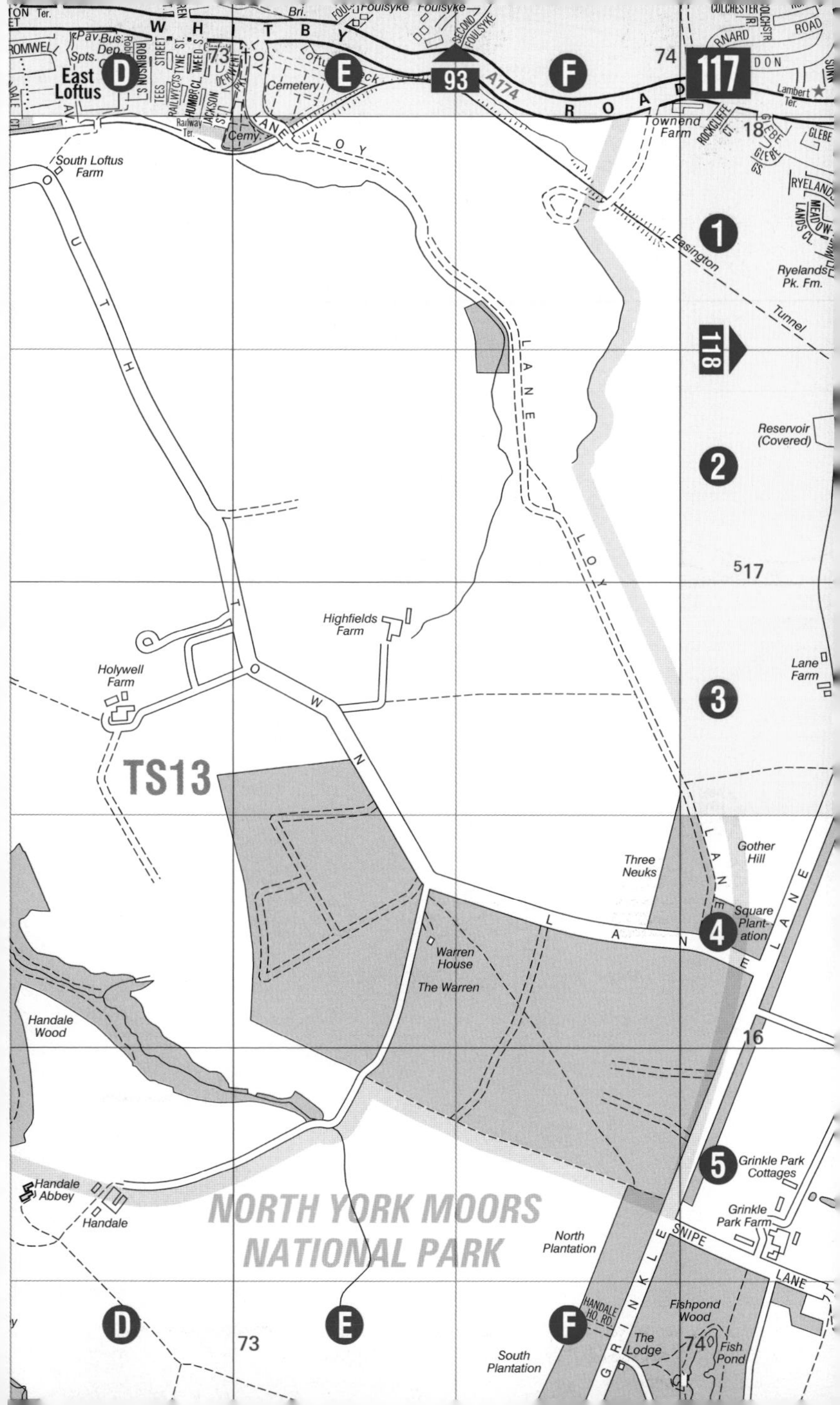
117
93
118
East Loftus
WHITBY ROAD
A174
LOY LANE
SOUTH LOFTUS LANE
DOWN LANE
Cemetery
Cemy.
South Loftus Farm
Highfields Farm
Holywell Farm
TS13
Easington
Tunnel
Townend Farm
Ryelands Pk. Fm.
Reservoir (Covered)
Lane Farm
Three Neuks
Gother Hill
Square Plantation
Warren House
The Warren
Handale Wood
Handale Abbey
Handale
NORTH YORK MOORS NATIONAL PARK
North Plantation
Grinkle Park Cottages
Grinkle Park Farm
GRINKLE LANE
SNIPE LANE
HANDALE HO. RD.
Fishpond Wood
The Lodge
Fish Pond
South Plantation
73
74
17
16
18
D
E
F
1
2
3
4
5

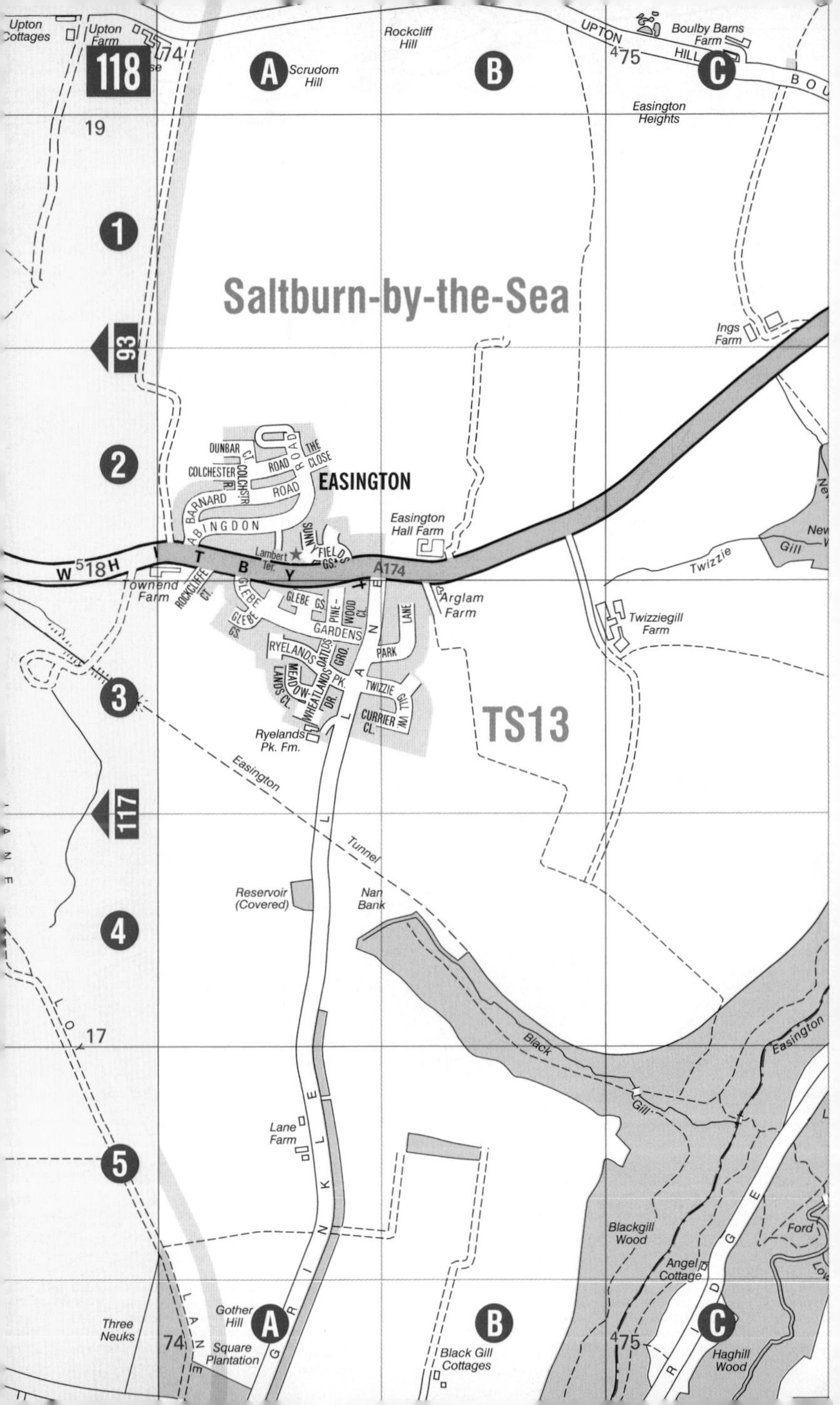

Upton Cottages
Upton Farm
Rockcliff Hill
Scrudom Hill
UPTON HILL
Boulby Barns Farm
Easington Heights
Saltburn-by-the-Sea
Ings Farm
93
DUNBAR CT.
COLCHESTER RD.
COLCHSTR.
ROAD
THE CLOSE
EASINGTON
BARNARD
ABINGDON
Easington Hall Farm
Lambert Ter.
SUNNYFIELDS GS.
WHITBY
A174
Townend Farm
ROCKLIFFE CT.
GLEBE GS.
PINEWOOD CL.
GARDENS
LANE
Arglam Farm
Twizzie
Gill
Twizziegill Farm
RYELANDS
OATLDS GRO.
PARK
MEADOWLANDS CL.
WHEATLANDS PK.
DR.
TWIZZIE GILL VW.
CURRIER CL.
Ryelands Pk. Fm.
TS13
Easington Tunnel
117
Reservoir (Covered)
Nan Bank
Black Gill
Easington
LOW
Lane Farm
GRINKLE LANE
Blackgill Wood
Angel Cottage
Ford
RIDGE
Gother Hill
Three Neuks
Square Plantation
Black Gill Cottages
Haghill Wood

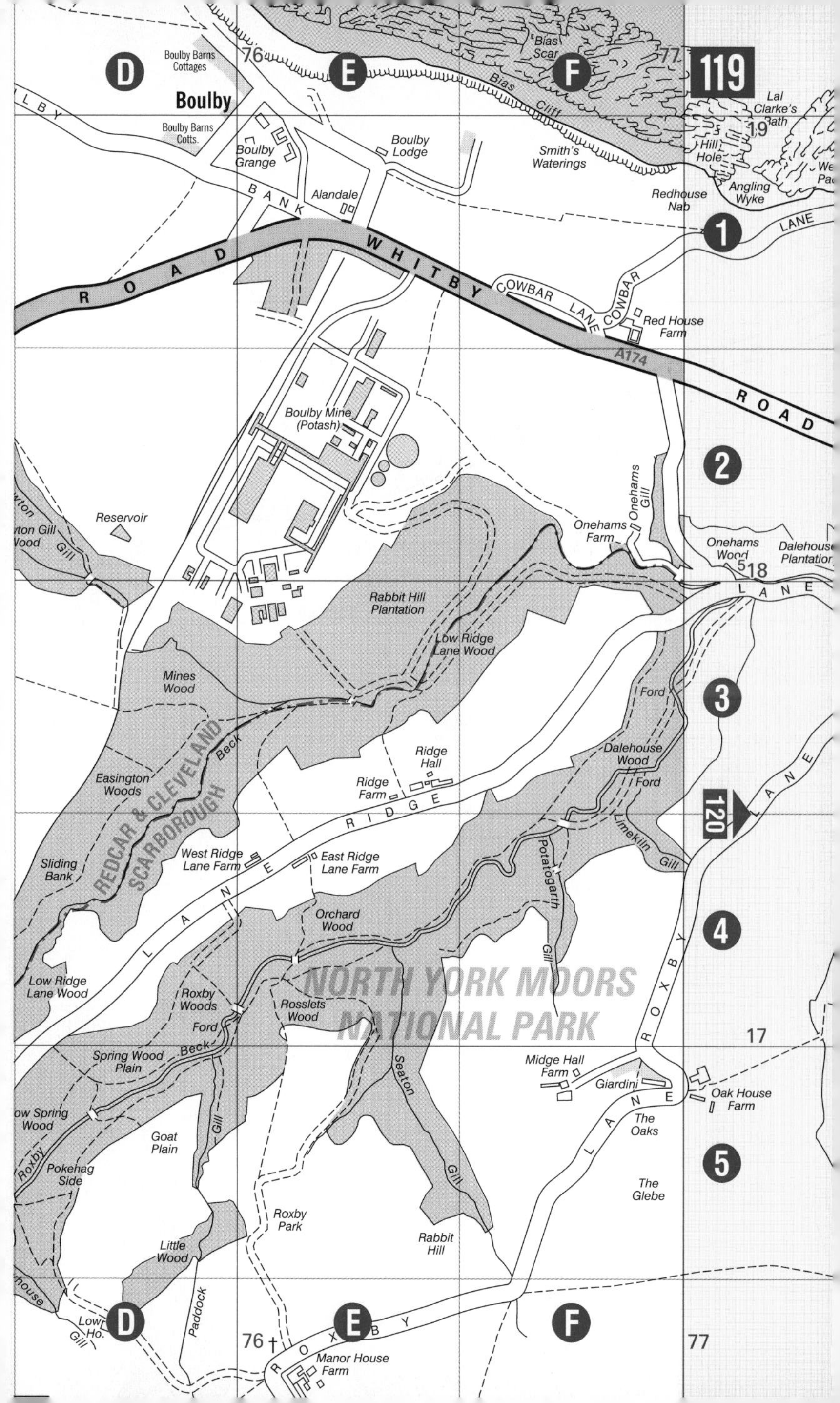
119
D
E
F
76
77
Boulby Barns Cottages
Boulby
Boulby Barns Cotts.
Boulby Grange
Boulby Lodge
Bias Scar
Bias Cliff
Lal Clarke's Bath
Hill Hole
Angling Wyke
Smith's Waterings
Redhouse Nab
Alandale
BANK
WHITBY ROAD
COWBAR LANE
COWBAR
LANE
Red House Farm
A174
ROAD
Boulby Mine (Potash)
Reservoir
Onehams Gill
Onehams Farm
Onehams Wood
Dalehouse Plantation
518
Rabbit Hill Plantation
Low Ridge Lane Wood
Mines Wood
Easington Woods
REDCAR & CLEVELAND
SCARBOROUGH
Beck
Ridge Hall
Ridge Farm
RIDGE
LANE
Ford
Dalehouse Wood
120
Limekiln Gill
Potatogarth Gill
West Ridge Lane Farm
East Ridge Lane Farm
Sliding Bank
Orchard Wood
Low Ridge Lane Wood
NORTH YORK MOORS NATIONAL PARK
Roxby Woods
Rosslets Wood
ROXBY
Spring Wood Plain
Midge Hall Farm
Giardini
Oak House Farm
17
The Oaks
The Glebe
Seaton Gill
Goat Plain
Gill
Pokehag Side
Roxby
Little Wood
Roxby Park
Rabbit Hill
Paddock
Low Ho.
Gill
Manor House Farm
1
2
3
4
5

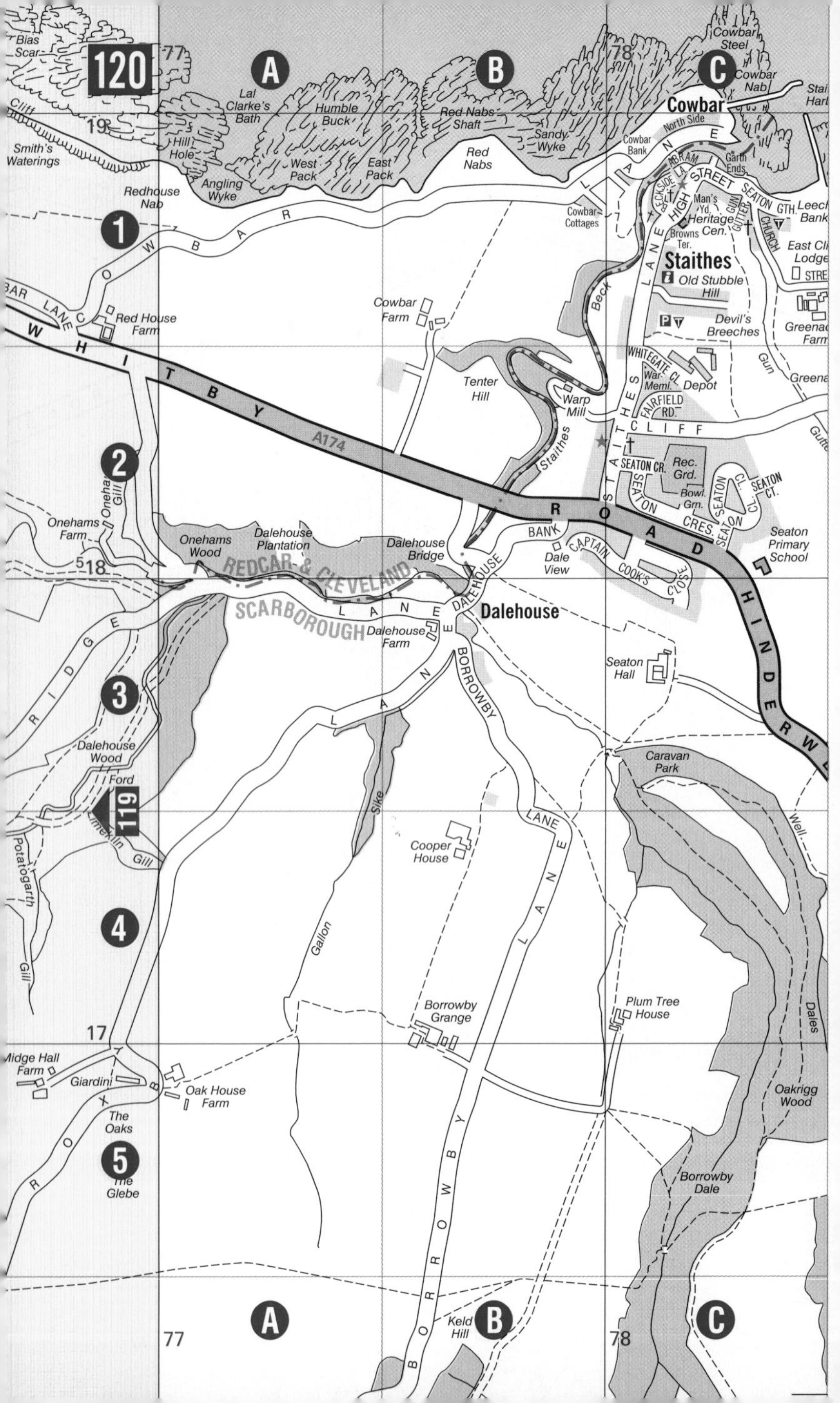

Bias Scar
Cliff
Smith's Waterings
Lal Clarke's Bath
Humble Buck
Hill Hole
West Pack
East Pack
Angling Wyke
Redhouse Nab
Red Nabs Shaft
Red Nabs
Sandy Wyke
Cowbar Steel
Cowbar Nab
Cowbar
North Side
Cowbar Bank
Cowbar Cottages
Garth Ends
ABRAM LA.
BECKSIDE
HIGH STREET
SEATON GTH.
Man's Yd.
Heritage Cen.
GUN GUTTER
CHURCH
Browns Ter.
Leech Bank
East Cliff Lodge
Staithes
Old Stubble Hill
Devil's Breeches
Greenacre Farm
COWBAR LANE
Red House Farm
WHITBY ROAD
A174
Cowbar Farm
Beck
Tenter Hill
Warp Mill
WHITEGATE CL.
War Meml.
Depot
FAIRFIELD RD.
STAITHES LANE
CLIFF
Gun Gutter
SEATON CR.
Rec. Grd.
Bowl. Grn.
SEATON CRES.
SEATON CL.
SEATON CT.
Seaton Primary School
Oneham Gill
Onehams Farm
Onehams Wood
Dalehouse Plantation
Dalehouse Bridge
BANK
Dale View
CAPTAIN COOK'S CLOSE
REDCAR & CLEVELAND
SCARBOROUGH
DALEHOUSE LANE
Dalehouse
Dalehouse Farm
RIDGE LANE
Seaton Hall
HINDERWELL
BORROWBY
Dalehouse Wood
Ford
119
Limekiln Gill
Potatogarth Gill
Sike
Caravan Park
Well
Cooper House
Gallon
BORROWBY LANE
Plum Tree House
Borrowby Grange
Dales
Midge Hall Farm
Giardini
Oak House Farm
BROX
The Oaks
The Glebe
Oakrigg Wood
Borrowby Dale
Keld Hill
A B C
1 2 3 4 5
77 78
19 18 17

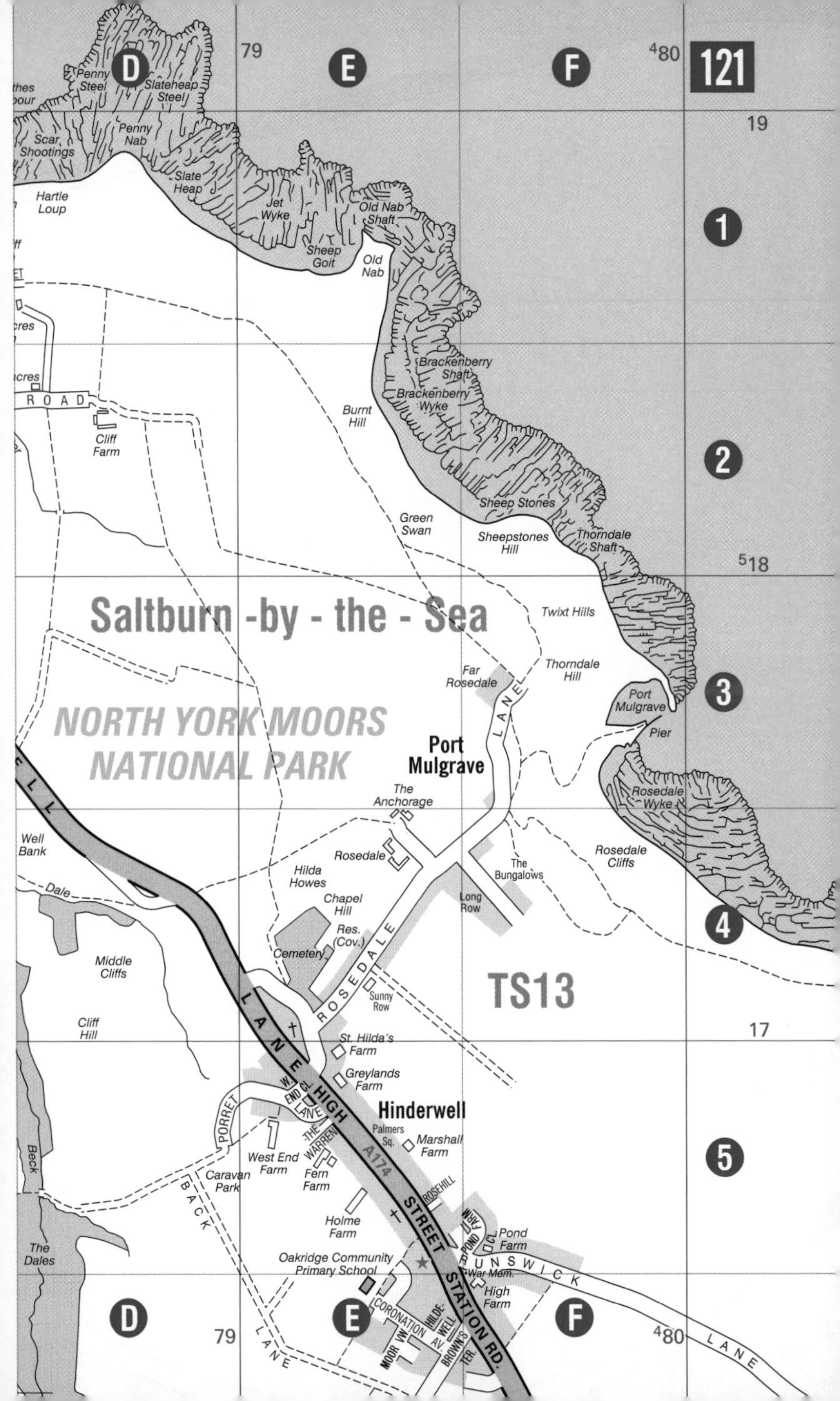

79
D
E
F
480
19
thes
bour
Penny Steel
Slateheap Steel
Penny Nab
Scar Shootings
Slate Heap
Hartle Loup
Jet Wyke
Old Nab Shaft
Sheep Goit
Old Nab
cres
acres
ROAD
Cliff Farm
Brackenberry Shaft
Brackenberry Wyke
Burnt Hill
1
2
Sheep Stones
Green Swan
Sheepstones Hill
Thorndale Shaft
518
Saltburn -by - the - Sea
Twixt Hills
Far Rosedale
Thorndale Hill
LANE
Port Mulgrave
Pier
3
NORTH YORK MOORS
NATIONAL PARK
Port Mulgrave
The Anchorage
Rosedale Wyke
Well Bank
Rosedale
Hilda Howes
The Bungalows
Rosedale Cliffs
Dale
Chapel Hill
Long Row
4
Res. (Cov.)
Cemetery
ROSEDALE
Middle Cliffs
Sunny Row
TS13
Cliff Hill
17
St. Hilda's Farm
Greylands Farm
W. END CL.
LANE
HIGH
PORRET
Hinderwell
Palmers Sq.
THE WARREN
Marshall Farm
5
Beck
West End Farm
A174
Caravan Park
Fern Farm
BACK
STREET
ROSEHILL
Holme Farm
POND FARM
Pond Farm
POND CL.
The Dales
Oakridge Community Primary School
RUNSWICK
War Mem.
High Farm
STATION RD.
CORONATION AV.
HILDEWELL
MOOR VW.
BROWN'S TER.
LANE

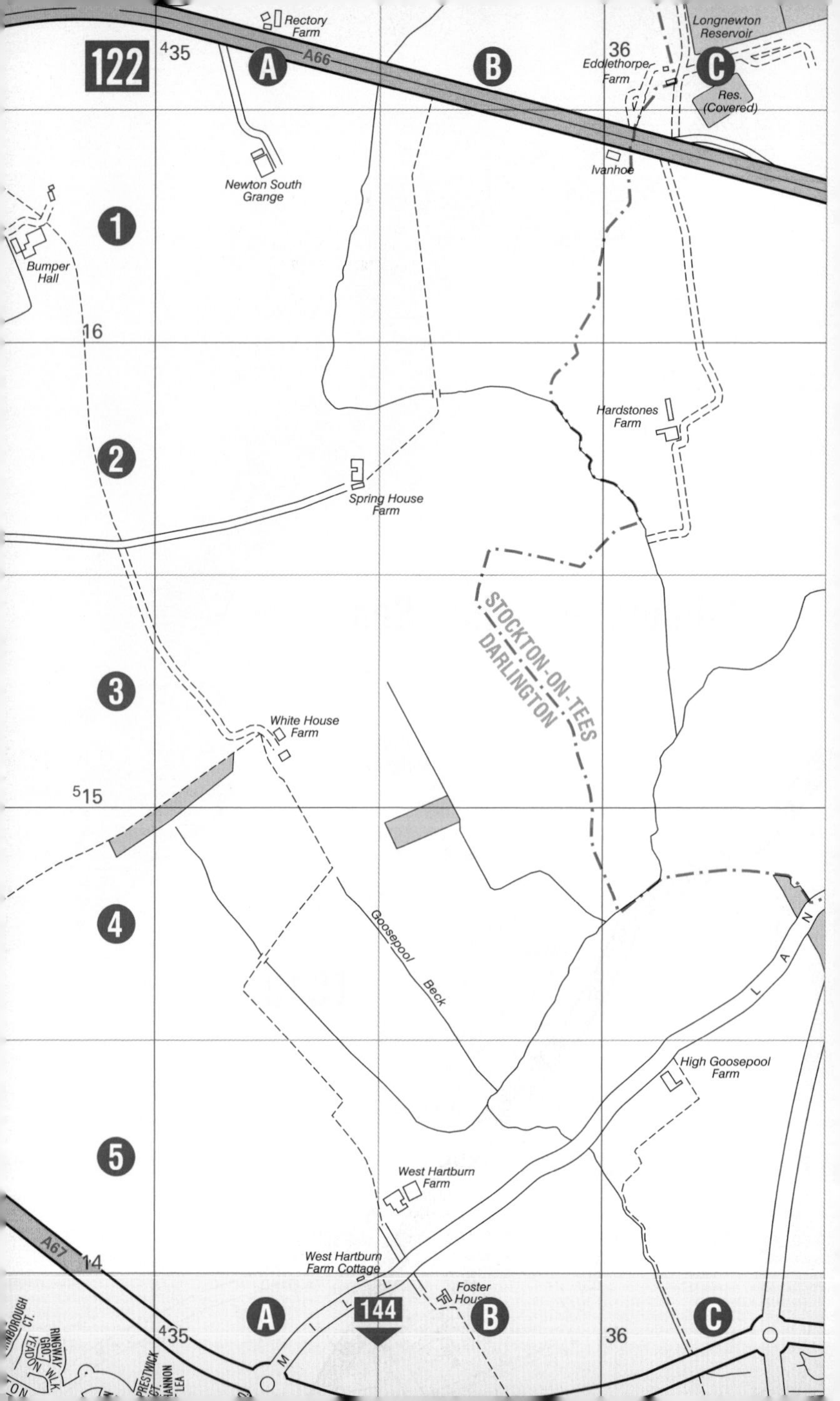
Rectory Farm
A66
Longnewton Reservoir
Eddlethorpe Farm
Res. (Covered)
Ivanhoe
Newton South Grange
Bumper Hall
Hardstones Farm
Spring House Farm
STOCKTON-ON-TEES
DARLINGTON
White House Farm
Goosepool Beck
High Goosepool Farm
West Hartburn Farm
West Hartburn Farm Cottage
Foster House
A67
MILL LANE
PRESTWICK CT.
RINGWAY
GRO.
WLK.
YEADON

144

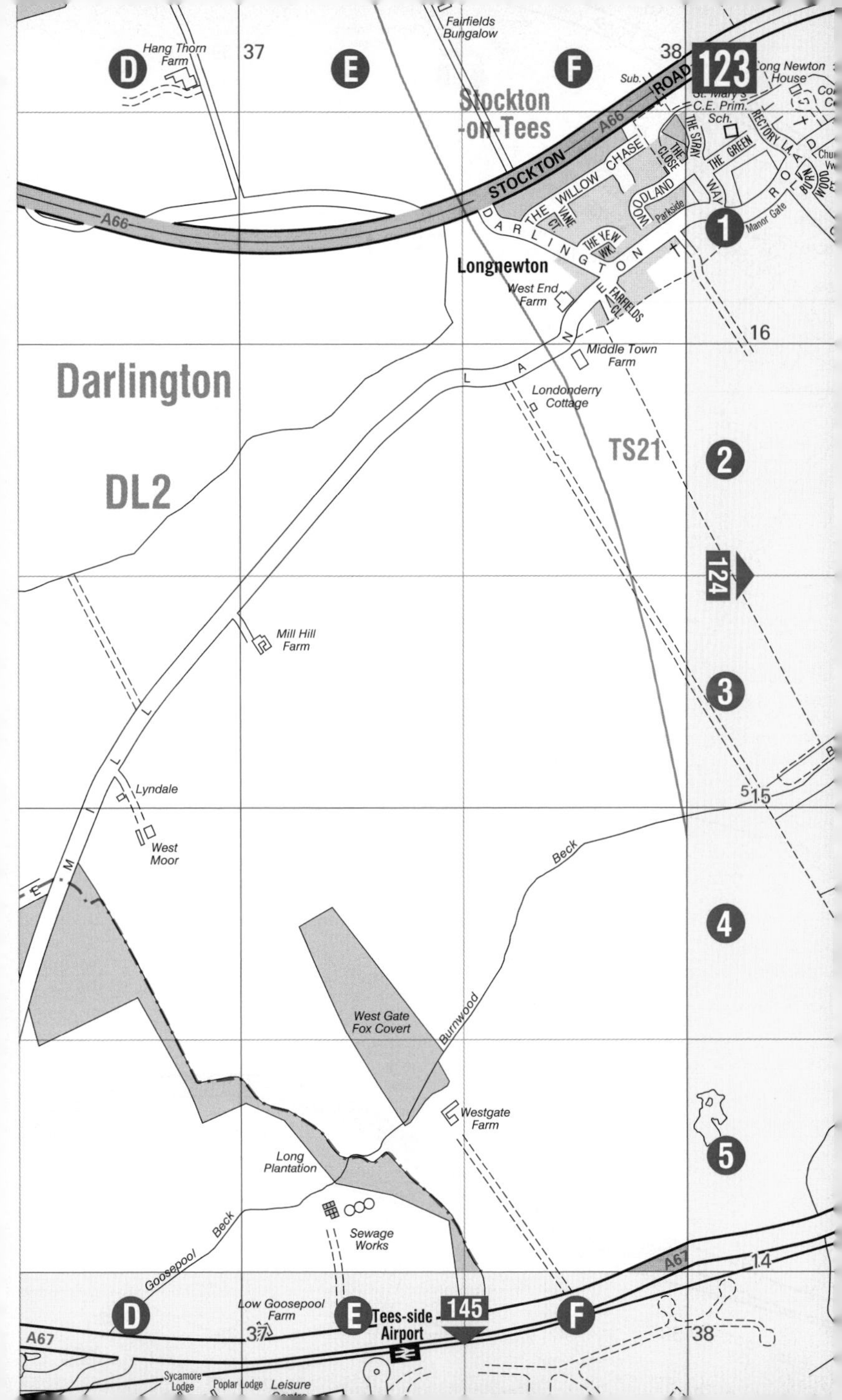

123
D
E
F
37
38
Hang Thorn Farm
Fairfields Bungalow
Stockton -on-Tees
Long Newton House
Sub.
St. Mary's C.E. Prim. Sch.
STOCKTON ROAD
A66
THE WILLOW CHASE
THE CLOSE
THE STRAY
THE GREEN
RECTORY LA.
WOODLAND
Parkside
WAY
VANE CT.
THE YEW WK.
DARLINGTON
Manor Gate
Longnewton
West End Farm
FARFIELDS CL.
LANE
16
Middle Town Farm
Londonderry Cottage
Darlington
DL2
TS21
1
2
124
3
Mill Hill Farm
MILL LANE
Lyndale
West Moor
15
Beck
4
West Gate Fox Covert
Burnwood
Westgate Farm
5
Long Plantation
Sewage Works
Goosepool Beck
A67
14
Low Goosepool Farm
Tees-side Airport
145
Sycamore Lodge
Poplar Lodge
Leisure

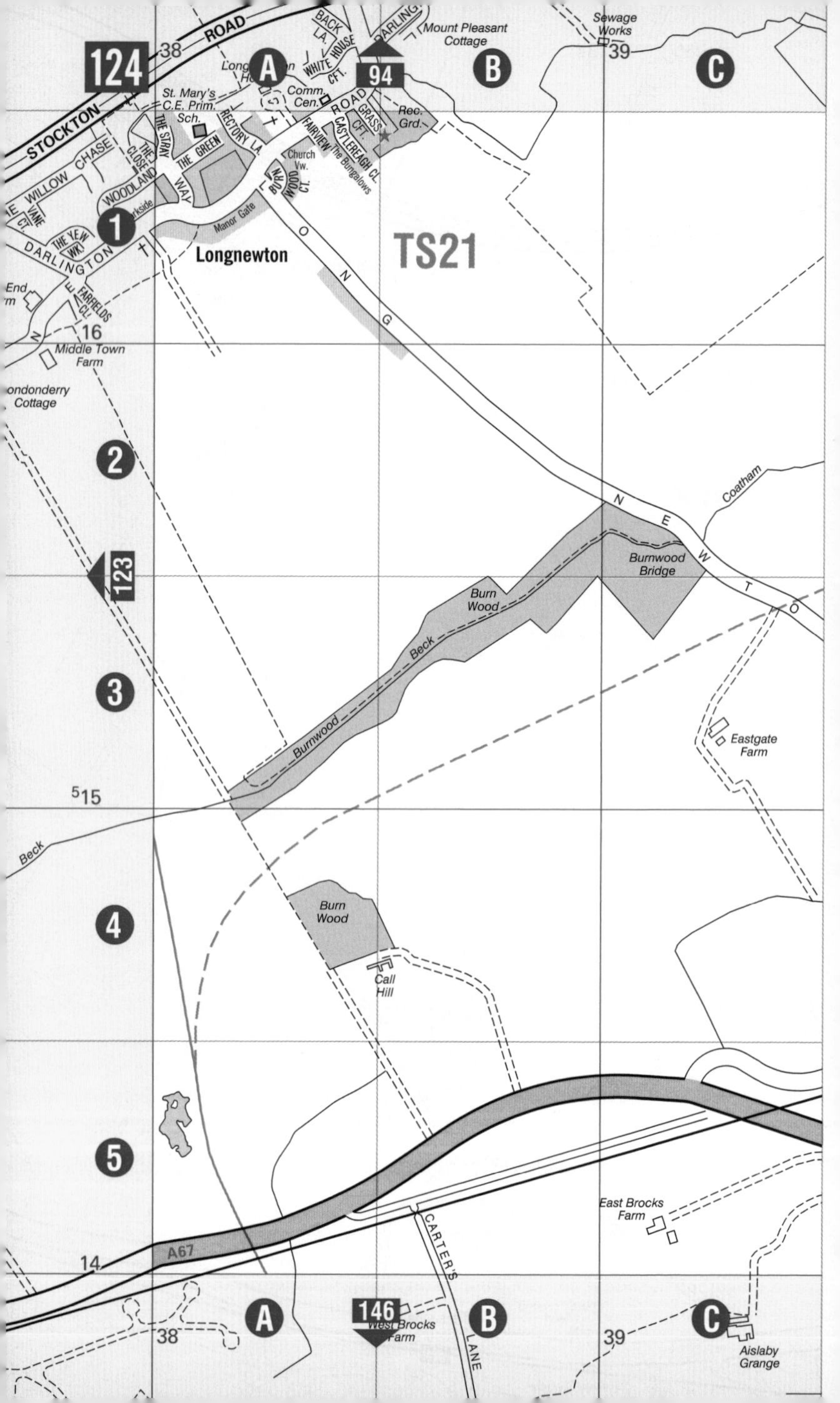

STOCKTON ROAD
38
A
B
C
BACK LA.
WHITE HOUSE CFT.
DARLINGTON
94
Mount Pleasant Cottage
Sewage Works
39
St. Mary's C.E. Prim. Sch.
Comm. Cen.
ROAD
GRASS CFT.
Rec. Grd.
THE WILLOW CHASE
THE CLOSE
THE STRAY
THE GREEN
RECTORY LA.
FAIRVIEW
CASTLEREAGH CL.
Church Vw.
The Bungalows
WOODLAND
WAY
BURN WOOD CT.
Manor Gate
VANE CT.
THE YEW WK.
DARLINGTON
Longnewton
TS21
LONG NEWTON
FARFIELDS CL.
16
Middle Town Farm
Londonderry Cottage
2
123
Coatham
Burnwood Bridge
Burn Wood
Beck
3
Burnwood
Eastgate Farm
15
Beck
4
Burn Wood
Call Hill
5
A67
14
East Brocks Farm
CARTER'S LANE
146
West Brocks Farm
38
39
Aislaby Grange

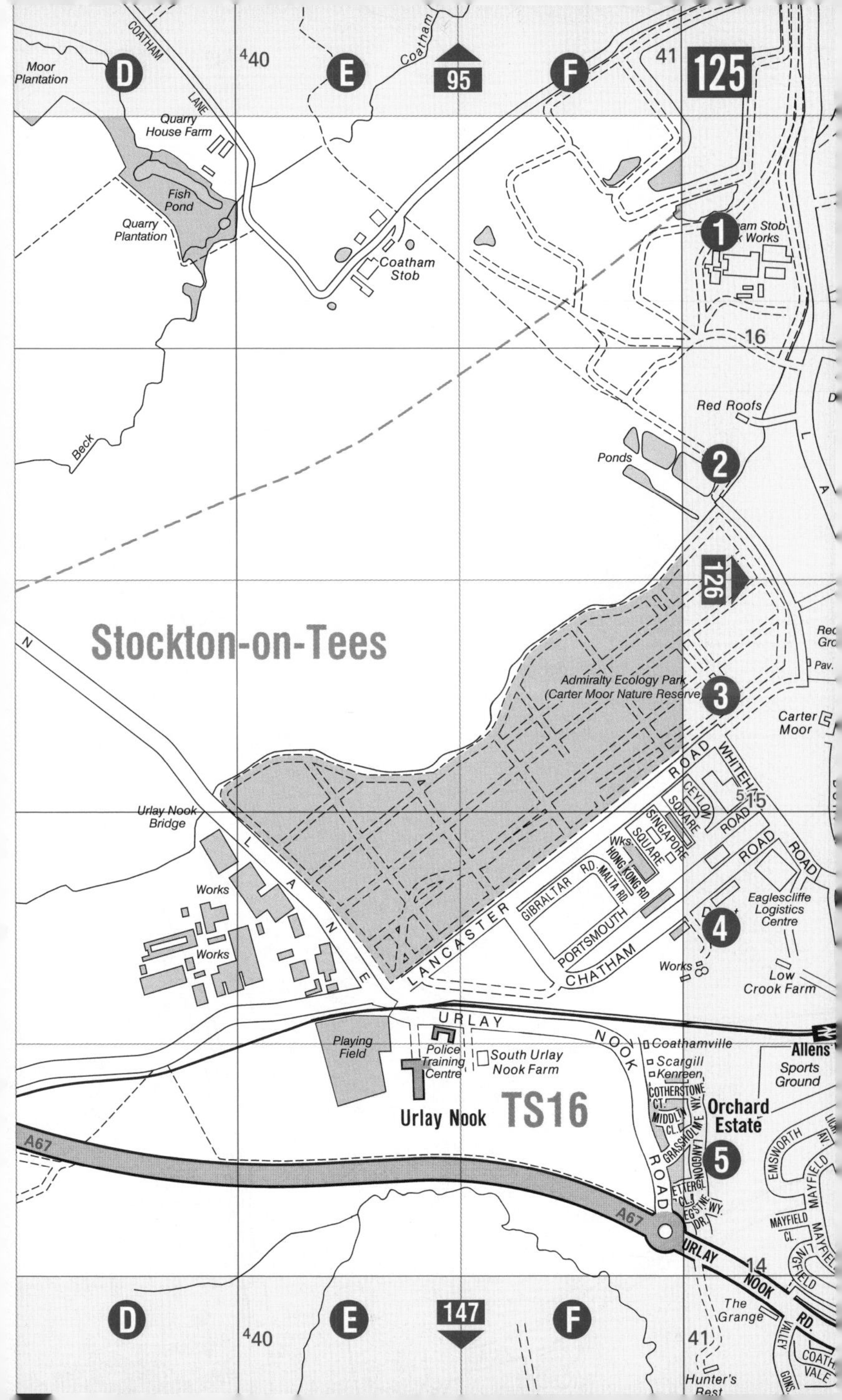

COATHAM LANE

Moor Plantation

Quarry House Farm

Fish Pond

Quarry Plantation

Coatham Stob

1

am Stob k Works

16

Red Roofs

Ponds

2

126

N

Stockton-on-Tees

Admiralty Ecology Park (Carter Moor Nature Reserve)

3

Carter Moor

Re Gr

Pav.

Urlay Nook Bridge

LANCASTER ROAD

WHITEH

ROAD

ROAD

CEYLON SQUARE

SINGAPORE SQUARE

HONG KONG RD

MALTA RD

Wks

515

Works

Works

GIBRALTAR RD

PORTSMOUTH

CHATHAM

4

Eaglescliffe Logistics Centre

Low Crook Farm

LANE

URLAY

NOOK

Coathamville

Scargill

Kenreen

COTHERSTONE

Playing Field

Police Training Centre

South Urlay Nook Farm

Urlay Nook

TS16

CL

MIDDL

CL

GRASSMOW WE

ETTERGI

LANGDON

LESTS WY

TFORT

RD

Orchard Estate

5

EMSWORTH

MAYFIELD

MAYFIELD CL

MAYFIE LN

MAYFIELD

Allens

Sports Ground

A67

A67

URLAY

NOOK

ROAD

14

The Grange

VALLEY GDN

COATH VALE

Hunter's Rest

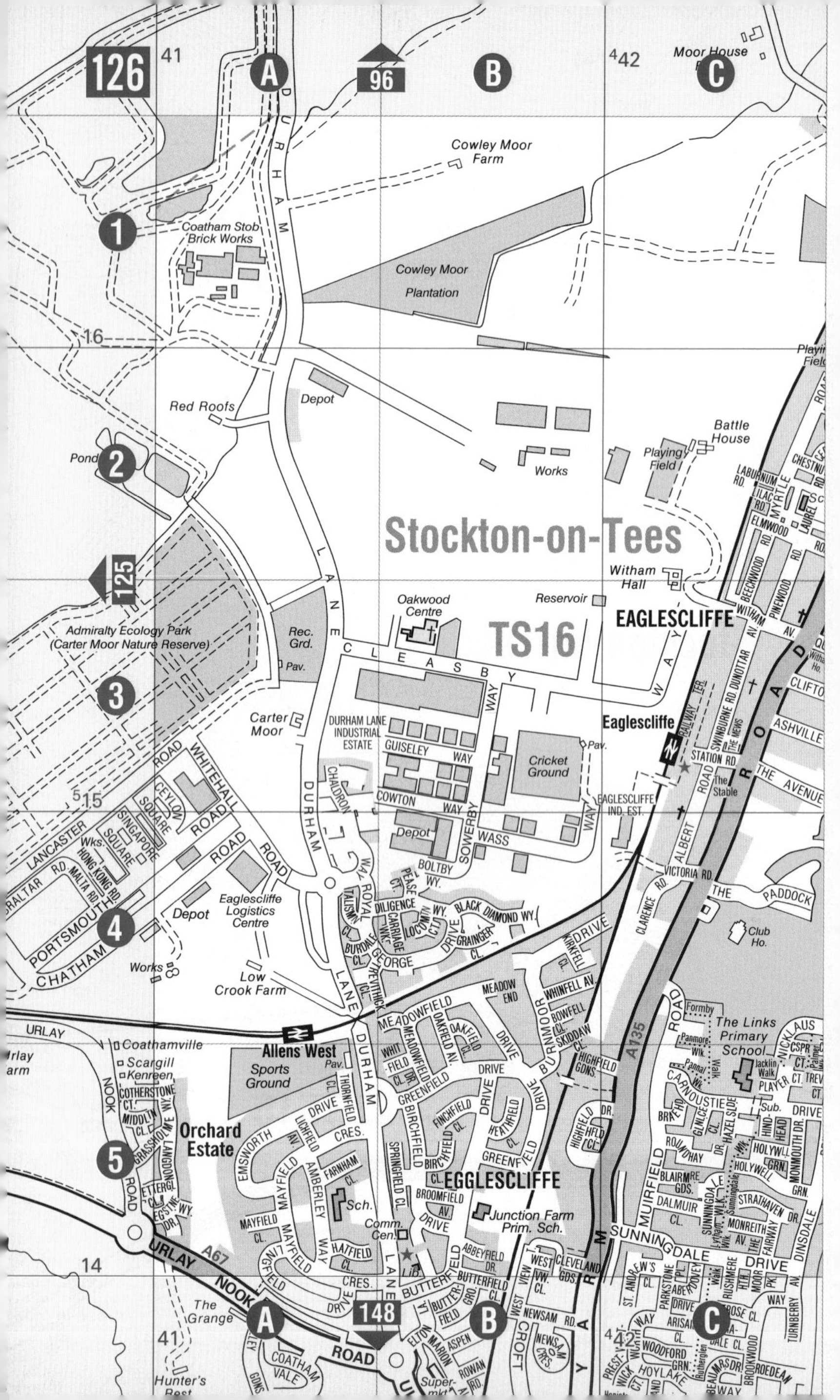

A

96

B

⁴42

C

Moor House

1

Cowley Moor Farm

Coatham Stob Brick Works

Cowley Moor Plantation

16

Red Roofs

Depot

Battle House

Playing Field

Pond

2

Works

Stockton-on-Tees

Witham Hall

LABURNUM RD

LILAC RD

MYRTLE RD

ELMWOOD RD

CHESTNUT

LAUREL

BEECHWOOD RD

PINEWOOD

125

Admiralty Ecology Park (Carter Moor Nature Reserve)

Oakwood Centre

Reservoir

EAGLESCLIFFE

WITHAM WAY

TS16

Rec. Grd.

Pav.

Eaglescliffe

CLIFTON

3

Carter Moor

DURHAM LANE INDUSTRIAL ESTATE

GUISELEY WAY

CLEASBY WAY

Cricket Ground

Pav.

Eaglescliffe

BROADWAY RD

SWINBURNE RD

DIMOTTAR

THE MEWS

Station Rd

The Stable

ASHVILLE

THE AVENUE

RD

15

WHITEHALL ROAD

LANCASTER

CEYLON SQUARE

SINGAPORE SQ

Wks

HONG KONG RD

MALTA RD

DURHAM ROAD

CHALDRON WY

COWTON WAY

SOWERBY WASS

ALBERT RD

Victoria Rd

THE PADDOCK

GIBRALTAR RD

PORTSMOUTH RD

Depot

Eaglescliffe Logistics Centre

ROAD

BOLTBY

Depot

PEASE WY

TALISMAN

ROYAL

DILIGENCE

CARRIAGE MWS

LOCOMOTN

ICU

GRAINGER

BLACK DIAMOND WY

CLARENCE RD

Club Ho.

4

CHATHAM

Works

Low Crook Farm

BURROE

FORGE

PETITION

DURHAM LANE

MEADOW END

BOWFELL

WHINFELL AV.

SKIDDAW AV.

HIGHFIELD GDNS

BURNMOOR DRIVE

Formby

Panmure WK

A135 ROAD

The Links Primary School

AUS

CSPR

NICKL

URLAY

Coathamville

Scargill

Kenreen

COTHERSTONE CT

Allens West

Sports Ground

Pav.

MEADOWFIELD

MEADOWFIELD CL

THORNFIELD

OAKFIELD N

DALEFIELD

DRIVE

HIGHFIELD DR.

CARNOUSTIE

Jacklin WK

PLAYER

Sub.

HAZEL SLDE

GLENCOE

HEAD

HEAD

CT. TREV

DRIVE

Urlay Farm

MIDDLTON CL

BRANXTON WY

Orchard Estate

DURHAM LANE

THORNFIELD

BIRCHFIELD

GREENFIELD

FINCHFIELD

HEXFIELD

GREENFIELD

BRK

ROTHBURY

HOLWAY

HOLYWELL

WY

GRN

HEAD

HOLYWELL GRN

MONMOUTH CL

5

NOOK

EMSWORTH

MAYFIELD DRIVE

LICHFIELD

FARNHAM CL

AMBERLEY WAY

SPRINGFIELD CL

BROOMFIELD AV.

EGGLESCLIFFE

GREENFIELD

Sch.

Comm. Cen.

Junction Farm Prim. Sch.

SUNNINGDALE

BLAIRMRE GDS.

SUNNINGDALE CL

STRATHAVEN DR

MONREITH

FAIRWAY

CL

ROAD

ETTERSGILL

LOGSTN WY

DUNSDALE

MAYFIELD CL

HATFIELD CL

CRES.

BUTTERFIELD DRIVE

ABBEYFIELD DR

BUTTERFIELD GRO.

WEST NEWSAM

CLEVELAND GDNS.

ST. ANDREW'S

PARKSIDE

WK

DRIVE

ROSE CL

DRIVE

RUSSMERE

FAIRWAY

ARISAIG

WAY

TURNBERRY

14

URLAY NOOK

A67 ROAD

The Grange

MAYFIELD CRES.

BUTTERFIELD

ELTON GRO

ASPEN

ROWAN

RD

WEST VW.

NEWSAM CRT

NEWSM GRO.

YARM

DALE CL

WOODFORD GRN

HOYLAKE

WDE

PRESTWICK

SANDOWN WK

WICKHM

WY

BROOKDEAN

A

41

COATHAM VALE

BRADLEY GDNS

148

ROAD

B

⁴4²

C

Hunter's Rest

Supermkt.

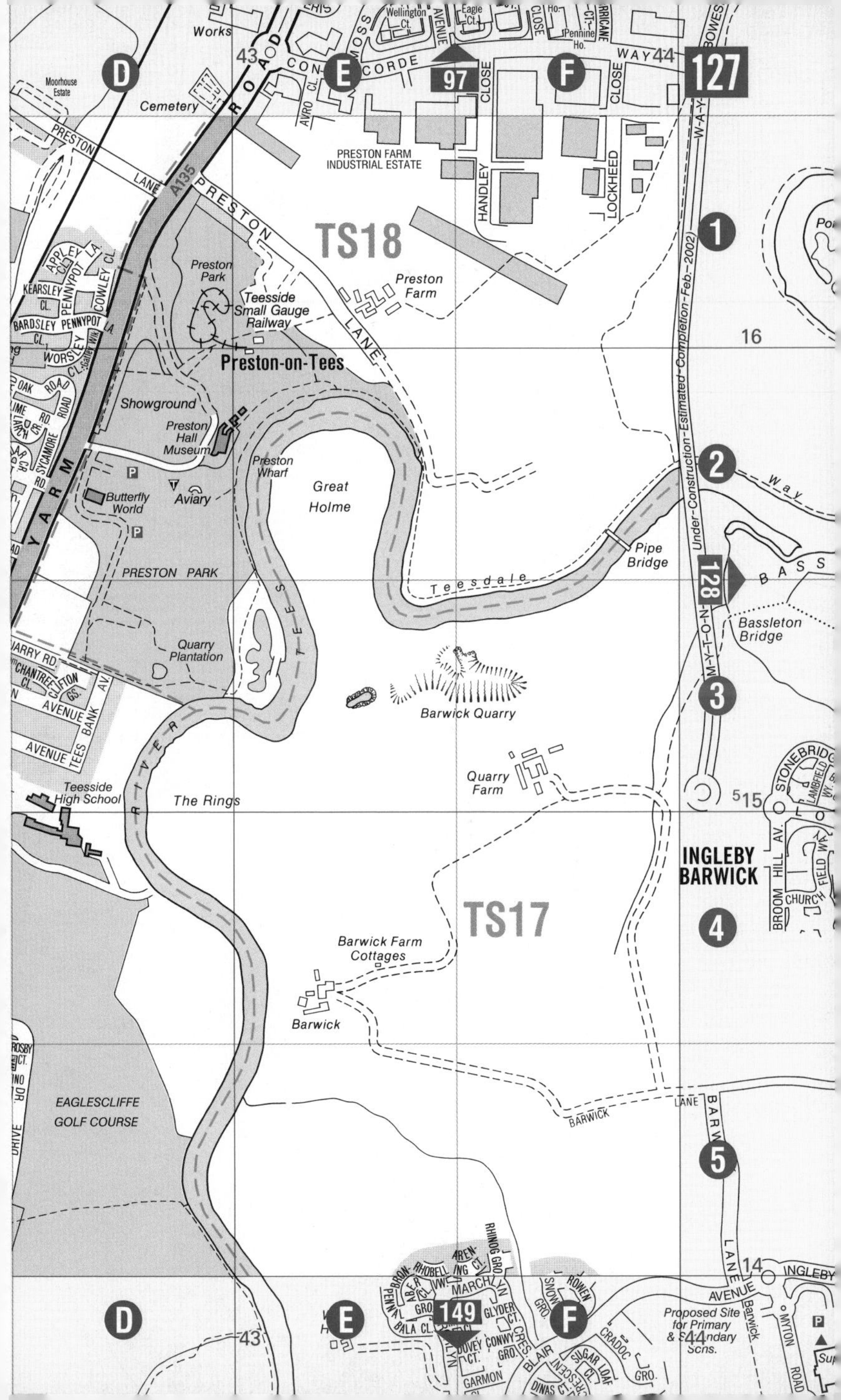

127
97
128
149
TS18
TS17
Preston-on-Tees
INGLEBY BARWICK
PRESTON FARM INDUSTRIAL ESTATE
Preston Farm
Preston Park
Teesside Small Gauge Railway
Showground
Preston Hall Museum
Preston Wharf
Butterfly World
Aviary
PRESTON PARK
Great Holme
Pipe Bridge
Teesdale Way
Bassleton Bridge
Quarry Plantation
Barwick Quarry
Quarry Farm
The Rings
Teesside High School
RIVER TEES
Barwick Farm Cottages
Barwick
BARWICK LANE
EAGLESCLIFFE GOLF COURSE
Moorhouse Estate
Cemetery
Works
YARM ROAD
A135
PRESTON LANE
CONCORDE WAY
Under Construction Estimated Completion Feb. 2002
MYTON WAY
INGLEBY AVENUE
Proposed Site for Primary & Secondary Scns.
HANDLEY CLOSE
LOCKHEED CLOSE

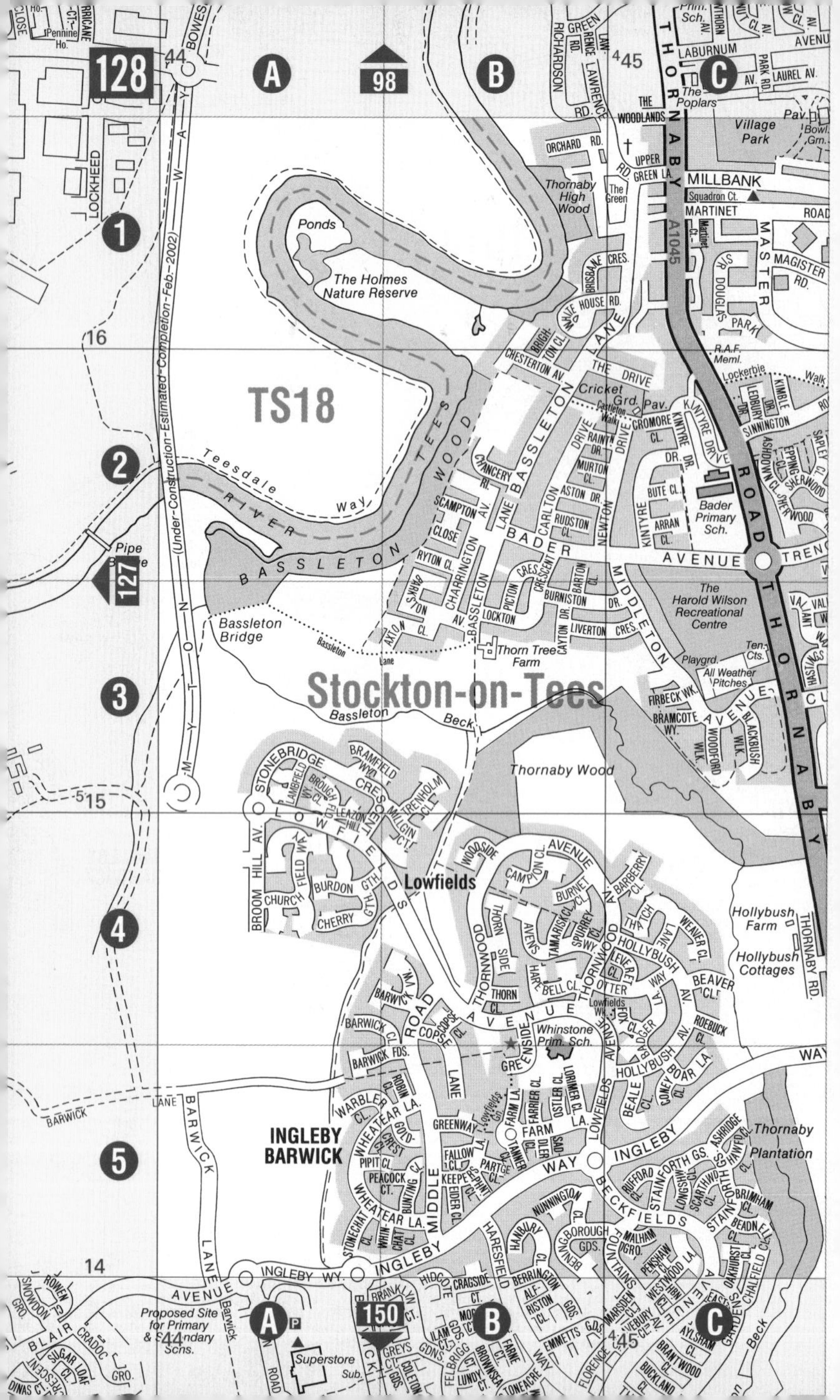
128
98
127
150
TS18
Stockton-on-Tees
The Holmes Nature Reserve
Ponds
River Tees
Teesdale Way
Bassleton Wood
Bassleton Bridge
Bassleton Beck
Thornaby Wood
Thornaby High Wood
Lowfields
INGLEBY BARWICK
Thornaby Plantation
Hollybush Farm
Hollybush Cottages
The Harold Wilson Recreational Centre
Bader Primary Sch.
Whinstone Prim. Sch.
Thorn Tree Farm
Village Park
The Poplars
Millbank
A1045
Thornaby Road
Bader Avenue
Bassleton Lane
Middleton Avenue
Lowfields Avenue
Thornwood Avenue
Ingleby Way
Beckfields Avenue
Middle Lane
Barwick Lane
Mitton Way (Under Construction-Estimated Completion-Feb. 2002)
Proposed Site for Primary & Secondary Schs.
Superstore

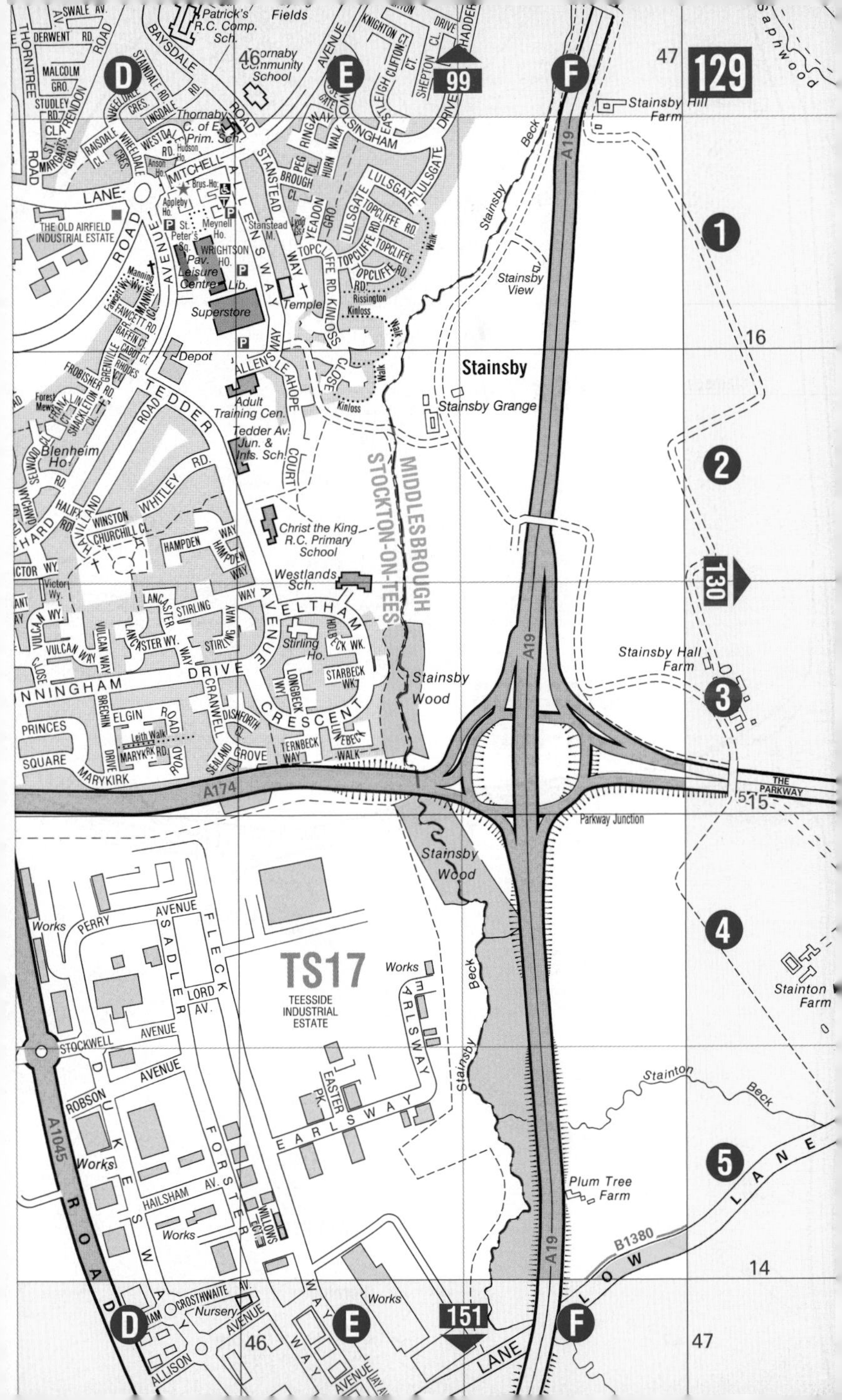

Stainsby
Stainsby Grange
Stainsby Hill Farm
Stainsby Hall Farm
Stainsby Wood
Stainsby Beck
Stainsby View
MIDDLESBROUGH
STOCKTON-ON-TEES
TS17
TEESSIDE INDUSTRIAL ESTATE
Parkway Junction
THE PARKWAY
A19
A174
A1045
B1380
LOW LANE
Plum Tree Farm
Stainton Farm
Stainton Beck
Thornaby Community School
THE OLD AIRFIELD INDUSTRIAL ESTATE
Superstore
Christ the King R.C. Primary School
Westlands Sch.
Tedder Av. Jun. & Infs. Sch.
Adult Training Cen.
99
130
151

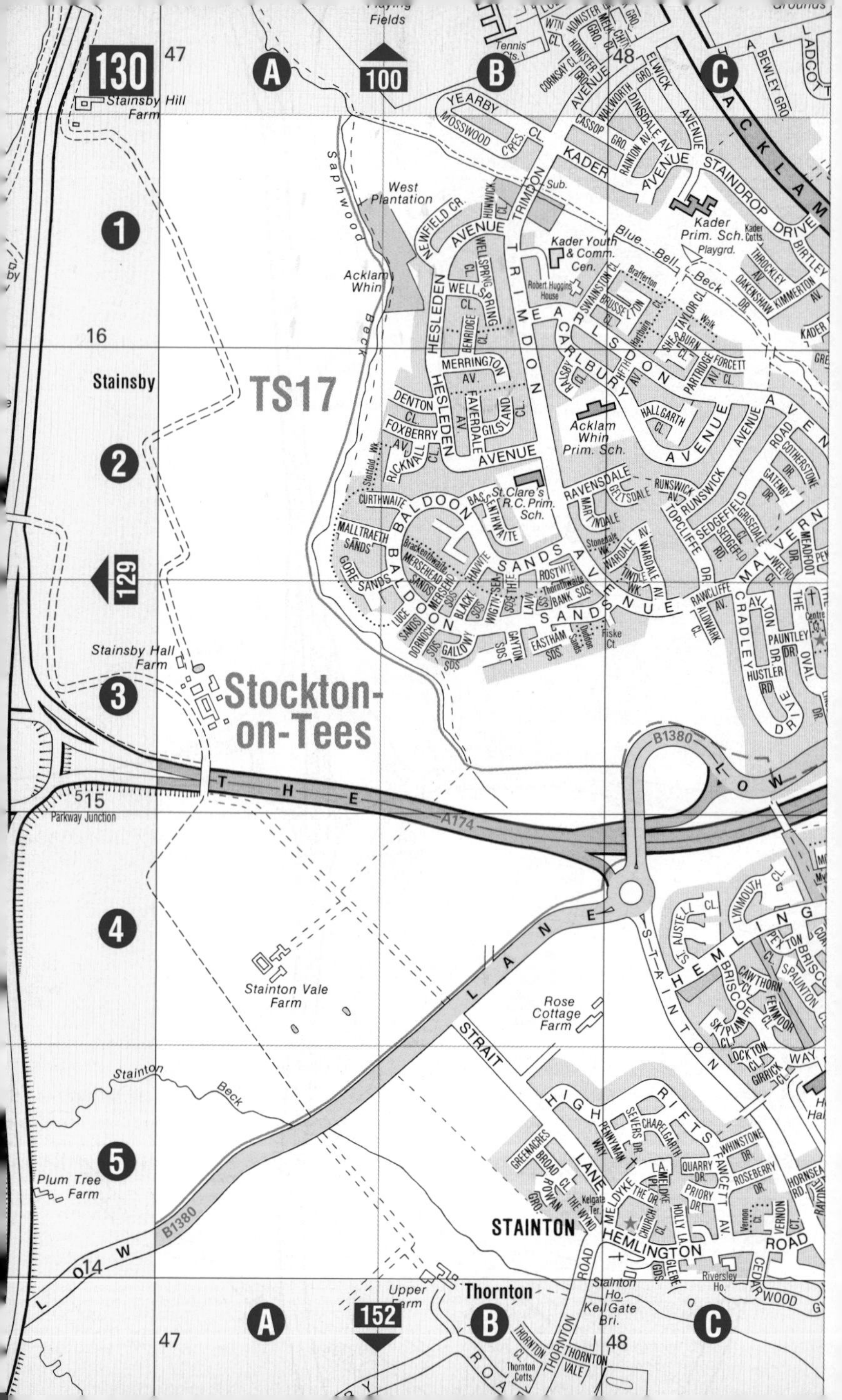

Stainsby Hill Farm
Stainsby
TS17
Stockton-on-Tees
Stainsby Hall Farm
Parkway Junction
THE A174
LOW LANE B1380
West Plantation
Acklam Whin
Saphwood Beck
Kader Prim. Sch.
Kader Youth & Comm. Cen.
Acklam Whin Prim. Sch.
St. Clare's R.C. Prim. Sch.
Stainton Vale Farm
Rose Cottage Farm
Stainton Beck
Plum Tree Farm
STAINTON
HEMLINGTON ROAD
Upper Farm
Thornton
Stainton Ho.
Kell Gate Bri.
Riversley Ho.
TRIMDON AVENUE
KADER AVENUE
STAINDROP DRIVE
BALDOON SANDS
SANDS AVENUE
MALVERN
HEMLINGTON
STAINTON WAY
HIGH RIFTS
STRAIT LANE
ACKLAM
100
129
152

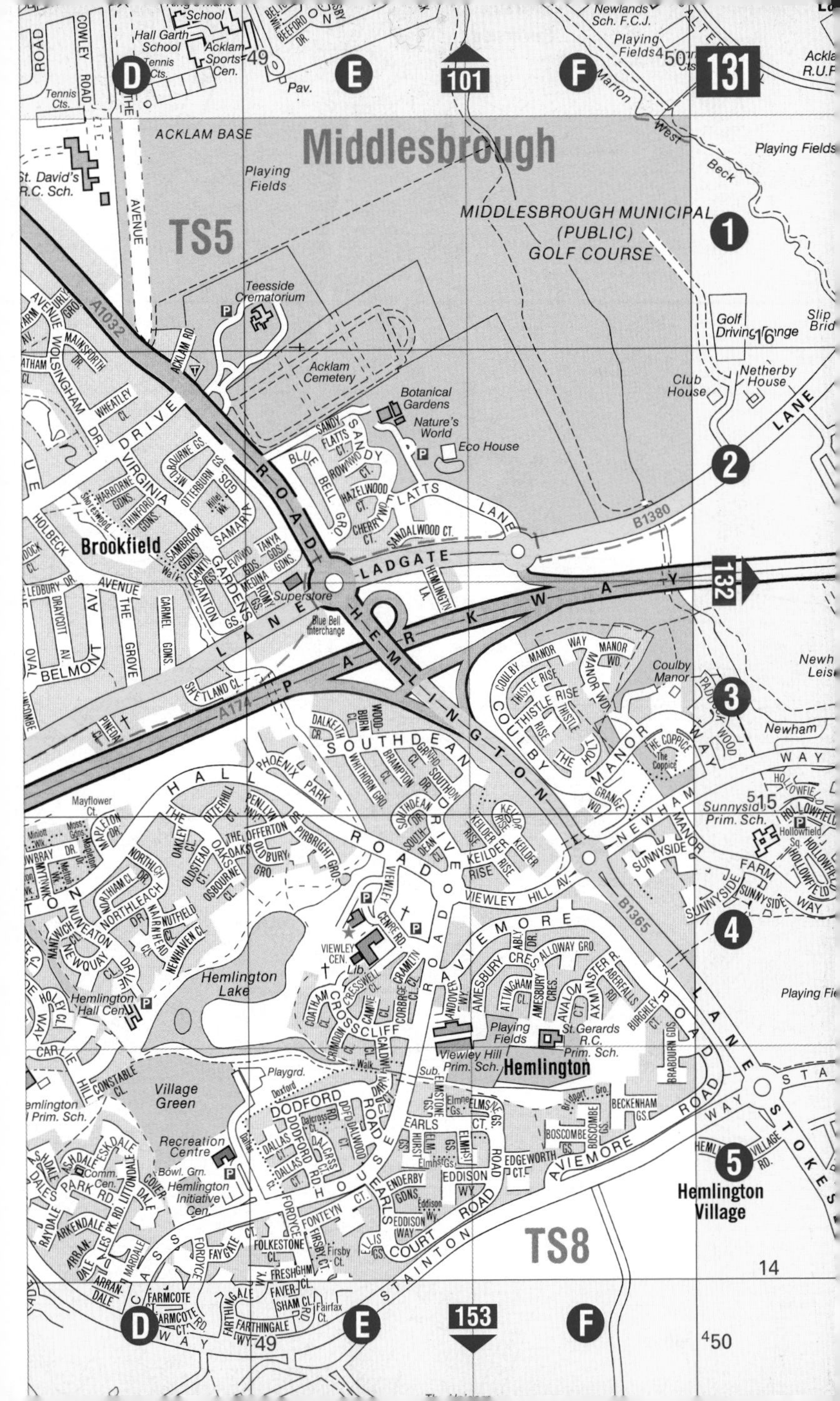
Middlesbrough
TS5
TS8
MIDDLESBROUGH MUNICIPAL (PUBLIC) GOLF COURSE
ACKLAM BASE
Playing Fields
Teesside Crematorium
Acklam Cemetery
Botanical Gardens
Nature's World
Eco House
Brookfield
Superstore
Blue Bell Interchange
LADGATE LANE
HEMLINGTON ROAD
PARKWAY
A1032
A174
B1380
B1365
Coulby Manor
Golf Driving Range
Club House
Netherby House
St. David's R.C. Sch.
Hall Garth School
Acklam Sports Cen.
Newlands Sch. F.C.J.
Hemlington Lake
Hemlington Hall Cen.
Village Green
Recreation Centre
Hemlington Initiative Cen.
Viewley Cen.
Lib.
Viewley Hill Prim. Sch.
St.Gerards R.C. Prim. Sch.
Hemlington
Hemlington Village
Sunnyside Prim. Sch.
Mayflower Ct.
HALL DRIVE
VIEWLEY HILL AV.
AVIEMORE ROAD
STAINTON WAY
STOKESLEY
EARLS COURT ROAD
SOUTHDEAN DRIVE
COULBY MANOR WAY
NEWHAM WAY
West Beck
101
153
132
D
E
F
1
2
3
4
5
49
450
14
15
16

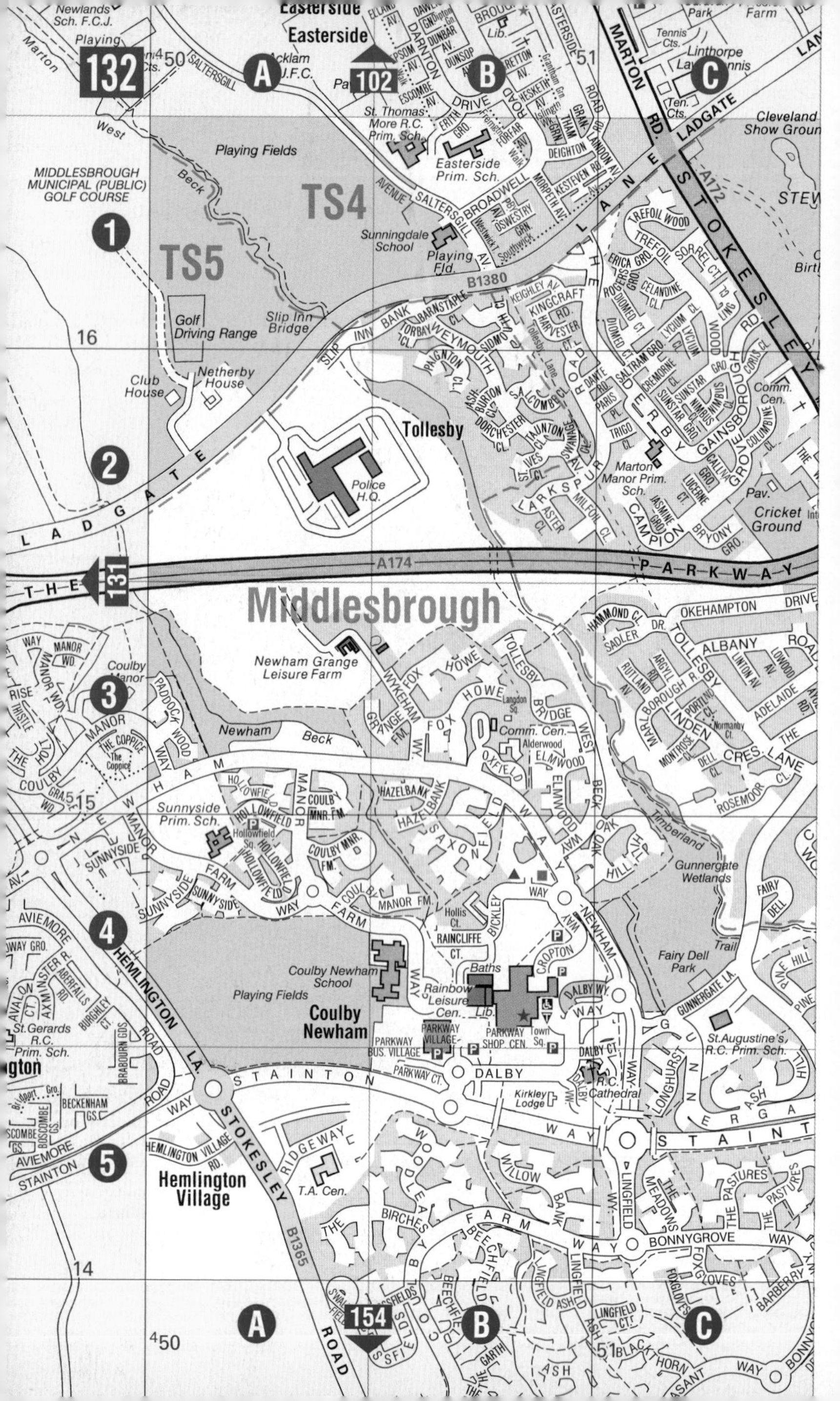
132
102
131
154
A
B
C
1
2
3
4
5
TS4
TS5
Middlesbrough
Easterside
Tollesby
Coulby Newham
Hemlington Village
Playing Fields
MIDDLESBROUGH MUNICIPAL (PUBLIC) GOLF COURSE
Golf Driving Range
Club House
Netherby House
Slip Inn Bridge
Police H.Q.
Sunningdale School
Easterside Prim. Sch.
St. Thomas More R.C. Prim. Sch.
Marton Manor Prim. Sch.
Cleveland Show Ground
Cricket Ground
Newham Grange Leisure Farm
Newham Beck
Sunnyside Prim. Sch.
Coulby Newham School
Rainbow Leisure Cen.
PARKWAY SHOP. CEN.
PARKWAY VILLAGE
PARKWAY BUS. VILLAGE
R.C. Cathedral
Kirkley Lodge
St.Augustine's R.C. Prim. Sch.
St.Gerards R.C. Prim. Sch.
Gunnergate Wetlands
Fairy Dell Park
T.A. Cen.
LADGATE LANE
THE PARKWAY
A174
B1380
A172
B1365
MARTON RD.
STOKESLEY RD.
STOKESLEY ROAD
STAINTON WAY
HEMLINGTON LA.
HEMLINGTON ROAD
NEWHAM WAY
SALTERSGILL AVENUE
DALBY WAY
BONNYGROVE WAY
FARM WAY
GUNNERGATE LA.
TOLLESBY LANE
OKEHAMPTON DRIVE
ALBANY ROAD
SLIP INN BANK
WEYMOUTH
DERBY
GAINSBOROUGH GROVE
LARKSPUR
CAMPION
16
15
14
450
51

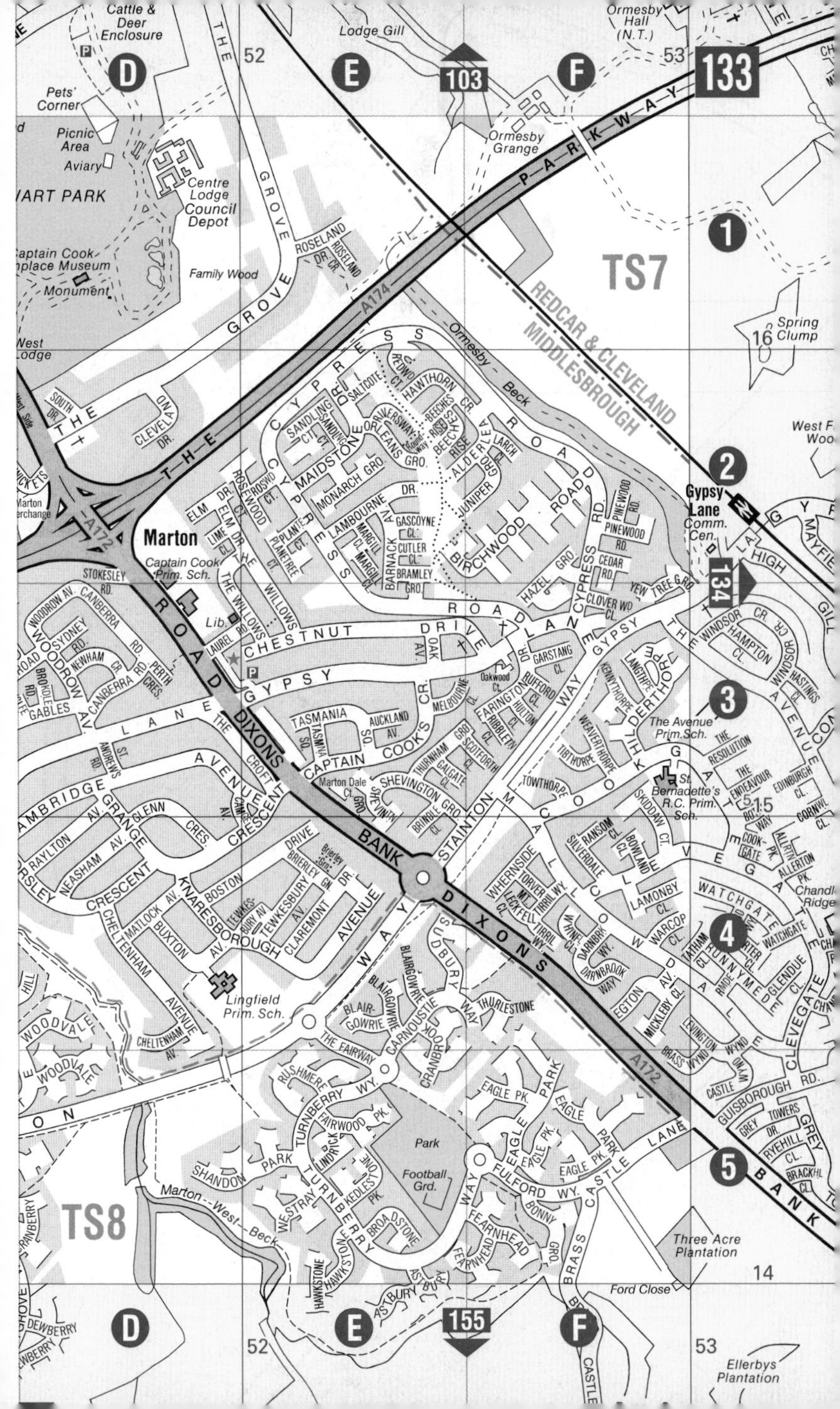

133
Cattle & Deer Enclosure
Lodge Gill
Ormesby Hall (N.T.)
52
53
D
E
F
103
Pets' Corner
Picnic Area
Aviary
Centre Lodge
Council Depot
Ormesby Grange
PARKWAY
1
ART PARK
Captain Cook Birthplace Museum
Family Wood
Monument
THE GROVE
ROSELAND DR.
ROSELAND CR.
TS7
REDCAR & CLEVELAND
MIDDLESBROUGH
A174
Ormesby Beck
Spring Clump
16
West Lodge
CYPRESS
SALTCOTE
REDWOOD CT.
HAWTHORN CR.
SANDLING CT.
MAIDSTONE DR.
ORLEANS GRO.
RIVERSWAY
BEECHES RISE
ALDERLEA
LARCH CL.
MONARCH GRO.
LAMBOURNE DR.
JUNIPER GRO.
BIRCHWOOD ROAD
CYPRESS RD.
PINEWOOD RD.
CEDAR RD.
HAZEL GRO.
CLOVER WD CL.
YEW TREE GRO.
West Farm Wood
2
Gypsy Lane Comm. Cen.
134
GASCOYNE CL.
CUTLER CL.
BRAMLEY GRO.
BARNACK AV.
MARGILL CL.
THE CLEVELAND DR.
SOUTH DR.
THE
Marton
Marton Interchange
A172
ELM DR.
ROSEWOOD CT.
LIME CL.
PLANETREE CT.
THE WILLOWS
Captain Cook Prim. Sch.
Lib.
LAUREL RD.
CHESTNUT DRIVE
OAK AV.
GYPSY LANE
STOKESLEY RD.
WOODROW AV.
CANBERRA RD.
SYDNEY RD.
NEWHAM CR.
PERTH CRES.
GABLES
TASMANIA SQ.
AUCKLAND AV.
CAPTAIN COOK'S CR.
MELBOURNE CL.
Oakwood Ct.
FARINGTON CL.
RUFFORD CL.
GARSTANG CL.
GYPSY LANE
WINDSOR CR.
HAMPTON CL.
THE AVENUE
HASTINGS CL.
3
The Avenue Prim.Sch.
THE RESOLUTION
THE ENDEAVOUR
EDINBURGH CL.
ROAD DIXONS BANK
ANDREWS RD.
CAMBRIDGE AV.
GRANGE AVENUE
GLENN CRES
THE CROFT
CRESCENT
Marton Dale Ct.
SHEVINGTON GRO.
THURNHAM GRO.
SCOTFORTH CL.
STAINTON WAY
KENNYTHORPE
LANGTHORPE
HILDERTHORPE
WEAVERTHORPE
TIBTHORPE
TOWTHORPE
St. Bernadette's R.C. Prim. Sch.
CORNWALL CL.
COOK GATE
ALLERTON PK.
RAYLTON AV.
NEASHAM AV.
CRESCENT
KNARESBOROUGH AV.
BOSTON
BRIERLEY GN.
TEWKESBURY AV.
CLAREMONT DR.
AVENUE
WHERNSIDE CL.
TORVER
RANSOM CL.
BOWLAND CL.
SILVERDALE
LAMONBY CL.
WATCHGATE
Chandlers Ridge
4
MATLOCK AV.
BUXTON AV.
CHELTENHAM AVENUE
Lingfield Prim. Sch.
SUDBURY WAY
BLAIRGOWRIE
CARNOUSTIE
THURLESTONE
TIRRIL WY.
DARNBROOK WAY
WARCOP CL.
EGTON AV.
MICKLEBY CL.
RUNNYMEDE
GLENDUE CL.
CLEVEGATE
WOODVALE
HILL
CHELTENHAM AV.
THE FAIRWAY
CRANBROOK
LEVINGTON WYND
BRASS WYND
CASTLE
GUISBOROUGH RD.
A172
RUSHMERE
TURNBERRY WY.
FAIRWOOD PK.
EAGLE PK.
EAGLE PARK
GREY TOWERS DR.
RYEHILL CL.
BRACKHILL CL.
GREY
5
BANK
Park
Football Grd.
SHANDON PARK
LINDRICK
KEDLESTONE PK.
FULFORD WY.
CASTLE LANE
TS8
Marton West Beck
WESTRAY
BROADSTONE
FEARNHEAD
BONNY GRO.
BRASS CASTLE
Three Acre Plantation
14
HAWKSTONE
ASTBURY
Ford Close
155
DEWBERRY
GRANBERRY
Ellerbys Plantation

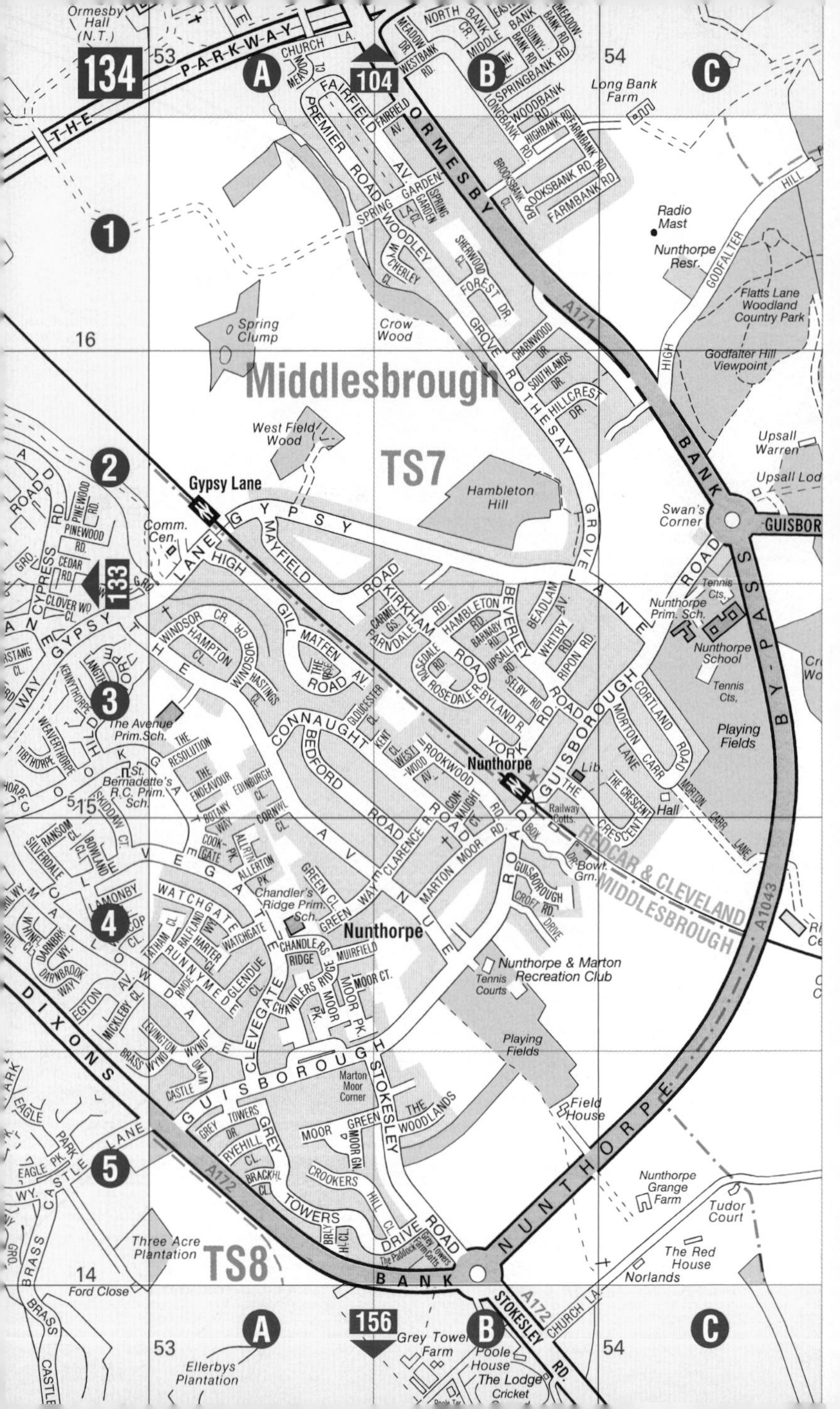
Ormesby Hall (N.T.)
THE PARKWAY
CHURCH LA.
104
Long Bank Farm
Radio Mast
Nunthorpe Resr.
Flatts Lane Woodland Country Park
Godfalter Hill Viewpoint
Spring Clump
Crow Wood
Middlesbrough
West Field Wood
TS7
Hambleton Hill
Gypsy Lane
Comm. Cen.
133
Swan's Corner
GUISBOR
Upsall Warren
Upsall Lod
Nunthorpe Prim. Sch.
Nunthorpe School
Tennis Cts.
Playing Fields
The Avenue Prim.Sch.
St. Bernadette's R.C. Prim. Sch.
Nunthorpe
Lib.
Railway Cotts.
Hall
Bowl. Grn.
REDCAR & CLEVELAND
MIDDLESBROUGH
A1043
A171
Chandler's Ridge Prim. Sch.
Nunthorpe
Nunthorpe & Marton Recreation Club
Tennis Courts
Playing Fields
Field House
Marton Moor Corner
Nunthorpe Grange Farm
Tudor Court
The Red House
Norlands
Three Acre Plantation
TS8
A172
Ford Close
156
Grey Towers Farm
Poole House
The Lodge
Cricket
Ellerbys Plantation
NUNTHORPE BY-PASS
DIXONS BANK
ORMESBY BANK
GYPSY LANE
GUISBOROUGH ROAD
STOKESLEY ROAD
THE AVENUE
CONNAUGHT ROAD
MARTON MOOR RD.
ROTHESAY GROVE
GROVE LANE
A
B
C
1
2
3
4
5
53
54
16
15
14

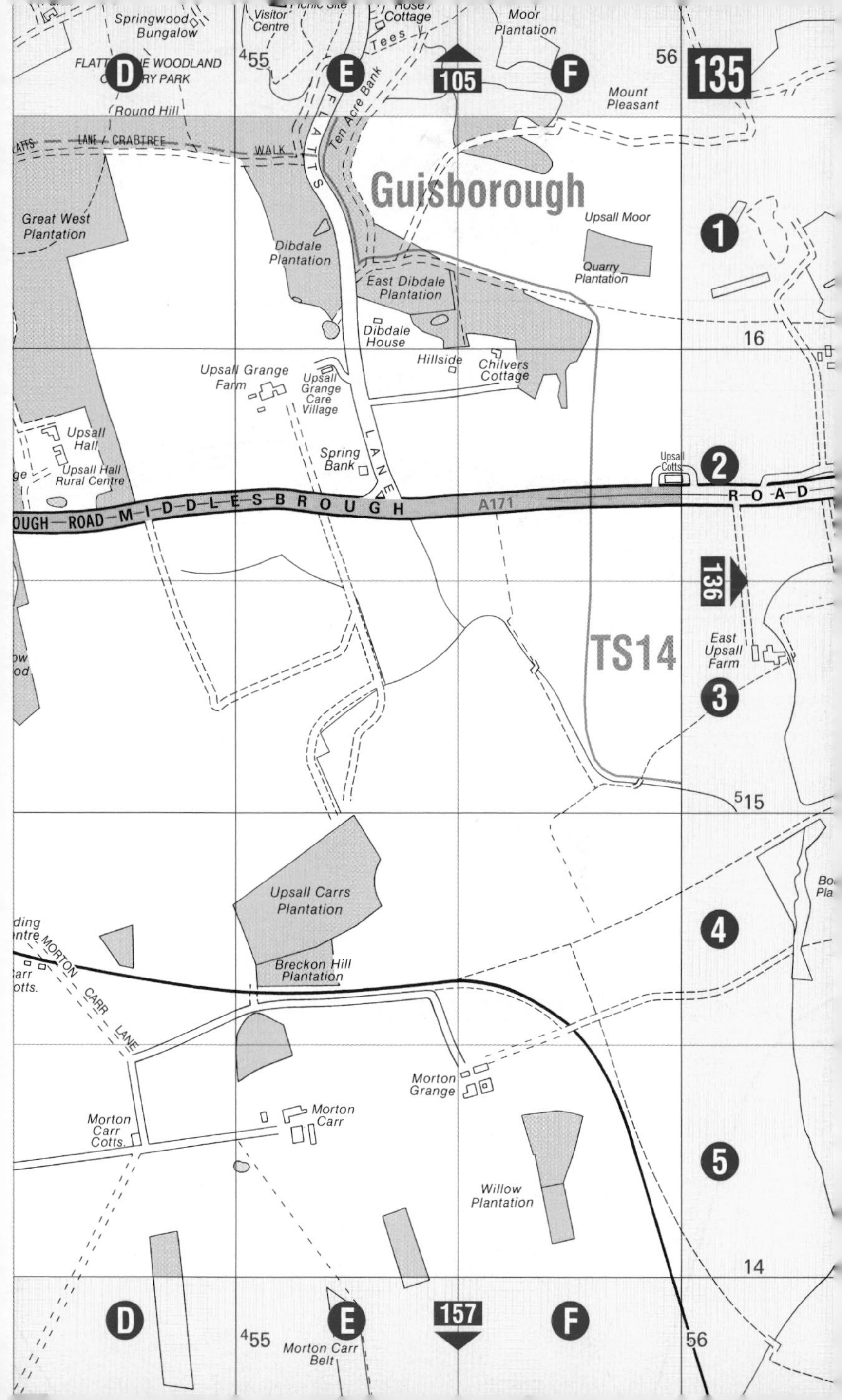
135
105
136
157
D
E
F
1
2
3
4
5
455
56
16
515
14
Guisborough
TS14
Springwood Bungalow
Visitor Centre
Cottage
Moor Plantation
Tees
Mount Pleasant
Round Hill
LANE / CRABTREE
WALK
FLATTS
Ten Acre Bank
Great West Plantation
Dibdale Plantation
Upsall Moor
Quarry Plantation
East Dibdale Plantation
Dibdale House
Hillside
Chilvers Cottage
Upsall Grange Farm
Upsall Grange Care Village
Upsall Hall
Upsall Hall Rural Centre
Spring Bank
LANE
Upsall Cotts.
MIDDLESBROUGH ROAD
A171
East Upsall Farm
Upsall Carrs Plantation
Breckon Hill Plantation
MORTON CARR LANE
Morton Grange
Morton Carr
Morton Carr Cotts.
Willow Plantation
Morton Carr Belt

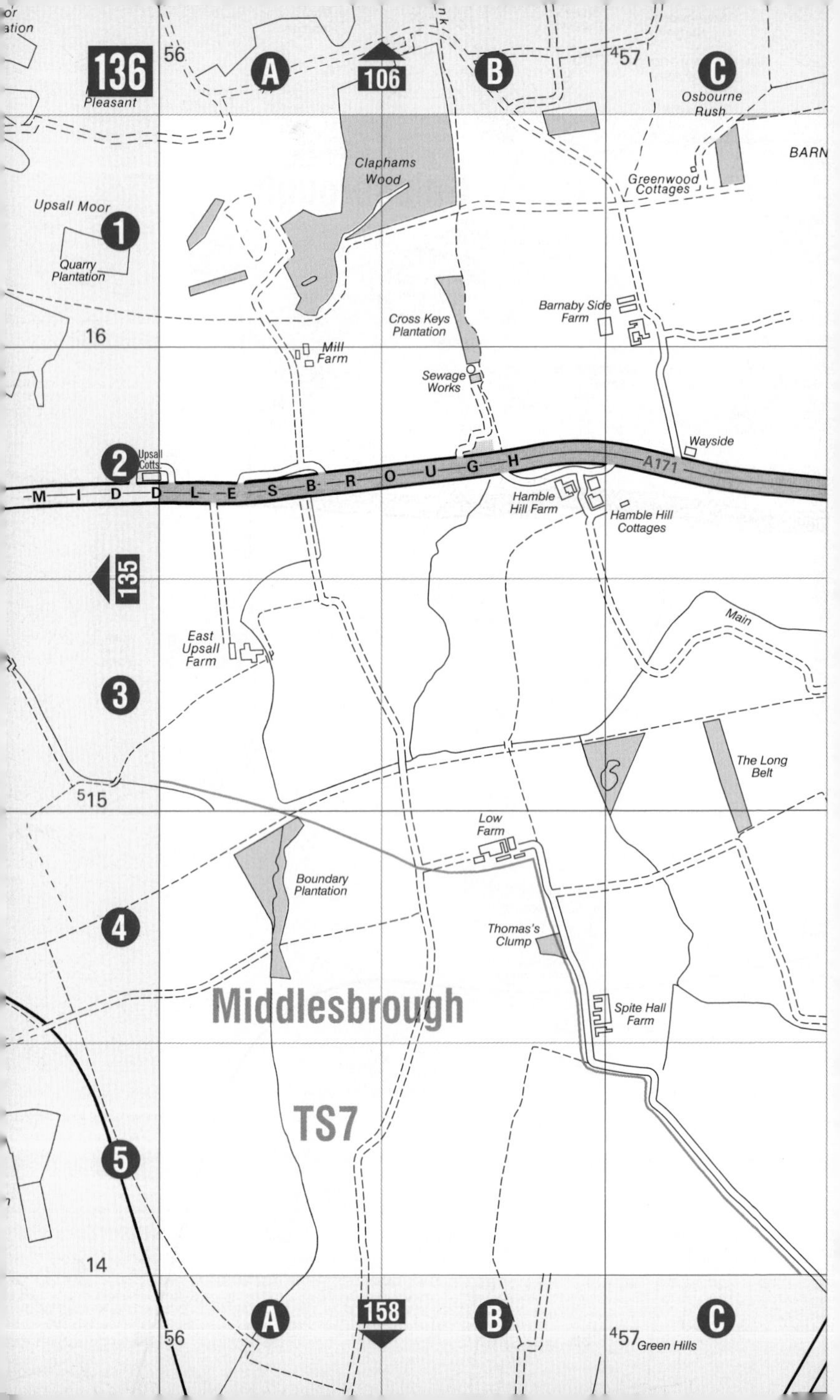

56

A

106

B

⁵57

C
Osbourne
Rush

BARN

Claphams
Wood

Greenwood
Cottages

Upsall Moor

1

Quarry
Plantation

Cross Keys
Plantation

Barnaby Side
Farm

16

Mill
Farm

Sewage
Works

Wayside

A171

2 Upsall
Cotts

M — I D D L — E S B R O U G H

Hamble
Hill Farm

Hamble Hill
Cottages

◄**135**

East
Upsall
Farm

Main

3

The Long
Belt

⁵15

Low
Farm

Boundary
Plantation

4

Thomas's
Clump

Middlesbrough

Spite Hall
Farm

TS7

5

14

A

158

B

⁴57 Green Hills

C

56

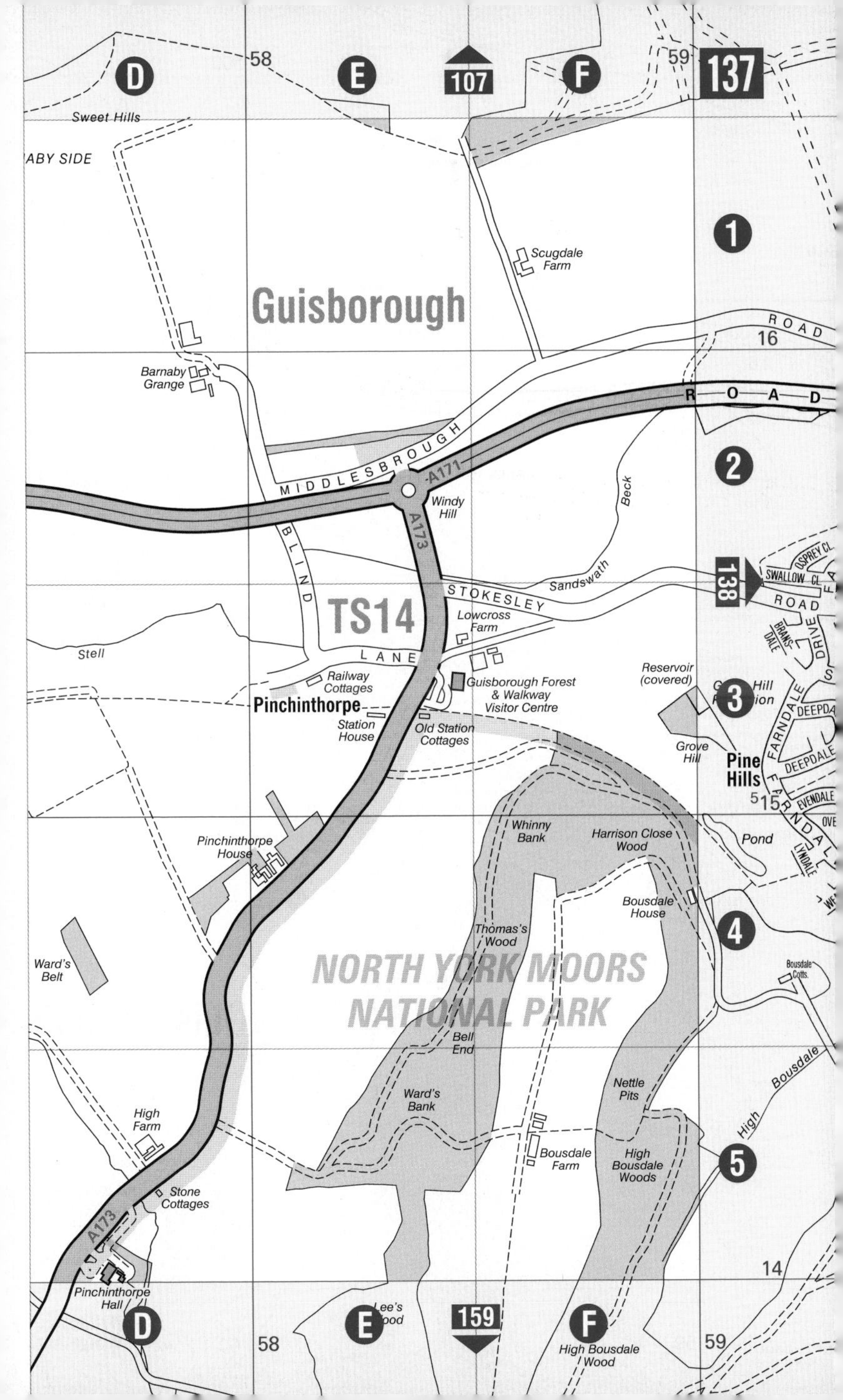
D
E
F
107
58
59
Sweet Hills
ABY SIDE
1
Scugdale
Farm
Guisborough
ROAD
16
Barnaby
Grange
ROAD
2
MIDDLESBROUGH
A171
Windy
Hill
Beck
BLIND
A173
Sandswath
138
SWALLOW CL
OSPREY CL
STOKESLEY
ROAD
TS14
Lowcross
Farm
BRANSDALE
DRIVE
Stell
LANE
Reservoir
(covered)
Railway
Cottages
Guisborough Forest
& Walkway
Visitor Centre
3
Pinchinthorpe
Station
House
Old Station
Cottages
FARNDALE
DEEPDALE
DEEPDALE
Grove
Hill
Pine
Hills
15
EVENDALE
Whinny
Bank
Harrison Close
Wood
Pond
Pinchinthorpe
House
LYNDALE
Bousdale
House
Thomas's
Wood
4
NORTH YORK MOORS
NATIONAL PARK
Ward's
Belt
Bousdale
Cotts.
Bell
End
Bousdale
High
Nettle
Pits
Ward's
Bank
High
Farm
Bousdale
Farm
High
Bousdale
Woods
5
Stone
Cottages
A173
14
Pinchinthorpe
Hall
Lee's
Wood
159
58
59
High Bousdale
Wood

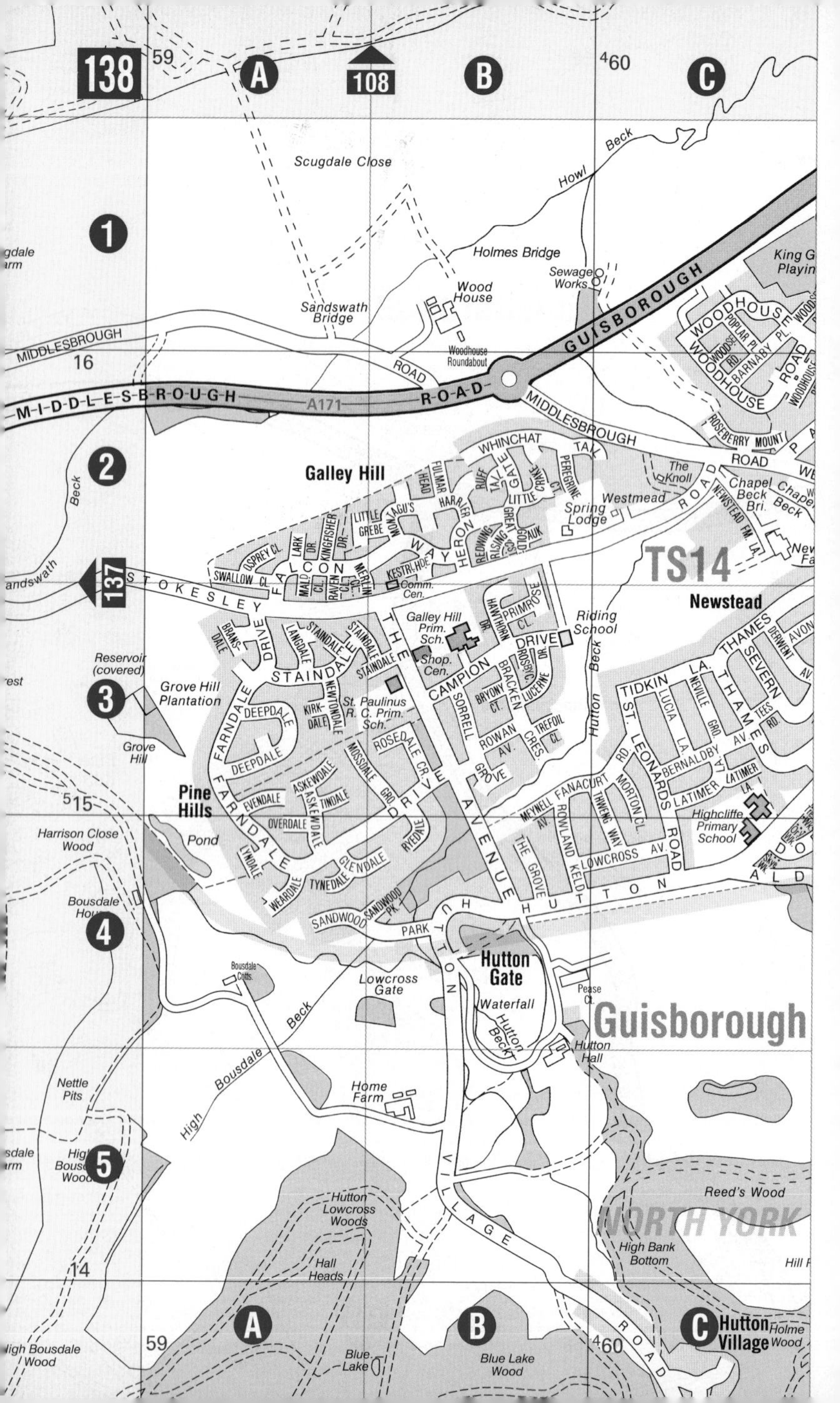
138
108
137
A
B
C
1
2
3
4
5
59
460
16
515
14
Scugdale Close
Howl Beck
Holmes Bridge
Sewage Works
Wood House
Woodhouse Roundabout
Sandswath Bridge
MIDDLESBROUGH ROAD
A171
GUISBOROUGH
Galley Hill
TS14
Newstead
Galley Hill Prim. Sch.
Shop. Cen.
Comm. Cen.
St. Paulinus R. C. Prim. Sch.
Riding School
Spring Lodge
Westmead
The Knoll
Chapel Beck Bri.
Chapel Beck
Highcliffe Primary School
Reservoir (covered)
Grove Hill Plantation
Grove Hill
Pine Hills
Pond
Harrison Close Wood
Bousdale Cotts.
Lowcross Gate
Hutton Gate
Waterfall
Hutton Beck
Pease Ct.
Hutton Hall
Guisborough
Home Farm
High Bousdale Beck
Nettle Pits
Hutton Lowcross Woods
Hall Heads
Reed's Wood
NORTH YORK
High Bank Bottom
Blue Lake
Blue Lake Wood
Hutton Village
Holme Wood
High Bousdale Wood
HUTTON VILLAGE ROAD
HUTTON LANE
PARK
SANDWOOD
SANDWOOD PK.
STOKESLEY ROAD
FALCON WAY
THE AVENUE
STAINDALE
CAMPION DRIVE
FARNDALE
DEEPDALE
ROSEDALE CR.
MOSSDALE GRO.
FANACURT RD.
ST. LEONARDS ROAD
TIDKIN LA.
THAMES AV.
LOWCROSS AV.
BERNALDBY
LATIMER
WOODHOUSE ROAD
ROSEBERRY MOUNT
WHINCHAT TAIL
SWALLOW CL.
OSPREY CL.
KINGFISHER DR.
HERON
TRUFFIN
GRUSING
PERCALINE CL.
NEWSTEAD FM. LA.
HAWTHORN DR.
PRIMROSE CL.
SORRELL
BRACKEN
ROWAN AV.
GROVE
TREFOIL CL.
LUCERNE DR.
MEYNELL AV.
ROWLAND KELD
THE GROVE
MORTON CL.
LUCIA LA.
NEVILLE GRO.
SEVERN
DERWENT
AVON
TEES RD.
ASKEWDALE
TINDALE
EVENDALE
OVERDALE
LYNDALE
WEARDALE
TYNEDALE
GLENDALE
RYEDALE
NEWTONDALE
KIRKDALE
LANGDALE
BRANSDALE

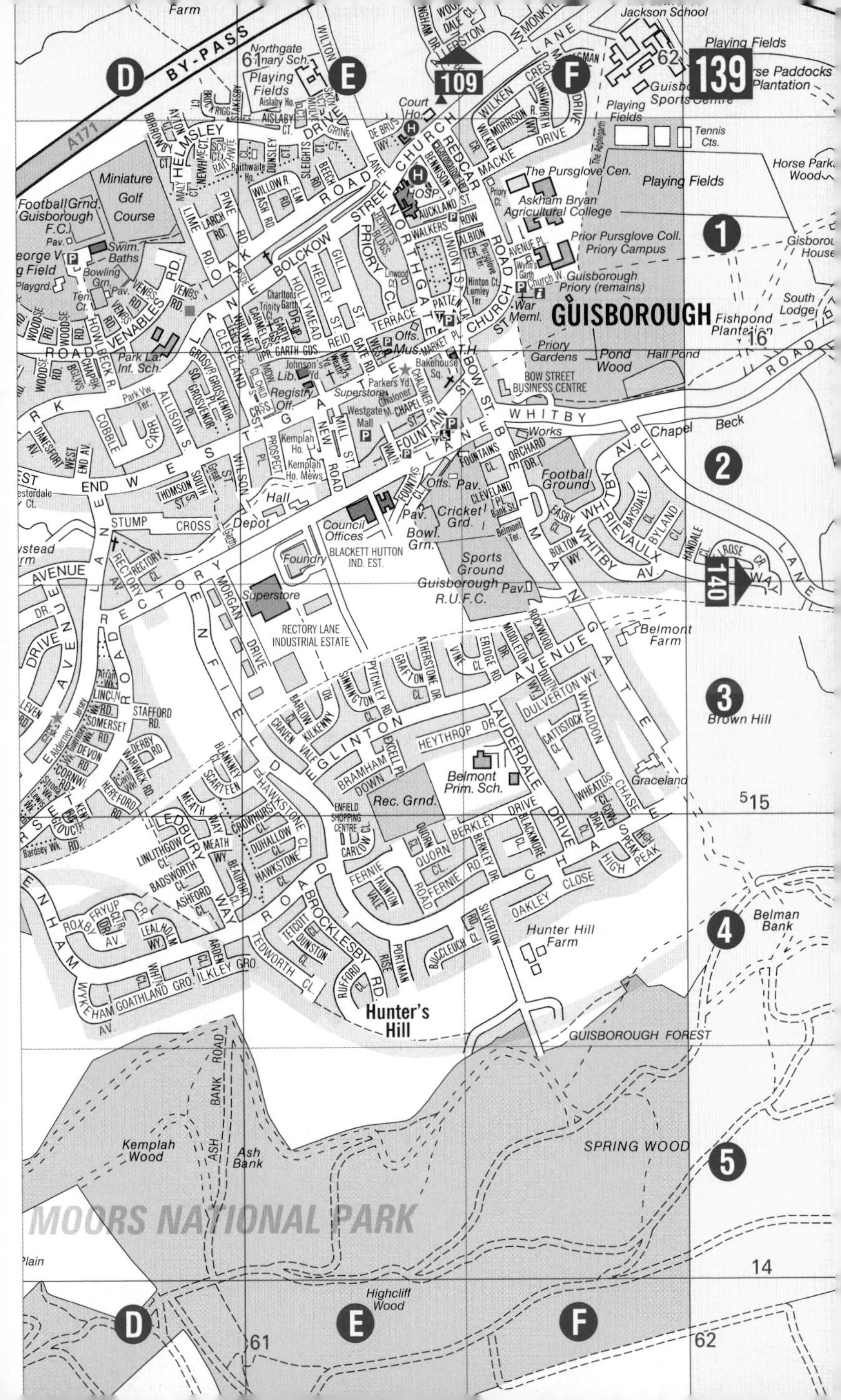

139
109
140
D
E
F
1
2
3
4
5
61
62
16
515
14
GUISBOROUGH
BY-PASS
A171
Jackson School
Playing Fields
Horse Paddocks Plantation
Guisborough Sports Centre
Tennis Cts.
Horse Park Wood
Northgate Primary Sch.
Court Ho.
The Pursglove Cen.
Askham Bryan Agricultural College
Prior Pursglove Coll. Priory Campus
Guisborough Priory (remains)
Gisborough House
South Lodge
Fishpond Plantation
Miniature Golf Course
Football Grnd. Guisborough F.C.
Swim. Baths
Bowling Grn.
Park La. Inf. Sch.
Priory Gardens
Pond Wood
Hall Pond
BOW STREET BUSINESS CENTRE
WHITBY LANE
Chapel Beck
Football Ground
Cricket Grd.
Council Offices
BLACKETT HUTTON IND. EST.
Sports Ground Guisborough R.U.F.C.
RECTORY LANE INDUSTRIAL ESTATE
Belmont Farm
Brown Hill
Belmont Prim. Sch.
Rec. Grnd.
Graceland
ENFIELD SHOPPING CENTRE
Hunter Hill Farm
Belman Bank
Hunter's Hill
GUISBOROUGH FOREST
SPRING WOOD
Kemplah Wood
Ash Bank
MOORS NATIONAL PARK
Highcliff Wood
Plain

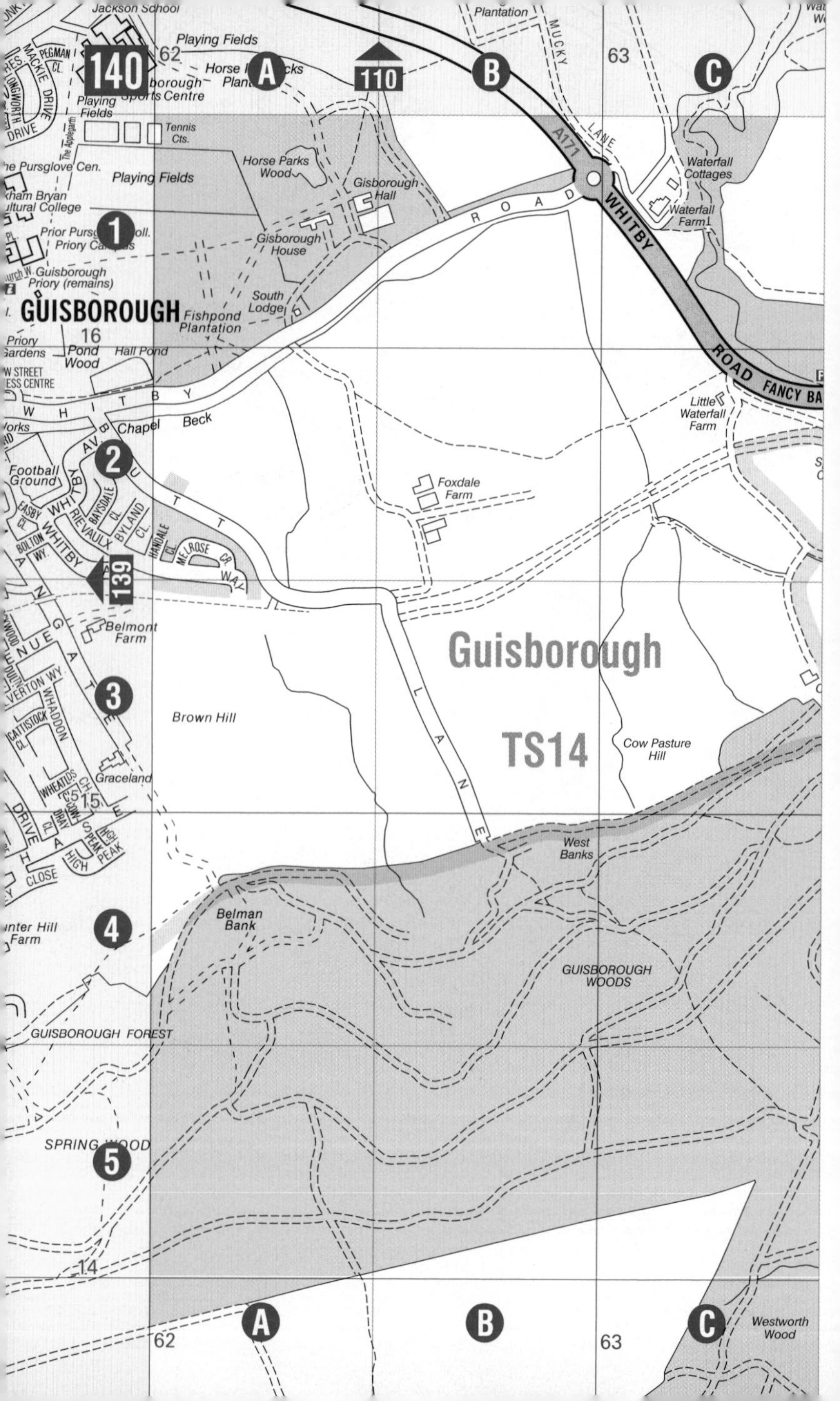
140
110
139
A
B
C
1
2
3
4
5
62
63
16
15
14
Jackson School
Playing Fields
Horse Parks Plantation
Guisborough Sports Centre
Plantation
MUCKY LANE
Tennis Cts.
Horse Parks Wood
Gisborough Hall
The Pursglove Cen.
Playing Fields
Prior Pursglove Coll. Priory Campus
Gisborough House
Guisborough Priory (remains)
South Lodge
GUISBOROUGH
Fishpond Plantation
Priory Gardens
Pond Wood
Hall Pond
A171
WHITBY ROAD
Waterfall Cottages
Waterfall Farm
ROAD FANCY BA
Little Waterfall Farm
Chapel Beck
Football Ground
Foxdale Farm
BUTT LANE
Belmont Farm
Guisborough
TS14
Brown Hill
Cow Pasture Hill
Graceland
LANE
West Banks
Belman Bank
GUISBOROUGH WOODS
GUISBOROUGH FOREST
SPRING WOOD
Westworth Wood
MACKIE DRIVE
LONGWORTH DRIVE
PEGMAN CL.
BAYSDALE CL.
RIEVAULX
BYLAND CL.
HANDALE CL.
MELROSE CR.
WAY
EASBY CL.
BOLTON WY.
WHITBY AV.
WHADDON
CATTISTOCK CL.
WHEATLDS.
HIGH PEAK
CLOSE

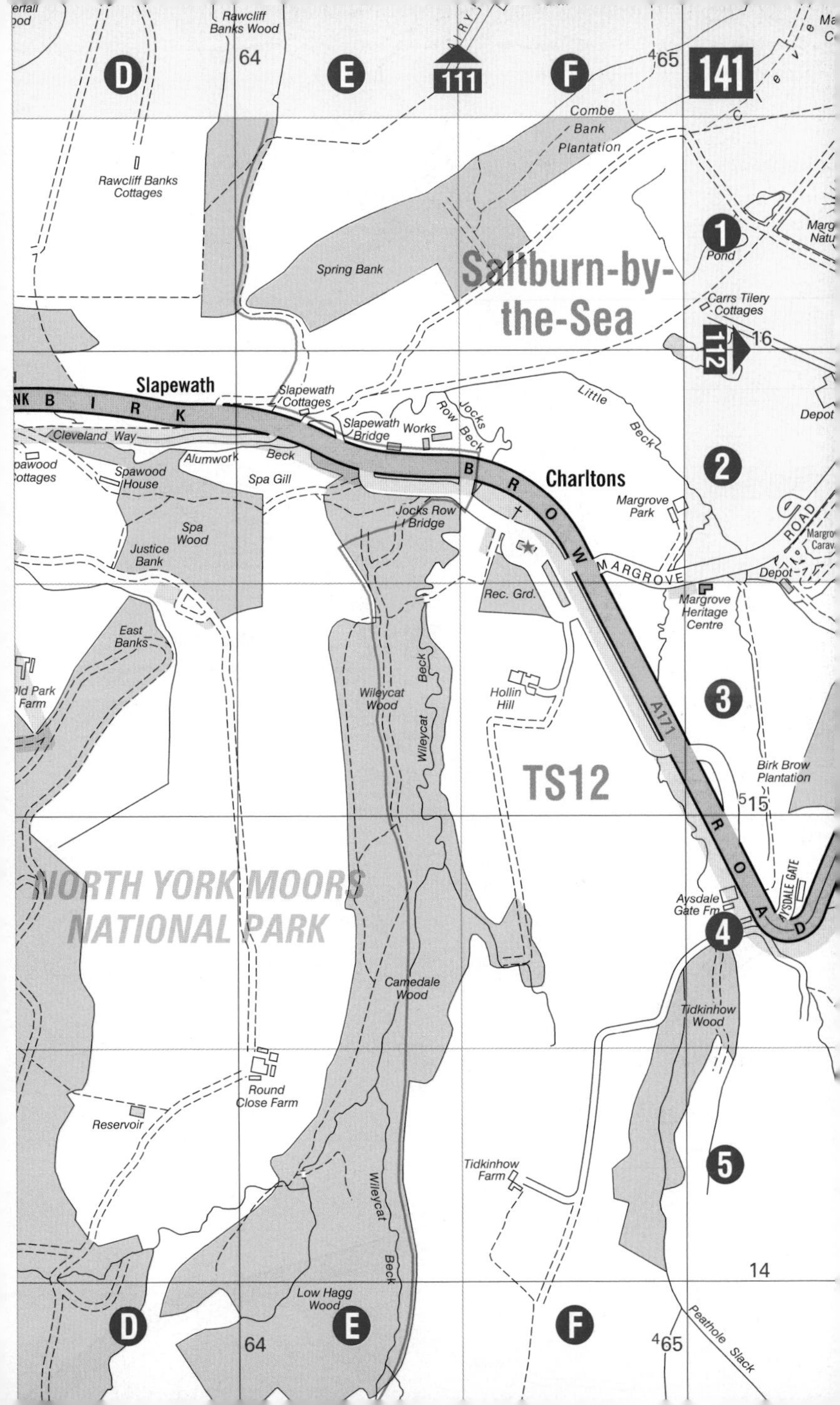

Rawcliff Banks Wood
64
D
E
111
F
465
141
Combe Bank Plantation
Rawcliff Banks Cottages
1
Pond
Spring Bank
Saltburn-by-the-Sea
Carrs Tilery Cottages
112
16
Slapewath
BIRK
Slapewath Cottages
Little Beck
Depot
Cleveland Way
Alumwork Beck
Slapewath Bridge
Works
Row Beck
Jocks Beck
2
Spawood Cottages
Spawood House
Spa Gill
BROW
Charltons
Margrove Park
Jocks Row Bridge
Spa Wood
Justice Bank
MARGROVE
ROAD
Depot
Rec. Grd.
Margrove Heritage Centre
East Banks
Old Park Farm
Wileycat Wood
Beck
Wileycat
Hollin Hill
3
A171
TS12
Birk Brow Plantation
515
ROAD
NORTH YORK MOORS NATIONAL PARK
Aysdale Gate Fm
AYSDALE GATE
4
Camedale Wood
Tidkinhow Wood
Round Close Farm
Reservoir
5
Tidkinhow Farm
Wileycat Beck
14
Low Hagg Wood
D
E
F
64
465
Peathole Slack

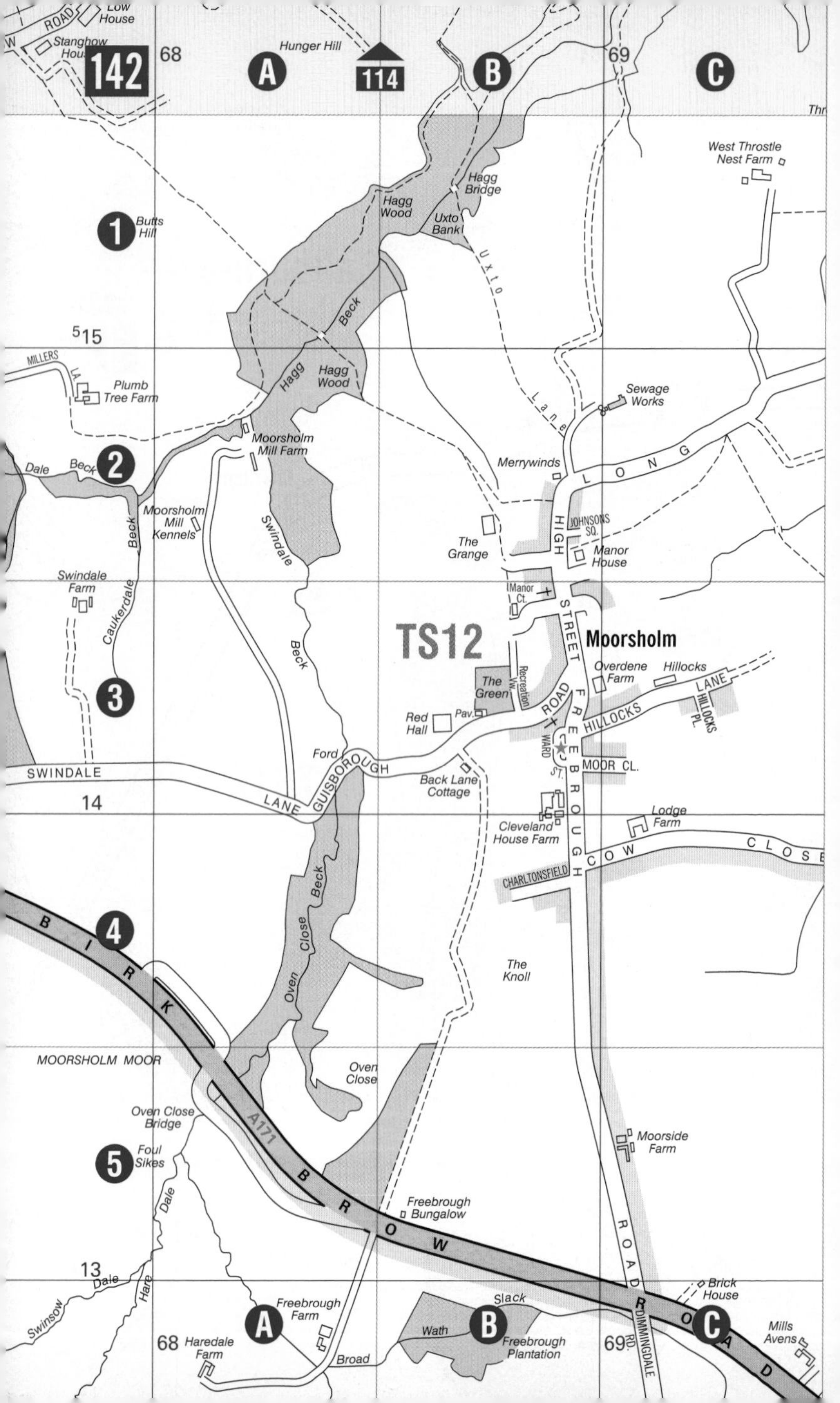

Low House
ROAD
Stanghow House
68
A
Hunger Hill
114
B
69
C
West Throstle Nest Farm
Hagg Bridge
Hagg Wood
Uxto Bank
1
Butts Hill
Uxto
Beck
515
MILLERS LA.
Plumb Tree Farm
Hagg
Hagg Wood
Sewage Works
Lane
Moorsholm Mill Farm
Dale
Beck
2
Merrywinds
LONG
Moorsholm Mill Kennels
Swindale
Beck
HIGH
JOHNSONS SQ.
The Grange
Manor House
Swindale Farm
Caukerdale
Manor Ct.
TS12
STREET
Moorsholm
Beck
3
The Green
Recreation Vw.
Overdene Farm
Hillocks
LANE
HILLOCKS PL.
ROAD
Red Hall
Pav.
HILLOCKS
WARD ST.
FREEBROUGH
Ford
GUISBOROUGH
MOOR CL.
SWINDALE
Back Lane Cottage
LANE
14
Lodge Farm
Cleveland House Farm
COW CLOSE
CHARLTONSFIELD
Beck
Close
Oven
4
BIRK
The Knoll
MOORSHOLM MOOR
Oven Close
Oven Close Bridge
A171
5
Foul Sikes
Moorside Farm
Dale
BROW
Freebrough Bungalow
ROAD
13
Dale
Hare
Swinsow
Brick House
Slack
Freebrough Farm
A
B
C
Wath
Mills Avens
68
Haredale Farm
Freebrough Plantation
69
Broad
DIMMINGDALE RD.

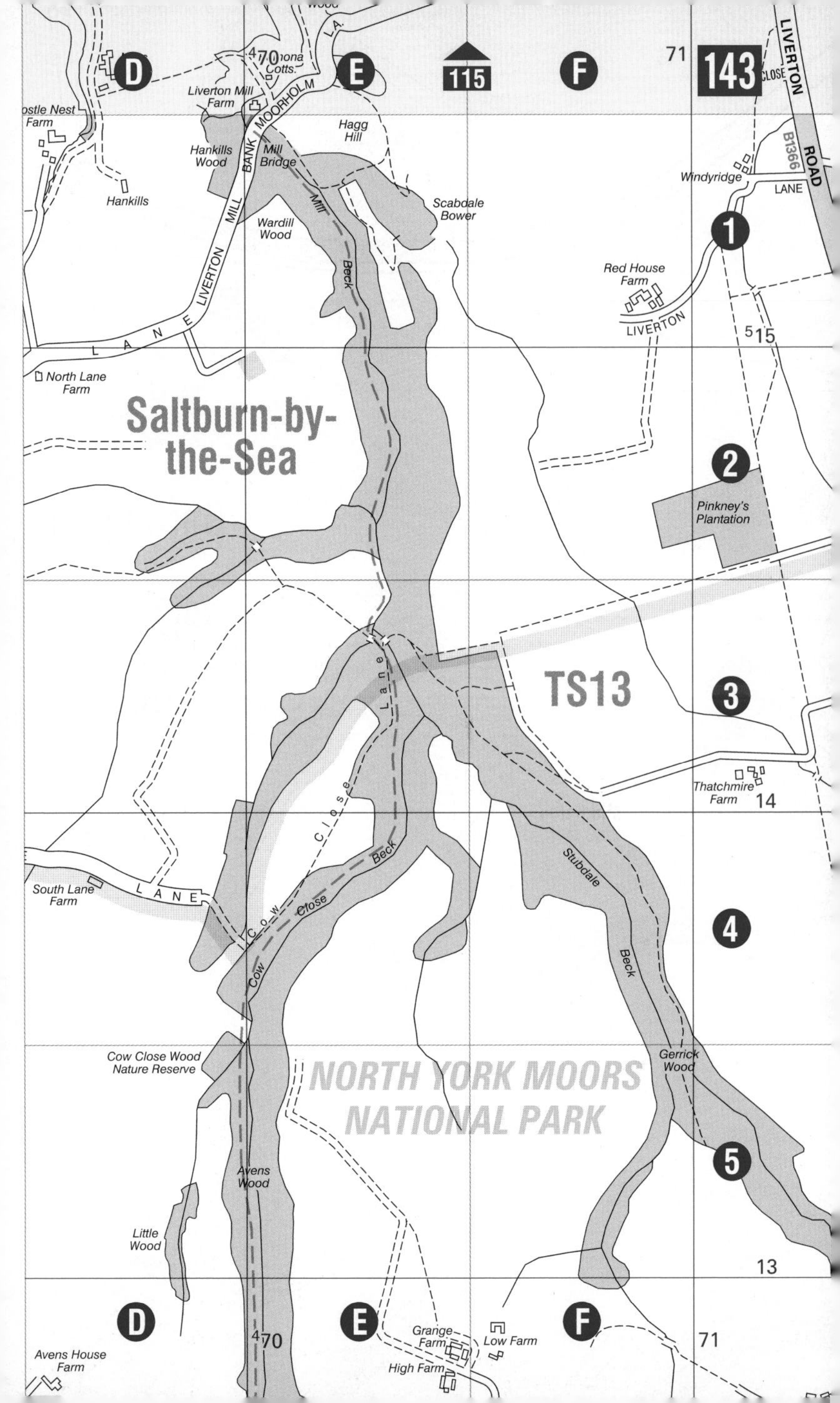

D E ▲ 115 F 71

LIVERTON CLOSE
LIVERTON ROAD
B1366
CLOSE LANE

Liverton Mill Farm
Mona Cotts.
470

ostle Nest Farm

Hankills Wood
Hagg Hill
Scabdale Bower

Hankills

Wardill Wood
Mill Bridge
MILL BANK MOORHOLM
Mill Beck

Windyridge

1

Red House Farm
LIVERTON
515

North Lane Farm

Saltburn-by-the-Sea

2
Pinkney's Plantation

TS13

3

Thatchmire Farm
14

Lane
Close
Cow Close Beck

South Lane Farm
LANE

Stubdale Beck

4

Cow Close Wood Nature Reserve

Gerrick Wood

NORTH YORK MOORS
NATIONAL PARK

5

Avens Wood

Little Wood

13

D
470

E
Grange Farm
Low Farm

F
71

Avens House Farm

High Farm

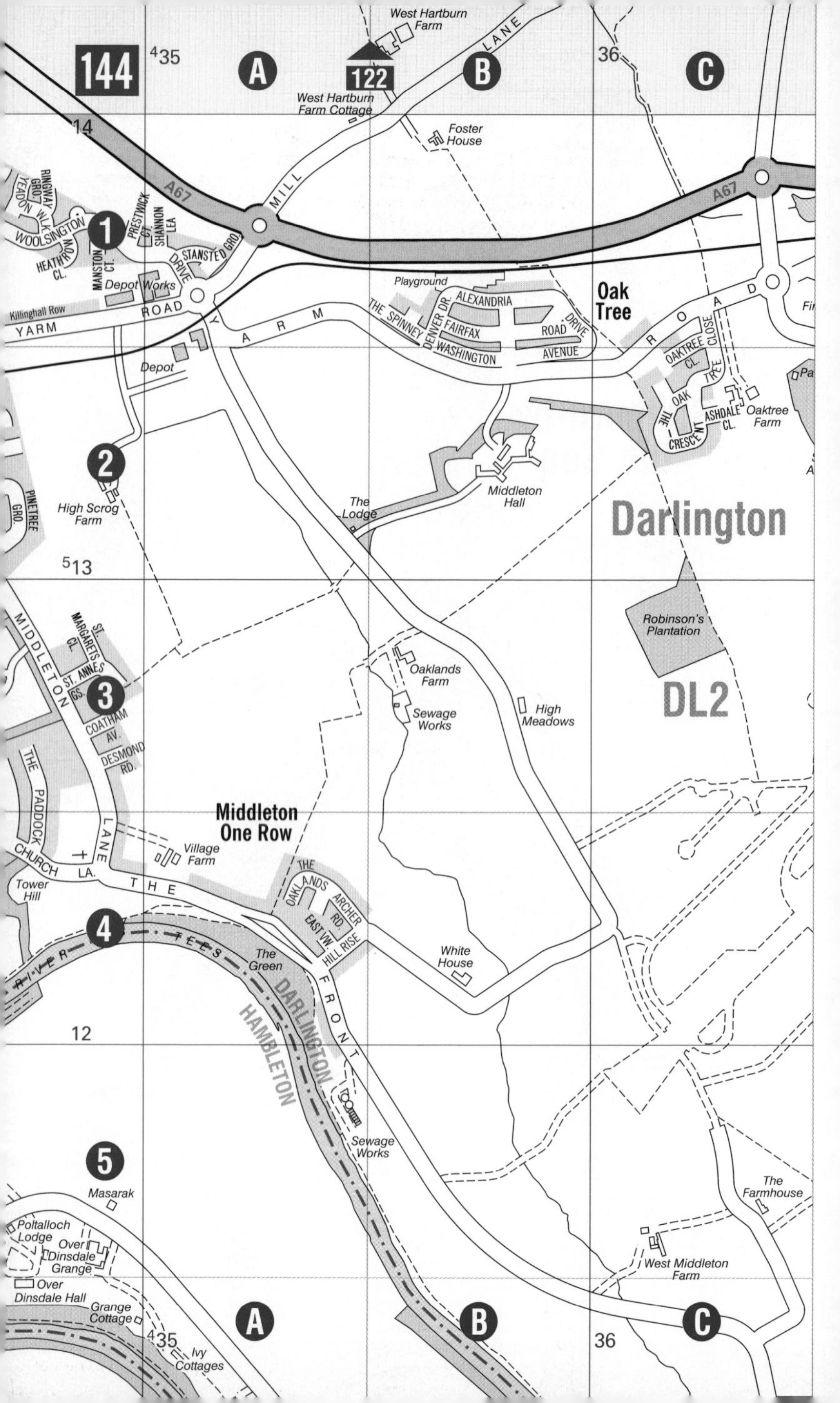

122
West Hartburn Farm
West Hartburn Farm Cottage
Foster House
A67
MILL LANE
RINGWAY GRO.
YEADON WLK.
WOOLSINGTON
HEATHROW CL.
PRESTWICK CT.
SHANNON LEA
MANSTON CT.
STANSTED GRO.
DRIVE
Depot Works
Killinghall Row
YARM ROAD
Depot
Playground
ALEXANDRIA
THE SPINNEY
DENVER DR.
FAIRFAX
WASHINGTON
ROAD
AVENUE
DRIVE
Oak Tree
OAKTREE CL.
CLOSE
OAK TREE
THE CRESCENT
ASHDALE CL.
Oaktree Farm
Middleton Hall
The Lodge
High Scrog Farm
PINETREE GRO.
Darlington
Robinson's Plantation
DL2
MIDDLETON LANE
ST. MARGARETS CL.
ST. ANNES GS.
COATHAM AV.
DESMOND RD.
Oaklands Farm
Sewage Works
High Meadows
THE PADDOCK
Middleton One Row
Village Farm
CHURCH LA.
THE FRONT
Tower Hill
THE OAKLANDS
ARCHER RD.
EAST VW.
HILL RISE
White House
RIVER TEES
The Green
DARLINGTON
HAMBLETON
Sewage Works
The Farmhouse
West Middleton Farm
Masarak
Poltalloch Lodge
Over Dinsdale Grange
Over Dinsdale Hall
Grange Cottage
Ivy Cottages

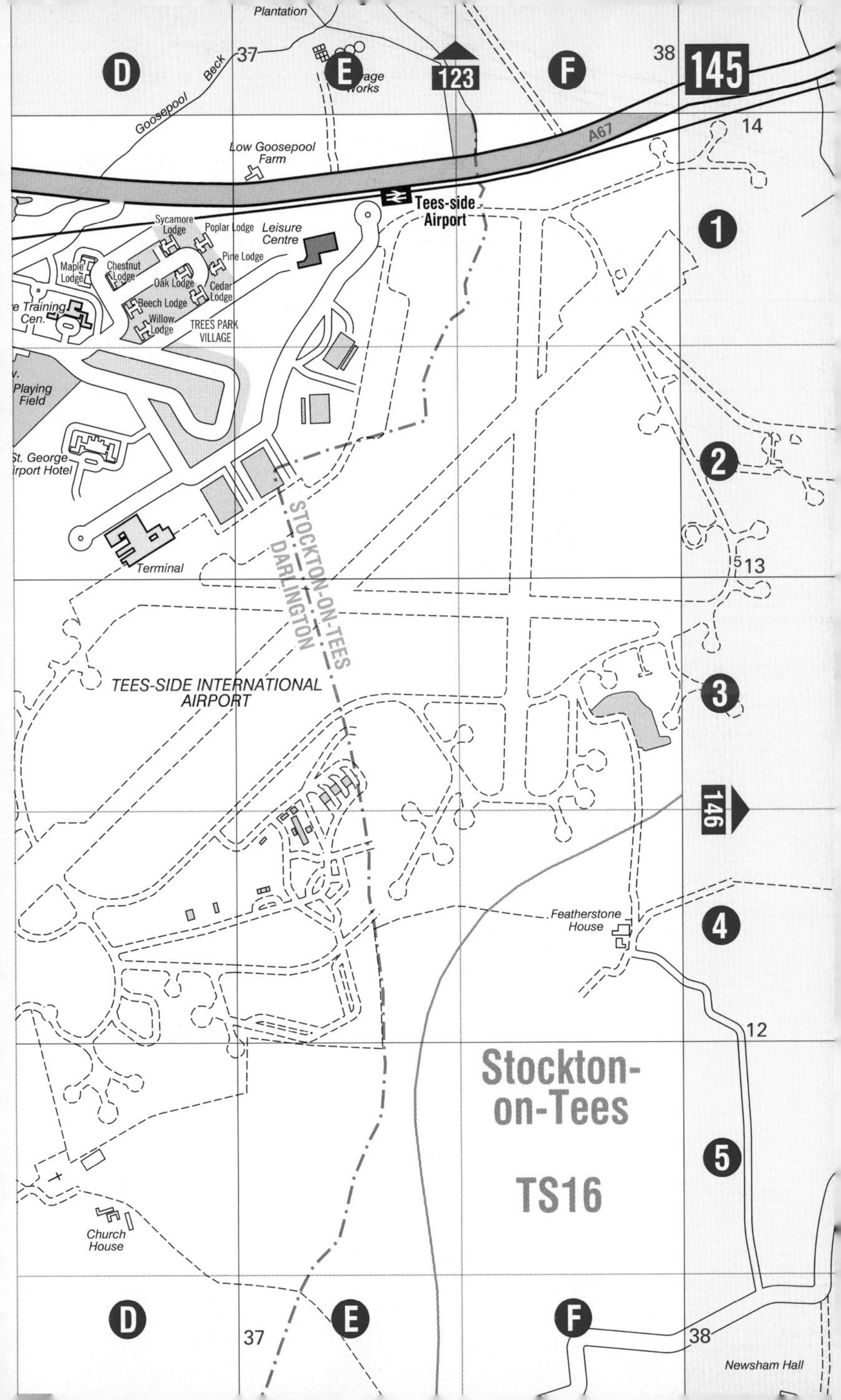

Plantation

A67

14

Tees-side Airport

Low Goosepool Farm

1

Sycamore Lodge
Poplar Lodge
Leisure Centre
Chestnut Lodge
Pine Lodge
Maple Lodge
Oak Lodge
Cedar Lodge
e Training Cen.
Beech Lodge
Willow Lodge
TREES PARK VILLAGE

2

y. Playing Field

St. George rport Hotel

513

STOCKTON-ON-TEES DARLINGTON

Terminal

3

TEES-SIDE INTERNATIONAL AIRPORT

146

Featherstone House

4

12

Stockton-on-Tees

TS16

5

Church House

Newsham Hall

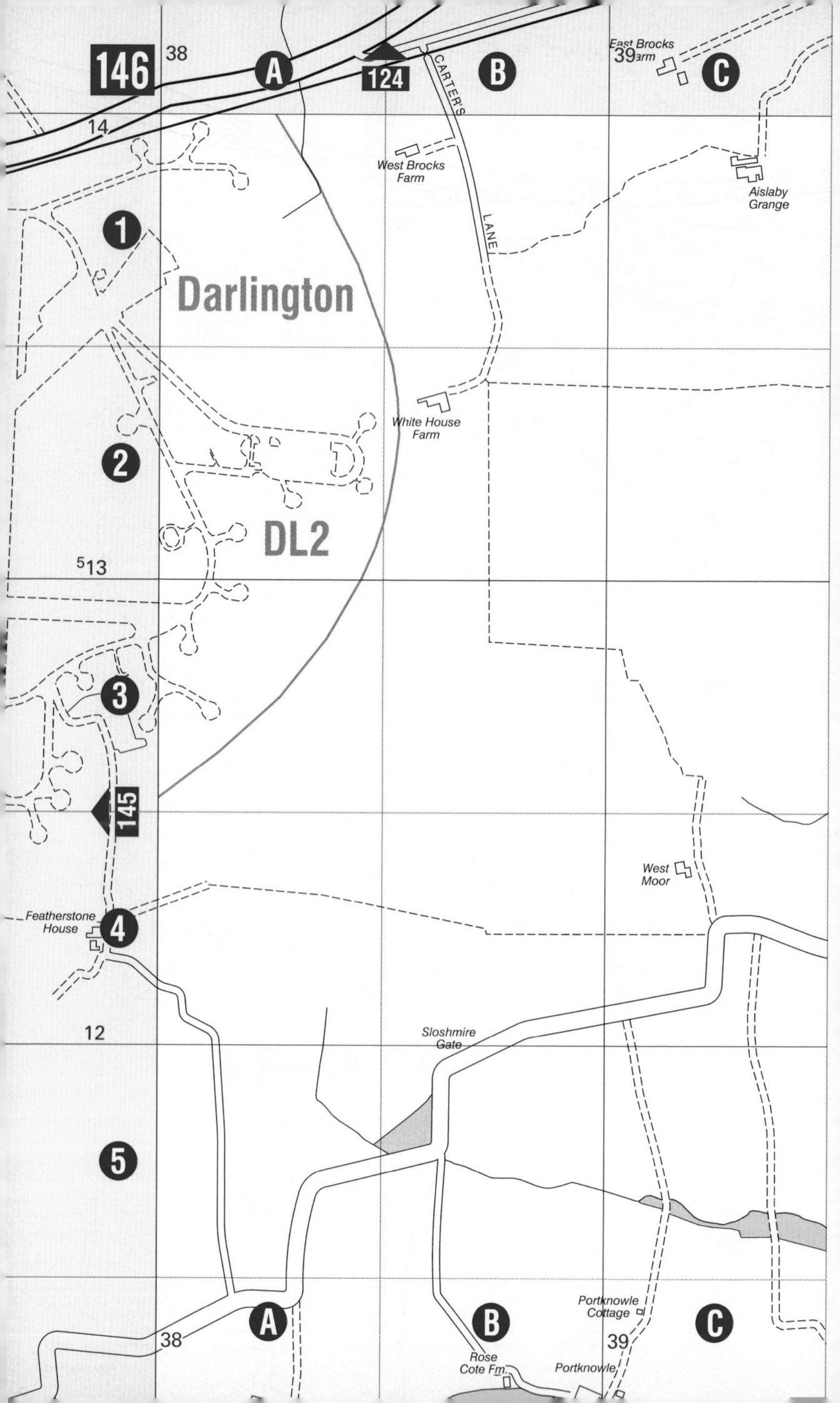

146
38
A
124
B
East Brocks Farm
39
C
14
CARTER'S
LANE
West Brocks Farm
Aislaby Grange
1
Darlington
2
White House Farm
DL2
513
3
145
West Moor
Featherstone House
4
12
Sloshmire Gate
5
A
B
Portknowle Cottage
C
38
39
Rose Cote Fm.
Portknowle

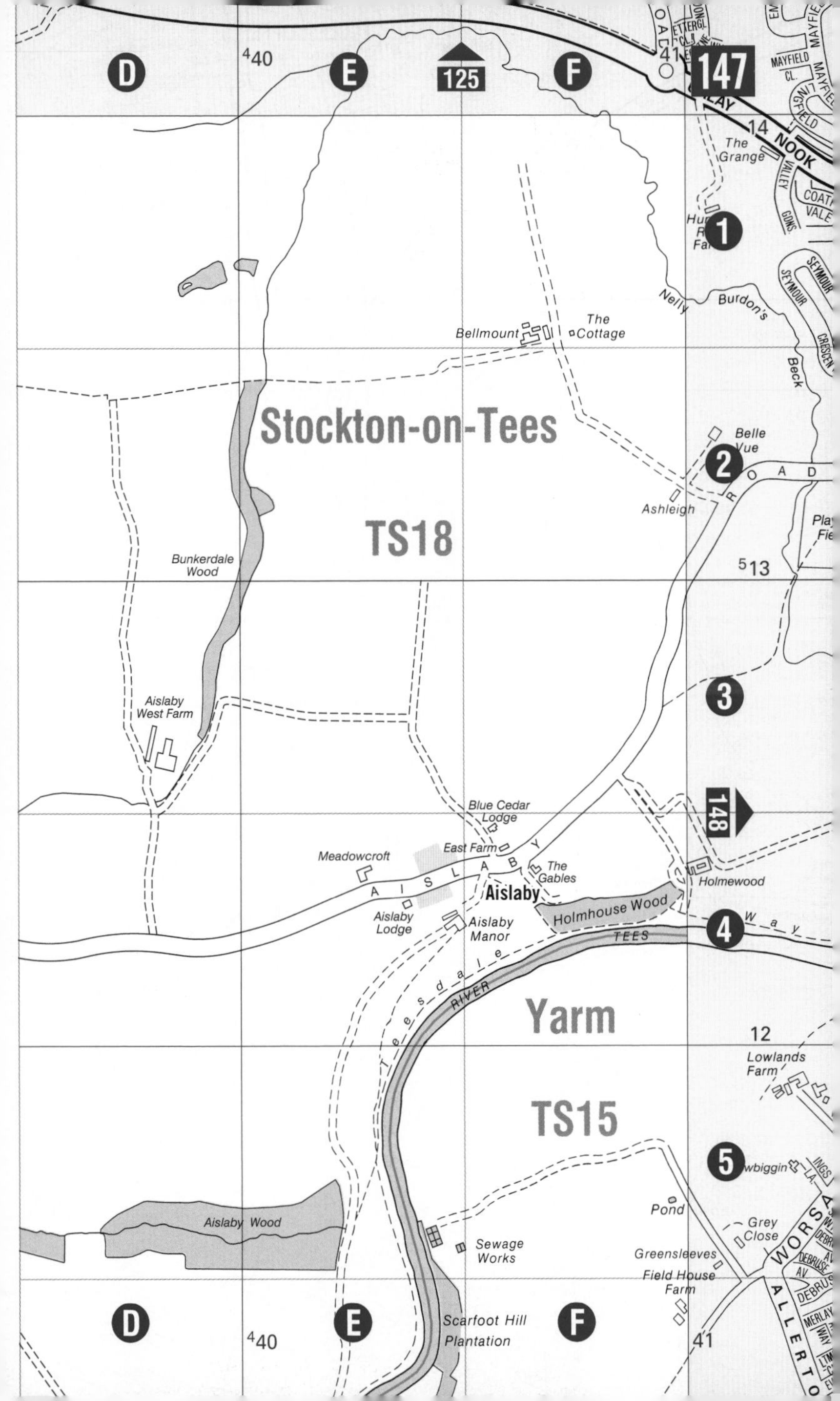

147
125
148
D
E
F
440
41
1
2
3
4
5
Stockton-on-Tees
TS18
Yarm
TS15
513
12
The Grange
NOOK
VALLEY
MAYFIELD CL.
SEYMOUR
Nelly Burdon's Beck
Bellmount
The Cottage
Belle Vue
Ashleigh
ROAD
Bunkerdale Wood
Aislaby West Farm
Blue Cedar Lodge
East Farm
Meadowcroft
AISLABY
The Gables
Aislaby
Aislaby Lodge
Aislaby Manor
Holmhouse Wood
Holmewood
Teesdale Way
TEES
RIVER
Lowlands Farm
Pond
Grey Close
Greensleeves
Field House Farm
Aislaby Wood
Sewage Works
Scarfoot Hill Plantation
WORSALL
ALLERTON

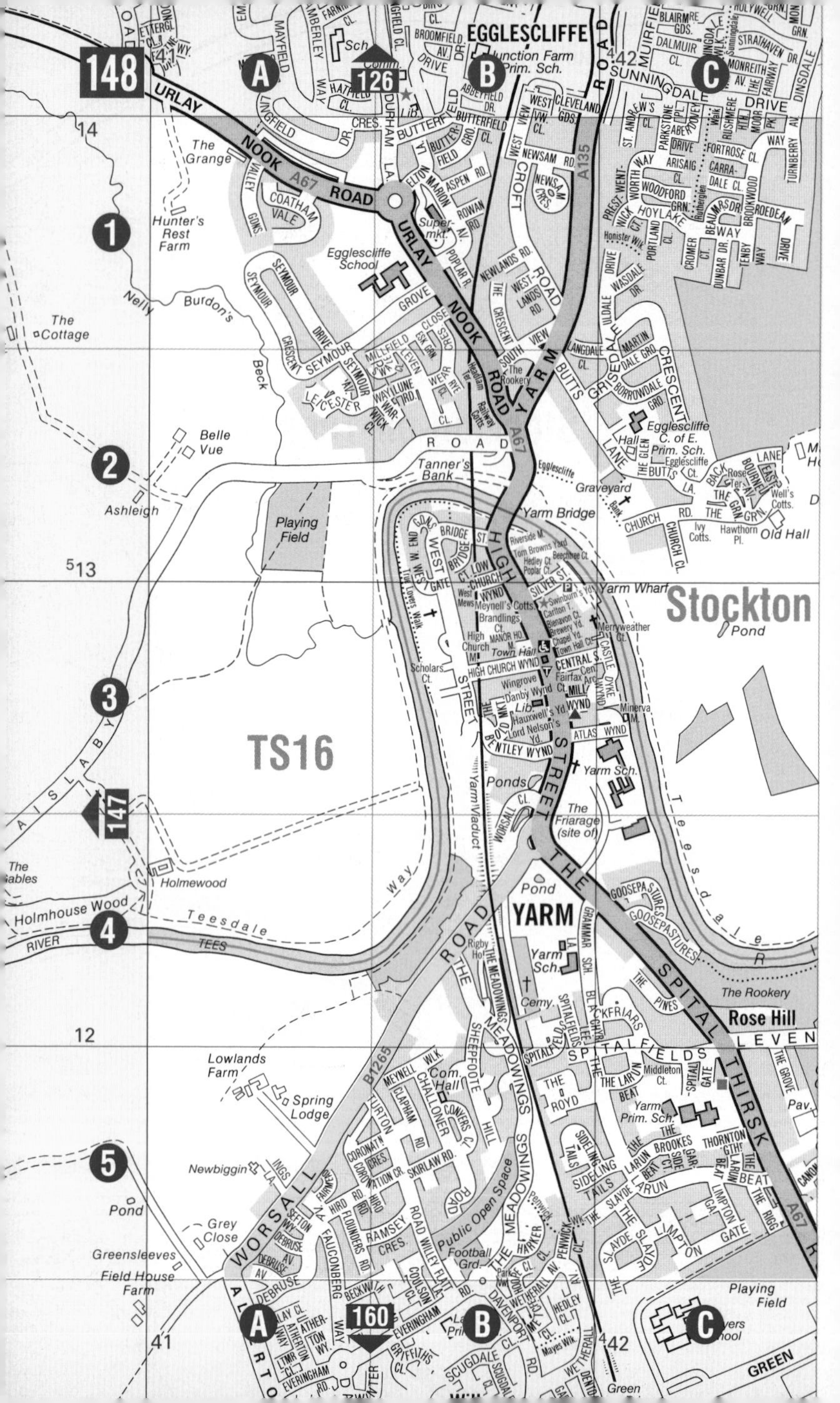

EGGLESCLIFFE
126
147
160
TS16
Stockton
YARM
Rose Hill
URLAY NOOK ROAD
YARM ROAD
HIGH STREET
THE SPITAL
THIRSK ROAD
WORSALL ROAD
AISLABY ROAD
RIVER TEES
Teesdale Way
Egglescliffe School
Junction Farm Prim. Sch.
Egglescliffe C. of E. Prim. Sch.
Yarm Sch.
Yarm Prim. Sch.
Yarm Bridge
Yarm Viaduct
Tanner's Bank
Playing Field
Holmhouse Wood
Hunter's Rest Farm
The Grange
The Cottage
Belle Vue
Ashleigh
Holmewood
Lowlands Farm
Spring Lodge
Newbiggin
Grey Close
Greensleeves
Field House Farm
Public Open Space
Football Grd.
The Friarage (site of)
The Rookery
Old Hall
Yarm Wharf
Town Hall

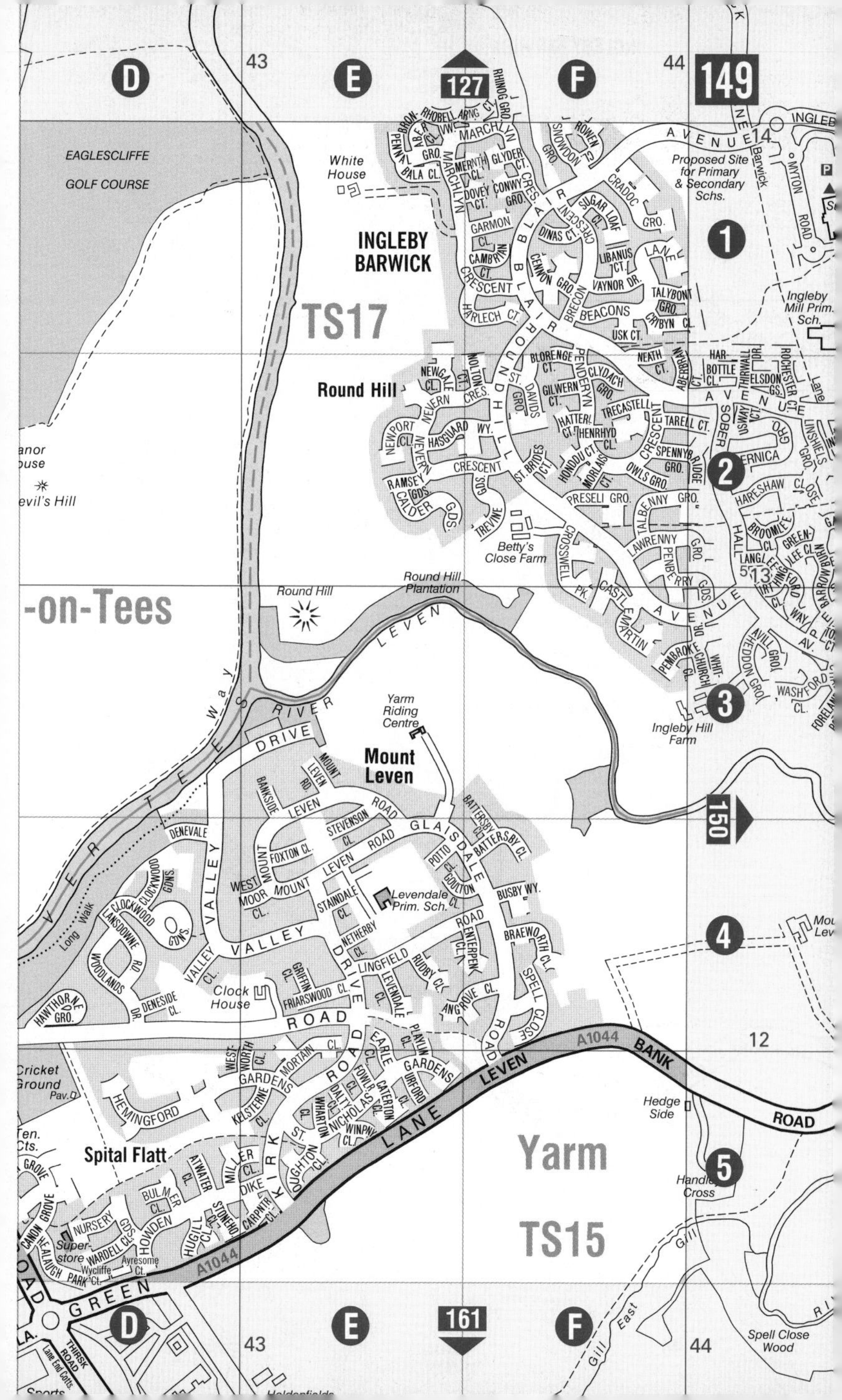

D
E
F
43
44
127
EAGLESCLIFFE
GOLF COURSE
White House
INGLEBY
BARWICK
TS17
Round Hill
Proposed Site for Primary & Secondary Schs.
Ingleby Mill Prim. Sch.
BLAIR AVENUE
SOBER HALL AVENUE
CASTLE AVENUE
Betty's Close Farm
Round Hill Plantation
Round Hill
-on-Tees
RIVER LEVEN
TEES WAY
Yarm Riding Centre
Mount Leven
Ingleby Hill Farm
150
LEVEN ROAD
GLAISDALE ROAD
VALLEY DRIVE
Levendale Prim. Sch.
Clock House
Long Walk
12
A1044
LEVEN BANK ROAD
LEVEN LANE
Hedge Side
Yarm
TS15
Spital Flatt
Cricket Ground
Pav.
Ten. Cts.
Handley Cross
Super-store
GREEN ROAD
East Gill
Spell Close Wood
161

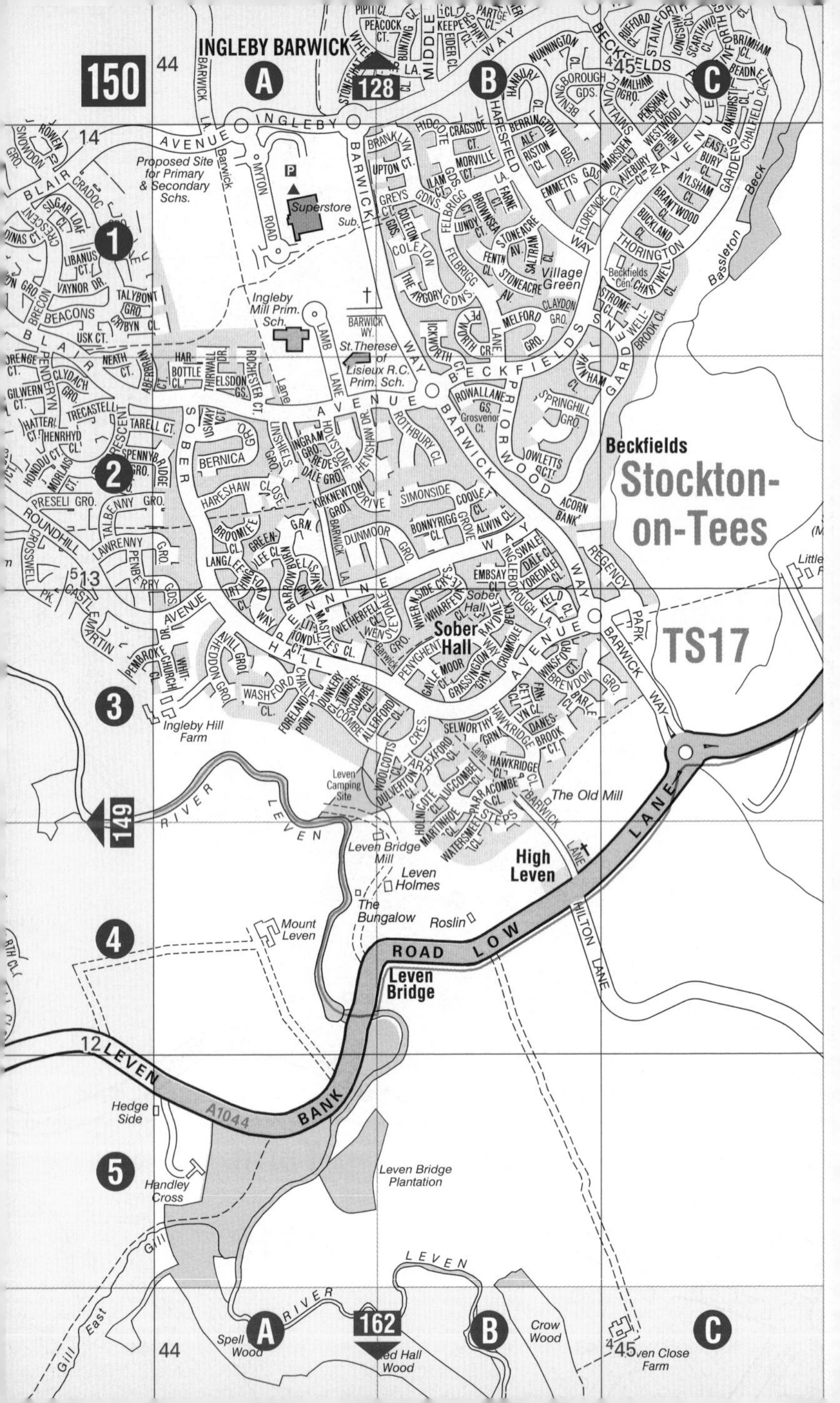

150
INGLEBY BARWICK
128
149
162
A
B
C
1
2
3
4
5
44
45
14
13
12
Proposed Site for Primary & Secondary Schs.
Superstore
Ingleby Mill Prim. Sch.
St.Therese of Lisieux R.C. Prim. Sch.
Village Green
Beckfields
Beckfields Cen.
Stockton-on-Tees
TS17
Sober Hall
High Leven
Leven Bridge
Ingleby Hill Farm
Leven Camping Site
The Old Mill
Leven Bridge Mill
Leven Holmes
The Bungalow
Roslin
Mount Leven
Hedge Side
Handley Cross
Leven Bridge Plantation
Crow Wood
Spell Wood
INGLEBY AVENUE
BECKFIELDS AVENUE
BARWICK WAY
SOBER HALL AVENUE
PENNINE WAY
BLAIR AVENUE
LOW LANE
ROAD
LEVEN BANK
A1044
HILTON LANE
BARWICK LANE
RIVER LEVEN
Bassleton Beck

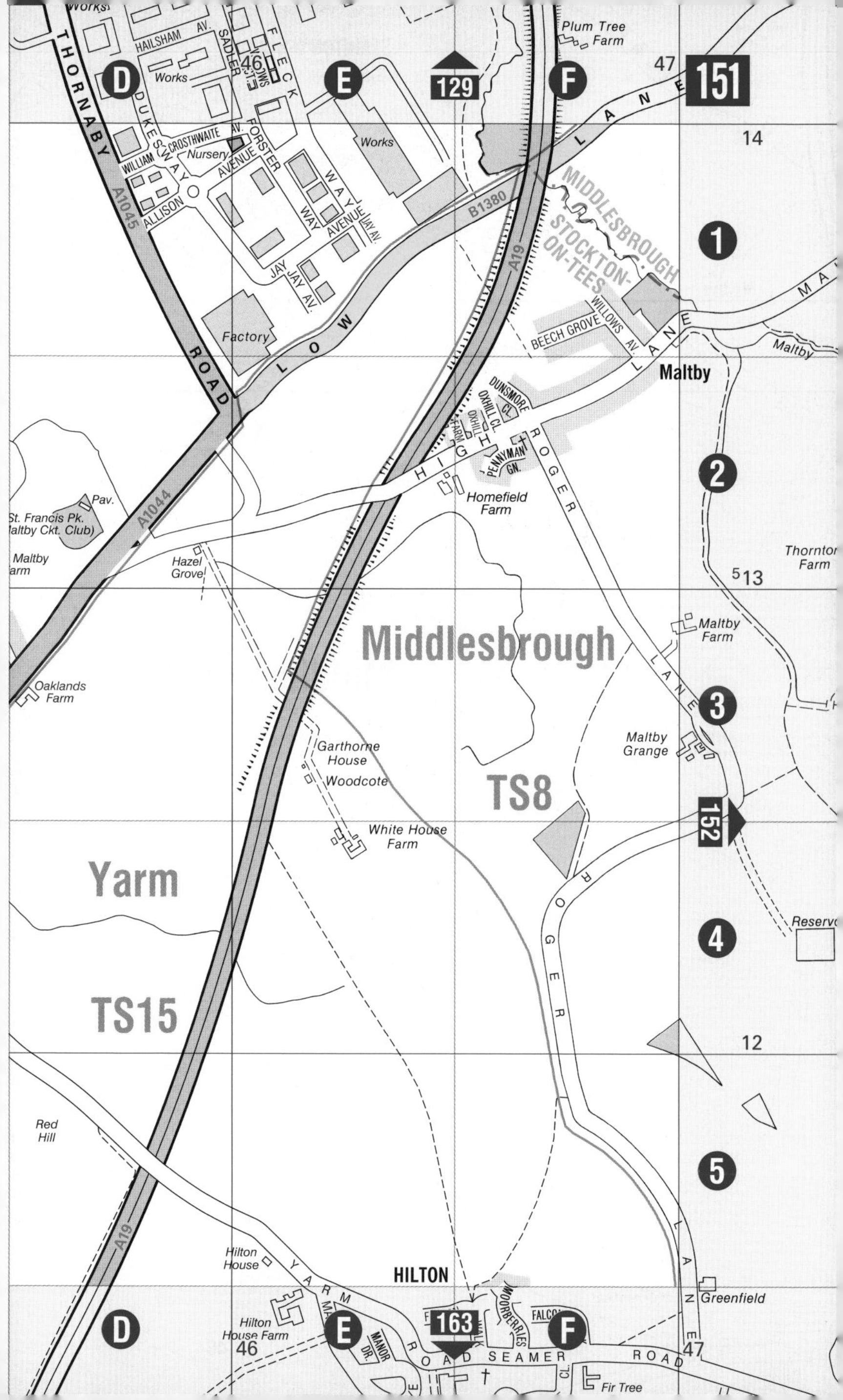

151
129
152
163
D
E
F
1
2
3
4
5
46
47
14
13
12
THORNABY ROAD
HAILSHAM AV.
SADLER
FLECK
Works
DUKESWAY
CROSTHWAITE AV.
FORSTER AVENUE
WILLIAM
Nursery
ALLISON
Works
WAY
AVENUE
JAY AV.
JAY
A1045
B1380
LOW LANE
Factory
A19
MIDDLESBROUGH
STOCKTON-ON-TEES
BEECH GROVE
WILLOWS AV.
Maltby
DUNSMORE CL.
OXHILL CL.
PENNYMAN GN.
HIGH LANE
ROGER LANE
Homefield Farm
A1044
Pav.
St. Francis Pk.
Maltby Ckt. Club)
Maltby
Farm
Hazel Grove
Thornton Farm
Maltby Farm
Middlesbrough
Oaklands Farm
Garthorne House
Woodcote
Maltby Grange
TS8
White House Farm
Yarm
Reserv
TS15
Red Hill
Hilton House
HILTON
YARM ROAD
Greenfield
Hilton House Farm
MANOR DR.
MOORBERRIES
FALCO
SEAMER ROAD
Fir Tree

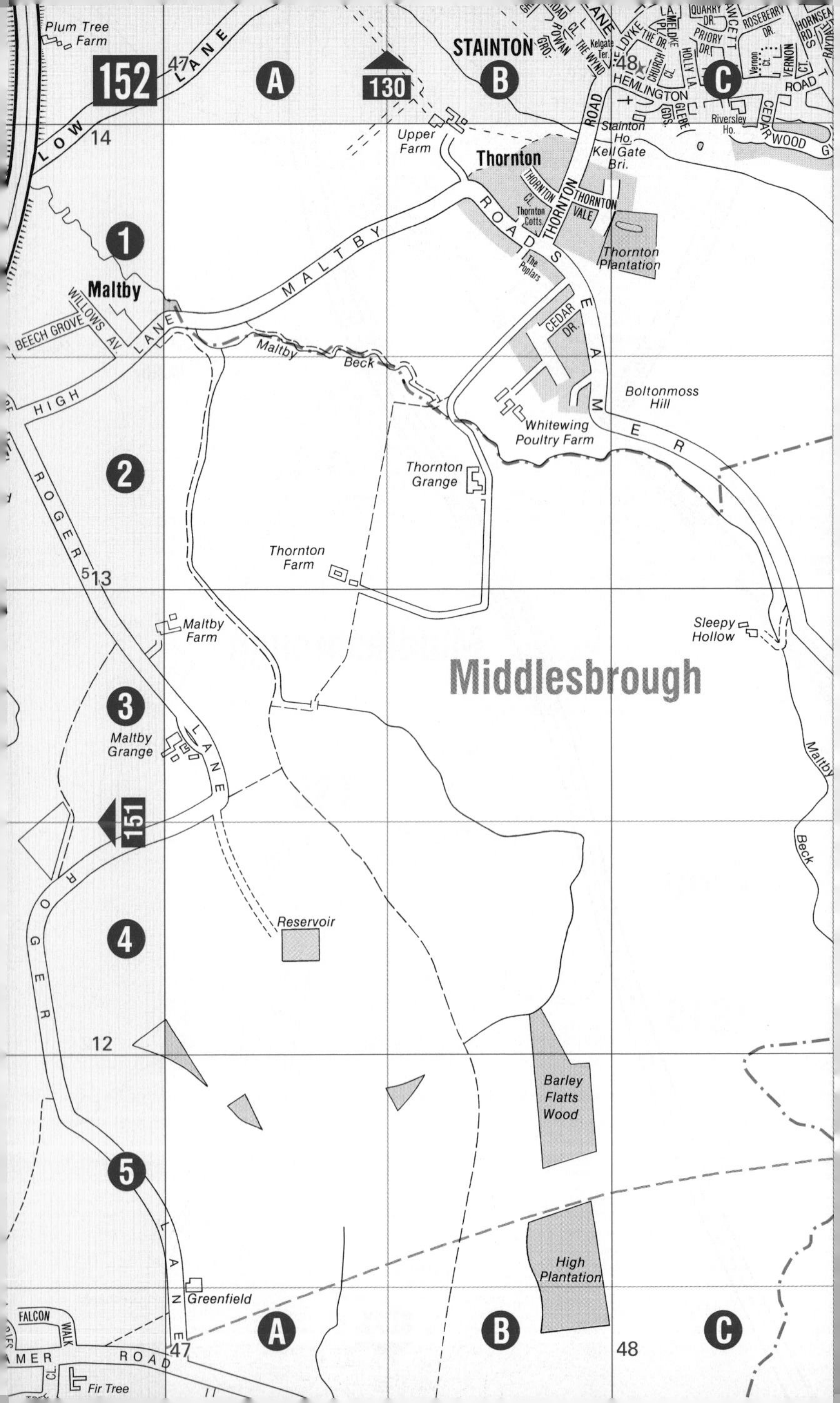

Plum Tree Farm
152
LOW LANE
47
A
130
STAINTON
B
C
14
Upper Farm
Thornton
Stainton Ho.
Kell Gate Bri.
HEMLINGTON ROAD
Riversley Ho.
CEDARWOOD
THORNTON CL.
Thornton Cotts
THORNTON VALE
THORNTON ROAD
Thornton Plantation
The Poplars
1
Maltby
WILLOWS AV.
BEECH GROVE
MALTBY ROAD
LANE
HIGH
Maltby Beck
CEDAR DR.
SEAMER ROAD
Boltonmoss Hill
Whitewing Poultry Farm
2
Thornton Grange
ROGER
Thornton Farm
13
Maltby Farm
Sleepy Hollow
Middlesbrough
3
Maltby Grange
LANE
151
Maltby Beck
4
Reservoir
12
Barley Flatts Wood
5
High Plantation
Greenfield
FALCON WALK
SEAMER ROAD
Fir Tree
A
B
C
47
48

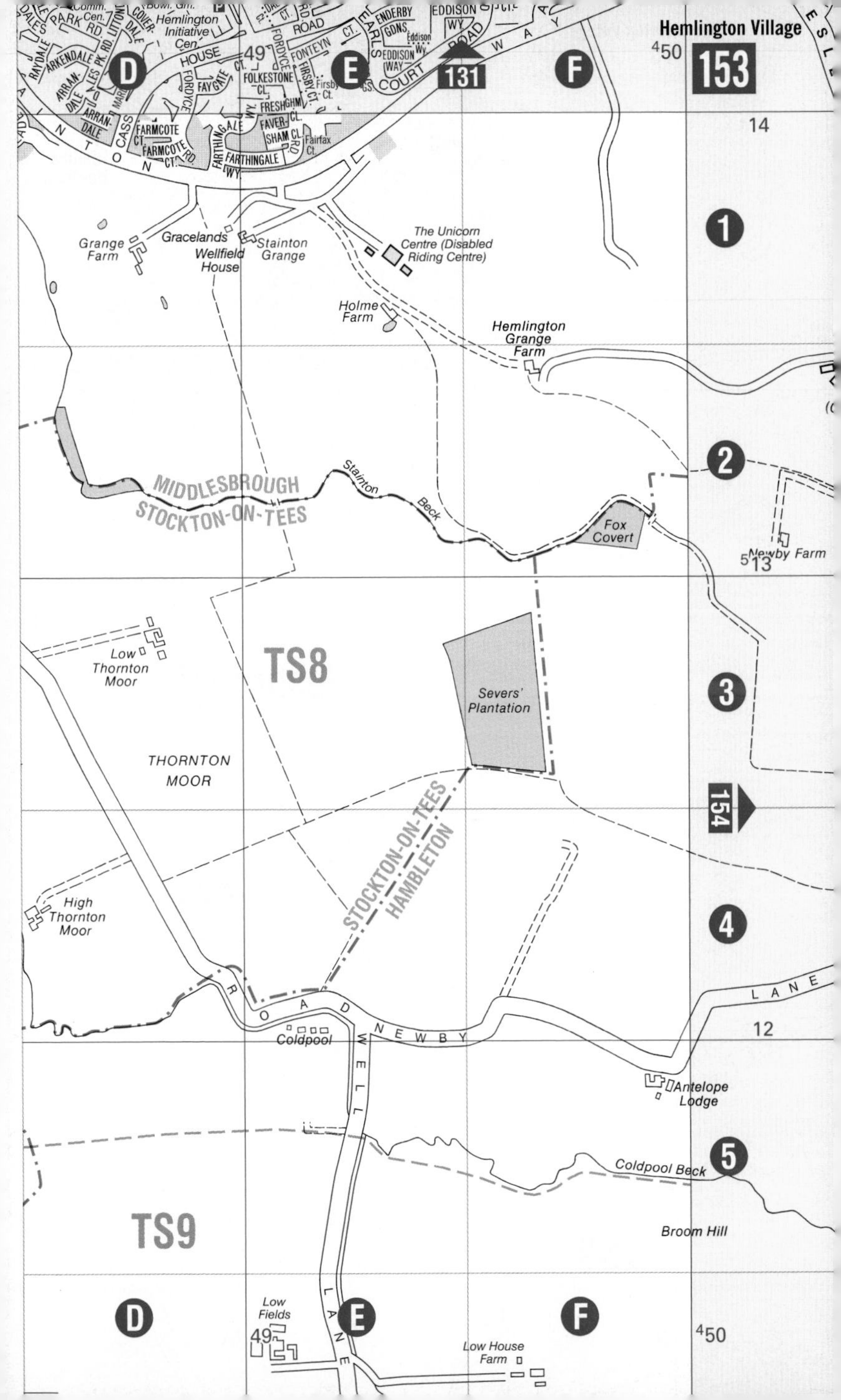
Hemlington Initiative Cen.
HOUSE
ROAD
EARLS COURT ROAD
EDDISON WY.
ENDERBY GDNS.
EDDISON WAY
FONTEYN CT.
FORDYCE
FOLKESTONE CL.
FIRSBY CT.
FAYGATE CT.
FARMCOTE CT.
FARTHINGALE WY.
FAVERSHAM CL.
Fairfax Ct.
ARKENDALE
RAYDALE
ARRANDALE
131
Grange Farm
Gracelands
Wellfield House
Stainton Grange
The Unicorn Centre (Disabled Riding Centre)
Holme Farm
Hemlington Grange Farm
MIDDLESBROUGH
STOCKTON-ON-TEES
Stainton Beck
Fox Covert
Newby Farm
Low Thornton Moor
TS8
Severs' Plantation
THORNTON MOOR
STOCKTON-ON-TEES
HAMBLETON
154
High Thornton Moor
NEWBY ROAD
LANE
Coldpool
Antelope Lodge
WELL LANE
Coldpool Beck
Broom Hill
TS9
Low Fields
Low House Farm
D
E
F
1
2
3
4
5
450
14
13
12
49

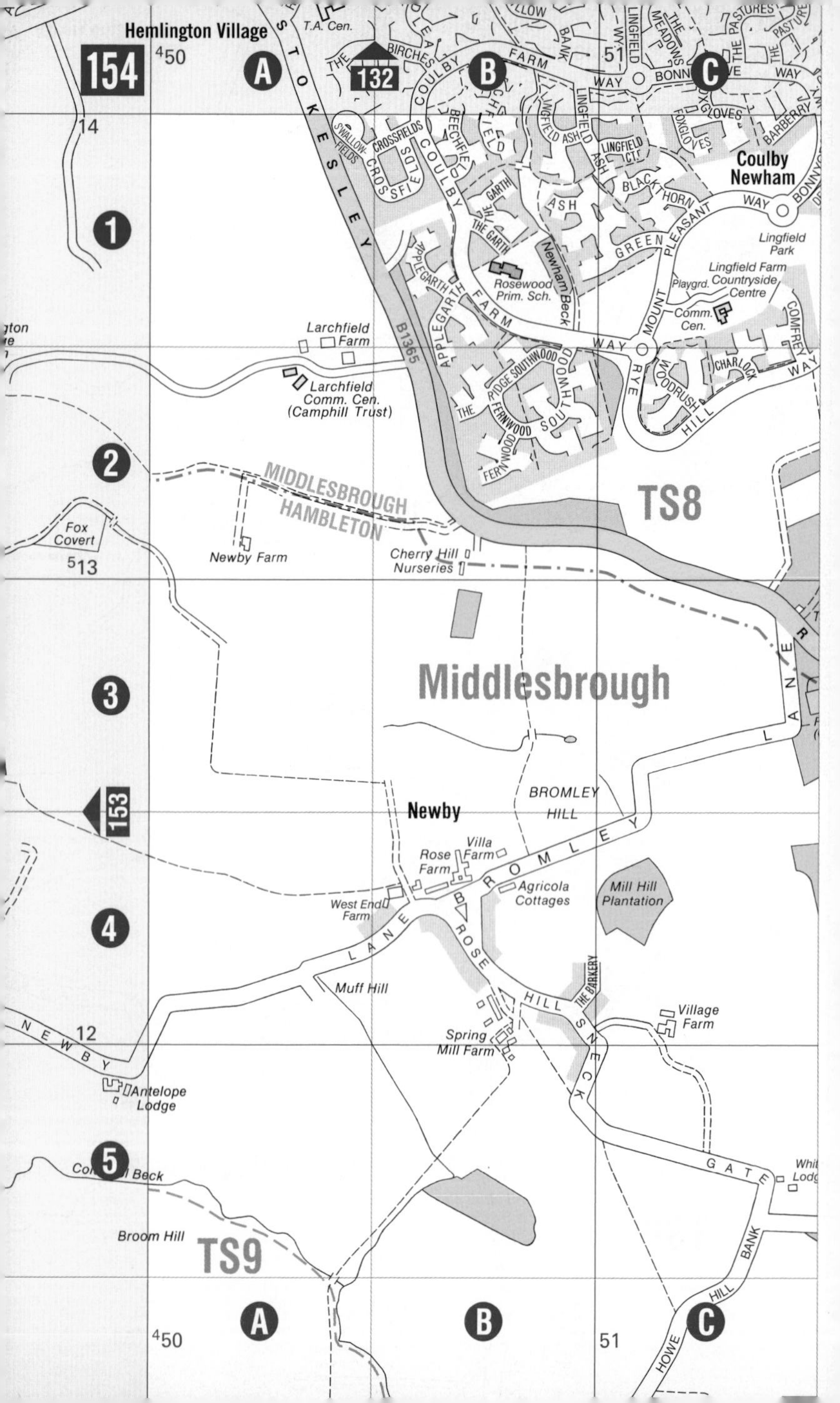

Hemlington Village
154
132
153
A
B
C
1
2
3
4
5
450
51
14
513
12
T.A. Cen.
THE BIRCHES
COULBY FARM WAY
BONNY GROVE
THE MEADOWS
LINGFIELD WAY
THE PASTURES
FOXGLOVES
BARBERRY
Coulby Newham
SWALLOWFIELDS
CROSSFIELDS
BEECHFIELD
LINGFIELD ASH
LINGFIELD CT.
BLACKTHORN
ASH GREEN
PLEASANT WAY
THE GARTH
APPLEGARTH
Rosewood Prim. Sch.
Newham Beck
Lingfield Park
Lingfield Farm Countryside Centre
Playgrd.
Comm. Cen.
MOUNT PLEASANT
COMFREY
CHARLOCK
WOODRUSH
RYE HILL
THE RIDGE
SOUTHWOOD
FERNWOOD
STOKESLEY ROAD
B1365
Larchfield Farm
Larchfield Comm. Cen. (Camphill Trust)
MIDDLESBROUGH
HAMBLETON
TS8
Fox Covert
Newby Farm
Cherry Hill Nurseries
Middlesbrough
BROMLEY HILL
Newby
Villa Farm
Rose Farm
Agricola Cottages
BROMLEY LANE
Mill Hill Plantation
West End Farm
ROSE HILL
THE BARKERY
Muff Hill
Village Farm
Spring Mill Farm
SNECK GATE
NEWBY LANE
Antelope Lodge
Broom Hill
TS9
HOWE HILL BANK

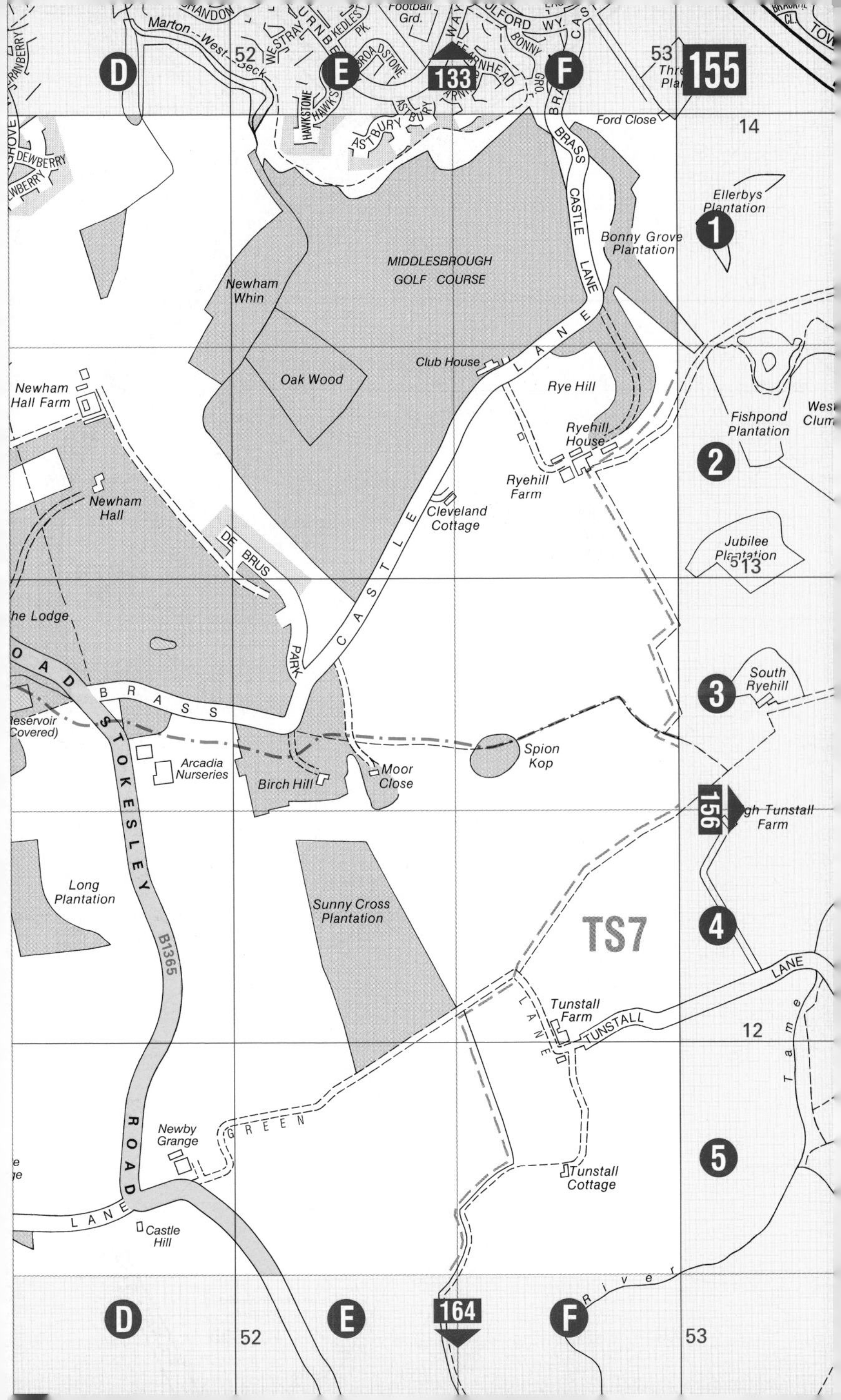
D
E
F
52
53
133
155
14
13
12
1
2
3
4
5
156
164
TS7
Marton-West-Beck
SHANDON
WESTRAY
KEDLEST PK.
BROADSTONE
HAWKSTONE
HAWKS
ASTBURY
FEARNHEAD
BONNY GRO.
ULFORD WY.
Football Grd.
DEWBERRY
Ford Close
BRASS CASTLE LANE
Ellerbys Plantation
Bonny Grove Plantation
MIDDLESBROUGH GOLF COURSE
Newham Whin
Oak Wood
Club House
Rye Hill
Ryehill House
Ryehill Farm
Fishpond Plantation
Newham Hall Farm
Newham Hall
Cleveland Cottage
Jubilee Plantation
DE BRUS PARK
The Lodge
BRASS
South Ryehill
Reservoir (Covered)
Spion Kop
Arcadia Nurseries
Birch Hill
Moor Close
High Tunstall Farm
STOKESLEY ROAD
B1365
Long Plantation
Sunny Cross Plantation
Tunstall Farm
TUNSTALL LANE
LANE
GREEN
Newby Grange
Tunstall Cottage
Castle Hill
River Tame

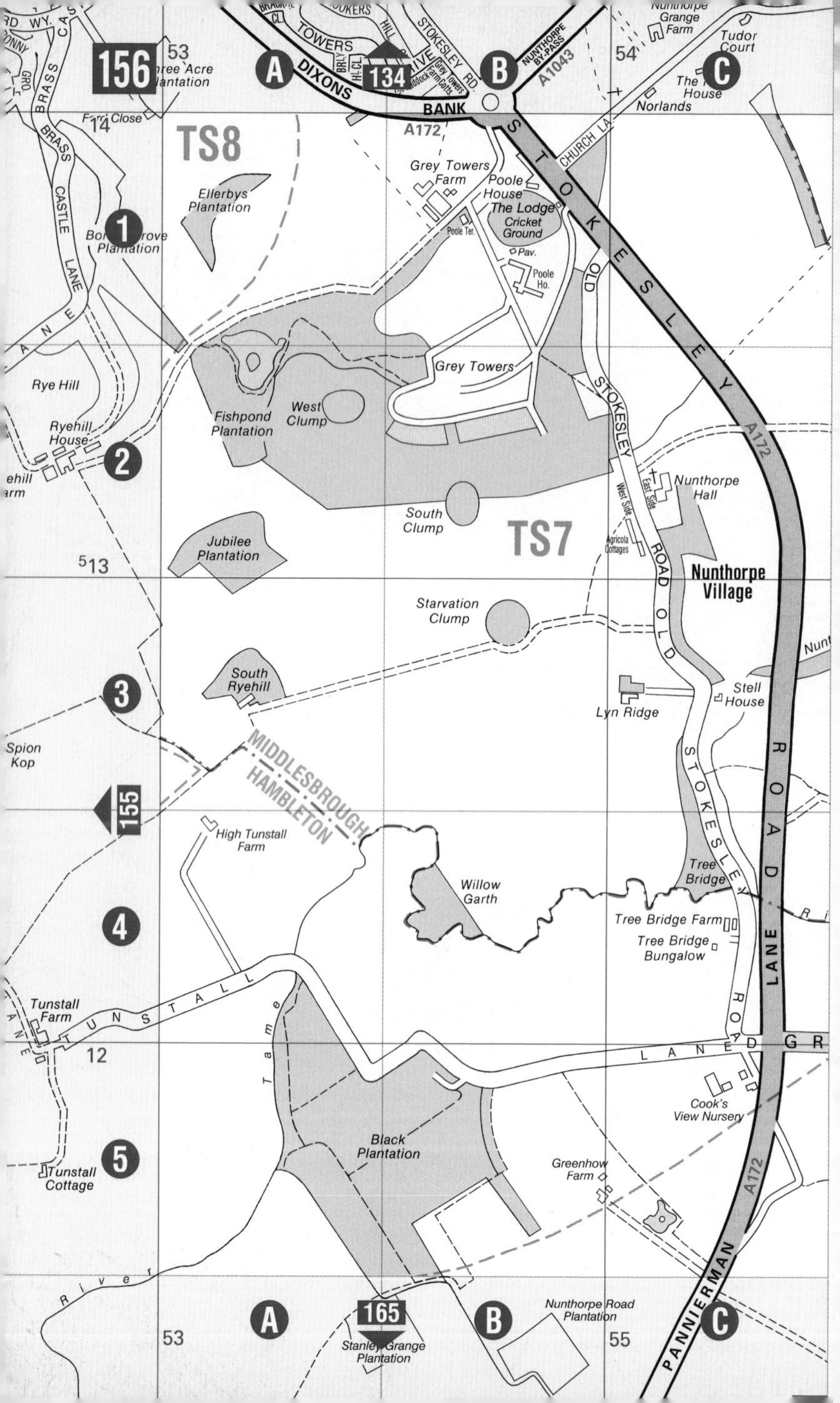
156
134
155
165
A
B
C
1
2
3
4
5
53
54
55
14
13
12
TS8
TS7
DIXONS
BANK
A172
A1043
NUNTHORPE BY-PASS
STOKESLEY RD.
TOWERS
Nunthorpe Grange Farm
Tudor Court
The House
Norlands
CHURCH LA.
Three Acre Plantation
Fern Close
Ellerbys Plantation
Grey Towers Farm
Poole House
The Lodge
Cricket Ground
Poole Ter.
Pav.
Poole Ho.
STOKESLEY
Borrowgrove Plantation
BRASS CASTLE LANE
Rye Hill
Ryehill House
Fishpond Plantation
West Clump
Grey Towers
OLD STOKESLEY ROAD
Nunthorpe Hall
East Side
West Side
Agricola Cottages
South Clump
Jubilee Plantation
Nunthorpe Village
Starvation Clump
South Ryehill
Stell House
Lyn Ridge
Spion Kop
MIDDLESBROUGH
HAMBLETON
High Tunstall Farm
Willow Garth
Tree Bridge
Tree Bridge Farm
Tree Bridge Bungalow
Tunstall Farm
TUNSTALL LANE
Tame
ROAD LANE
Cook's View Nursery
Black Plantation
Greenhow Farm
Tunstall Cottage
River
Nunthorpe Road Plantation
Stanley Grange Plantation
PANNIERMAN

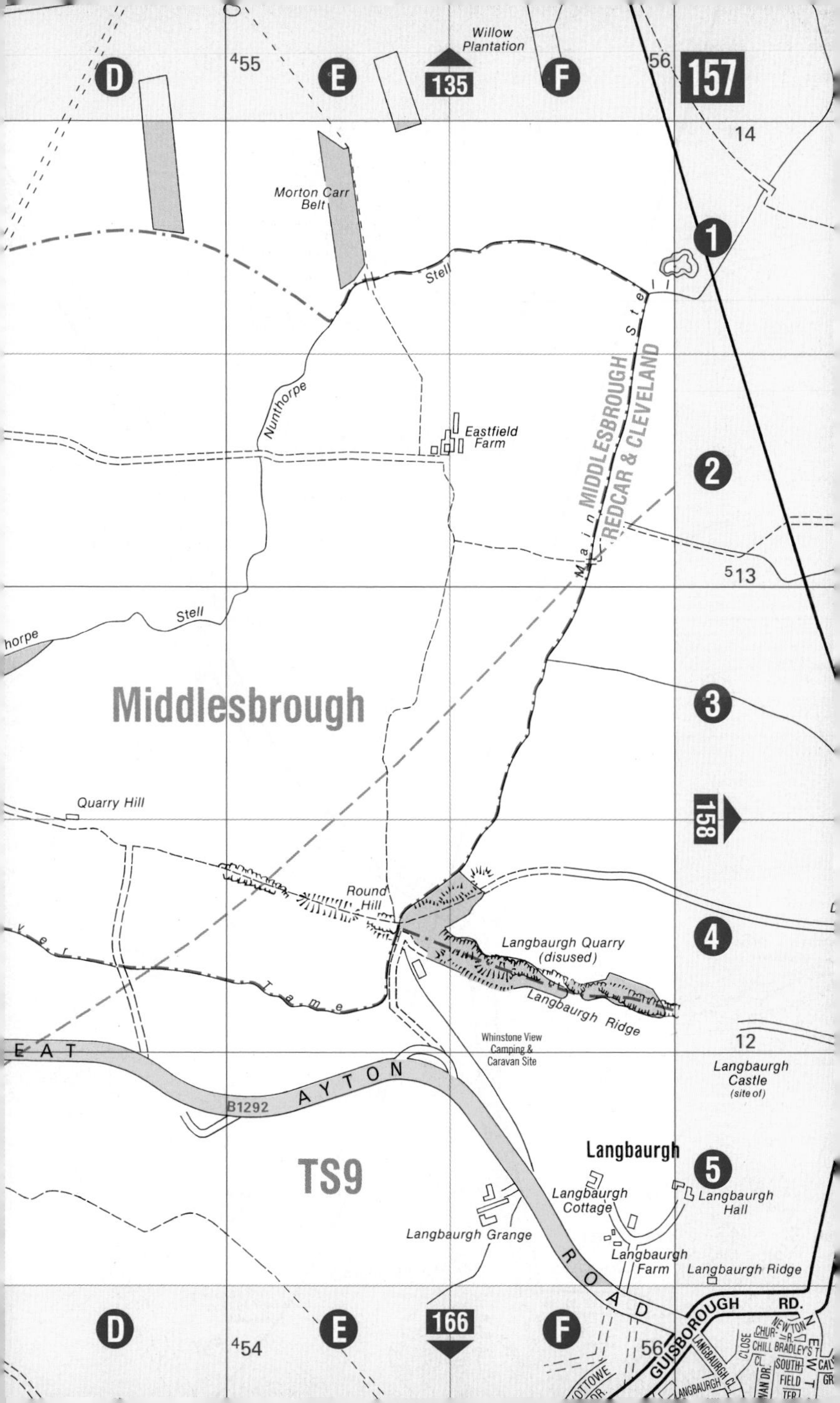
157
135
158
166
D
E
F
1
2
3
4
5
455
454
56
14
513
12
Willow Plantation
Morton Carr Belt
Stell
Nunthorpe
Main Stell
Eastfield Farm
MIDDLESBROUGH
REDCAR & CLEVELAND
Middlesbrough
horpe
Quarry Hill
Round Hill
Langbaurgh Quarry (disused)
Langbaurgh Ridge
River Tame
Whinstone View Camping & Caravan Site
Langbaurgh Castle (site of)
EAT AYTON ROAD
B1292
TS9
Langbaurgh
Langbaurgh Cottage
Langbaurgh Hall
Langbaurgh Grange
Langbaurgh Farm
Langbaurgh Ridge
GUISBOROUGH RD.
LANGBAURGH CL.
CHURCHILL CL.
BRADLEY'S T.
NEWTON R.
SOUTHFIELD TER.
CLOSE

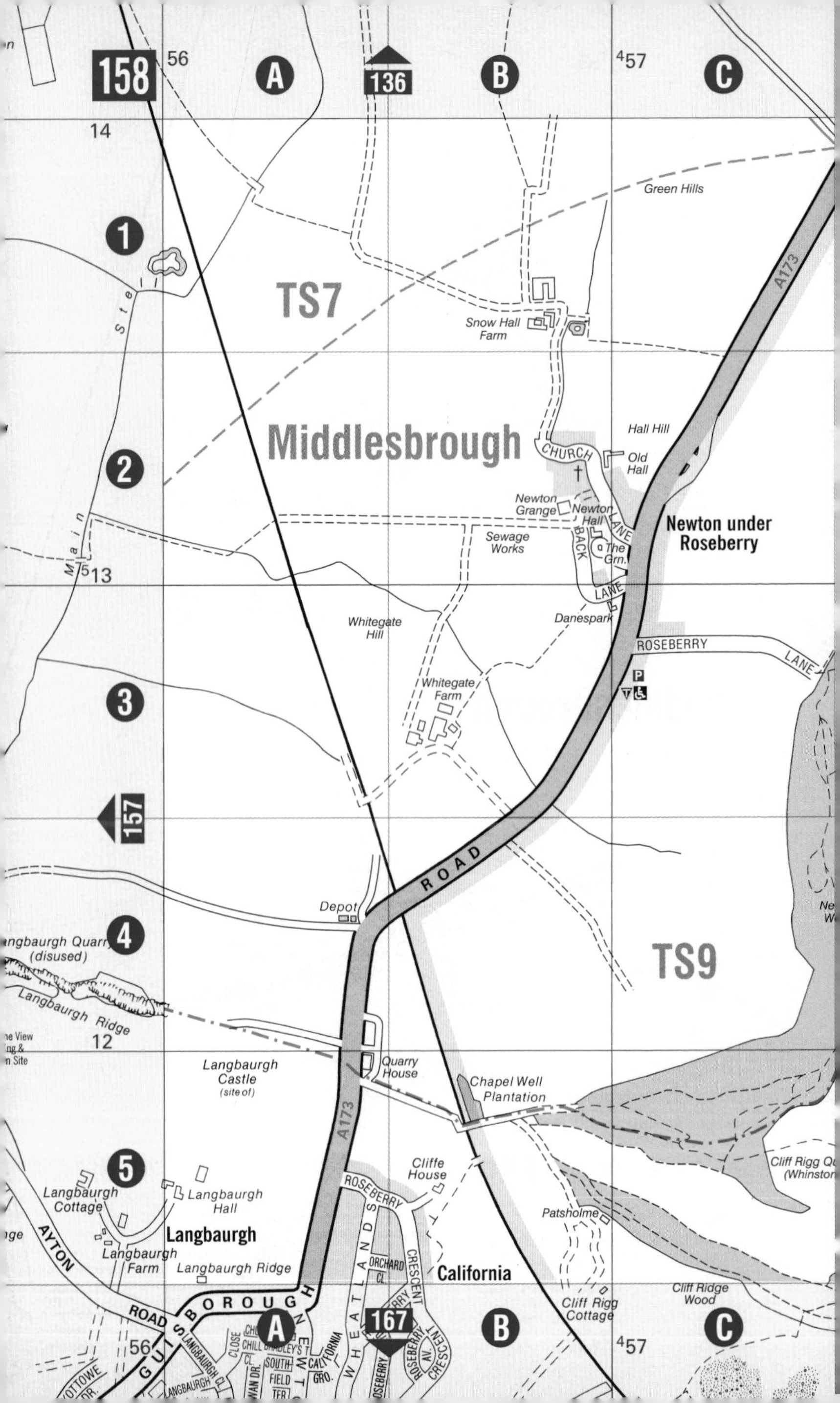

56
A
136
B
457
C
14
1
TS7
Green Hills
A173
Snow Hall Farm
Main St
2
Middlesbrough
CHURCH
Hall Hill
Old Hall
Newton Grange
Newton Hall
LANE
BACK
The Grn.
Sewage Works
Newton under Roseberry
513
LANE
Danespark
Whitegate Hill
ROSEBERRY
LANE
3
Whitegate Farm
157
ROAD
Depot
4
Langbaugh Quarry (disused)
TS9
Langbaugh Ridge
12
Langbaugh Castle (site of)
Quarry House
Chapel Well Plantation
A173
Cliffe House
5
Cliff Rigg Quarry (Whinstone)
ROSEBERRY
Langbaugh Cottage
Langbaugh Hall
Patsholme
AYTON
Langbaugh
Langbaugh Farm
Langbaugh Ridge
ORCHARD CL.
California
CRESCENT
Cliff Ridge Wood
Cliff Rigg Cottage
ROAD
GUISBOROUGH
A
167
B
C
56
457

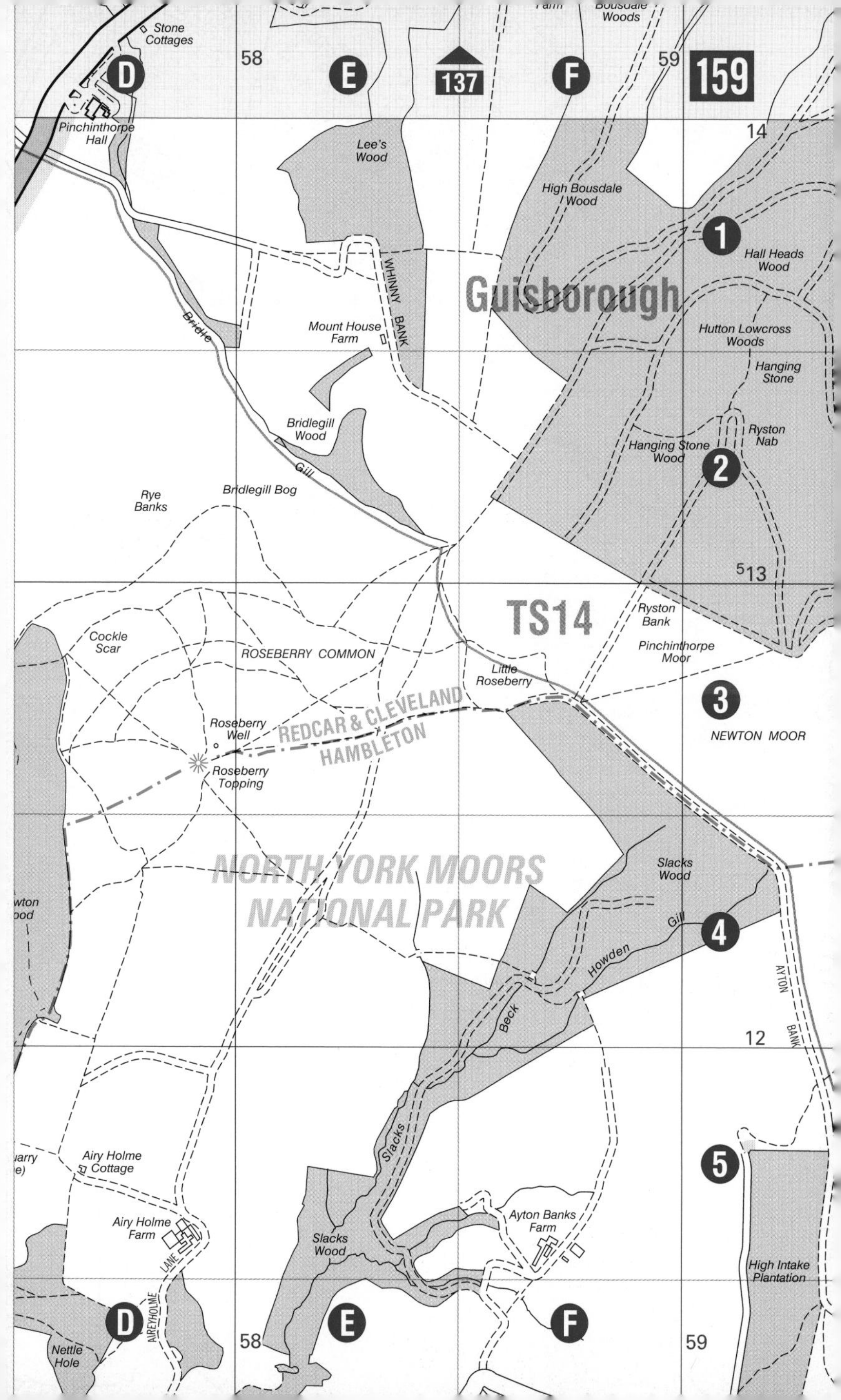
159
137
Stone Cottages
Pinchinthorpe Hall
Lee's Wood
High Bousdale Wood
Bousdale Woods
Hall Heads Wood
Guisborough
Hutton Lowcross Woods
Hanging Stone
Ryston Nab
Hanging Stone Wood
WHINNY BANK
Mount House Farm
Bridle
Gill
Bridlegill Wood
Bridlegill Bog
Rye Banks
TS14
Ryston Bank
Pinchinthorpe Moor
Cockle Scar
ROSEBERRY COMMON
Little Roseberry
NEWTON MOOR
Roseberry Well
Roseberry Topping
REDCAR & CLEVELAND
HAMBLETON
NORTH YORK MOORS NATIONAL PARK
Slacks Wood
Howden Gill
Beck
AYTON BANK
Slacks
Airy Holme Cottage
Airy Holme Farm
AIREYHOLME LANE
Ayton Banks Farm
Slacks Wood
High Intake Plantation
Nettle Hole
58
59
14
13
12
D
E
F
1
2
3
4
5

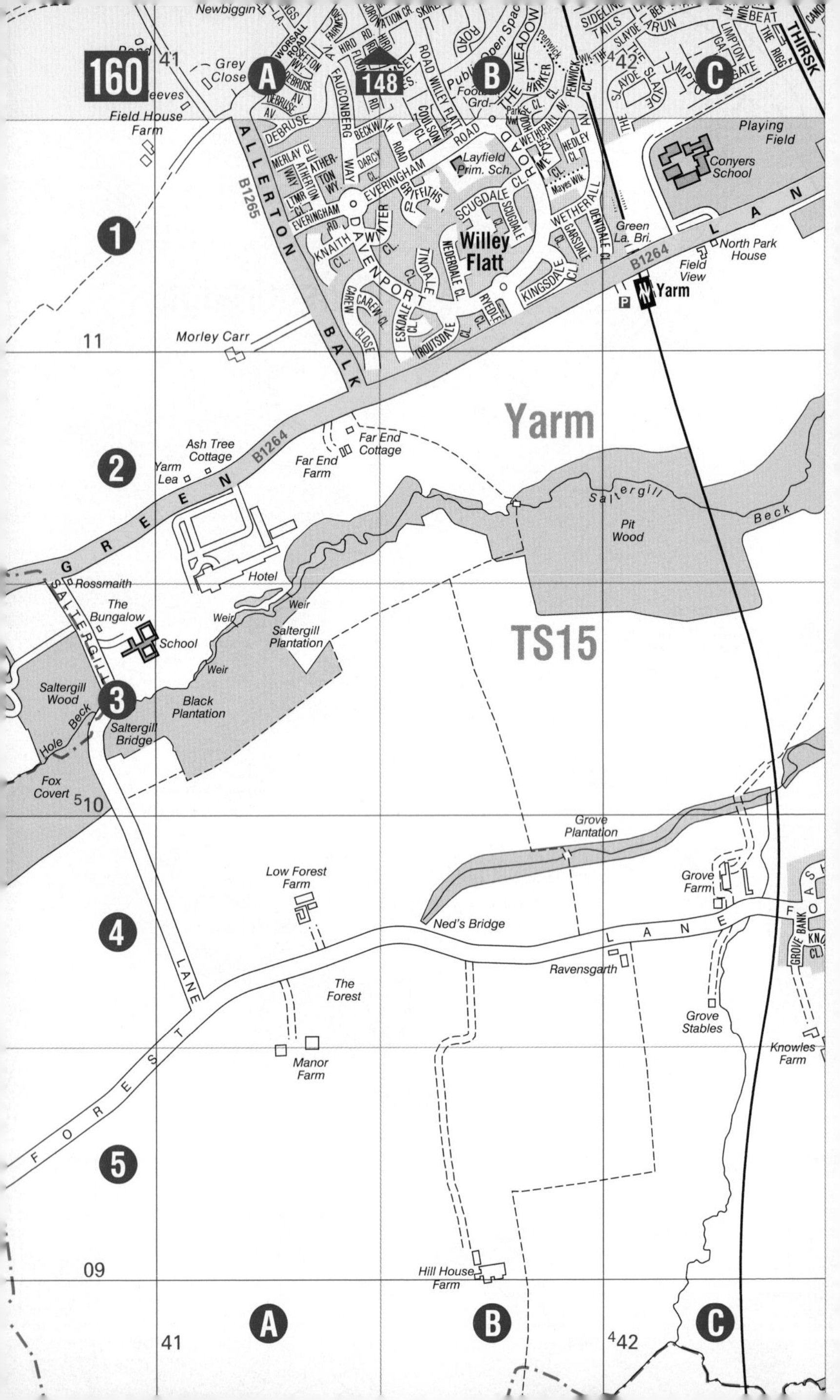
148
A
B
C
1
2
3
4
5
41
42
11
10
09
Newbiggin
Grey Close
Field House Farm
Allerton Balk
B1265
Everingham Road
Layfield Prim. Sch.
Willey Flatt
Davenport
Public Open Space
Football Grd.
The Meadow
Penwick
Playing Field
Conyers School
Thirsk
Green Lane
B1264
Green La. Bri.
North Park House
Field View
Yarm
Morley Carr
Yarm
Ash Tree Cottage
Yarm Lea
Far End Farm
Far End Cottage
Saltergill Beck
Pit Wood
Hotel
Rossmaith
The Bungalow
School
Weir
Saltergill Plantation
TS15
Saltergill Wood
Hole Beck
Saltergill Bridge
Black Plantation
Fox Covert
Grove Plantation
Low Forest Farm
Ned's Bridge
Grove Farm
Forest Lane
Ravensgarth
The Forest
Manor Farm
Grove Stables
Knowles Farm
Grove Bank
Hill House Farm

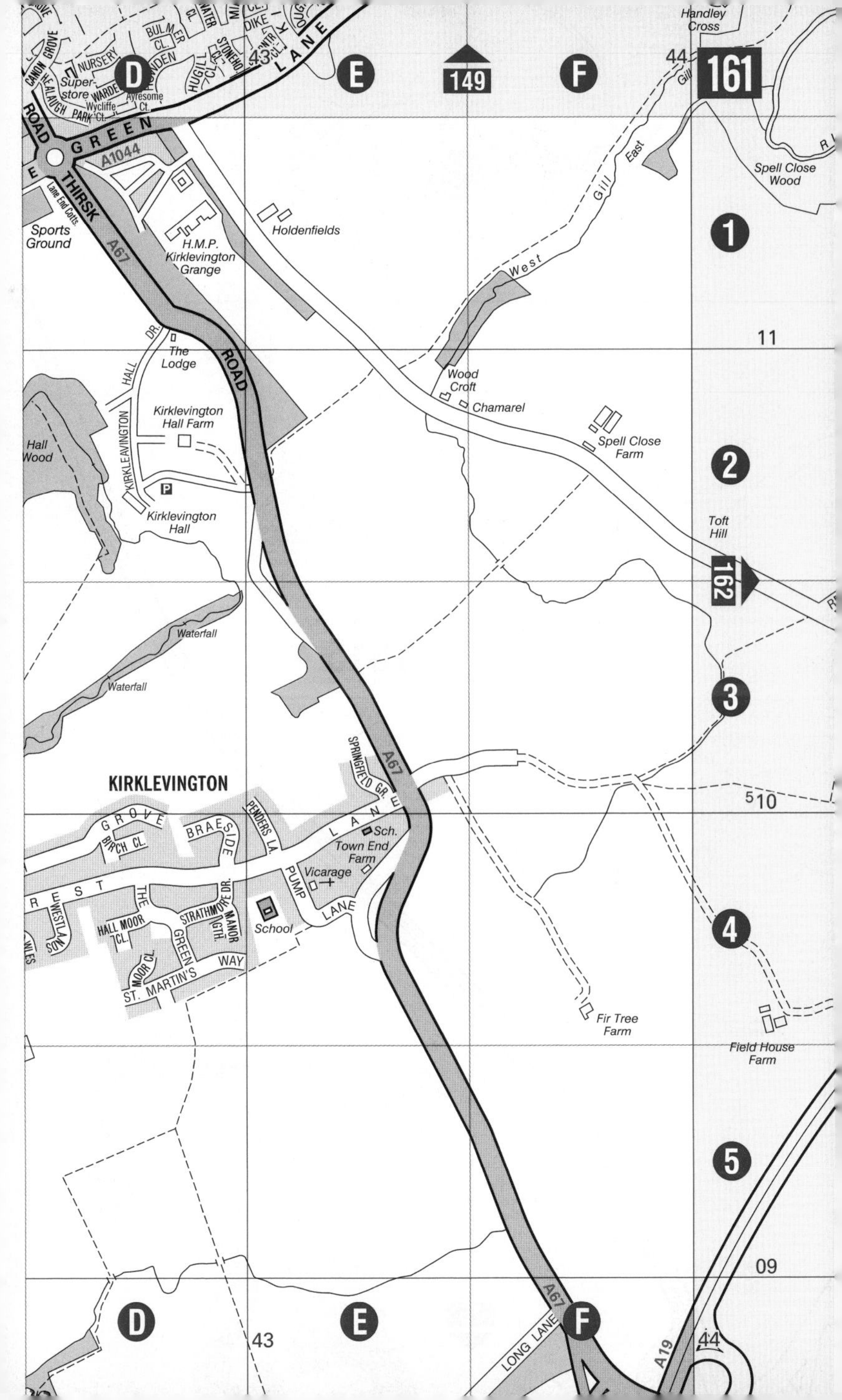

161
149
162
D
E
F
1
2
3
4
5
11
510
09
43
44
KIRKLEVINGTON
Handley Cross
Spell Close Wood
Holdenfields
H.M.P. Kirklevington Grange
Sports Ground
Lane End Cotts.
THIRSK ROAD
A67
A1044
GREEN
LANE
ROAD
West Gill East
Gill
The Lodge
Wood Croft
Chamarel
Spell Close Farm
Kirklevington Hall Farm
Hall Wood
KIRKLEAVINGTON HALL DR.
Kirklevington Hall
Toft Hill
Waterfall
Waterfall
SPRINGFIELD GR.
LANE
GROVE
BIRCH CL.
BRAESIDE
PENDERS LA.
Sch.
Town End Farm
Vicarage
PUMP LANE
School
HALL MOOR CL.
STRATHMORE DR.
MANOR GTH.
GREEN
WESTLAND
MOOR CL.
ST. MARTIN'S WAY
Fir Tree Farm
Field House Farm
LONG LANE
A19
Super-store
NURSERY
CANON GROVE
HEALAUGH PARK
WARDEN
Wycliffe Ct.
Ayresome Ct.
BULMER CL.
HUGILL CL.
DIKE

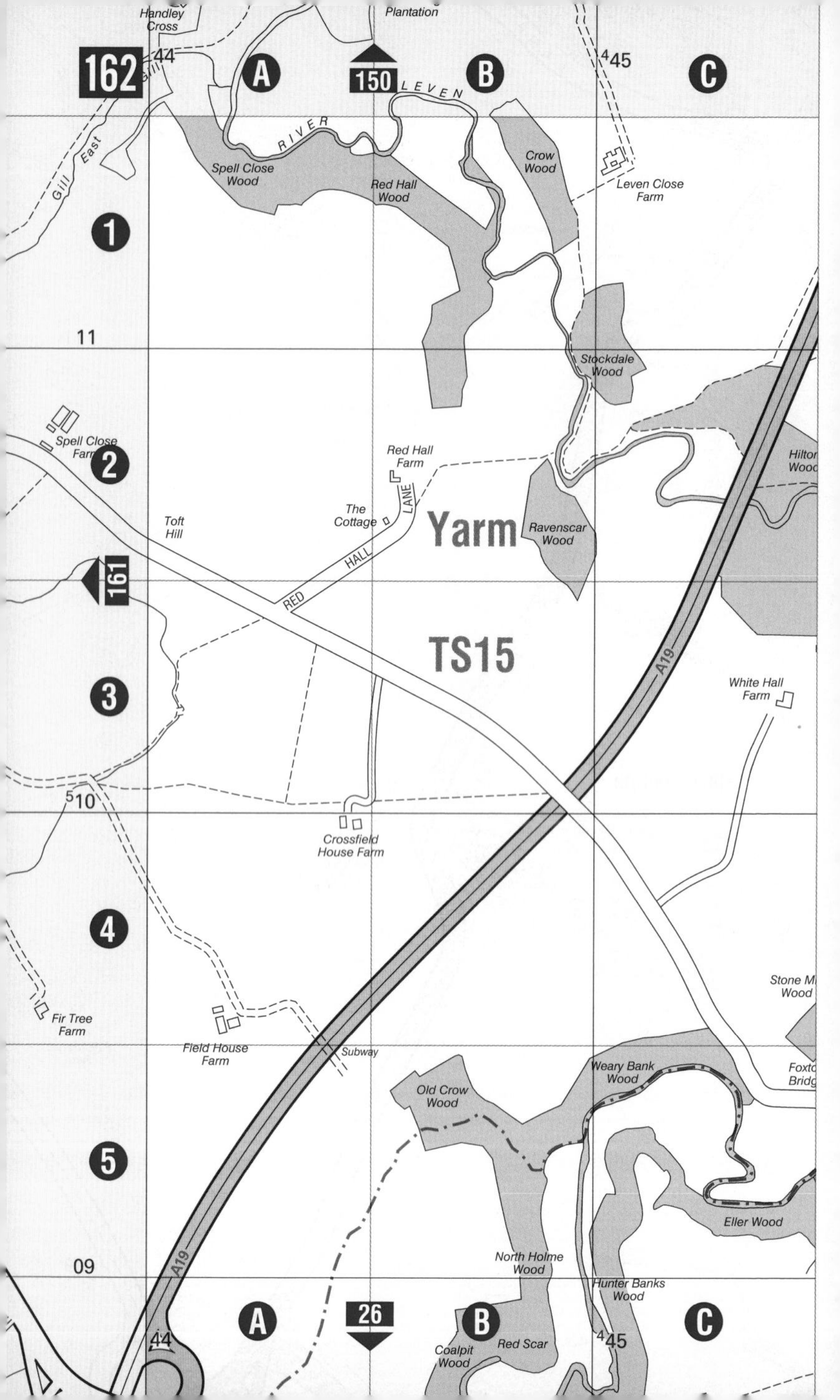

162

44

A

150 LEVEN

B

445

C

Plantation

Handley
Cross

East Gill

RIVER

1

Spell Close
Wood

Red Hall
Wood

Crow
Wood

Leven Close
Farm

11

Stockdale
Wood

Spell Close
Farm

2

Red Hall
Farm

Hilton
Wood

Toft
Hill

The
Cottage

RED HALL LANE

Yarm

Ravenscar
Wood

161

RED HALL

TS15

White Hall
Farm

3

510

Crossfield
House Farm

4

Stone M
Wood

Fir Tree
Farm

Field House
Farm

Subway

Weary Bank
Wood

Foxt
Brid

A19

Old Crow
Wood

5

Eller Wood

09

North Holme
Wood

Hunter Banks
Wood

A

44

26

B

Coalpit
Wood

Red Scar

445

C

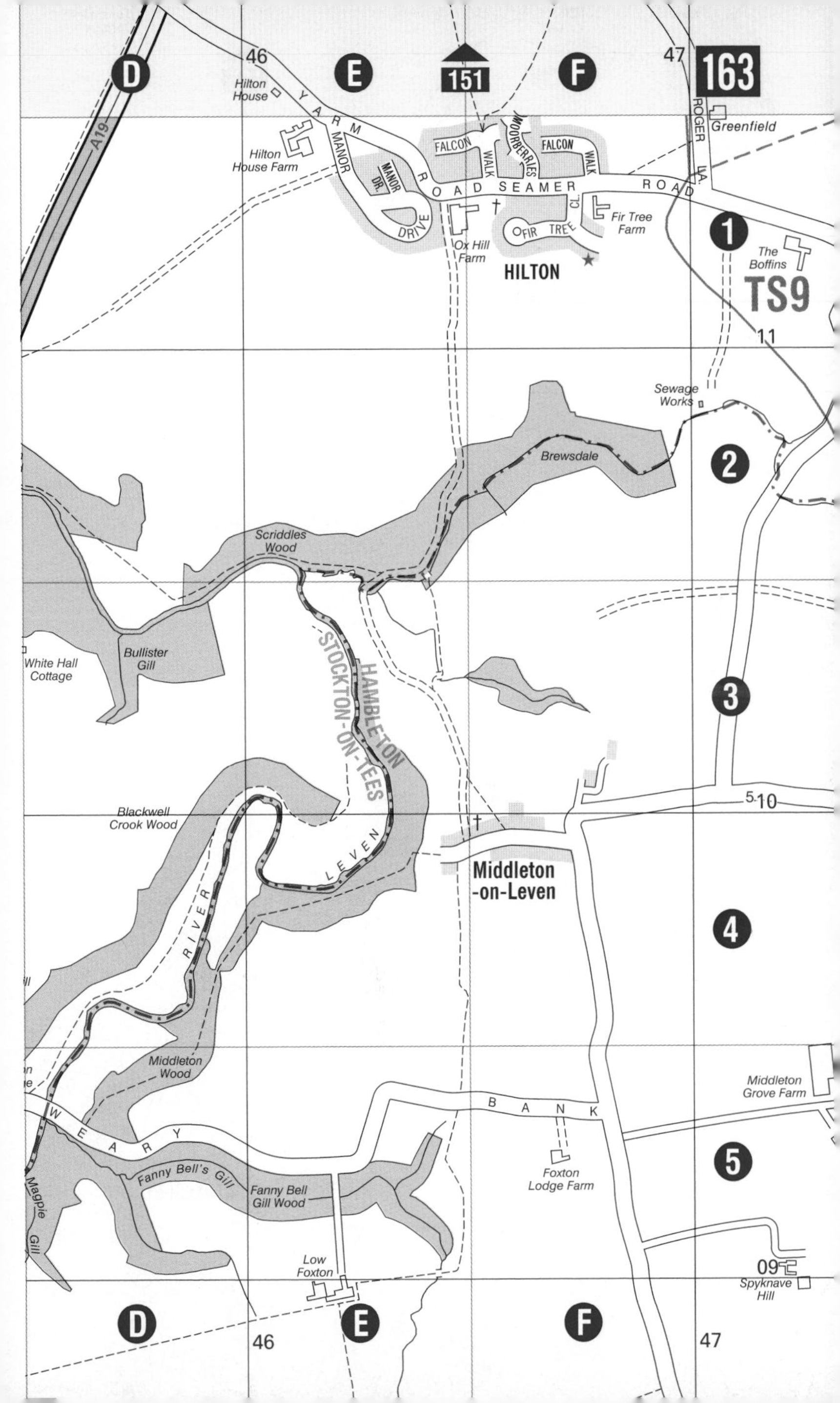

D
E
151
F
46
47
Hilton House
YARM MANOR
Hilton House Farm
MANOR DR.
DRIVE
FALCON
WALK
MOORBERRIES
FALCON
WALK
ROAD SEAMER ROAD
ROGER LA.
Greenfield
Ox Hill Farm
FIR TREE
CL.
Fir Tree Farm
HILTON
1
The Boffins
TS9
11
Sewage Works
2
Brewsdale
Scriddles Wood
White Hall Cottage
Bullister Gill
STOCKTON-ON-TEES
HAMBLETON
3
Blackwell Crook Wood
LEVEN
RIVER
Middleton -on-Leven
10
4
Middleton Wood
WEARY BANK
Middleton Grove Farm
5
Fanny Bell's Gill
Fanny Bell Gill Wood
Foxton Lodge Farm
Magpie Gill
Low Foxton
09
Spyknave Hill
D
E
F
46
47

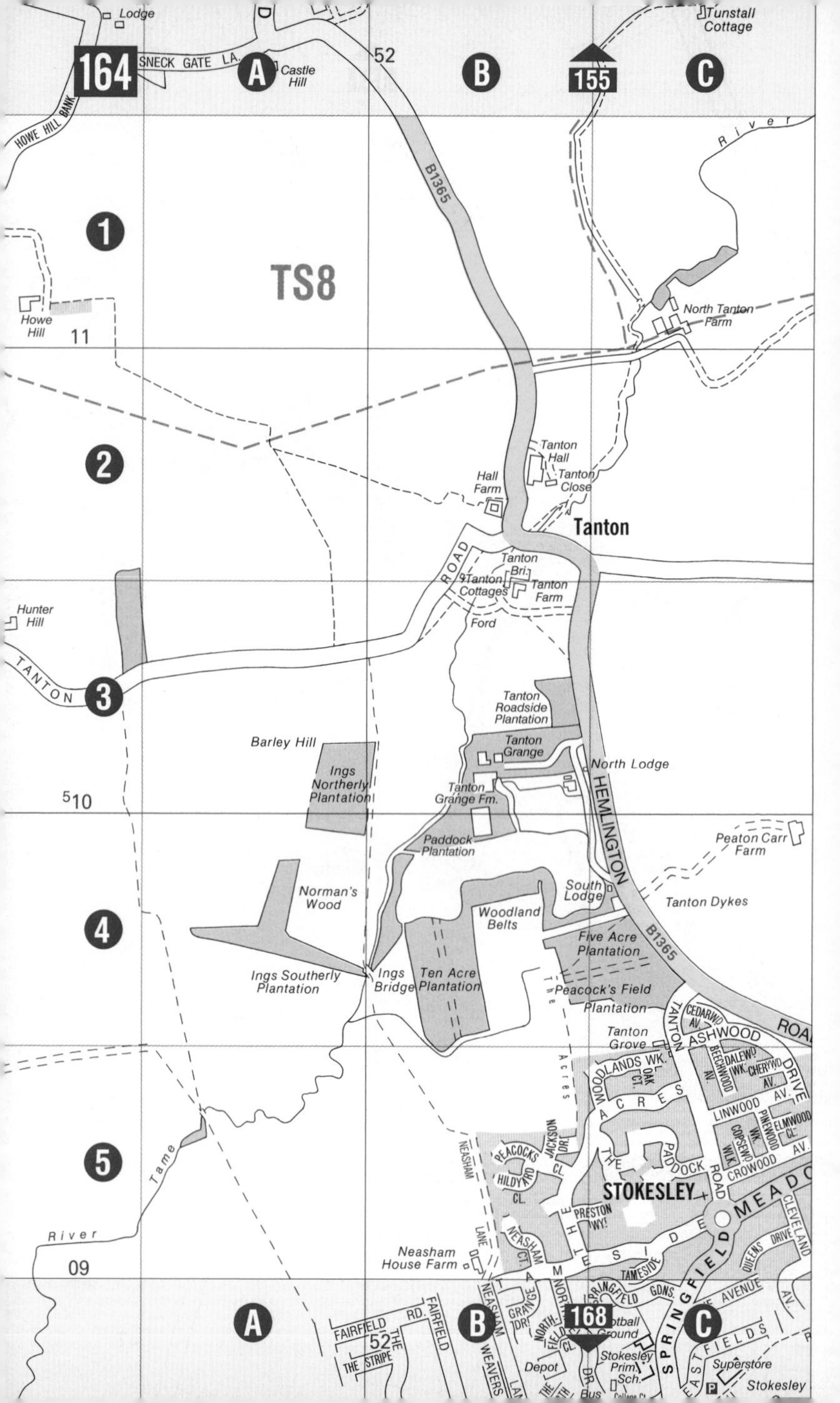

164

SNECK GATE LA.

A Castle Hill

52

B

155

C

Lodge

Tunstall Cottage

HOWE HILL BANK

B1365

River

1

TS8

North Tanton Farm

Howe Hill

11

2

Tanton Hall

Tanton Close

Hall Farm

Tanton

Road

Tanton Bri.

Tanton Cottages

Tanton Farm

Ford

Hunter Hill

TANTON

3

Tanton Roadside Plantation

Barley Hill

Ings Northerly Plantation

Tanton Grange

North Lodge

HEMLINGTON

⁵10

Tanton Grange Fm.

Paddock Plantation

Peaton Carr Farm

4

Norman's Wood

Woodland Belts

South Lodge

Tanton Dykes

Five Acre Plantation

B1365

Ings Southerly Plantation

Ings Bridge

Ten Acre Plantation

Peacock's Field Plantation

Tanton Grove

TANTON

ROAD

ASHWOOD

CEDARWD. AV.

BEECHWD.

DALEWD. WK.

CHERYWD. AV.

DRIVE

WOODLANDS WK.

OAK CT.

LINWOOD

ELMWOOD AV.

ASHES

PINEWD. WK.

COPSEWD. WK.

JACKSON

CL.

NEASHAM

PEACOCKS CL.

HILDYKO.

CL.

THE

ACRES

CROWOOD

PADDOCK

ROAD

CLEVELAND

5

Tame

River

09

NEASHAM

Neasham House Farm

PRESTON WY.

STOKESLEY

THESIDE

PRESTON WY.

TAMESIDE

SPRINGFIELD

GDNS.

MEADOW

QUEENS DRIVE

CLEVELAND AV.

A

FAIRFIELD RD.

52

THE STRIPE

FAIRFIELD

B

GRANT DR.

NORTH FIELD

Football Ground

168

SPRINGFIELD

Depot

Stokesley Prim. Sch.

Bus

EAST FIELDS

AVENUE

C

Superstore

P

Stokesley

WEAVERS

NEASHAM LANE

THE

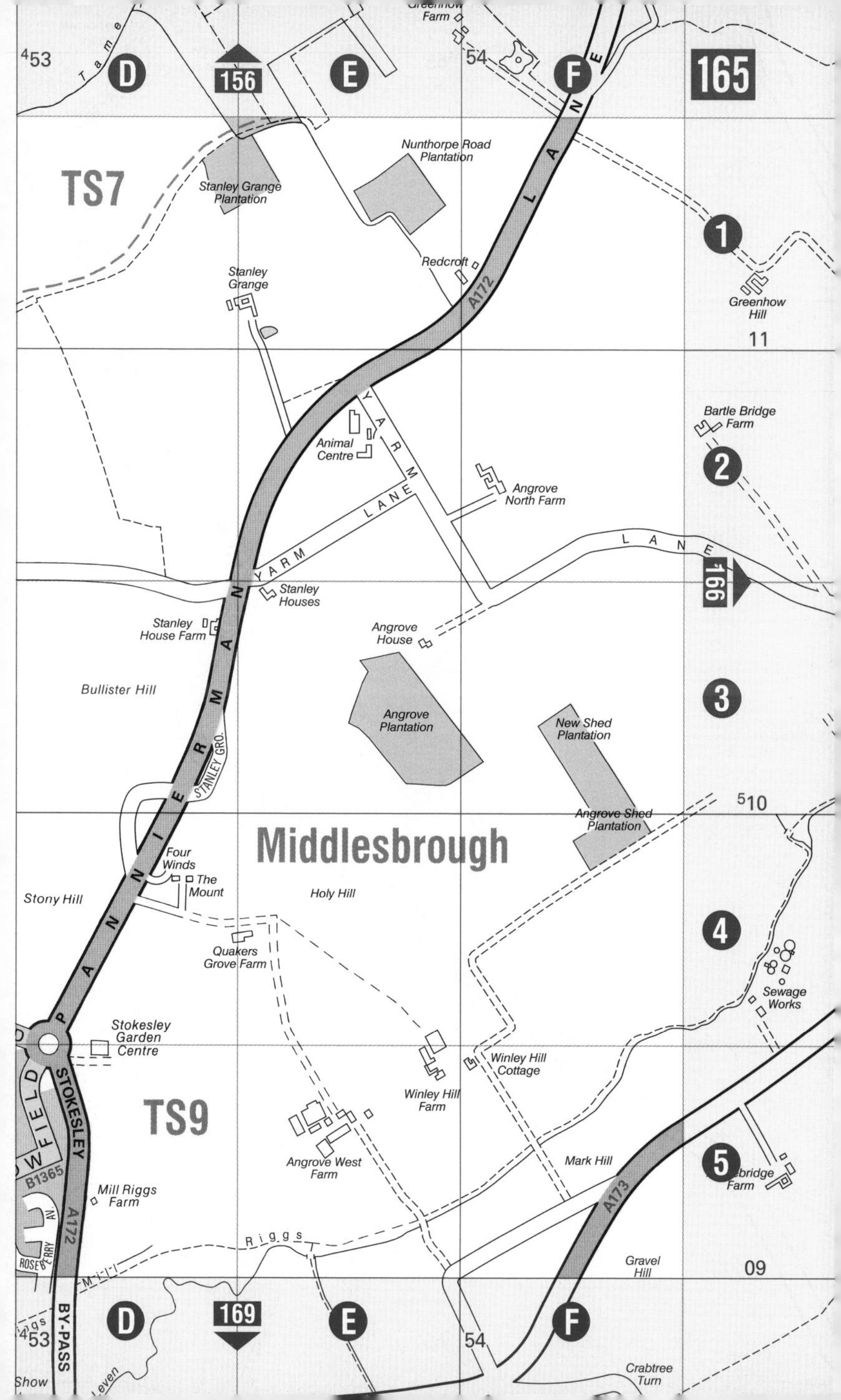

Greenhow Farm
453
D
156
E
54
F
165
Tame
TS7
Stanley Grange Plantation
Nunthorpe Road Plantation
LANE
1
Redcroft
Stanley Grange
A172
Greenhow Hill
11
Bartle Bridge Farm
YARM
Animal Centre
2
Angrove North Farm
LANE
YARM
LANE
166
Stanley Houses
Stanley House Farm
Angrove House
Bullister Hill
3
Angrove Plantation
New Shed Plantation
STANLEY GRO.
PANNIERMAN
510
Angrove Shed Plantation
Middlesbrough
Four Winds
The Mount
Stony Hill
Holy Hill
4
Quakers Grove Farm
Sewage Works
Stokesley Garden Centre
Winley Hill Cottage
STOKESLEY
TS9
Winley Hill Farm
Angrove West Farm
Mark Hill
5
B1365
Mill Riggs Farm
A173
A172
Riggs
Gravel Hill
09
ROSEBERRY
BY-PASS
D
169
E
54
F
453
Leven
Show
Crabtree Turn

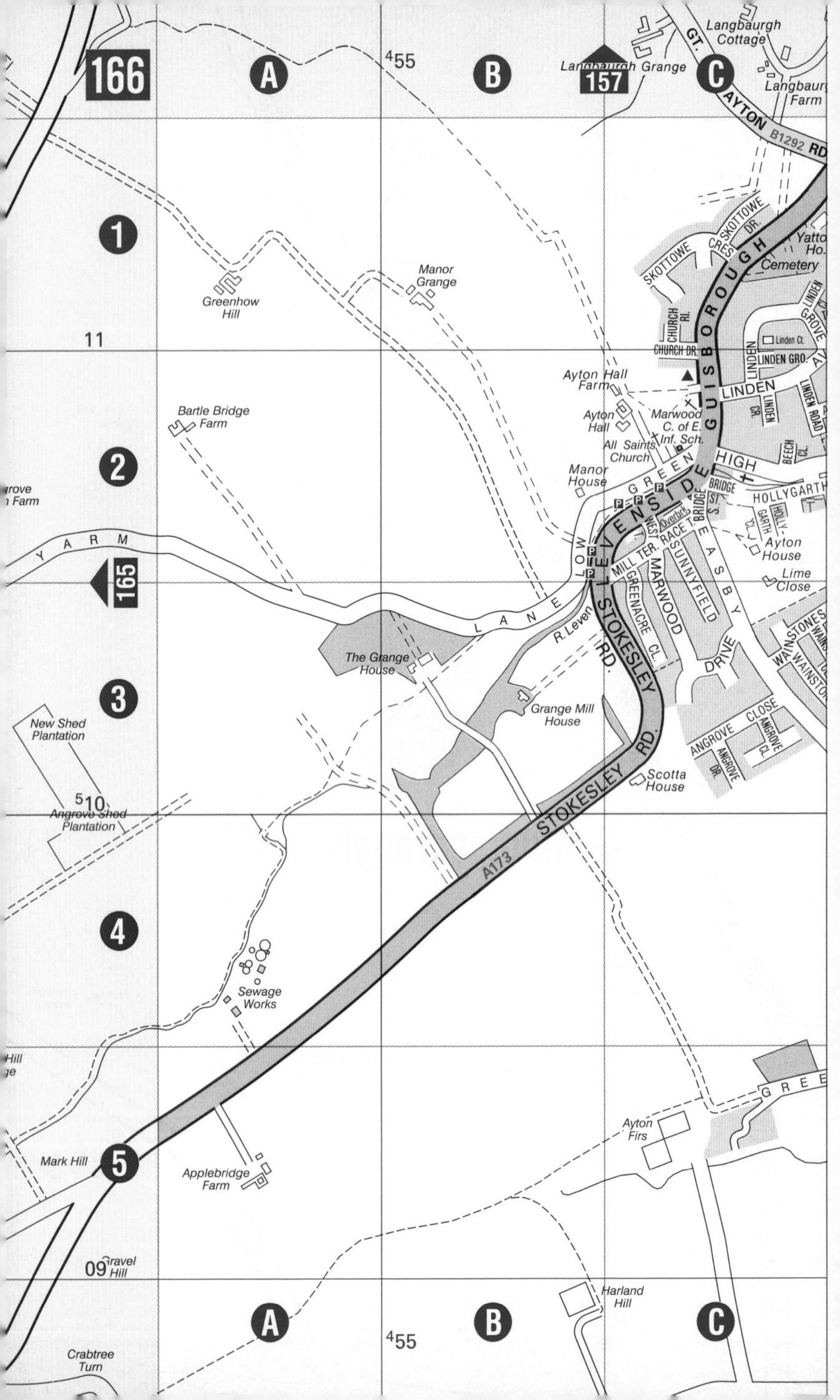

166

A   ⁴55   **B**   **C**

Langbaurgh Cottage

Langbaurgh Grange

157

Langbaurgh Farm

GT. AYTON RD

B1292 RD

1

Greenhow Hill

Manor Grange

SKOTTOWE DR.

SKOTTOWE CRES.

SKOTTOWE RD.

GUISBOROUGH

Yatto Ho.

Cemetery

LINDEN GRO.

Linden Ct.

LINDEN

GROVE

INGER ROAD

BEECH

11

CHURCH DR.

CHURCH RD.

Ayton Hall Farm

LINDEN

LINDEN DR.

2

Bartle Bridge Farm

Ayton Hall

All Saints Church

Marwood C. of E. Inf. Sch.

HIGH

GREEN

HOLLYGARTH

HOLLY GARTH

Ayton House

grove Farm

Manor House

LEVENSIDE

BRIDGE ST.

Lime Close

165

YARM

LOW LANE

R. Leven

MILL TER

PEASBY

RACE TER

BROOK ST.

Overton

GREENACRE CL.

SUNNYFIELD

WINSTONES

WAINST

STOKESLEY RD.

3

The Grange House

Grange Mill House

MARWOOD DRIVE

ANGROVE CLOSE

ANGROVE DR.

ANGROVE CL.

New Shed Plantation

⁵10

Angrove Shed Plantation

Scotta House

4

Sewage Works

A173

STOKESLEY RD.

Hill

5

Mark Hill

Applebridge Farm

Ayton Firs

GREE

09 Gravel Hill

Crabtree Turn

A   ⁴55   **B**   Harland Hill   **C**

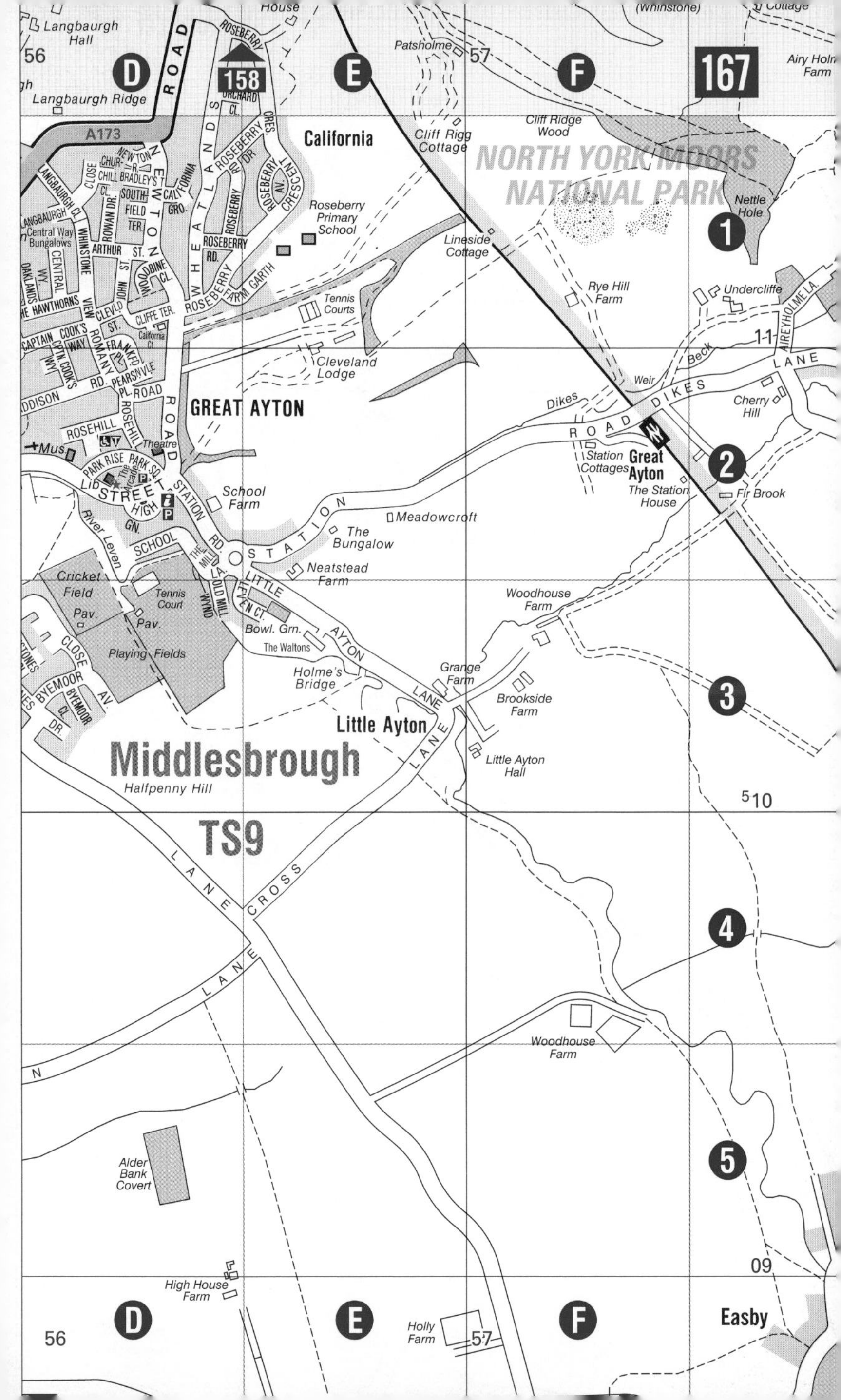

56 D   E   57   F

Langbaurgh
Hall

Langbaurgh Ridge

A173

ROAD

ROSEBERRY

158

ORCHARD

Patsholme

California

Cliff Rigg
Cottage

Cliff Ridge
Wood

Airy Holme
Farm

**NORTH YORK MOORS
NATIONAL PARK**

NEW TON
CHILL BRADLEY'S
SOUTH FIELD TER.
ROWAN DR.
Central Way
Bungalows
CENTRAL
OAKLANDS
THE HAWTHORNS
CAPTAIN
COOK'S WAY
ADDISON
ROSEHILL
ROSEHILL

ROSEBERRY
CRES
CAL FORNIA
GRO.
ROSEBERRY
CRESCENT
ROSEBERRY
AV.
ROSEBERRY DR.
ROSEBERRY RD.
FARM GARTH
California
ter.

Roseberry
Primary
School

Nettle
Hole

1

Lineside
Cottage

Rye Hill
Farm

Undercliffe

AIREYHOLME LA.

11

Beck

WHITBY
WHEATLANDS

WHINSTONE
NORTH
CLEVE
LAND
ST.
ARTHUR ST.
FRANKRD.
PEARSVILLE RD.
ROAD
CLIFFE TER.
California

Tennis
Courts

Cleveland
Lodge

Weir

Dikes

ROAD   DIKES

Cherry
Hill

ROMAN
ROAD

GREAT AYTON

Mus

Theatre

PARK RISE PARK ST.
Lib

HIGH STREET

River Leven

SCHOOL

STATION RD.

School
Farm

Meadowcroft

The
Bungalow

Neatstead
Farm

Station
Cottages

DIKES

**Great
Ayton**

The Station
House

Fir Brook

2

Cricket
Field
Pav.

Playing Fields

Tennis
Court

Pav.

THE GILL
OLD WIND

LITTLE

FN CT.

Bowl. Grn.

The Waltons

AYTON

LANE

Woodhouse
Farm

3

BYEMOOR
CLOSE
BYEMOOR
AV.
BYEMOOR
DR.

Holme's
Bridge

Little Ayton

Grange
Farm

Brookside
Farm

Little Ayton
Hall

5 10

Middlesbrough

Halfpenny Hill

TS9

CROSS

LANE

LANE

4

Woodhouse
Farm

Alder
Bank
Covert

5

09

High House
Farm

Holly
Farm

Easby

56 D   E   57   F

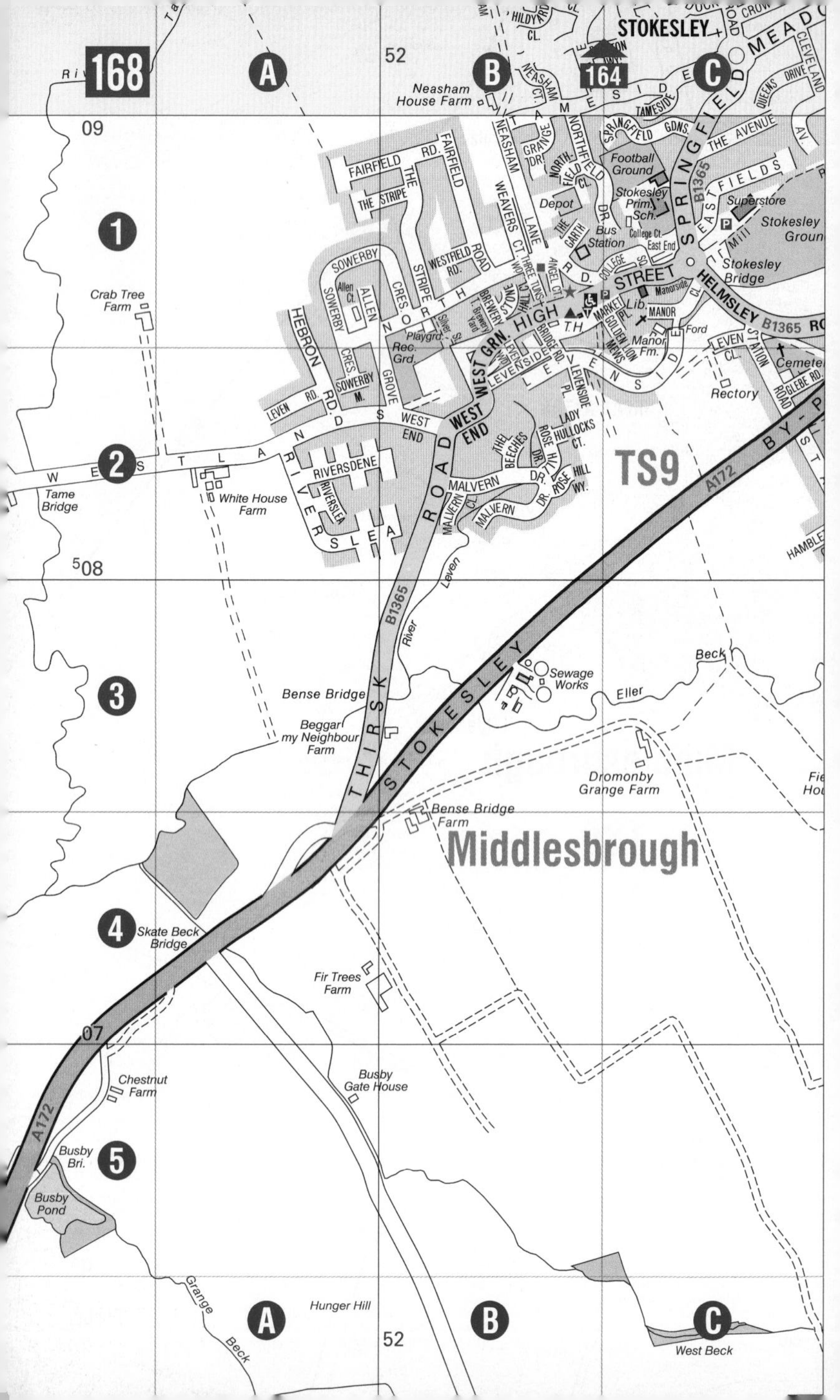

STOKESLEY
164
TS9
Middlesbrough
WEST LANE
THIRSK ROAD
STOKESLEY BY-PASS
A172
B1365
HIGH STREET
HELMSLEY ROAD
SPRINGFIELD
NORTH ROAD
TAMESIDE
LEVENSIDE
WEST GRN.
WEST END
RIVERSLEA
Neasham House Farm
Crab Tree Farm
White House Farm
Tame Bridge
Bense Bridge
Beggar my Neighbour Farm
Sewage Works
Eller Beck
Dromonby Grange Farm
Bense Bridge Farm
Skate Beck Bridge
Fir Trees Farm
Chestnut Farm
Busby Gate House
Busby Bri.
Busby Pond
Grange Beck
Hunger Hill
West Beck
Football Ground
Stokesley Prim. Sch.
Superstore
Stokesley Bridge
Bus Station
Depot
Rectory
Manor Fm.
River Leven

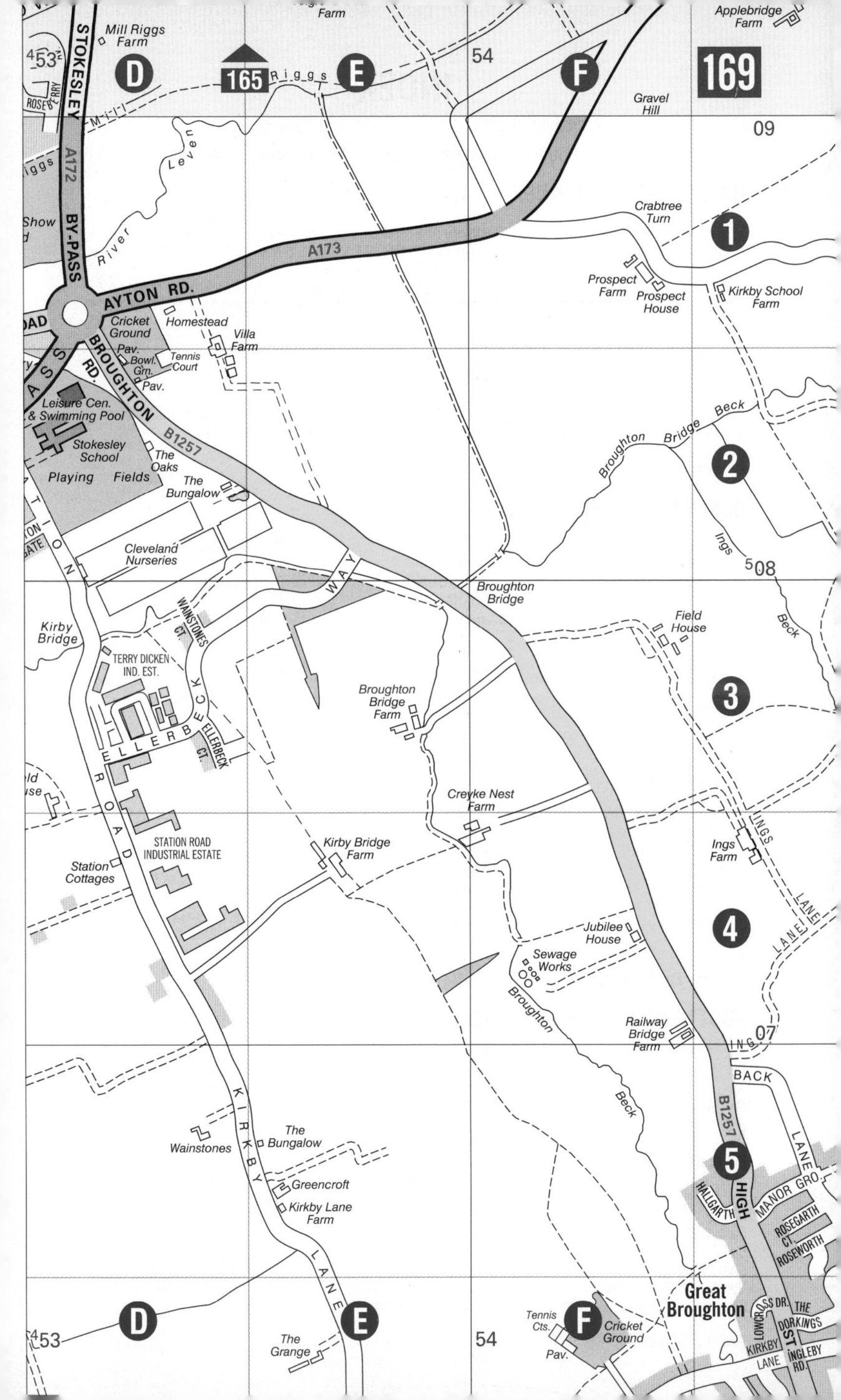

Mill Riggs Farm
Farm
Applebridge Farm
D
E
F
165
Riggs
54
Gravel Hill
09
STOKESLEY
BY-PASS
A172
River Leven
Show
Crabtree Turn
1
A173
AYTON RD.
Prospect Farm
Prospect House
Kirkby School Farm
Cricket Ground
Homestead
Villa Farm
Pav.
Bowl. Grn.
Tennis Court
BROUGHTON RD.
Leisure Cen. & Swimming Pool
Stokesley School
Playing Fields
The Oaks
B1257
The Bungalow
Broughton Bridge Beck
2
Ings
Cleveland Nurseries
WAY
508
Broughton Bridge
Kirby Bridge
WAINSTONES CT.
TERRY DICKEN IND. EST.
ELLERBECK
ELLERBECK CT.
Field House
Beck
3
Broughton Bridge Farm
ROAD
Creyke Nest Farm
STATION ROAD INDUSTRIAL ESTATE
Station Cottages
Kirby Bridge Farm
INGS
Ings Farm
LANE
4
Jubilee House
Sewage Works
Broughton
Railway Bridge Farm
ING
07
BACK
B1257
Beck
KIRKBY
Wainstones
The Bungalow
Greencroft
Kirkby Lane Farm
5
LANE
HALLGARTH
HIGH
MANOR GRO.
ROSEGARTH CT.
ROSEWORTH
Great Broughton
LOWCROSS DR.
THE DORKINGS
ST.
KIRKBY LANE
INGLEBY RD.
Tennis Cts.
Cricket Ground
Pav.
The Grange
D
E
F
453
54

INDEX

Including Streets, Places & Areas, Industrial Estates,
Selected Subsidiary Addresses and Selected Places of Interest.

HOW TO USE THIS INDEX

1. Each street name is followed by its Posttown or Postal Locality and then by its map reference;
   e.g. Abbey Ct. *Norm* —1D **105** is in the Normanby Postal Locality and is to be found in square 1D on
   page **105**. The page number being shown in bold type.
   A strict alphabetical order is followed in which Av., Rd., St., etc. (though abbreviated) are read in full
   and as part of the street name; e.g. Abbeyfield Dri. appears after Abbey Ct. but before Abbey St.

2. Streets and a selection of Subsidiary names not shown on the Maps, appear in the index in *Italics* with
   the thoroughfare to which it is connected shown in brackets;
   e.g. *Admiral Ho. H'pl* —3D **15** (off Admiral Way).

3. Places and areas are shown in the index in **bold type**, the map refrence to the actual map square in
   which the town or area is located and not to the place name; e.g. **Acklam. —4C 100**

4. An example of a selected place of interest is **Acklam Pk. —4C 100**

GENERAL ABBREVIATIONS

All : Alley	Est : Estate	Pde : Parade
App : Approach	Fld : Field	Pk : Park
Arc : Arcade	Gdns : Gardens	Pas : Passage
Av : Avenue	Gth : Garth	Pl : Place
Bk : Back	Ga : Gate	Quad : Quadrant
Boulevd : Boulevard	Gt : Great	Res : Residential
Bri : Bridge	Grn : Green	Ri : Rise
B'way : Broadway	Gro : Grove	Rd : Road
Bldgs : Buildings	Ho : House	Shop : Shopping
Bus : Business	Ind : Industrial	S : South
Cvn : Caravan	Info : Information	Sq : Square
Cen : Centre	Junct : Junction	Sta : Station
Chu : Church	La : Lane	St : Street
Chyd : Churchyard	Lit : Little	Ter : Terrace
Circ : Circle	Lwr : Lower	Trad : Trading
Cir : Circus	Mc : Mac	Up : Upper
Clo : Close	Mnr : Manor	Va : Vale
Comn : Common	Mans : Mansions	Vw : View
Cotts : Cottages	Mkt : Market	Vs : Villas
Ct : Court	Mdw : Meadow	Vis : Visitors
Cres : Crescent	M : Mews	Wlk : Walk
Cft : Croft	Mt : Mount	W : West
Dri : Drive	Mus : Museum	Yd : Yard
E : East	N : North	
Embkmt : Embankment	Pal : Palace	

POSTTOWN AND POSTAL LOCALITY ABBREVIATIONS

Ack : Acklam	*Dal P* : Dalton Piercy	*Great* : Greatham (Billingham)
Bel P : Belasis Hall	*Dorm* : Dormanstown	*G'ham* : Greatham (Hartlepool)
Technology Pk.	*Duns* : Dunsdale	*Guis* : Guisborough
Bill : Billingham	*Eagle* : Eaglescliffe	*Hart* : Hart
B Col : Blackhall Colliery	*E'tn* : Easington	*H'pl* : Hartlepool
B'bck : Boosbeck	*Egg* : Egglescliffe	*Hart V* : Hart Village
Brier : Brierton	*Elt* : Elton	*H'lnd* : Headland, The
Brot : Brotton	*Elw* : Elwick	*Hem* : Hemlington
Car F : Cargo Fleet	*Est* : Eston	*H Lev* : High Leven
C How : Carlin How	*Face* : Faceby	*Hilt* : Hilton
Carl : Carlton	*F'fld* : Fairfield	*Hind* : Hinderwell
Cas E : Castle Eden	*Fish* : Fishburn	*Ing B* : Ingleby Barwick
Char : Charltons	*G'twn* : Grangetown	*Kirk B* : Kirkleatham Bus. Pk.
Cou N : Coulby Newham	*Gt Ay* : Great Ayton	*K'ton* : Kirklevington
Cow I : Cowpen Lane Ind. Est.	*Gt Br* : Great Broughton	*Laz* : Lazenby

Posttown and Postal Locality Abbreviations

Ling : Lingdale
Lint : Linthorpe
Liver : Liverton
Loft : Loftus
Long N : Long Newton
Malt : Maltby
Mar S : Marske-by-the-Sea
Mar C : Marton-in-Cleveland
M'brgh : Middlesbrough
M Row : Middleton One Row
M Lev : Middleton-on-Leven
M Geo : Middleton St George
M'hlm : Moorsholm
Newby : Newby
New M : New Marske
Norm : Normanby
N Orm : North Ormesby
N Tees : North Tees Ind. Est.
Nort : Norton

Nun : Nunthorpe
Orm : Ormesby
Port C : Port Clarence
Port M : Port Mulgrave
Pres B : Preston Farm Bus. Pk.
Pres I : Preston Farm Ind. Est.
Red : Redcar
R'shll : Redmarshall
Riv I : Riverside Park Ind. Est.
Runs : Runswick
Salt S : Saltburn-by-the-Sea
Seal S : Seal Sands
Seam : Seamer
Sea C : Seaton Carew
S'fld : Sedgefield
Skel C : Skelton-in-Cleveland
Skin : Skinningrove
Skip I : Skippers Lane Ind. Est.
S Bnk : South Bank

S'tn : Stainton
Stait : Staithes
Stil : Stillington
Sto T : Stockton-on-Tees
Stok : Stokesley
Tees : Teesside Ind. Est.
Tees A : Teesside International
                Airport
Thor : Thornaby
T'tn : Thornton
Thor T : Thorpe Thewles
Upl : Upleatham
Whi H : Whinney Hill
Wilt : Wilton
Wolv : Wolviston
Wyn : Wynyard
Yarm : Yarm
Year : Yearby

INDEX

Alfred St.—Ashbourne Lodge

Alfred St. *Red* —3D **49**
Alfriston Clo. *Ing B* —1B **150**
Alice Row. *Sto T* —1F **97**
Alice St. *Sto T* —5B **54**
Allen Ct. *Stok* —1A **168**
Allendale Cen. *Orm* —4A **104**
Allendale Ho. *Orm* —3B **104**
Allendale Rd. *Bill* —2C **54**
Allendale Rd. *Orm* —3A **104**
Allendale Rd. *Sto T* —4E **73**
Allendale St. *H'pl* —4E **21**
Allendale Tee. *New M* —2F **85**
Allen Gro. *Stok* —1A **168**
Allensway. *Thor* —1E **129**
Allerford Clo. *Ing B* —3A **150**
Allerston Way. *Guis* —5E **109**
Allerton Balk. *Yarm* —1A **160**
Allerton Clo. *H'pl* —1B **14**
Allerton Pk. *Nun* —4A **134**
Alliance St. *H'pl* —5F **9**
Alliance St. *Sto T* —2F **97**
Allington Dri. *Bill* —4D **39**
Allington Wlk. *Bill* —4D **39**
Allinson St. *M'brgh* —4C **78**
Allison Av. *Tees* —1D **151**
Allison Ho. *Thor* —1C **98**
Allison Pl. *H'pl* —5F **9**
Allison St. *Guis* —2D **139**
Allison St. *Sto T* —5A **74**
Alloa Gro. *H'pl* —3A **20**
Alloway Gro. *Hem* —4F **131**
Alma Cen. *Sto T* —4A **74**
Alma Pde. *Red* —3C **48**
Alma St. *H'pl* —3F **13**
 (Mulgrave Rd., in three parts)
Alma St. Sto T —3B **14**
 (off York Rd.)
Alma St. *Sto T* —4A **74**
Almond Ct. *M'brgh* —3F **101**
Almond Gro. *Mar S* —5C **66**
Almond Gro. *Sto T* —5C **72**
Alness Gro. *H'pl* —3A **20**
Alnmouth Dri. *Red* —3D **65**
Alnport Rd. *Sto T* —4C **74**
Alnwick Clo. *H'pl* —3C **6**
Alnwick Clo. *Red* —1F **65**
Alnwick Ct. *M'brgh* —2A **102**
Alnwick Gro. *Sto T* —4A **54**
Alnwick Ho. *M'brgh* —2B **102**
Alpha Gro. *Sto T* —2B **74**
Alphonsus St. *M'brgh* —4B **78**
Alpine Way. *Nort* —1F **73**
Alston Grn. *M'brgh* —5D **79**
Alston St. *H'pl* —5B **14**
Althorpe Clo. *M'brgh* —2F **103**
Althorp Rd. *Red* —4C **48**
Alton Rd. *M'brgh* —1B **100**
Alum Way. *Skel C* —3E **89**
Alva Gro. *H'pl* —3A **20**
Alverstone Av. *H'pl* —1B **20**
Alverton Clo. *M'brgh* —1F **103**
Alverton Grn. *M'brgh* —1F **103**
Alvingham Ter. *M'brgh* —2F **103**
Alvis Clo. *Bill* —1B **56**
Alvis Ct. *Bill* —1B **56**
Alwent Rd. *M'brgh* —3E **77**
Alwin Clo. *Ing B* —2B **150**
Alwinton Ct. *Orm* —4A **104**
Amberley Clo. *Sto T* —2C **96**

Amberley Grn. *M'brgh* —5D **79**
Amberley Way. *Eagle* —5A **126**
Amber St. *M'brgh* —4E **77**
Amber St. *Salt S* —3D **69**
Amberton Rd. *H'pl* —1B **14**
Amberwood Clo. *H'pl* —2C **6**
Amberwood Wlk. H'pl —2C **6**
 (off Amberwood Clo.)
Amble Clo. *H'pl* —3D **13**
Amble Ct. *H'pl* —5F **13**
Ambleside Av. *Red* —1C **64**
Ambleside Gro. *M'brgh* —4C **100**
Ambleside Rd. *Bill* —4E **55**
Ambleside Rd. *M'brgh* —2C **104**
Amble Vw. *Sto T* —1C **74**
Ambrose Rd. *M'brgh* —2E **105**
Amersham Rd. *M'brgh* —3D **103**
Amerston. *Wyn* —4B **26**
Amesbury Cres. *Hem* —4F **131**
Ammerston Rd. *M'brgh* —3D **77**
Ampleforth Av. *M'brgh* —1D **105**
Ampleforth Ct. *Skel C* —4D **89**
Ampleforth Rd. *Bill* —1E **55**
Ampleforth Rd. *M'brgh* —2C **102**
Amroth Grn. *M'brgh* —5D **79**
Anchorage M. *Thor* —1C **98**
Anchor Ct. *H'pl* —1F **15**
Anchor Ho. *H'pl* —3D **15**
Anchor Retail Pk. *H'pl* —2B **14**
Ancroft Dri. *Orm* —4A **104**
Ancroft Gdns. *Sto T* —1B **74**
Anderson Rd. *Thor* —2D **99**
Anderson St. *Thor* —3D **99**
Andover Way. *Hem* —4E **131**
Andrew Pl. *H'pl* —4C **14**
Andrew St. *H'pl* —4C **14**
Angel Ct. *Stok* —1B **168**
Angle Ct. *M'brgh* —5A **78**
Anglesey Av. *M'brgh* —3E **103**
Anglesey Gro. *H'pl* —5E **7**
Anglesey Wlk. Guis —3D **139**
 (off Hutton La.)
Angle St. *M'brgh* —4A **78**
Angling Grn. *Skin* —2A **92**
Angrove Clo. *Gt Ay* —3C **166**
Angrove Clo. *Yarm* —4E **149**
Angrove Dri. *Gt Ay* —3C **166**
Angus St. *H'pl* —3A **14**
Anlaby Clo. *Bill* —2E **39**
Annandale Cres. *H'pl* —3F **7**
Annan Rd. *Bill* —3E **39**
Ann Crooks Way. *H'pl* —5F **9**
Anne St. *M'brgh* —4C **76**
Annfield Clo. *Bill* —4D **39**
Annigate Clo. *Wyn* —2E **37**
Annigate (Samsung)
 Roundabout. *Wyn* —1F **37**
Ann St. *S Bnk* —2A **80**
Ansdale Rd. *M'brgh* —5A **80**
Anson Ho. *Thor* —1D **129**
Anstey Ho. *Sto T* —5A **54**
Antrim Av. *Sto T* —4A **72**
Appleby Av. *M'brgh* —5D **79**
Appleby Clo. *New M* —2F **85**
Appleby Gro. *H'pl* —1B **14**
Appleby Ho. *Thor* —1D **129**
Appleby Rd. *Bill* —5E **39**
Applegarth. *Cou N* —1B **154**
Applegarth, The. *Guis* —1F **139**

Apple Orchard Bank. *Mar S &*
 Skel C —4E **87**
Appleton Rd. *M'brgh* —3B **100**
Appleton Rd. *Sto T* —3F **73**
Appletree Gdns. *Orm* —4B **104**
Applewood Clo. *H'pl* —2B **6**
Appley Clo. *Eagle* —1D **127**
Apsley St. *M'brgh* —5F **77**
Arabella Clo. *H'pl* —5E **9**
Arabella St. *H'pl* —5E **9**
Arbroath Gro. *H'pl* —3F **19**
Arcade, The. *Gt Ay* —2D **167**
Arch Ct. *H'pl* —5C **8**
Archer Clo. *M'brgh* —4A **102**
Archer Rd. *M Row* —4A **144**
Archer St. *H'pl* —3C **14**
Archer St. *Thor* —2C **98**
Archibald St. *M'brgh* —5C **76**
Arden Clo. *Guis* —4D **139**
Arden Ct. *Red* —2B **64**
Arden Gro. *Sto T* —1B **96**
Ardrossan Ct. *H'pl* —3A **20**
Ardrossan Rd. *H'pl* —3A **20**
Arening Ct. *Ing B* —5F **127**
Argory, The. *Ing B* —1B **150**
Argyle Rd. *G'twn* —2D **81**
Argyll Ct. *Nort* —1A **74**
Argyll Rd. *H'pl* —3A **20**
Argyll Rd. *Mar C* —3C **132**
Argyll Rd. *Nort* —1F **73**
Arisaig Clo. *Eagle* —1C **148**
Arkendale. *Hem* —5D **131**
Arken Ter. *Sto T* —2B **74**
Arkgrove Ho. *H'pl* —2D **15**
Arkgrove Ind. Est. *Sto T* —3D **75**
Arkley Cres. *H'pl* —4A **8**
Ark Royal Clo. *H'pl* —3D **21**
Arlington Ct. *Sto T* —2F **97**
Arlington Rd. *M'brgh* —3E **101**
Arlington St. *Loft* —5C **92**
Arlington St. *Sto T* —2F **97**
 (in two parts)
Armadale. *Red* —3E **65**
Armadale Clo. *Sto T* —4F **71**
Armadale Gro. *H'pl* —3F **19**
Armitage Rd. *Red* —2E **63**
Arncliffe Av. *Sto T* —3F **97**
Arncliffe Gdns. *H'pl* —5A **14**
Arncliffe Rd. *M'brgh* —5B **76**
Arnold Gro. *H'pl* —2E **19**
Arnside Av. *M'brgh* —5D **79**
Arran Clo. *Thor* —2C **128**
Arrandale. *Hem* —1D **153**
Arran Gro. *H'pl* —3A **20**
Arran Wlk. *Guis* —3D **139**
Arrathorne Rd. *Sto T* —3A **96**
Arthur St. *Gt Ay* —1D **167**
Arthur St. *Red* —3B **48**
Arthur Ter. *New M* —1A **86**
Arundel Grn. *M'brgh* —5D **79**
Arundel Rd. *Bill* —5D **39**
Arundel Rd. *G'twn* —4E **81**
Arundel St. *Red* —3B **48**
Ascot Av. *M'brgh* —2B **100**
Ascot Dri. *Sto T* —3F **75**
Ascot Rd. *Red* —1D **65**
Ash Bank Rd. *Guis* —5D **139**
Ashbourne Clo. *M'brgh* —1F **105**
Ashbourne Lodge. *Bill* —4D **55**

Ashbourne Rd. *Sto T* —3A **74**
Ashbrooke Way. *M'brgh* —1B **100**
Ashburn St. *Sea C* —4E **21**
Ashburton Clo. *M'brgh* —2B **132**
Ashby Gro. *H'pl* —1E **31**
Ashby Rd. *Bill* —5D **39**
Ashcombe Clo. *Bill* —4A **38**
Ashdale. *Hem* —5D **131**
Ashdale Clo. *M Geo* —2C **144**
Ashdown Clo. *Thor* —2C **128**
Ashdown Way. *Bill* —4A **40**
Ashes, The. *Sea C* —5E **21**
Ashfield Av. *M'brgh* —2F **101**
Ashfield Clo. *G'ham* —3E **31**
Ashford Av. *M'brgh* —3A **100**
Ashford Clo. *Guis* —4D **139**
Ash Grn. *Cou N* —1B **154**
Ash Gro. *K'ton* —4C **160**
Ash Gro. *Loft* —5B **92**
Ash Gro. *M'brgh* —3B **80**
Ashgrove Av. *H'pl* —1B **20**
Ashgrove Pl. *H'pl* —1B **20**
Ash Hill. *Cou N* —5C **132**
Ashkirk Rd. *M'brgh* —1C **104**
Ashley Gdns. *H'pl* —1F **13**
Ashling Way. *M'brgh* —1C **100**
Ashridge Clo. *Ing B* —5C **128**
Ashridge Clo. *New M* —2F **85**
Ash Rd. *Guis* —1E **139**
Ashton Rd. *Sto T* —5E **53**
Ashvale Homes & Holiday Pk.
  H'pl —1B **6**
Ashville Av. *Eagle* —3C **126**
Ashville Av. *Sto T* —4F **53**
Ashwood Clo. *H'pl* —2C **6**
Ashwood Clo. *Orm* —4B **104**
Ashwood Dri. *Stok* —4C **164**
Askern Dri. *M'brgh* —5E **101**
Aske Rd. *M'brgh* —4E **77**
Aske Rd. *Red* —4D **49**
Askewdale. *Guis* —3A **138**
Askgrigg Wlk. *M'brgh* —2C **102**
Askham Clo. *M'brgh* —2F **101**
Askrigg Rd. *Sto T* —5D **73**
Askwith Rd. *M'brgh* —2D **101**
Aspen Dri. *M'brgh* —2F **101**
Aspen Rd. *Eagle* —1B **148**
Astbury. *Mar C* —1E **155**
Aster Clo. *Mar C* —2B **132**
Asterley Dri. *M'brgh* —4A **100**
Astley Clo. *Sto T* —5B **72**
Aston Av. *M'brgh* —4E **79**
Astonbury Grn. *M'brgh* —4B **102**
Aston Dri. *Thor* —2B **128**
Aston Rd. *Bill* —5B **38**
Atherstone Dri. *Guis* —3E **139**
Atherton Way. *Yarm* —1A **160**
Atholl Gro. *H'pl* —3A **20**
Atholl Gro. *Red* —5A **48**
Athol St. *M'brgh* —5E **77**
Atkinson Ind. Est. *H'pl* —5C **14**
Atlas Wynd. *Yarm* —3B **148**
Attingham Clo. *Hem* —4F **131**
Attlee Rd. *M'brgh* —4E **81**
Attlow Wlk. *M'brgh* —1F **103**
Atwater Clo. *Yarm* —5D **149**
Atwick Clo. *Bill* —2E **39**
Aubrey Ct. *Sto T* —1B **74**
Aubrey St. *M'brgh* —5F **77**

Auckland Av. *Mar C* —3E **133**
Auckland Rd. *Bill* —3A **40**
Auckland St. *Guis* —1E **139**
Auckland Way. *H'pl* —4C **12**
Auckland Way. *Sto T* —2B **96**
Audrey Gro. *Sto T* —2C **96**
Aurora Ct. *M'brgh* —1C **76**
Austen Clo. *Bill* —2D **39**
Austin Av. *Sto T* —2F **97**
Autumn Gro. *Sto T* —1C **96**
Avalon Ct. *Hem* —4F **131**
Avebury Clo. *Ing B* —1C **150**
Avens Way. *Ing B* —4B **128**
Avenue Pl. *Guis* —1F **139**
Avenue Rd. *H'pl* —3B **14**
  (in two parts)
Avenue, The. *Brot* —2C **90**
Avenue, The. *Eagle* —3C **126**
Avenue, The. *Guis* —3B **138**
Avenue, The. *M'brgh* —5D **101**
  (Cowley Rd.)
Avenue, The. *M'brgh* —2E **101**
  (Cumberland Rd.)
Avenue, The. *M'brgh* —5C **80**
  (Learning La.)
Avenue, The. *Nun* —3F **133**
Avenue, The. *Red* —4D **49**
Avenue, The. *Sto T* —5B **72**
  (in two parts)
Avenue, The. *Stok* —1C **168**
Avenue, The. *Thor* —3D **99**
Avenue, The. *M'brgh* —1B **36**
Aviemore Rd. *Hem* —4E **131**
Avill Gro. *Ing B* —3A **150**
Avoca Ct. *Red* —3B **48**
Avon Clo. *Salt S* —5C **68**
Avon Clo. *Skel C* —3D **89**
Avon Clo. *Thor* —5D **99**
Avon Ct. *Ling* —4E **113**
Avondale Clo. *M'brgh* —4E **81**
Avondale Gdns. *H'pl* —1A **14**
Avon Dri. *Guis* —3C **138**
Avon Gro. *Bill* —4A **38**
Avon Rd. *Nort* —1C **74**
Avon Rd. *Red* —1A **64**
Avon St. *Salt S* —4C **68**
Avro Clo. *Mar S* —4B **66**
Avro Clo. *Sto T* —5E **97**
Axbridge Ct. *Bill* —4D **39**
Axminster Rd. *Hem* —4F **131**
Axton Clo. *Thor* —3B **128**
Aycliffe Clo. *Sto T* —5A **72**
Aycliffe Rd. *Mar C* —3C **132**
Aylsham Clo. *Ing B* —1C **150**
Aylton Dri. *M'brgh* —3C **130**
Ayresome Ct. *Yarm* —5D **149**
Ayresome Grange Rd. *M'brgh*
  —5C **76**
Ayresome Grn. La. *M'brgh*
  (Heywood St.)   —5C **76**
Ayresome Grn. La. M'brgh
  (off West La.)   *—5C* **76**
Ayresome Pk. Rd. *M'brgh*
  —5D **77**
Ayresome Rd. *M'brgh* —4B **76**
Ayresome St. *M'brgh* —5C **76**
Ayr Gro. *H'pl* —3A **20**
Aysdale Ga. *Char* —4F **141**
Aysgarth. *Sto T* —3E **73**

Aysgarth Rd. *M'brgh* —2C **100**
Aysgarth Rd. *Sto T* —5D **73**
Ayton Bank. *Gt Ay* —4F **159**
Ayton Ct. *Guis* —1D **139**
Ayton Cres. *M'brgh* —2E **105**
Ayton Dri. *Red* —2B **64**
Ayton Pl. *Sto T* —3B **74**
Ayton Rd. *Stok* —1D **169**
Ayton Rd. *Thor* —5C **98**
Azalia Rd. *Sto T* —3A **74**

B

Bk. Amber St. *Salt S* —3D **69**
Bk. Garnet St. *Salt S* —3C **68**
Back La. *Egg* —2C **148**
Back La. *Gt Br* —2B **158**
  (Church La.)
Back La. *Gt Br* —5F **169**
  (Ings La.)
Back La. *Hind* —5D **121**
Back La. *Long N* —3A **94**
  (in two parts)
Back La. *Skel C* —2F **111**
Bk. Throston St. H'pl —1F **15**
  (off Throston St.)
Bk. Turner St. Red —3C **48**
  (off Turner St.)
Bacon Wlk. *H'pl* —2D **19**
Baden St. *H'pl* —5A **14**
Bader Av. *Thor* —2B **128**
Badger La. *Ing B* —4C **128**
Badsworth Clo. *Guis* —4D **139**
Baffin Ct. *Thor* —1D **129**
Bailey Gro. *M'brgh* —5C **78**
Bailey St. *H'pl* —4B **14**
Bainton Clo. *Bill* —2E **39**
Bakehouse Sq. *Guis* —2E **139**
Baker Clo. *H'pl* —3D **7**
Baker St. *M'brgh* —3E **77**
Bakery Dri. *Sto T* —3D **73**
Bakery Ho. Sto T —3D **73**
  (off Daylight Rd.)
Bakery St. *Sto T* —5A **74**
Balaclava St. *Sto T* —5A **74**
Bala Clo. *Ing B* —1E **149**
Balcary Ct. *H'pl* —4F **19**
Balcary Gro. *H'pl* —4F **19**
Balder Rd. *Nort* —5A **54**
Baldoon Sands. *M'brgh* —2B **130**
Balfour St. *M'brgh* —3B **100**
Ballater Gro. *H'pl* —4A **20**
Balmoral Av. *Bill* —5E **39**
Balmoral Av. *Thor* —3D **99**
Balmoral Ct. *H'pl* —4A **20**
Balmoral Dri. *M'brgh* —2A **102**
Balmoral Rd. *H'pl* —4F **19**
Balmoral Rd. *M'brgh* —3E **103**
Balmoral Ter. Salt S —4D **69**
  (off Windsor Rd.)
Balmoral Ter. *Sto T* —2E **97**
Balmor Rd. *M'brgh* —2C **104**
Baltic Clo. *Sto T* —4B **74**
Baltic Rd. *Sto T* —4B **74**
Baltic St. *H'pl* —5C **14**
Bamburgh Clo. *Red* —1E **65**
Bamburgh Ct. *H'pl* —3D **7**
Bamburgh Dri. *Orm* —4A **104**
Bamburgh Ho. *M'brgh* —2B **102**
Bamburgh Rd. *H'pl* —3D **7**

Bamford Rd.—Bellerby Rd.

Bamford Rd. *Thor* —5C **98**
Bamletts Wharf Ind. Est. *Bill*
　　　　　—4C **56**
Bamletts Wharf Rd. *Bill* —5B **56**
Banbury Gro. *M'brgh* —5B **100**
Banff Gro. *H'pl* —4A **20**
Bangor Clo. *M'brgh* —4E **81**
Bangor St. *H'pl* —5A **14**
Bankfields Ct. *M'brgh* —3D **105**
Bankfields Rd. *M'brgh* —3D **105**
Bank La. *M'brgh* —2F **105**
Bank Rd. *Bill* —4D **55**
Bank Sands. *M'brgh* —3B **130**
Bankside. *Yarm* —3E **149**
Bankside Ct. *M'brgh* —2F **105**
Bankston Clo. *H'pl* —2C **12**
Bank St. *Guis* —2F **139**
Bank St. *Red* —3C **48**
Bank Ter. *Thor T* —2E **51**
Bannockburn Way. *Bill* —3F **39**
Baptist St. *H'pl* —1F **15**
Barbara Mann Ct. *H'pl* —3A **14**
Barberry. *Cou N* —1C **154**
　(in two parts)
Barberry Clo. *Ing B* —4C **128**
Barclays Ho. *Thor* —5C **74**
Barden Rd. *M'brgh* —1C **102**
Bardsey Wlk. *Guis* —4D **139**
Bardsley Clo. *Eagle* —1D **127**
Barford Clo. *H'pl* —2E **31**
Barford Clo. *Nort* —4E **53**
Barford Clo. *Red* —3B **64**
Bargate. *M'brgh* —4B **78**
Barholm Clo. *M'brgh* —2F **103**
Barker Rd. *M'brgh* —2C **100**
Barker Rd. *Thor* —3D **99**
Barkers Pl. *H'pl* —1F **15**
Barkery, The. *Newby* —4B **154**
Barkston Av. *Thor* —3B **128**
Barkston Clo. *Bill* —4B **38**
Barlborough Av. *Sto T* —3D **73**
Barle Clo. *Ing B* —3B **150**
Barley Hill Clo. *Est* —3E **105**
Barlow Clo. *Guis* —3E **139**
Barlow Ct. *Bill* —3E **39**
Barmet Ind. Est. *Ling* —3F **113**
Barmoor Gro. *Sto T* —3A **54**
Barmouth Rd. *M'brgh* —5E **81**
Barmpton Rd. *Bill* —3E **39**
Barnaby Av. *M'brgh* —5C **76**
Barnaby Clo. *Mar S* —5E **67**
Barnaby Cres. *M'brgh* —2E **105**
Barnaby Pl. *Guis* —2C **138**
Barnaby Rd. *Nun* —3B **134**
Barnack Av. *Mar C* —2E **133**
Barnard Av. *Sto T* —1C **96**
Barnard Clo. *Thor* —2C **98**
Barnard Ct. *M'brgh* —2A **102**
Barnard Gro. *H'pl* —2D **7**
Barnard Gro. *Red* —5E **49**
Barnard Rd. *Bill* —1E **55**
Barnard Rd. *E'tn* —2A **118**
Barnes Ct. *H'pl* —3E **7**
Barnes Wallis Way. *Mar S* —4B **66**
Barnet Way. *Bill* —3A **40**
Barnford Wlk. *M'brgh* —3D **103**
Barnstaple Clo. *M'brgh* —1B **132**
Baronport Grn. *Sto T* —4C **74**
Barra Gro. *H'pl* —4A **20**

Barras Gro. *M'brgh* —5F **79**
Barrass Sq. *Stait* —1C **120**
　(off Gun Gutter)
Barras Way. *Sto T* —2A **72**
Barrhead Clo. *Sto T* —4F **71**
Barrington Av. *Sto T* —4C **72**
Barrington Cres. *M'brgh* —5F **79**
Barritt St. *M'brgh* —4E **77**
Barrowburn Grn. *Ing B* —3A **150**
Barsby Grn. *M'brgh* —2C **102**
Barsford Rd. *M'brgh* —5F **79**
Bartol Ct. *M'brgh* —2F **105**
Barton Av. *H'pl* —1A **20**
Barton Clo. *Thor* —3B **128**
Barton Ct. *Skip I* —3A **80**
Barton Cres. *Bill* —5B **38**
Barton Rd. *M'brgh* —1C **76**
Barwick Clo. *Ing B* —4A **128**
Barwick Fields. *Ing B* —5A **128**
Barwick La. *Ing B* —5F **127**
　(in six parts)
Barwick Vw. *Ing B* —4B **128**
Barwick Way. *Ing B* —1A **150**
Basildon Grn. *M'brgh* —5D **79**
Basil St. *M'brgh* —4B **78**
Bassenthwaite. *M'brgh* —2B **130**
Bassleton Ct. (Shop. Cen.) *Thor*
　(off Bader Av.)　　　　　—2B **128**
Bassleton La. *Thor* —3A **128**
　(in three parts)
Bassleton Wood. —2A 128
Bathgate Ter. *H'pl* —5B **14**
Bath La. *Sto T* —5B **74**
Bath Pl. *Sto T* —5B **74**
Bath Rd. *M'brgh* —1E **105**
Bath St. *Red* —3C **48**
Bath St. *Salt S* —4C **68**
Bath Ter. *H'pl* —1F **15**
Battersby Clo. *Yarm* —3F **149**
Battersby Grn. *Carl* —5C **50**
Baysdale Clo. *Guis* —2F **139**
Baysdale Ct. *Skel C* —3D **89**
Baysdale Gro. *Red* —1F **63**
Baysdale Rd. *Thor* —5D **99**
Baysdale Wlk. *Est* —5F **81**
Baysdale Wlk. *M'brgh* —5E **101**
Bay St. *Sto T* —5B **74**
Beachfield Dri. *H'pl* —1A **20**
Beach Rd. *Skin* —2A **92**
Beacon Av. *S'fld* —4E **23**
Beacon Dri. *New M* —2A **86**
Beacon La. *S'fld* —4E **23** & 1A **24**
Beaconsfield Rd. *Sto T* —4B **54**
Beaconsfield Sq. *H'pl* —5F **9**
Beaconsfield St. *H'pl* —5F **9**
Beacons La. *Ing B* —1F **149**
Beacon St. *H'pl* —5F **9**
Beadlam Av. *Nun* —3B **134**
Beadnall Way. *Red* —2F **65**
Beadnell Clo. *Ing B* —5C **128**
Beadon Gro. *M'brgh* —1B **100**
Beale Clo. *Ing B* —5C **128**
Beamish Rd. *Bill* —5F **39**
Beardmore Av. *Mar S* —3B **66**
Beath Gro. *H'pl* —4A **20**
Beaufort Clo. *Guis* —4D **139**
Beaufort St. *M'brgh* —3E **77**
Beauly Gro. *H'pl* —4A **20**
Beaumaris Dri. *Eagle* —1C **148**

Beaumont Ct. *S'fld* —4E **23**
Beaumont Pk. *Bill* —5A **40**
Beaumont Rd. *M'brgh* —4C **78**
Beaumont Vw. *Sto T* —1C **74**
Beaver Clo. *Ing B* —4C **128**
Beaver Ct. *M'brgh* —3B **80**
Beccles Clo. *Sto T* —3B **72**
Beckenham Gdns. *Hem* —5F **131**
Beckfields. —2B 150
Beckfields Av. *Ing B* —5C **128**
Beckfields Cen. *Ing B* —1C **150**
Beckside. *Stait* —1C **120**
Beckston Clo. *H'pl* —3C **12**
Beckwith Rd. *Yarm* —1A **160**
Bedale Av. *Bill* —3D **55**
Bedale Gro. *Sto T* —1A **96**
Bede Clo. *Sto T* —2D **73**
Bede Gro. *H'pl* —1F **19**
Bedford Rd. *Nun* —3A **134**
Bedford St. *H'pl* —1F **15**
Bedford St. *M'brgh* —3E **77**
Bedford St. *Sto T* —4F **73**
Bedford Ter. *Bill* —2E **55**
Bedlington Wlk. *Bill* —2D **39**
　(in two parts)
Beech Av. *Red* —4E **49**
Beech Clo. *Gt Ay* —2C **166**
Beech Ct. *Sto T* —3C **72**
Beechcroft Clo. *Ling* —4E **113**
Beeches Ri. *Mar C* —2E **133**
Beeches, The. *Stok* —2B **168**
Beechfield. *Cou N* —5B **132**
　(in two parts)
Beech Gro. *Brot* —1A **90**
Beech Gro. *Loft* —5B **92**
Beech Gro. *Malt* —1F **151**
Beech Gro. *S Bnk* —4B **80**
Beech Gro. Rd. *M'brgh* —3E **101**
Beech Lodge. *Tees A* —1D **145**
Beech Oval. *S'fld* —3D **23**
Beech Rd. *Guis* —1E **139**
Beech St. *M'brgh* —3F **77**
Beech Ter. *M'brgh* —4E **57**
Beechtree Ct. *Yarm* —2B **148**
Beechwood. —3A 102
Beechwood Av. *M'brgh* —2A **102**
Beechwood Av. *Salt S* —5C **68**
Beechwood Av. *Stok* —5C **164**
Beechwood Rd. *Eagle* —3C **126**
Beechwood Rd. *Thor* —4C **98**
Beeford Clo. *Bill* —1E **39**
Beeford Dri. *M'brgh* —5E **101**
Belasis Av. *Bill* —4B **54**
Belasis Bus. Cen. *Bel P* —2A **56**
Belasis Ct. *Bel P* —2A **56**
Belasis Hall Technology Pk.
　(Manor Way)　　　　*Bel P* —2B **56**
Belasis Hall Technology Pk.
　(Moat, The)　　　　*Bel P* —1B **56**
Belasis Ho. *Bill* —5E **39**
Belford Clo. *Sto T* —4C **72**
Belgrave Dri. *M'brgh* —4C **104**
Belk Clo. *M'brgh* —3D **81**
Belk St. *H'pl* —2B **14**
Belk St. *M'brgh* —5E **77**
Bellamy Ct. *M'brgh* —5D **79**
Bellasis Gro. *H'pl* —3D **7**
Bell Clo. *Sto T* —1F **97**
Bellerby Rd. *Sto T* —2B **96**

Bletchley Clo. *Sto T*—4C **72**
Blind La. *Guis*—2E **137**
Blorenge Ct. *Ing B*—2F **149**
Blue Bell Gro. *M'brgh*—2E **131**
Blue Bell Gro. *Sto T*—5C **72**
Blue Bell Interchange. *Hem* —3E **131**
Bluebell Way. *Skel C*—4E **89**
Blue Ho. Point Rd. *Sto T*—4E **75**
(in two parts)
Blue Post Yd. *Sto T*—1A **98**
Blythport Clo. *Sto T*—4C **74**
Boagey Wlk. *H'pl*—4A **8**
Boar La. *Ing B*—5C **128**
Boathouse La. *Sto T*—2B **98**
Boathouse Yd. Stait—1C 120
(off High St.)
Bodiam Dri. *Red*—2F **65**
Bodmin Gro. *H'pl*—1D **13**
Boeing Way. *Pres I*—5F **97**
Bolam Gro. *Bill*—3E **39**
Bolckow Ind. Est. *G'twn*—2D **81**
Bolckow Rd. *G'twn*—2D **81**
Bolckow St. *Est*—2F **105**
Bolckow St. *Guis*—1E **139**
Bolckow St. *M'brgh*—2E **77**
Bolckow St. *Skel C*—5E **89**
Boldron Clo. *Sto T*—3A **96**
Bollington Rd. *M'brgh*—5B **102**
Bolsover Rd. *Sto T*—2B **74**
Boltby Clo. *M'brgh*—5E **101**
Boltby Ct. *Red*—2B **64**
Boltby Way. *Eagle*—4B **126**
Bolton Clo. *Red*—1E **65**
Bolton Ct. *M'brgh*—2F **101**
Bolton Ct. *Skel C*—3E **89**
Bolton Gro. *H'pl*—4E **21**
Bolton Way. *Guis*—2F **139**
Bondene Gro. *Sto T*—3A **72**
Bondfield Rd. *M'brgh*—5D **81**
Bond St. *H'pl*—1F **15**
Bone St. *Sto T*—4B **74**
Bonington Cres. *Bill*—2D **39**
Bon Lea Trad. Est. *Thor*—2C **98**
(in two parts)
Bonny Gro. *Mar C*—5F **133**
Bonnygrove Way. *Cou N*—5C **132**
Bonnyrigg Clo. *Ing B*—2B **150**
Bonnyrigg Wlk. *H'pl*—4F **19**
Boosbeck. —3B 112
Boosbeck Rd. *Skel C*—5B **88**
(Green Rd.)
Boosbeck Rd. *Skel C*—3C **112**
(High St.)
Bordesley Grn. *M'brgh*—5D **79**
Borough Rd. *M'brgh*—3E **77**
Borough Rd. *Red*—5D **49**
Borrowby Ct. *Guis*—1D **139**
Borrowby La. *Stait*—3B **120**
Borrowdale Gro. *Egg*—2C **148**
Borrowdale Gro. *M'brgh*—4C **100**
Borrowdale Rd. *M'brgh*—4F **81**
Borrowdale St. *H'pl*—1B **20**
Borrowdale Wlk. *M'brgh*—4F **81**
Borton Wlk. *Sto T*—4F **73**
Boscombe Gdns. *Hem*—5F **131**
Boston Clo. *H'pl*—5F **19**
Boston Dri. *Mar C*—4D **133**
Boston Wlk. *Sto T*—1C **74**
Boswell Gro. *H'pl*—2E **19**
Boswell St. *M'brgh*—3F **77**
Bosworth Way. *Bill*—4F **39**
Botany Way. *Nun*—3A **134**
Bothal Dri. *Sto T*—3A **72**
Bothal Wlk. *Sto T*—2A **72**
(in two parts)
Bottle of Notes (Sculpture) —3F 77
Bottomley Mall. *M'brgh*—2E **77**
Boulby. —1E 119
Boulby Bank. *E'tn*—1C **118**
Boulby Barns Cotts. *E'tn*
(in two parts) —1D **119**
Boulby Dri. *Loft*—5C **92**
Boulby Rd. *C How*—2F **91**
Boulby Rd. *M'brgh*—1D **61**
Boulby Rd. *Red*—1F **63**
Boulby Wlk. *M'brgh*—5F **81**
Boulevard, The. M'brgh—3F 77
(off Russell St.)
Boundary Rd. *M'brgh*—2E **77**
Boundary Rd. *Norm*—3C **104**
Bournemouth Av. *M'brgh* —3F **103**
Bournemouth Dri. *H'pl*—2D **7**
Bourton Ct. *M'brgh*—4D **103**
Bousdale Cotts. *Guis*—4A **138**
Bowesfield. —4A 98
Bowesfield Cvn. Pk. *Sto T* —3A **98**
Bowesfield Cres. *Sto T*—3A **98**
Bowesfield Ind. Est. *Sto T* —5A **98**
Bowesfield La. *Sto T*—1A **98**
Bowesfield N. Ind. Est. *Sto T* —3B **98**
Bowesfield Riverside Ind. Est. *Sto T*—4A **98**
Bowes Grn. *H'pl*—2D **7**
Bowes Rd. *Bill*—4D **39**
Bowes Rd. *M'brgh*—1D **77**
Bowes Rd. Ind. Est. *M'brgh* —5D **57**
Bowfell Clo. *Eagle*—4B **126**
Bowfell Rd. *M'brgh*—1C **102**
Bowhill Way. *Bill*—3A **40**
Bowland Clo. *Nun*—4F **133**
Bowley Clo. *M'brgh*—2B **104**
Bowley Wlk. *M'brgh*—3D **77**
Bowline Ho. *H'pl*—2C **14**
Bowness Clo. *H'pl*—2B **20**
Bowness Gro. *Red*—5C **48**
Bowron St. *Sto T*—4B **74**
Bowser St. *H'pl*—4C **14**
Bow St. *Guis*—2F **139**
Bow St. *M'brgh*—4D **77**
Bow St. Bus. Cen. *Guis*—2F **139**
Box Dri. *Nun*—4B **134**
Boxer Ct. *M'brgh*—3A **80**
Boyne Ct. *S'fld*—3C **22**
Boynston Gro. *S'fld*—4D **23**
Boynton Rd. *M'brgh*—1A **102**
Brabazon Dri. *Mar S*—3B **66**
Brabourn Gdns. *Hem*—5F **131**
Brackenberry Cres. *Red*—2E **65**
Brackenbury Wlk. *M'brgh* —5F **81**
Bracken Cres. *Guis*—3B **138**
Brackenfield Ct. *Est*—3E **105**
Brackenhill Clo. *Nun*—5A **134**
Bracken Rd. *Sto T*—1E **73**
Brackenthwaite. *M'brgh*—2B **130**
Bracknell Rd. *Thor*—4E **99**
Bradbury Rd. *Sto T*—4B **54**
Bradhope Rd. *M'brgh*—1B **102**
Bradley Ct. *Bill*—5F **39**
Bradley's Ter. *Gt Ay*—1D **167**
Bradshaw Ct. *H'pl*—3F **7**
Braehead. *Eagle*—5C **126**
Braemar Gro. *M'brgh*—5B **80**
Braemar Rd. *Bill*—4C **38**
(in two parts)
Braemar Rd. *H'pl*—4A **20**
Braemar Rd. *M'brgh*—3B **100**
Braeside. *K'ton*—4D **161**
Braeworth Clo. *Yarm*—4F **149**
Brafferton Dri. *Bill*—2F **39**
Brafferton St. *H'pl*—3F **13**
Brafferton Wlk. *M'brgh*—1C **130**
Braid Cres. *Bill*—2D **55**
Braidwood Rd. *M'brgh*—2C **104**
Bramble Dykes. *Red*—4E **65**
Bramble Rd. *Sto T*—1E **73**
Brambles Farm. —5E 79
Brambling Clo. *Nort*—4F **53**
Bramcote Way. *Thor*—3C **128**
Bramfield Way. *Ing B*—3A **128**
Bramham Down. *Guis*—3E **139**
Bramley Ct. *H'pl*—4A **20**
Bramley Gro. *Mar C*—2E **133**
Bramley Pde. *Sto T*—2A **98**
Brampton Clo. *Hem*—3E **131**
Bramwith Av. *M'brgh*—3D **103**
Brancepath Wlk. *H'pl*—3F **7**
Brancepeth Av. *M'brgh*—3C **102**
Brancepeth Clo. *New M*—2A **86**
Brancepeth Ct. *Bill*—4C **38**
Brandlings Ct. *Yarm*—3B **148**
Brandon Clo. *Bill*—3D **39**
Brandon Clo. *H'pl*—2D **31**
Brandon Rd. *M'brgh*—1F **103**
Brankin Ct. *Skel C*—3F **89**
Branklyn Gdns. *Ing B*—1B **150**
Branksome Av. *M'brgh*—4E **101**
Branksome Gro. *Sto T*—3B **96**
Bransdale. *Guis*—3A **138**
Bransdale Av. *Red*—1F **63**
Bransdale Clo. *Sto T*—4E **73**
Bransdale Gro. *H'pl*—4E **21**
Bransdale Rd. *M'brgh*—1C **102**
Brantwood Clo. *Ing B*—1C **150**
Brass Castle La. *Mar C*—3D **155**
Brass Wynd. *Nun*—5F **133**
Braygate Mill La. *Liver & C How* —5E **91**
Brechin Gro. *H'pl*—4A **20**
Breckland Wlk. *M'brgh*—2D **103**
Breckon Hill Rd. *M'brgh*—4A **78**
Brecon Cres. *Ing B*—1F **149**
Brecon Dri. *Red*—2A **64**
Brecongill Clo. *H'pl*—1B **14**
Breen Clo. *M'brgh*—4B **78**
Brenda Rd. *H'pl*—1B **20**
Brendon Cres. *Bill*—1E **55**
Brendon Gro. *Ing B*—3B **150**
Brenkley Clo. *Sto T*—4E **53**
Brent Ct. *Bill*—2C **54**

Brentford Ct. *Brot* —3C **90**
Brentford Rd. *Sto T* —2A **74**
Brentnall St. *M'brgh* —3E **77**
Brereton Rd. *M'brgh* —4A **102**
Bretby Clo. *M'brgh* —3A **102**
Brettenham Av. *M'brgh* —5B **102**
(in two parts)
Breward Wlk. *H'pl* —2B **14**
Brewery St. *H'pl* —4B **14**
Brewery Ter. *Stok* —1B **168**
Brewery Yd. *Stok* —1B **168**
Brewery Yd. *Yarm* —3B **148**
Brewsdale. *M'brgh* —3C **78**
Briardene Av. *M'brgh* —4E **101**
Briardene Ct. *Sto T* —1A **72**
Briardene M. *H'pl* —2B **20**
Briardene Wlk. *Sto T* —1A **72**
Briargate. *M'brgh* —1F **105**
Briar Gro. *Red* —5C **48**
Briarhill Gdns. *H'pl* —2E **13**
Briar Rd. *Thor* —5C **98**
Briarvale Av. *M'brgh* —3D **101**
Briar Wlk. *H'pl* —2A **14**
Briar Wlk. *Sto T* —2D **97**
Brickton Rd. *M'brgh* —1B **100**
Bridge Ct. *M'brgh* —2C **104**
Bridge Ct. *Yarm* —2B **148**
Bridgend Clo. *M'brgh* —3E **81**
Bridgepool Clo. *H'pl* —4B **8**
Bridge Rd. *Red* —3A **48**
Bridge Rd. *Sto T* —2B **98**
Bridge Rd. *Stok* —1B **168**
Bridge St. *Gt Ay* —2C **166**
Bridge St. *H'pl* —4D **15**
Bridge St. *Sto T* —3B **74**
Bridge St. *Thor* —2C **98**
Bridge St. *Yarm* —2B **148**
Bridge St. E. *M'brgh* —2F **77**
Bridge St. W. *M'brgh* —2E **77**
Bridnor Rd. *M'brgh* —3C **102**
Bridport Clo. *Sto T* —4D **75**
Bridport Gro. *Hem* —5F **131**
Brierley Dri. *Wyn* —4D **25**
(TS21,TS22)
Brierley Dri. *Wyn* —4C **26**
(TS22)
Brierley Grn. *Mar C* —4E **133**
(in two parts)
Brierton. —3B 18
Brierton La. *Brier & H'pl* —3B **18**
Brierton Lodge. *H'pl* —3F **19**
Brierton Shops. *H'pl* —3D **19**
Brierville Rd. *Sto T* —3F **73**
Brigandine Clo. *H'pl* —4D **21**
Briggs Av. *S Bnk* —3A **80**
Brigham Rd. *M'brgh* —2B **102**
Brighouse Bus. Village. *M'brgh* —5C **56**
Brighouse Rd. *M'brgh* —5C **56**
Brighton Clo. *Thor* —2B **128**
Bright St. *H'pl* —3F **13**
Bright St. *M'brgh* —3A **78**
Bright St. *Sto T* —5A **74**
Brignall Rd. *Sto T* —3F **97**
Brignell Rd. *M'brgh* —1D **77**
Brig Open. *H'pl* —1F **15**
Brimham Clo. *Ing B* —5C **128**
Brimham Ct. *Red* —1B **64**
Brimston Clo. *H'pl* —3D **13**

Brindle Clo. *Mar C* —4E **133**
Brine St. *M'brgh* —2A **78**
Brinewells Grn. *M'brgh* —5B **78**
Brink Burn Rd. *H'pl* —5A **14**
Brinkburn Rd. *Sto T* —2A **74**
Brisbane Cres. *Thor* —1B **128**
Brisbane Gro. *Sto T* —2D **97**
Briscoe Way. *Hem* —4C **130**
Bristol Av. *Salt S* —4C **68**
Bristol Wlk. *H'pl* —1E **13**
Bristow Rd. *M'brgh* —2B **102**
Bristow St. *M'brgh* —4C **78**
Britain Av. *M'brgh* —4C **100**
Britannia Bus. Pk. *M'brgh* —1C **76**
Britannia Clo. *H'pl* —3C **14**
Britannia Ct. *M'brgh* —1D **77**
Britannia Ho. *H'pl* —2D **15**
Britannia Pl. *Red* —1E **63**
Britannia Rd. *Sto T* —5F **73**
Britannia Ter. *Brot* —2B **90**
Broadbent St. *Brot* —3B **90**
Broad Clo. *S'tn* —5B **130**
Broadfield Rd. *H'pl* —5F **9**
Broadgate Gdns. *M'brgh* —3C **100**
Broadgate Rd. *M'brgh* —3C **100**
Broadhaven Clo. *M'brgh* —5E **81**
Broadstone. *Mar C* —5E **133**
Broadway. *M'brgh* —3E **81**
Broadway E. *Red* —1E **63**
Broadway W. *Red* —1D **63**
Broadwell Rd. *M'brgh* —1B **132**
Brocklesby Rd. *Guis* —4E **139**
Brockrigg Ct. *Guis* —5D **109**
Brodick Gro. *H'pl* —4A **20**
Brogden Grn. *M'brgh* —2C **102**
Bromley Hill Clo. *Nun* —5A **134**
Bromley La. *Newby* —4B **154**
Bromley Rd. *Sto T* —2D **97**
Brompton Gro. *Sto T* —3C **96**
Brompton Rd. *M'brgh* —1D **101**
Brompton St. *M'brgh* —5D **77**
Brompton Wlk. *H'pl* —5D **21**
Bronaber Clo. *Ing B* —1E **149**
Bronte Way. *Bill* —3D **39**
Brookdale Rd. *Mar C* —3D **133**
Brookes, The. *Yarm* —5C **148**
Brookfield. —2D 131
Brookfield Rd. *Sto T* —5A **72**
Brooksbank Av. *Red* —5C **48**
Brooksbank Clo. *Orm* —1B **134**
Brooksbank Rd. *Orm* —1B **134**
Brookside. *B'bck* —2B **112**
Brookside Av. *M'brgh* —3F **101**
Brook St. *H'pl* —3A **14**
Brook St. *M'brgh* —2F **77**
Brookwood Way. *Eagle* —1C **148**
Broomfield Av. *Eagle* —5B **126**
Broom Hill Av. *Ing B* —4A **128**
Broomhill Gdns. *H'pl* —2E **13**
Broomlee Clo. *Ing B* —2A **150**
Brotherswater Ct. *Red* —5B **48**
Brotton. —2B 90
Brotton Rd. *Brot & C How* —2D **91**
Brotton Rd. *Thor* —4D **99**
Brougham Enterprise Cen. *H'pl* —1B **14**

Brougham St. *M'brgh* —2E **77**
Brougham Ter. *H'pl* —2A **14**
Brough Clo. *Thor* —1E **129**
Brough Ct. *H'pl* —3D **7**
Brough Ct. *M'brgh* —2A **102**
Brough Fld. Clo. *Ing B* —3A **128**
Brough Rd. *Bill* —5E **39**
Broughton Av. *M'brgh* —5B **102**
Broughton Grn. *Red* —2B **64**
Broughton Rd. *Bill* —5B **38**
Broughton Rd. *Stok* —2D **169**
Browning Av. *H'pl* —1E **19**
Brownsea Ct. *Ing B* —1B **150**
Brown's Ter. *Hind* —5E **121**
Browns Ter. *Stait* —1C **120**
Broxa Clo. *Red* —3B **64**
Bruce Av. *M'brgh* —2B **100**
Bruce Cres. *H'pl* —4A **8**
Brundall Clo. *Sto T* —3B **72**
Brunel Clo. *H'pl* —5C **8**
Brunel Rd. *M'brgh* —3F **79**
Brunner Ho. *M'brgh* —2D **103**
Brunner Rd. *Bill* —5E **55**
Brunswick Av. *M'brgh* —4B **80**
Brunswick Ct. *Sto T* —1A **98**
(off Brunswick St.)
Brunswick St. *H'pl* —4C **14**
Brunswick St. *M'brgh* —2E **77**
Brunswick St. *Sto T* —1A **98**
Bruntoft Av. *H'pl* —3F **7**
Bruntons Mnr. Ct. *M'brgh* —1E **103**
Brus Corner. *H'pl* —3A **8**
Brus Ho. *Thor* —1D **129**
Brusselton Clo. *M'brgh* —1C **130**
Brylston Rd. *M'brgh* —5F **79**
Bryneside Av. *M'brgh* —2F **101**
Bryony Ct. *Guis* —3B **138**
Bryony Gro. *Mar C* —2C **132**
Buccleuch Clo. *Guis* —4E **139**
Buchanan St. *Sto T* —1A **98**
Buckfast Rd. *Skel C* —4D **89**
Buckie Gro. *H'pl* —4A **20**
Buckingham Av. *Hart* —4F **5**
Buckingham Dri. *M'brgh* —4C **104**
Buckingham Rd. *Red* —4C **48**
Buckingham Rd. *Sto T* —1F **97**
Buckland Clo. *Ing B* —1C **150**
Buck St. *M'brgh* —1E **77**
Budworth Clo. *Ing B* —2E **39**
Bulmer Clo. *Yarm* —5D **149**
Bulmer Ct. *M'brgh* —2D **105**
Bulmer Pl. *H'pl* —4F **7**
Bulmer's Bldgs. *Guis* —1D **139**
(off Park La.)
Bulmer Way. *M'brgh* —3D **77**
Bungalows, The. *G'twn* —3E **81**
Bungalows, The. *Long N* —1A **124**
Bungalows, The. *Orm* —4A **104**
(off Henry Taylor Ct.)
Bungalows, The. *Port M* —4F **121**
Bunting Clo. *H'pl* —5E **7**
Bunting Clo. *Ing B* —5B **128**
Burbank Ct. *H'pl* —4C **14**
(off Burbank St.)
Burbank St. *H'pl* —4C **14**
Burdale Clo. *Eagle* —4A **126**
Burdon Clo. *Sto T* —4C **72**
Burdon Gth. *Ing B* —4A **128**

Burford Av. *Sto T*—3E **97**
Burgess St. *Sto T*—5A **74**
Burgess Wlk. *M'brgh*—4A **78**
Burghley Ct. *Hem*—4F **131**
Burke Pl. *H'pl*—5E **9**
Burlam Rd. *M'brgh*—1C **100**
Burnaby Clo. *H'pl*—2B **20**
Burneston Gro. *Sto T*—2A **96**
Burnet Clo. *Ing B*—4B **128**
Burnholme Av. *M'brgh*—5E **79**
Burnhope Rd. *H'pl*—3C **12**
Burniston Dri. *Bill*—5A **38**
Burniston Dri. *Thor*—3B **128**
Burnmoor Clo. *Red*—3C **64**
Burnmoor Dri. *Eagle*—5B **126**
Burn Rd. *H'pl*—5B **14**
Burnsall Rd. *M'brgh*—1B **102**
Burns Av. *H'pl*—1E **19**
Burn's Clo. *Hart*—3F **5**
Burnside Ct. *Sto T*—1E **97**
Burnside Gro. *Sto T*—1E **97**
Burns Rd. *M'brgh*—5C **80**
Burnston Clo. *H'pl*—2D **13**
Burnsville Rd. *M'brgh*—3D **81**
Burns Wlk. *M'brgh*—5C **80**
Burntoft. *Wyn*—2E **37**
Burn Valley App. *H'pl*—5A **14**
Burn Valley Gro. *H'pl*—5A **14**
Burn Valley Rd. *H'pl*—5A **14**
Burn Wood Ct. *Long N*—1A **124**
Burringham Rd. *Sto T*—5F **53**
*Burtonport Wlk. Sto T—4C **74***
(off Alnport Rd.)
Burtree Pk. *Sea C*—3E **21**
Burwell Dri. *Sto T*—4A **72**
Burwell Rd. *M'brgh*—2F **103**
Burwell Wlk. *H'pl*—1E **31**
Burythorpe Clo. *M'brgh*—1A **102**
Busby Way. *Yarm*—4F **149**
Bushmead Ter. *M'brgh*—3E **103**
Bush St. *M'brgh*—5D **77**
Bushton Clo. *H'pl*—2D **13**
Bute Av. *H'pl*—1A **20**
Bute Clo. *Thor*—2C **128**
Bute St. *Sto T*—5A **74**
Butler St. *Sto T*—2B **74**
Buttercup Clo. *Sto T*—2C **72**
Butterfield Clo. *Eagle*—1B **148**
Butterfield Dri. *Eagle*—1B **148**
Butterfield Gro. *Eagle*—1B **148**
Butterfly World. —2D 127
Buttermere Av. *M'brgh*—4C **100**
Buttermere Rd. *M'brgh*—4F **81**
Buttermere Rd. *Red*—5B **48**
Buttermere Rd. *Sto T*—5D **73**
Butterwick Gro. *Wyn*—4A **26**
Butterwick Rd. *Fish*—3D **23**
Butterwick Rd. *H'pl*—3E **7**
Butt La. *Guis*—2F **139**
Buttsfield Way. *Bill*—2E **39**
Butts La. *Egg*—2B **148**
Butts La. *Hart*—3C **4**
Buxton Av. *Mar C*—4D **133**
Buxton Gdns. *Bill*—5B **38**
Buxton Rd. *Sto T*—4B **74**
Bydales Dri. *Mar S*—4E **67**
Byelands St. *M'brgh*—5A **78**
Byemoor Av. *Gt Ay*—3D **167**
Byemoor Clo. *Gt Ay*—3D **167**
Byfleet Av. *M'brgh*—4D **79**
Byland Clo. *Guis*—2F **139**
Byland Clo. *Red*—2B **64**
Byland Gro. *H'pl*—4E **21**
Byland Rd. *Nun*—3B **134**
Byland Rd. *Skel C*—4D **89**
Bylands Gro. *Sto T*—1B **96**
Bylands Rd. *M'brgh*—1D **105**
Byland Way. *Bel P*—2A **56**
Byron Clo. *Bill*—2E **39**
Byron Ct. *Brot*—1B **90**
Byron St. *H'pl*—3F **13**
Bywell Gro. *Orm*—4A **104**

Cabot Ct. *Thor*—2D **129**
Cadogan St. *M'brgh*—4D **77**
Cadogan St. *N Orm*—4C **78**
Cadwell Clo. *M'brgh*—2A **104**
Caernarvon Clo. *M'brgh*—4E **81**
Caernarvon Gro. *H'pl*—1D **13**
Cairn Ct. *M'brgh*—5D **57**
Cairn Rd. *H'pl*—5F **19**
Cairnston Rd. *H'pl*—3C **12**
Caister Ct. *Red*—3E **65**
Caistor Dri. *H'pl*—1F **31**
Caithness Rd. *H'pl*—5F **19**
Caithness Rd. *M'brgh*—5B **80**
Calcott Clo. *Sto T*—4C **72**
Calder Clo. *Bill*—4A **38**
Calderdale. *Skel C*—3C **88**
Calder Gdns. *Ing B*—2E **149**
Calder Gro. *H'pl*—4F **19**
Calder Gro. *M'brgh*—4B **102**
Calder Gro. *Red*—1B **64**
Caldicot Clo. *M'brgh*—4E **81**
Caldwell Clo. *Hem*—5E **131**
Caledonian Rd. *H'pl*—1A **20**
Calf Fallow La. *Sto T*—3F **53**
California. —1A 106
(Eston)
California. —1D 167
(Great Ayton)
California Bungalows. M'brgh
*(off Old Mines Rd.) —1A **106***
California Clo. *Sto T*—5A **74**
California Ct. *Gt Ay*—1D **167**
California Gro. *Gt Ay*—1D **167**
California Rd. *M'brgh*—1F **105**
Callander Rd. *H'pl*—4F **19**
Calluna Gro. *Mar C*—2C **132**
Calthorpe Ct. *M'brgh*—3D **77**
Calverley Rd. *M'brgh*—1F **103**
Calvert Clo. *M'brgh*—4B **78**
Calvert's La. *Sto T*—5B **74**
Camborne Ho. *M'brgh*—5D **79**
Cambourne Clo. *Hem*—4E **131**
Cambrian Av. *Red*—2A **64**
Cambrian Ct. *Ing B*—1F **149**
Cambrian Rd. *Bill*—1C **54**
Cambridge Av. *Mar C*—4C **132**
Cambridge Av. *M'brgh*—3C **100**
Cambridge Rd. *M'brgh*—3C **78**
(TS3)
Cambridge Rd. *M'brgh*—3B **100**
(TS5)
Cambridge Rd. *Thor*—3C **98**
Cambridge St. *Salt S*—4C **68**
Cambridge Ter. *M'brgh*—4E **57**
*Camden St. M'brgh—4F **77***
(off Borough Rd.)
Camden St. *M'brgh*—4A **78**
(Somerset St.)
Camden St. *Sto T*—2F **97**
Camellia Cres. *Nort*—1F **73**
Camelon St. *Thor*—3D **99**
Cameron Rd. *H'pl*—2B **14**
Cameron St. *Sto T*—5A **54**
Campbell Ct. *Sto T*—4C **74**
Campbell Rd. *H'pl*—4F **19**
Campion Clo. *Ing B*—4B **128**
Campion Dri. *Guis*—3B **138**
Campion Gro. *Mar C*—2C **132**
Campion St. *H'pl*—4A **14**
Canberra Gro. *Sto T*—2D **97**
Canberra Rd. *Mar C*—3D **133**
Canewood. *M'brgh*—1F **103**
Cannock Rd. *M'brgh*—2C **102**
Cannon Pk. Clo. *M'brgh*—3D **77**
Cannon Pk. Ind. Est. *M'brgh* —3D **77**
Cannon Pk. Rd. *M'brgh*—3D **77**
Cannon Pk. Way. *M'brgh*—3D **77**
Cannon St. *M'brgh*—4C **76**
(in two parts)
Canon Gro. *Yarm*—5C **148**
Canterbury Gro. *M'brgh*—1E **101**
Canterbury Rd. *Brot*—2C **90**
Canterbury Rd. *Red*—1F **65**
Canton Gdns. *M'brgh*—2D **131**
Canvey Wlk. *Guis*—3D **139**
Captain Cook & Staithes Heritage Cen. —1C 120
Captain Cook Birthplace Mus. —1D 133
Captain Cook Schoolroom Mus. —2D 167
Captain Cook's Clo. *Stait* —2B **120**
Captain Cook's Cres. *Mar C* —3E **133**
Captain Cook Sq. *M'brgh*—3E **77**
Captain Cook's Way. *Gt Ay* —1D **167**
Captains Wlk. *H'pl*—3D **15**
Carburt Rd. *Sto T*—1A **72**
Carcut Rd. *M'brgh*—3C **78**
Cardigan Clo. *M'brgh*—4E **81**
Cardigan Gro. *H'pl*—5E **7**
Cardinal Gro. *Sto T*—4F **71**
*Cardwell Wlk. Thor—3C **98***
(off Walker St.)
Carew Clo. *Yarm*—1A **160**
Carey Ct. *M'brgh*—4D **77**
Cargo Fleet. —3D 79
Cargo Fleet La. *Car F*—3D **79**
Cargo Fleet Rd. *M'brgh*—3A **78**
Carisbrooke Av. *M'brgh*—1F **103**
Carisbrooke Rd. *H'pl*—4D **13**
Carisbrooke Way. *Red*—1E **65**
Carlbury Av. *M'brgh*—1B **130**
Carlie Hill. *Hem*—5D **131**
Carlile Wlk. *Sto T*—3B **74**
Carlin How. —3F 91
Carlisle St. *H'pl*—4E **21**
Carlow Clo. *Guis*—4E **139**
Carlow St. *M'brgh*—5C **76**
Carlton. —5C 50

Carlton Av.—Charnwood Dri.

Carlton Av. *Bill* —4B **38**
Carlton Clo. *Sto T* —5A **74**
Carlton Dri. *Thor* —2B **128**
Carlton St. *H'pl* —4A **14**
Carlton Ter. *Yarm* —3B **148**
Carlyle La. *M'brgh* —5D **81**
Carmarthen Rd. *M'brgh* —3E **103**
Carmel Gdns. *Guis* —1E **139**
Carmel Gdns. *M'brgh* —3D **131**
Carmel Gdns. *Nun* —3B **134**
Carmel Gdns. *Sto T* —1C **74**
Carnaby Wlk. *M'brgh* —4E **101**
Carney St. *B'bck* —3B **112**
Carnoustie Dri. *Eagle* —5C **126**
Carnoustie Gro. *H'pl* —2C **6**
Carnoustie Rd. *New M* —2A **86**
Carnoustie Way. *Mar C* —4E **133**
Caroline St. *H'pl* —4B **14**
Carpenter Clo. *Yarm* —5E **149**
Carradale Clo. *Eagle* —1C **148**
Carriage Wlk. *Eagle* —4B **126**
Carrick Ct. *Riv I* —5D **57**
Carrick St. *H'pl* —4F **7**
Carrick's Yd. *Skel C* —4B **88**
Carroll Wlk. *H'pl* —2D **19**
Carrol St. *Sto T* —5B **74**
Carron Gro. *M'brgh* —2C **104**
Carr St. *H'pl* —2A **14**
Carr St. *Sto T* —1F **97**
Carter's La. *Eagle* —5B **124**
Carthorpe Dri. *Bill* —4E **39**
Cartmel Rd. *Red* —1C **64**
Carvers Ct. *Brot* —2C **90**
Carville Ct. *Sto T* —2B **72**
Casebourne Rd. *H'pl* —1C **20**
Casper Ct. *Eagle* —5C **126**
Cass Ho. Rd. *Hem* —1D **153**
Casson Ct. *Bill* —4D **39**
Casson Way. *Bill* —4D **39**
Cassop Gro. *M'brgh* —1B **130**
Cassop Wlk. *Sto T* —2B **72**
Castle Clo. *Sto T* —4C **72**
Castle Ct. *B'bck* —3B **112**
Castle Dyke Wynd. *Yarm*
—3C **148**
Castle Eden Walkway
Country Pk. —4E **35**
Castlegate Cen. *Sto T* —1B **98**
Castlegate Quay. *Sto T* —1B **98**
Castle Grange. *Skel C* —5B **88**
Castle Howard Clo. *H'pl* —3D **7**
Castlemartin. *Ing B* —3F **149**
Castlereagh. *Wyn* —5C **26**
Castlereagh Clo. *Long N*
—1A **124**
Castlereagh Rd. *Sto T* —4F **73**
Castle Rd. *Red* —1E **65**
Castleton Av. *M'brgh* —3B **100**
Castleton Dri. *Bill* —5B **38**
Castleton Rd. *H'pl* —4E **21**
Castleton Rd. *M'brgh* —5F **81**
Castleton Rd. *Sto T* —3F **97**
Castleton Wlk. *Thor* —2B **128**
Castle Way. *M'brgh* —2F **101**
Castle Way. *Sto T* —1B **98**
Castlewood. *M'brgh* —2F **103**
Castle Wynd. *Nun* —5A **134**
Catcote Rd. *H'pl* —3E **19**
Caterton Clo. *Yarm* —5E **149**

Cat Flatt La. *Red & Mar S* —3F **65**
(in two parts)
Cathedral Dri. *Sto T* —4A **72**
Cathedral Gdns. *M'brgh* —2E **77**
Catherine Gro. *H'pl* —4C **14**
(off Sheerness Gro.)
Catherine Rd. *H'pl* —4C **14**
Catherine St. *H'pl* —1F **15**
Catherine St. *Ling* —4E **113**
Catterall Ho. *M'brgh* —5D **79**
Cattersty Way. *Brot* —1B **90**
Cattistock Clo. *Guis* —3F **139**
Caudwell Clo. *Sto T* —1A **72**
Causeway, The. *Bill* —1D **55**
Cavendish Rd. *M'brgh* —3A **102**
Caversham Rd. *M'brgh* —4B **102**
Cawdor Ct. *New M* —2F **85**
Cawood Dri. *M'brgh* —4E **101**
Cawthorn Clo. *Hem* —4C **130**
Caxton Gro. *H'pl* —1E **19**
Caxton St. *M'brgh* —5E **77**
Cayton Clo. *Red* —3B **64**
Cayton Dri. *Bill* —4B **38**
Cayton Dri. *M'brgh* —4E **101**
Cayton Dri. *Thor* —3B **128**
Cecil Ho. *H'pl* —2B **20**
Cecil St. *M'brgh* —3D **77**
Cecil St. *Sto T* —2A **98**
Cedar Clo. *H'pl* —1D **105**
Cedar Ct. *Thor* —4C **98**
Cedar Cres. *Eagle* —2C **126**
Cedar Dri. *T'tn* —1B **152**
Cedar Gro. *Brot* —2A **90**
Cedar Gro. *Loft* —5B **92**
Cedar Gro. *Red* —4E **49**
Cedar Gro. *Thor* —4C **98**
Cedar Ho. *Sto T* —3C **72**
Cedarhurst Dri. *Ling* —4E **113**
Cedar Lodge. *Tees A* —1D **145**
Cedar Rd. *Mar C* —2F **133**
Cedar Rd. *Orm* —5B **104**
Cedar St. *Sto T* —5B **74**
Cedar Ter. *M'brgh* —5F **57**
Cedar Wlk. *H'pl* —1A **14**
Cedarwood Av. *Stok* —4C **164**
Cedarwood Glade. *S'tn* —5C **130**
Celandine Clo. *Mar C* —1C **132**
Celandine Way. *Sto T* —3C **72**
Cemetery Roundabout. *Guis*
—4F **109**
Cennon Gro. *Ing B* —1F **149**
Centenary Cres. *Sto T* —1A **74**
Central Arc. *Yarm* —3B **148**
Central Av. *Bill* —3D **55**
Central Av. *M'brgh* —1B **100**
Central M. *M'brgh* —3F **77**
Central Rd. *H'pl* —5D **9**
Central St. *Yarm* —3B **148**
Central Ter. *Red* —3C **48**
Central Way. *Gt Ay* —1D **167**
Central Way Bungalows. *Gt Ay*
—1D **167**
Centre Ct. *M'brgh* —3C **130**
Centre Mall. *M'brgh* —3E **77**
Centre Rd. *Hem* —4E **131**
Ceylon Sq. *Eagle* —3A **126**
Chadburn Grn. *M'brgh* —4F **101**
Chadburn Rd. *Sto T* —2A **74**
Chadderton Clo. *B'bck* —2B **112**

Chadderton Dri. *Thor* —5E **99**
Chadwell Av. *M'brgh* —3D **103**
Chaffinch Clo. *H'pl* —5E **7**
Chalcot Wlk. *M'brgh* —5E **79**
Chaldron Way. *Eagle* —3A **126**
Chalfield Clo. *Ing B* —1C **150**
Chalford Oaks. *M'brgh* —4A **100**
Chalk Clo. *Sto T* —2A **98**
Chalk Wlk. *Sto T* —2A **98**
(off Chalk Clo.)
Challacombe Cres. *Ing B*
—3A **150**
Challoner Rd. *H'pl* —1F **13**
Challoner Rd. *Yarm* —5B **148**
Challoner Sq. *H'pl* —1F **13**
Chaloner M. *Guis* —2E **139**
Chaloner St. *Guis* —2E **139**
Chamomile Dri. *Sto T* —2C **72**
Chancel Way. *M'brgh* —1E **105**
Chancery Ri. *Thor* —2B **128**
Chandlers Clo. *H'pl* —3D **15**
Chandlers Ridge. *Nun* —4A **134**
Chandlers Wharf. *Sto T* —2B **98**
Chantry Clo. *M'brgh* —3C **102**
Chantry Clo. *Sto T* —5A **54**
Chapelbeck Bungalows. *Guis*
—2D **139**
Chapel Clo. *Mar S* —4C **66**
Chapel Clo. *M'brgh* —3F **103**
Chapel Ct. *Bill* —4D **55**
Chapel Gdns. *Carl* —5D **51**
Chapelgarth. *S'tn* —5C **130**
Chapel Rd. *Bill* —4D **55**
Chapel Row. *Loft* —5C **92**
Chapel St. *Brot* —2C **90**
Chapel St. *Guis* —2E **139**
Chapel St. *Mar S* —4C **66**
Chapel St. *M'brgh* —4C **82**
Chapel St. *Skin* —2A **92**
Chapel St. *Thor* —2C **98**
Chapel Yd. *Stait* —1C **120**
(off Beckside)
Chapel Yd. *Yarm* —3B **148**
Chapman Ct. *M'brgh* —1E **103**
Chapman St. *Sto T* —1B **74**
Chards Cotts. *Salt S* —1C **88**
Chard Wlk. *M'brgh* —3C **102**
Charlbury Rd. *M'brgh* —5D **79**
Charles St. *H'pl* —4C **14**
Charles St. *M'brgh* —3A **78**
Charles St. *New M* —2A **86**
Charles St. *Red* —3D **49**
Charles St. *Sea C* —4E **21**
Charles St. *Thor* —3C **98**
Charlock. *Cou N* —2C **154**
Charlotte Grange. *H'pl* —4A **14**
Charlotte St. *H'pl* —5A **14**
Charlotte St. *M'brgh* —2E **77**
Charlotte St. *Red* —3D **49**
Charlotte St. *Skel C* —4D **89**
Charlton Rd. *Red* —5F **47**
Charltons. —2F **141**
Charltonsfield. *M'hlm* —4B **142**
Charltons Gth. *Guis* —1E **139**
Charltons Pond Nature
Reserve. —2F **55**
Charnley Grn. *M'brgh* —5A **102**
Charnwood Clo. *Mar S* —5C **66**
Charnwood Dri. *Orm* —1B **134**

Charrington Av.—Clepstone Av.

Charrington Av. *Thor* —3B **128**
Charterhouse St. *H'pl* —1A **20**
Chartwell Clo. *Ing B* —1C **150**
Chartwell Clo. *Mar S* —3B **66**
Charwood. *M'brgh* —1F **103**
Chase, The. *Red* —5D **49**
Chase, The. *Sto T* —5B **72**
Chatham Gdns. *H'pl* —1A **14**
Chatham Rd. *Eagle* —4F **125**
Chatham Rd. *H'pl* —1F **13**
Chatham Sq. *H'pl* —1A **14**
Chathill Wlk. *Orm* —4A **104**
Chatsworth Ct. *Sto T* —3D **73**
Chatsworth Gdns. *Bill* —5C **38**
Chatsworth Ho. *M'brgh* —5D **79**
Chatton Clo. *M'brgh* —3D **103**
Chaucer Av. *H'pl* —1E **19**
Chaucer Clo. *Bill* —3D **39**
Chaytor Lee. *Yarm* —4C **148**
Cheadle Wlk. *M'brgh* —2D **103**
Cheam Av. *M'brgh* —5D **79**
Cheddar Clo. *M'brgh* —4E **81**
Cheetham St. *G'twn* —2D **81**
Chelker Clo. *H'pl* —3C **12**
Chelmsford Av. *Sto T* —1C **96**
Chelmsford Rd. *M'brgh* —1E **101**
Chelmsford St. *Thor* —2C **98**
Chelmsford Wlk. *M'brgh* —2E **101**
Chelsea Gdns. *Sto T* —4E **53**
Chelston Clo. *H'pl* —2C **12**
Cheltenham Av. *Mar C* —4D **133**
Cheltenham Av. *Thor* —3C **98**
Cheltenham Clo. *M'brgh* —1F **101**
Cheltenham Rd. *Sto T* —3F **75**
Chepstow Clo. *Bill* —5D **39**
Chepstow Wlk. *H'pl* —5E **7**
Cheriton Grn. *M'brgh* —5D **79**
Cherry Ct. *Sto T* —3A **74**
Cherry Gth. *Ing B* —4A **128**
Cherry Tree Clo. *Orm* —4B **104**
Cherry Tree Dri. *S'fld* —3D **23**
Cherry Tree Gdns. *Sto T* —1C **74**
Cherry Trees. *Red* —3B **48**
Cherry Wlk. *H'pl* —1A **14**
Cherrywood Av. *Stok* —5C **164**
Cherrywood Ct. *M'brgh* —2E **131**
Chertsey Av. *M'brgh* —5D **79**
Cherwell Ter. *M'brgh* —4E **79**
(in two parts)
Chesham Clo. *Sto T* —5B **54**
Chesham Gro. *Sto T* —5C **54**
Chesham Rd. *Sto T* —5B **54**
Chesham St. *M'brgh* —1E **101**
Cheshire Rd. *Sto T* —1C **74**
Chesneywood. *M'brgh* —1F **103**
Chester Rd. *H'pl* —2F **13**
Chester Rd. *Red* —1F **65**
Chester St. *M'brgh* —5D **77**
Chesterton Av. *Thor* —2B **128**
Chesterton Ct. *Sto T* —1B **74**
Chesterton Rd. *H'pl* —2E **19**
Chesterwood. *M'brgh* —1F **103**
Chestnut Av. *Red* —5E **49**
Chestnut Clo. *M'brgh* —4C **82**
Chestnut Clo. *Salt S* —5A **68**
Chestnut Dri. *Mar C* —3E **133**
Chestnut Gro. *Brot* —2A **90**
Chestnut Gro. *Thor* —4C **98**
Chestnut Lodge. *Tees A* —1D **145**

Chestnut Rd. *Eagle* —2C **126**
Chestnut Rd. *S'fld* —3D **23**
Chestnut Row. *G'ham* —3E **31**
Chestnut Sq. *Sto T* —3F **73**
Chetwode Ter. *M'brgh* —3E **103**
(off Carmarthen Rd.)
Chevin Wlk. *M'brgh* —2C **102**
Cheviot Cres. *Bill* —2D **55**
Cheviot Dri. *Skel C* —3C **88**
Chez Nous Av. *H'pl* —1B **20**
Chichester Clo. *H'pl* —1F **31**
Chilcroft Clo. *Bill* —5A **38**
Childeray St. *Sto T* —1F **97**
Child St. *Brot* —2B **90**
Child St. *Guis* —2E **139**
Chillingham Ct. *Bill* —3E **39**
Chiltern Av. *Red* —2A **64**
Chilton Clo. *M'brgh* —5C **100**
Chilton Clo. *Sto T* —1A **72**
Chiltons Av. *Bill* —4E **55**
Chine, The. *Salt S* —4B **68**
Chingford Av. *M'brgh* —2F **103**
Chingford Gro. *Sto T* —4C **72**
Chipchase Rd. *M'brgh* —1D **101**
Chippenham Rd. *M'brgh*
 —5A **102**
Chopwell Clo. *Sto T* —1B **72**
Christchurch Dri. *Sto T* —2B **96**
Christine Ho. *Thor* —2B **98**
Christopher St. *H'pl* —3A **14**
Christopher St. *Sto T* —3B **74**
Church Clo. *Egg* —2C **148**
Church Clo. *H'pl* —1F **15**
Church Clo. *Loft* —5C **92**
Church Clo. *Mar S* —4D **67**
Church Clo. *Orm* —4A **104**
Church Clo. *S'tn* —5C **130**
Church Clo. *Thor* —3B **98**
Church Dri. *B'bck* —3C **112**
Church Dri. *Gt Ay* —2C **166**
Churchend Clo. *Bill* —4D **55**
Church Farm Flats. *R'shll* —1B **70**
Church Fld. Way. *Ing B* —4A **128**
Church Howle Cres. *Mar S*
 —4E **67**
Church Clo. *Gt Ay* —1D **167**
Churchill Clo. *M'brgh* —5E **81**
Churchill Dri. *Mar S* —4B **66**
Churchill Ho. *Thor* —1C **98**
Churchill Rd. *M'brgh* —5E **81**
Church La. *Est* —3D **81**
Church La. *Face* —2B **158**
Church La. *Guis* —1E **139**
Church La. *Mar S* —3D **67**
Church La. *M'brgh* —5C **100**
(TS5)
Church La. *M'brgh* —3D **81**
(TS6)
Church La. *M Geo* —4A **144**
Church La. *Nun* —1B **156**
Church La. *Orm* —4F **103**
(in two parts)
Church La. *R'shll* —1B **70**
Church La. *Skel C* —4A **88**
Church M. *Bill* —4D **55**
Church Mt. *M'brgh* —1E **105**
Church Rd. *Bill* —4D **55**
Church Rd. *Egg* —2C **148**
Church Rd. *Sto T* —5B **74**

Church Row. *H'pl* —5B **14**
Church Row. *Loft* —5C **92**
Church Row. *Wolv* —2C **38**
Church Sq. *H'pl* —3C **14**
Church St. *Guis* —1F **139**
Church St. *H'pl* —3C **14**
Church St. *Mar S* —3C **66**
Church St. *Red* —3A **48**
Church St. *Sea C* —4E **21**
Church St. *Stait* —1C **120**
Church St. M. Guis —1F **139**
(off Church St.)
Church St. S. *Mar S* —4D **67**
Church Vw. *Long N* —1A **124**
Church Vw. *S'fld* —4C **22**
Church Vw. *Sto T* —4A **74**
Church Wlk. *Guis* —1F **139**
Church Wlk. *H'pl* —1F **15**
Church Wlk. *M'brgh* —5F **79**
Churchyard Link Rd. *Sto T*
 —1A **98**
Cinderwood. *M'brgh* —1F **103**
Clairville Ct. *M'brgh* —5A **78**
Clairville Rd. *M'brgh* —5A **78**
Clapham Grn. *M'brgh* —1B **102**
Clapham Rd. *Yarm* —5B **148**
Claremont Ct. *Thor* —1C **98**
Claremont Dri. *H'pl* —4F **13**
Claremont Dri. *Mar C* —4E **133**
Claremont Gdns. *Sto T* —5B **72**
Claremont Grn. *S'fld* —5C **22**
Claremont Pk. *H'pl* —5F **13**
Clarence Rd. *Eagle* —4C **126**
Clarence Rd. *H'pl* —2B **14**
Clarence Rd. *Nun* —4B **134**
Clarence Row. *Sto T* —4B **74**
Clarence St. *Bill* —3D **57**
Clarence St. *H'pl* —5F **9**
Clarence St. *Sto T* —4B **74**
Clarendon Rd. *M'brgh* —4E **77**
(in two parts)
Clarendon Rd. *Nort* —2A **74**
Clarendon Rd. *Thor* —5D **99**
Clarendon St. *Red* —3D **49**
Clarkson Ct. *H'pl* —3F **19**
Clark St. *H'pl* —4C **14**
Claude Av. *M'brgh* —3D **101**
Clavering. —2C 6
Clavering Rd. *H'pl* —2C **6**
Claxton Clo. *Sto T* —1A **72**
Claydon Gro. *Ing B* —1B **150**
Claygate. *Bill* —3D **39**
Clay La. Commercial Pk.
 M'brgh —1B **80**
Claymond Ct. *Sto T* —5A **54**
Claymore Rd. *H'pl* —5F **19**
Clayton Ct. *Sto T* —4A **98**
Claywood. *M'brgh* —1F **103**
Cleadon Av. *Bill* —3E **39**
Cleadon Wlk. *Sto T* —2B **72**
Clearpool Clo. *H'pl* —5C **8**
Clearwater Bus. Pk. *Thor* —5C **74**
Clearwater Ho. *Thor* —5B **74**
Cleasby Way. *Eagle* —3A **126**
Cleatlam Clo. *Sto T* —2B **72**
Cleator Dri. *Guis* —4D **139**
Clee Ter. *Bill* —1E **55**
Clements Ri. *Sto T* —5F **53**
Clepstone Av. *M'brgh* —3C **100**

Clevecoat Wlk. *Hart* —4F **5**
Clevegate. *Nun* —4F **133**
Cleveland Av. *M'brgh* —3D **101**
Cleveland Av. *Sto T* —1B **74**
Cleveland Av. *Stok* —5C **164**
Cleveland Bus. Cen. *M'brgh*
—3F **77**
Cleveland Cen. *M'brgh* —3E **77**
Cleveland Clo. *Orm* —5A **104**
Cleveland Ct. *M'brgh* —2B **80**
Cleveland Crafts Cen. —3E 77
Cleveland Dri. *Mar C* —2D **133**
Cleveland Gdns. *Eagle* —5B **126**
Cleveland Ind. Est. *Sto T* —4D **75**
Cleveland Pl. *Guis* —2F **139**
Cleveland Rd. *H'pl* —5C **8**
Cleveland Sq. M'brgh —3E **77**
  (off Cleveland Cen.)
Cleveland St. *Est* —1F **105**
Cleveland St. *Gt Ay* —1D **167**
Cleveland St. *Guis* —1D **139**
Cleveland St. *H'pl* —5F **9**
Cleveland St. *Liver* —1A **116**
Cleveland St. *Loft* —5C **92**
Cleveland St. *M'brgh* —2F **77**
Cleveland St. *Norm* —2D **105**
Cleveland St. *Red* —3C **48**
Cleveland St. *Salt S* —4D **69**
Cleveland Vw. *Mar S* —4A **66**
Cleveland Vw. *M'brgh* —1E **103**
Cleveland Vw. *Skel C* —1A **112**
Cliff Cotts. *Mar S* —3D **67**
Cliff Cotts. *M'brgh* —2C **100**
Cliff Cres. *Loft* —5A **92**
Cliffden Ct. *Salt S* —4D **69**
Cliffe Av. *C How* —3E **91**
Cliffe Ct. *H'pl* —3E **21**
Cliffe St. *Brot* —2C **90**
Cliffe Ter. *Gt Ay* —1D **167**
Cliff Ho. *Mar S* —3D **67**
Clifford Clo. *H'pl* —4F **7**
Clifford St. *Red* —3C **48**
Cliffport Ct. *Sto T* —4C **74**
Cliff Rd. *Stait* —2C **120**
Cliff St. *New M* —2A **86**
Cliff Ter. *H'pl* —1F **15**
Cliff Ter. *Liver* —5A **92**
  (Liverton Rd.)
Cliff Ter. *Liver* —2A **92**
  (Marine Ter.)
Cliff Ter. *Mar S* —3D **67**
Cliff, The. *Sea C* —3E **21**
Cliffwood Clo. *M'brgh* —2F **105**
Clifton Av. *Bill* —5B **38**
Clifton Av. *Eagle* —3C **126**
Clifton Av. *H'pl* —4F **13**
Clifton Av. *Sto T* —3F **97**
Clifton Gdns. *Eagle* —3D **127**
Clifton Ho. *Sto T* —3E **73**
Clifton Ho. *Thor* —2B **98**
Clifton Pl. *M'brgh* —2D **105**
Clifton St. *M'brgh* —4E **77**
Clive Cres. *Sto T* —1A **74**
Clive Rd. *Est* —2D **105**
Clockwood Gdns. *Yarm* —4D **149**
Cloisters, The. *Sto T* —4A **72**
Close, The. *E'tn* —2A **118**
Close, The. *Liver* —5A **116**
Close, The. *Long N* —1F **123**

Close, The. *M'brgh* —2A **102**
Clove Hitch Ho. *H'pl* —2C **14**
Clover Ct. *Sto T* —3B **72**
Clover Wood Clo. *Mar C* —3F **133**
Clydach Gro. *Ing B* —2F **149**
Clyde Gdns. *Bill* —4A **38**
Clyde Gro. *Sto T* —3F **97**
Clyde Pl. *H'pl* —5D **9**
Clynes Rd. *M'brgh* —4E **81**
Coach Ho. M. *Norm* —3C **104**
Coach Rd. *Brot* —1A **90**
Coal La. *Elw* —4A **10**
Coal La. *Wolv* —5E **27**
Coal La. Roundabout. *Wolv*
—1B **38**
Coast Rd. *B Col* —1B **6**
Coast Rd. *Red & Mar S* —4E **49**
Coate Clo. *Hem* —4C **130**
Coatham. —3B 48
Coatham Av. *M Geo* —3A **144**
Coatham Bay Cvn. Site. *Red*
—3A **48**
Coatham Clo. *Hem* —4E **131**
Coatham Dri. *H'pl* —4D **13**
Coatham Gro. *Bill* —3E **39**
Coatham La. *Elt* —4C **94**
Coatham Lodge. *Red* —3A **48**
Coatham Rd. *Red* —3A **48**
Coatham Rd. *Sto T* —1B **72**
Coatham Va. *Eagle* —1A **148**
Coatsay Clo. *Sto T* —2B **72**
Cobble Carr. *Guis* —2D **139**
Cobblewood. *M'brgh* —1F **103**
Cobb Wlk. *H'pl* —5E **9**
Cobden St. *H'pl* —3F **13**
Cobden St. *Sto T* —5A **74**
  (in two parts)
Cobden St. *Thor* —3C **98**
Cobham St. *M'brgh* —5E **77**
Cobwood. *M'brgh* —1F **103**
Cockburn St. *Ling* —4E **113**
Cocken Rd. *Sto T* —2B **72**
Cockerton Wlk. *Sto T* —2B **72**
Cockfield Av. *Bill* —3F **39**
Cohen Ct. *Sto T* —5F **53**
Colburn Wlk. *M'brgh* —5F **81**
Colchester Rd. *E'tn* —2A **118**
Colchester Rd. *Sto T* —5B **54**
Coleby Av. *M'brgh* —5A **102**
Coledale Rd. *M'brgh* —2C **102**
Colenso St. *H'pl* —5A **14**
Coleridge Av. *H'pl* —1B **20**
Coleridge Rd. *Bill* —2E **39**
Coleshill Clo. *M'brgh* —5E **38**
Coleton Gdns. *Ing B* —1B **150**
College Clo. *Dal P* —1E **17**
College Ct. *Stok* —1C **168**
College Rd. *M'brgh* —5E **79**
College Sq. *Stok* —1C **168**
Colleton Wlk. *M'brgh* —2D **103**
Colliers Grn. *M'brgh* —4B **78**
Collin Av. *M'brgh* —3F **101**
Collingwood Chase. *Brot* —1B **90**
Collingwood Ct. *Riv I* —5C **56**
Collingwood Rd. *Bill* —5D **55**
Collingwood Rd. *H'pl* —3A **14**
Collingwood Wlk. *H'pl* —3A **14**
Collins Av. *Sto T* —1C **74**
Collinson Av. *M'brgh* —3A **100**

Colmans Nook. *Bel P* —2B **56**
Colmore Av. *M'brgh* —5A **80**
Colpitt Clo. *Nort* —5A **54**
Colsterdale Clo. *Bill* —3E **39**
Coltman St. *M'brgh* —4C **78**
Columbia Dri. *Thor* —1B **98**
Columbine Clo. *Mar C* —2C **132**
Colville St. *M'brgh* —4D **77**
Colwyn Clo. *Red* —3D **65**
Colwyn Rd. *H'pl* —5A **14**
  (in four parts)
Colwyn Rd. *Sto T* —5C **54**
Comfrey. *Cou N* —1C **154**
Commerce Way. *M'brgh* —4A **80**
Commercial St. *H'pl* —5F **9**
  (North Ga.)
Commercial St. *H'pl* —2D **15**
  (Slake Ter.)
Commercial St. *M'brgh* —1E **77**
Commercial St. *Sto T* —5B **74**
Commondale Av. *Sto T* —3E **73**
Commondale Dri. *H'pl* —5D **21**
Commondale Gro. *Red* —1A **64**
Compass Ho. *H'pl* —3D **15**
Compton Clo. *Sto T* —3B **74**
Compton Ho. *M'brgh* —5D **79**
Compton Rd. *H'pl* —2D **19**
Comrie Ho. *H'pl* —5F **19**
Concorde Ho. *Pres I* —5F **97**
Concorde Way. *Pres I* —5E **97**
Coney Clo. *Ing B* —5C **128**
Conifer Av. *S'fld* —3D **23**
Conifer Clo. *Orm* —4B **104**
Conifer Cres. *Bill* —2C **54**
Conifer Dri. *Sto T* —2E **73**
Conifer Gro. *Bill* —2C **54**
Coniscliffe Rd. *H'pl* —4C **12**
Coniscliffe Rd. *Sto T* —2B **72**
Coniston Av. *Red* —5C **48**
Coniston Cres. *R'shll* —1B **70**
Coniston Gro. *M'brgh* —4C **100**
Coniston Rd. *H'pl* —1C **20**
Coniston Rd. *M'brgh* —4F **81**
Coniston Rd. *Skel C* —3B **88**
Coniston Rd. *Sto T* —4D **73**
Connaught Ct. *Nun* —3B **134**
Connaught Rd. *M'brgh* —5B **76**
Connaught Rd. *Nun* —3A **134**
Conningsby Clo. *H'pl* —1E **31**
Conrad Wlk. *H'pl* —2D **19**
Consett Clo. *Sto T* —2B **72**
Consett Dryden Clo. *Norm*
—1D **105**
Consort Clo. *Sto T* —5C **72**
Constable Gro. *Bill* —3D **39**
Constance St. *M'brgh* —4B **78**
Convalescent St. *Salt S* —3C **68**
Conway Av. *Bill* —5E **39**
Conway Rd. *Red* —1D **65**
Conway Wlk. *H'pl* —1E **13**
Conwy Gro. *Ing B* —1F **149**
Conyers Clo. *Yarm* —5B **148**
Conyers Ct. *Brot* —2C **90**
Cook Cres. *Nort* —1A **74**
Cookgate. *Nun* —3F **133**
Cook's Ct. *Orm* —4B **104**
Coombe Hill. *New M* —2A **86**
Coombe Way. *Sto T* —2A **96**
Co-operative Clo. *Loft* —5B **92**

Cooperative Ter.—Crimdon Clo.

Cooperative Ter. *Loft* —5C **92**
Cooper Ct. *Est* —2E **105**
Copeland Ct. *M'brgh* —5D **57**
Copgrove Clo. *M'brgh* —1C **102**
Copley Clo. *Sto T* —2B **72**
Copley Wlk. *M'brgh* —3D **103**
Copnor Wlk. *M'brgh* —3D **103**
Copperwood. *M'brgh* —2F **103**
Copperwood Clo. *H'pl* —2C **6**
Coppice Rd. *M'brgh* —2A **102**
Coppice, The. *Cou N* —3F **131**
(in two parts)
Coppice, The. *Wyn* —5D **27**
Copse Clo. *Ing B* —4B **128**
Copse La. *Ing B* —4B **128**
Copse, The. *H'pl* —1A **14**
Copsewood Wlk. *Stok* —5C **164**
Coquet Clo. *Ing B* —2B **150**
Coquet Clo. *Red* —2F **65**
Coral St. *M'brgh* —4E **77**
Coral St. *Salt S* —3C **68**
Coral Way. *Red* —2E **65**
Corbridge Clo. *Hem* —4E **131**
Corbridge Ct. *Sto T* —2B **72**
Corby Av. *M'brgh* —4A **100**
Corby Ho. *M'brgh* —2A **102**
Corder Rd. *M'brgh* —5B **76**
Corfe Cres. *Bill* —5D **39**
Corfu Way. *Kirk B* —3F **63**
Coris Clo. *Mar C* —2C **132**
Cormland Clo. *Sto T* —1C **74**
Cormorant Dri. *Red* —2E **65**
Corncroft M. *M'brgh* —2E **81**
Cornfield Rd. *M'brgh* —2E **101**
Cornfield Rd. *Sto T* —5A **72**
Cornfield Rd. *Thor* —3B **98**
Cornfields Ho. *M'brgh* —3E **105**
Cornforth Av. *M'brgh* —3D **103**
Cornforth Clo. *Sto T* —2B **72**
Cornforth Gro. *Bill* —3F **39**
Corngrave Clo. *Mar S* —4E **67**
Cornhill Wlk. *Orm* —4A **104**
Cornriggs Wlk. *Sto T* —1B **72**
Cornsay Clo. *M'brgh* —5B **100**
Cornsay Clo. *Sto T* —2B **72**
Cornwall Clo. *Nun* —3A **134**
Cornwall Cres. *Bill* —2F **55**
Cornwall Gro. *Sto T* —1C **74**
Cornwallis Clo. *Brot* —1C **90**
Cornwall Rd. *Guis* —3D **139**
Cornwall St. *H'pl* —1A **20**
Coronation Av. *Hind* —5E **121**
Coronation Ct. *M'brgh* —2D **105**
Coronation Cres. *Yarm* —5A **148**
Coronation Dri. *H'pl* —5D **15**
Coronation Grn. *M'brgh* —4F **103**
Coronation Rd. *Loft* —5B **92**
Coronation St. *C How* —3F **91**
Coronation St. *M'brgh* —4C **78**
Coronation Ter. *Guis* —1E **139**
Corporation Rd. *H'pl* —5E **9**
Corporation Rd. *M'brgh* —3E **77**
Corporation Rd. *Red* —4A **48**
Corporation St. *Sto T* —5A **74**
Corsham Wlk. *M'brgh* —3D **103**
Cortland Rd. *Nun* —3C **134**
Coryton Wlk. *M'brgh* —3D **103**
Costain Gro. *Sto T* —4B **54**
Costa St. *M'brgh* —5D **77**

Costa St. *S Bnk* —2F **79**
Cotgarth Way. *Sto T* —2A **72**
Cotherstone Ct. *Eagle* —5F **125**
Cotherstone Dri. *M'brgh*
                                    —2C **130**
Cotherstone Rd. *Sto T* —3F **97**
Cotswold Av. *M'brgh* —5D **79**
Cotswold Cres. *Bill* —2D **55**
Cotswold Dri. *Red* —1A **64**
Cotswold Dri. *Skel C* —3C **88**
Cottage Farm. *Sto T* —1D **97**
Cottersloe Rd. *Sto T* —4B **54**
Cottingham Dri. *M'brgh* —5D **79**
Cottonwood. *M'brgh* —1F **103**
Coulby Farm Way. *Cou N*
                                    —5B **132**
Coulby Mnr. Farm. *Cou N*
(in three parts)   —3A **132**
Coulby Mnr. Way. *Cou N*
                                    —3F **131**
Coulby Newham. —4B 132
Coulson Clo. *Yarm* —1B **160**
Coulthard Ct. *M'brgh* —2A **80**
Coulton Gro. *Bill* —5A **38**
Council of Europe Boulevd.
                    Sto T & Thor —5B **74**
Coundon Grn. *Sto T* —2B **72**
Countisbury Rd. *Sto T* —3E **53**
Courageous Clo. *H'pl* —3D **21**
Courtney Wlk. *M'brgh* —5E **79**
Court Rd. *M'brgh* —2A **102**
Covent Clo. *M'brgh* —4C **104**
Coverdale. *Hem* —5D **131**
Coverdale Bldgs. *Brot* —2C **90**
Coverdale Rd. *Sto T* —1C **96**
Cowbar. —1C 120
Cowbar Bank. *Stait* —1C **120**
Cowbar Cotts. *Stait* —1B **120**
Cowbar La. *E'tn* —1F **119**
Cowbridge La. *Bill* —3B **40**
Cow Clo. La. *M'hlm* —4C **142**
(in two parts)
Cow Close Wood Nature
                        Reserve. —5D 143
Cowdray Clo. *Guis* —4F **139**
Cowley Clo. *Eagle* —1D **127**
Cowley Clo. *H'pl* —2E **21**
Cowley Rd. *M'brgh* —5D **101**
Cowpen Bewley. —4C 40
Cowpen Bewley Rd. *Bill* —4C **40**
Cowpen Bewley Woodland Pk.
                        Vis. Cen. —3C 40
Cowpen Cres. *Sto T* —2B **72**
Cowpen La. *Bill* —3E **55**
Cowpen La. Est. *Bill* —2A **56**
Cowpen Marsh Nature
                        Reserve. —4F 41
Cowper Gro. *H'pl* —2D **19**
Cowper Rd. *Sto T* —3C **74**
Cowscote Cres. *Loft* —4A **92**
Cowshill Grn. *Sto T* —2B **72**
Cowton Way. *Eagle* —3B **126**
Coxgreen Clo. *Sto T* —2B **72**
Coxhoe Rd. *Bill* —5F **39**
Coxmoor Way. *New M* —2F **85**
Coxwold Clo. *M'brgh* —5E **101**
Coxwold Rd. *Sto T* —1D **97**
Coxwold Way. *Bel P* —2B **56**
Crabtree Wlk. *Nun* —1D **135**

Cradley Dri. *M'brgh* —3C **130**
Cradoc Gro. *Ing B* —1F **149**
Cragdale Rd. *M'brgh* —1C **102**
Cragghall Roundabout. *Brot*
                                    —2D **91**
Craggs St. *M'brgh* —3A **78**
Craggs St. *Sto T* —4F **73**
Cragside. *Brot* —2C **90**
Cragside. *S'fld* —5C **22**
Cragside Ct. *Ing B* —1B **150**
Cragston Clo. *H'pl* —2D **13**
Craigearn Rd. *M'brgh* —1C **104**
Craigweil Cres. *Sto T* —3F **73**
Craister Rd. *Sto T* —4B **74**
Crall Wlk. *H'pl* —4F **19**
Cramlington Clo. *Hem* —4E **131**
Cranage Clo. *M'brgh* —3B **100**
Cranberry. *Cou N* —5D **133**
Cranbourne Dri. *Red* —4E **65**
Cranbourne Ter. *Sto T* —2F **97**
Cranbrook. *Mar C* —5E **133**
Cranfield Av. *M'brgh* —4F **79**
(in two parts)
Cranford Av. *M'brgh* —4B **80**
Cranford Clo. *M'brgh* —4B **80**
Cranford Gdns. *M'brgh* —4B **100**
Cranleigh Rd. *Sto T* —1E **97**
Cranmore Rd. *M'brgh* —5C **78**
Cranstock Clo. *Bill* —5A **38**
Cranswick Clo. *Bill* —2F **39**
Cranswick Dri. *M'brgh* —5E **101**
Cranwell Gro. *Thor* —3D **129**
Cranwell Rd. *H'pl* —5D **19**
Cranworth Grn. *Thor* —2D **99**
Cranworth St. *Thor* —2C **98**
Crathorne Cres. *M'brgh* —1B **100**
Crathorne Pk. *M'brgh* —2C **104**
Crathorne Rd. *Sto T* —5B **54**
Craven St. *M'brgh* —4D **77**
Craven Va. *Guis* —3E **139**
Crawcrook Wlk. *Sto T* —2B **72**
Crawford St. *Sea C* —4E **21**
Crawley Rd. *Thor* —4E **99**
Crayke Rd. *Sto T* —2D **97**
Creekwood. *M'brgh* —1F **103**
Cremorne Clo. *Mar C* —2C **132**
Crescent Av. *Bill* —4E **55**
Crescent, The. *Carl* —5C **50**
Crescent, The. *Eagle* —1B **148**
Crescent, The. *H'pl* —3E **13**
Crescent, The. *Mar S* —4D **67**
Crescent, The. *M'brgh* —2D **101**
Crescent, The. *M Geo* —2C **144**
Crescent, The. *Nun* —3B **134**
Crescent, The. *Orm* —4F **103**
Crescent, The. *Salt S* —5C **68**
Crescent, The. *Thor* —4C **98**
Cresswell Clo. *Hem* —4E **131**
Cresswell Ct. *H'pl* —3D **13**
Cresswell Dri. *H'pl* —3D **13**
Cresswell Rd. *H'pl* —3D **13**
Cresswell Rd. *M'brgh* —2E **81**
Crest, The. *H'pl* —2D **13**
Crestwood. *M'brgh* —2F **103**
Crestwood. *Red* —4D **65**
Cribyn Clo. *Ing B* —1F **149**
Cricket La. *M'brgh* —3C **104**
Crieff Wlk. *H'pl* —4F **19**
Crimdon Clo. *Hem* —5E **131**

Crimdon Wlk. *Sto T*—1A **72**
Cringle Ct. *Red*—2B **64**
Crinklewood. *M'brgh*—2F **103**
Crispin Ct. *Brot*—2C **90**
Crispin Ct. *S'fld*—4D **23**
Crisp St. *Sto T*—2B **74**
Croft Av. *M'brgh*—4B **100**
Croft Dri. *Nun*—4B **134**
Crofton Av. *M'brgh*—2F **101**
Crofton Ct. *Sto T*—4D **75**
Croft on Heugh. —1F 15
Crofton Rd. *Sto T*—4D **75**
Croft Rd. *Eagle*—1B **148**
Crofts, The. *Stil*—2B **50**
Croft St. *Sto T*—4B **74**
Croft Ter. *H'pl*—1F **15**
(in two parts)
Croft, The. *Mar C*—3D **133**
Cromer Ct. *Eagle*—1C **148**
Cromer St. *M'brgh*—4A **78**
Cromer Wlk. *H'pl*—5E **19**
Cromore Clo. *Thor*—2C **128**
Cromwell Av. *Loft*—5D **93**
Cromwell Av. *Sto T*—4B **74**
Cromwell Grn. *Sto T*—5B **74**
Cromwell Rd. *M'brgh*—3A **80**
Cromwell St. *H'pl*—5C **14**
Cromwell St. *M'brgh*—4B **78**
Cromwell Ter. *Thor*—3C **98**
Crookers Hill Clo. *Nun*—5A **134**
Crookhall Wlk. *Sto T*—2B **72**
Crooks Barn La. *Sto T*—3A **54**
Crooksham. —5B 54
Crook St. *Sto T*—4A **54**
Cropton Clo. *Red*—3B **64**
Cropton Way. *Cou N*—4B **132**
Crosby Ct. *Eagle*—5D **127**
Crosby Ho. *M'brgh*—5D **79**
Crosby St. *Sto T*—3B **74**
Crosby Ter. *Port C*—5A **58**
Crosby Wlk. *Thor*—3C **98**
Crossbeck Ter. *Norm*—2D **105**
Crossbeck Way. *Orm*—4B **104**
Crosscliff. *Hem*—4E **131**
Cross Fell. *Red*—1B **64**
Crossfell Rd. *M'brgh*—2C **102**
Crossfields. *Cou N*—1B **154**
Cross La. *Gt Ay*—4E **167**
Cross La. *Loft*—3B **92**
Cross Row. *B'bck*—3B **112**
Cross St. *Bill*—3D **57**
Cross St. *Est*—1F **105**
Cross St. *Guis*—2E **139**
Cross St. *S'fld*—4D **23**
Cross St. *Sto T*—5B **54**
Crosswell Pk. *Ing B*—2F **149**
Crosthwaite Av. *M'brgh*—3F **101**
Crowhurst Clo. *Guis*—4E **139**
Crowland Av. *M'brgh*—2A **104**
Crowland Rd. *H'pl*—1D **31**
Crow La. *M'brgh*—5A **82**
Crowood Av. *Stok*—5C **164**
Croxdale Gro. *Sto T*—1B **96**
Croxdale Rd. *Bill*—4E **39**
Croxden Gro. *M'brgh*—3E **103**
Croxton Av. *H'pl*—1F **31**
Croxton Clo. *Sto T*—5F **71**
Croydon Rd. *M'brgh*—5A **78**
Crummackdale. *Ing B*—3B **150**
Crummock Rd. *Red*—5C **48**
Culgarth Av. *M'brgh*—1C **102**
Cullen Rd. *H'pl*—4F **19**
Culloden Way. *Bill*—4A **40**
Culross Gro. *Sto T*—5F **71**
Cumberland Cres. *Bill*—3D **55**
Cumberland Gro. *Sto T*—4F **53**
Cumberland Ho. *M'brgh*—2E **101**
Cumberland Rd. *M'brgh*—1E **101**
Cumbernauld Rd. *Thor*—4E **99**
Cumbria Wlk. *H'pl*—5B **14**
Cumnor Wlk. *M'brgh*—5D **79**
Cundall Rd. *H'pl*—3F **13**
Cunningham Clo. *Brot*—1B **90**
Cunningham Dri. *Thor*—3D **129**
Cunningham St. *M'brgh*—5C **76**
Curlew La. *Sto T*—3A **54**
Curran Av. *M'brgh*—2B **100**
Curson St. *M'brgh*—2F **105**
Curthwaite. *M'brgh*—2A **130**
Custom Ho. *M'brgh*—1F **77**
Cuthbert Clo. *Thor*—3C **98**
Cutler Clo. *Mar C*—2E **133**
Cypress Ct. *Sto T*—3A **74**
Cypress Rd. *Mar C*—2E **133**
Cypress Rd. *Red*—5F **49**

Dabholm Rd. *M'brgh*—5E **45**
Dacre Clo. *Thor*—5C **98**
Daimler Dri. *Cow I*—5B **40**
Daisy Ct. *Sto T*—3C **72**
Dalby Clo. *Bill*—5A **38**
Dalby Clo. *Red*—3C **64**
Dalby Way. *Cou N*—5B **132**
Dalcross Ct. *Hem*—5E **131**
(in two parts)
Dale Clo. *Sto T*—2A **72**
Dale Gth. *Mar S*—5E **67**
Dale Gro. *Sto T*—1B **96**
Dalehouse. —2B 120
Dalehouse Bank. *Stait*—3B **120**
Dales Pk. Rd. *Hem*—5D **131**
Daleston Av. *M'brgh*—3D **101**
Daleston Clo. *H'pl*—2C **12**
Dale St. *M'brgh*—3E **77**
Dale St. *New M*—1A **86**
Dale Ter. *Ling*—4E **113**
Daleville Clo. *M'brgh*—3F **101**
Dalewood Wlk. *Stok*—5C **164**
Dalkeith Cres. *Hem*—3E **131**
Dalkeith Rd. *H'pl*—3E **19**
Dallas Ct. *Hem*—5E **131**
(in three parts)
Dallas Rd. *H'pl*—3E **19**
Dalmuir Clo. *Eagle*—5C **126**
Dalry Gro. *H'pl*—4E **19**
Dalston Ct. *Orm*—4B **104**
Dalton Bk. La. *Dal P*—2D **17**
Dalton Gro. *Bill*—3E **39**
Dalton Gro. *Sto T*—2A **74**
Dalton Heights. *Dal P*—1E **17**
Dalton Piercy. —1E 17
Dalton St. *H'pl*—4A **14**
Daltry Clo. *Yarm*—5E **149**
Dalwood Ct. *Hem*—5E **131**
Dam St. *Loft*—5C **92**
Danby Ct. *Sto T*—3B **74**
Danby Dale Av. *Red*—1A **64**
Danby Gro. *H'pl*—4E **21**
Danby Gro. *Thor*—4D **99**
Danby Rd. *M'brgh*—5F **81**
Danby Rd. *Sto T*—3B **74**
Danby Wlk. *Bill*—5C **38**
Danby Wynd. *Yarm*—3B **148**
Danesbrook Ct. *Ing B*—3B **150**
Danesfort Av. *Guis*—2D **139**
Daniel Ct. *M'brgh*—5A **78**
Dante Rd. *Mar C*—2B **132**
Daphne Rd. *Sto T*—3A **74**
Darcy Clo. *Yarm*—1A **160**
Darenth Cres. *M'brgh*—2D **103**
Darlington Bk. La. *Whi H & Sto T*—1A **94**
Darlington La. *Sto T*—3B **72**
(in two parts)
Darlington Rd. *Elt*—4E **95**
Darlington Rd. *Long N*—1F **123**
Darlington Rd. *Sto T*—3A **96**
Darlington St. *H'pl*—1F **15**
Darlington St. *Thor*—2C **98**
Darlington Ter. Stait —1C 120
(off High St.)
Darnall Grn. *M'brgh*—5B **102**
Darnbrook Way. *Nun*—4F **133**
Darnton Dri. *M'brgh*—5B **102**
Darras Wlk. *M'brgh*—5D **79**
Dartmouth Gro. *Red*—2D **65**
Darvel Rd. *H'pl*—3E **19**
Darwen Ct. *Hem*—5E **131**
Darwin Gro. *H'pl*—1D **19**
Dauntless Clo. *H'pl*—3E **21**
Davenport Rd. *Yarm*—1A **160**
Daventry Av. *Sto T*—2E **73**
David Rd. *Sto T*—2C **74**
Davison Dri. *H'pl*—3F **7**
Davison St. *Ling*—4E **113**
Davison St. *M'brgh*—3E **77**
Davy Rd. *Skip I*—3F **79**
Dawdon Clo. *Sto T*—1B **72**
Dawley Clo. *Thor*—4E **99**
Dawlish Dri. *H'pl*—5A **20**
Dawlish Grn. *M'brgh*—5B **102**
Dawn Clo. *Sto T*—3A **54**
Dawson Ho. *Bill*—1D **55**
Dawson Sq. *M'brgh*—1B **100**
Dawsons Wharf Ind. Est. *M'brgh*—1E **77**
Daylight Rd. *Sto T*—3D **73**
Days Ter. *Brot*—2B **90**
Day St. *Brot*—3B **90**
Deacon Gdns. *Sea C*—5E **21**
Deacon St. *M'brgh*—4C **78**
Deal Clo. *Sto T*—2E **73**
Deal Ct. *M'brgh*—2A **102**
Deal Rd. *Bill*—4D **39**
Deal Rd. *Red*—2E **65**
Deansgate. *M'brgh*—1A **106**
Dean St. *Sto T*—1A **98**
De Brus Ct. *Salt S*—3C **68**
Debruse Av. *Yarm*—1A **160**
De Brus Pk. *Mar C*—2D **155**
De Brus Way. *Guis*—1E **139**
Deepdale. *Guis*—3A **138**
Deepdale Av. *G'twn*—4F **81**
Deepdale Av. *M'brgh*—2A **102**
(Fairfield Rd.)

Deepdale Av.—Dumbarton Av.

Deepdale Av. *M'brgh* —3F **101**
(Marton Burn Rd., in two parts)
Deepdale La. *Skin & Loft*
—3A **92**
Deepdale Rd. *Loft* —4A **92**
Deepdene Gro. *Red* —3F **65**
Deepgrove Wlk. *M'brgh* —5F **81**
Dee Rd. *M'brgh* —5D **81**
Deerpool Clo. *H'pl* —5C **8**
De Havilland Av. *Pres B* —5E **97**
De Havilland Dri. *Mar S* —3A **66**
Deighton Gro. *Bill* —4D **39**
Deighton Rd. *M'brgh* —1B **132**
De La Mare Dri. *Bill* —2D **39**
Delamere Dri. *Mar S* —5B **66**
Delamere Rd. *M'brgh* —3D **103**
Delarden Rd. *M'brgh* —5D **79**
Delaval Rd. *Bill* —5F **39**
Dell Clo. *Mar C* —3C **132**
Dellfield Clo. *M'brgh* —3C **102**
Del Strother Av. *Sto T* —4E **73**
Denbigh Rd. *Bill* —4E **39**
Dene Clo. *Thor* —4E **99**
Dene Gro. *Red* —4D **49**
Dene Rd. *M'brgh* —2A **102**
Deneside Clo. *Yarm* —4D **149**
Denevale. *Yarm* —4D **149**
Dene Wlk. *Mar S* —4B **66**
Denham Grn. *M'brgh* —5D **79**
Denholme Av. *Sto T* —3E **97**
Denmark St. *M'brgh* —2D **77**
Dennison St. *Sto T* —3F **97**
Denshaw Clo. *Sto T* —5A **72**
Dentdale Clo. *Yarm* —1B **160**
Denton Clo. *M'brgh* —2B **130**
Denton Clo. *Sto T* —1B **72**
Dent St. *H'pl* —3B **14**
Denver Dri. *M Geo* —1B **144**
Depot Rd. *M'brgh* —1E **77**
Derby Av. *M'brgh* —2A **100**
Derby Clo. *Thor* —3D **99**
Derby Rd. *Guis* —3D **139**
Derby St. *H'pl* —1B **20**
Derby St. *Sto T* —5A **74**
Derby Ter. *Thor* —2D **99**
Derby, The. *Mar C* —1B **132**
Derwent Av. *Guis* —3C **138**
Derwent Clo. *R'shll* —1B **70**
Derwent Ho. *Bill* —3A **40**
Derwent Pk. *Loft* —5D **93**
Derwent Rd. *Red* —5A **48**
Derwent Rd. *Skel C* —4B **88**
Derwent Rd. *Thor* —4C **78**
Derwent St. *H'pl* —3B **14**
Derwent St. *M'brgh* —4D **77**
Derwent St. *N Orm* —4C **78**
Derwent St. *Sto T* —2A **74**
Derwentwater Av. *M'brgh*
—4C **100**
Derwentwater Rd. *M'brgh*
—4F **81**
Desford Grn. *M'brgh* —1D **103**
Desmond Rd. *M Geo* —3A **144**
Deva Clo. *M'brgh* —2B **102**
Devon Clo. *Red* —1B **64**
Devon Cres. *Bill* —2F **55**
Devon Cres. *Skel C* —4A **88**
Devonport Rd. *M'brgh* —2F **101**
Devonport Rd. *Sto T* —4C **74**

Devon Rd. *Guis* —3D **139**
Devon Rd. *M'brgh* —4E **81**
Devonshire Rd. *M'brgh* —1D **101**
Devonshire St. *Sto T* —3F **97**
Devon St. *H'pl* —1B **20**
Dewberry. *Cou N* —1D **155**
Dew La. *Orm* —5A **104**
Diamond Ct. *Pres I* —5F **97**
Diamond Hall Roundabout.
S'fld —5E **23**
Diamond Rd. *Thor* —4D **99**
Diamond St. *M'brgh* —4E **77**
Diamond St. *Salt S* —3C **68**
Dickens Ct. *Bill* —3D **39**
Dickens Gro. *H'pl* —1F **19**
Dickens St. *H'pl* —3F **7**
Dikes La. *Gt Ay* —2F **167**
Diligence Way. *Eagle* —4B **126**
Dillside. *Sto T* —3C **72**
Dimmingdale Rd. *M'hlm*
—5C **142**
Dinas Ct. *Ing B* —1F **149**
Dingleside. *Sto T* —4C **72**
Dinsdale Av. *M'brgh* —5C **100**
Dinsdale Ct. *Bill* —4F **39**
Dinsdale Dri. *Eagle* —5C **126**
Dinsdale Rd. *Sto T* —1B **72**
Diomed Ct. *Mar C* —1C **132**
Dionysia Rd. *M'brgh* —5C **78**
Dipton Grn. *M'brgh* —5B **102**
Dipton Rd. *Sto T* —1A **72**
Dishforth Clo. *Thor* —3D **129**
Dixon Gro. *M'brgh* —5C **78**
Dixons Bank. *Mar C* —3E **133**
Dixon St. *Brot* —2B **90**
Dixon St. *C How* —3F **91**
Dixon St. *Ling* —4E **113**
Dixon St. *Skel C* —3C **88**
Dixon St. *Sto T* —5A **74**
Dobson Pl. *H'pl* —3E **7**
Dobson Ter. *Red* —4D **49**
Dockside Rd. *M'brgh* —2C **78**
Dock St. *M'brgh* —2F **77**
Dodford Rd. *Hem* —5E **131**
Dodsworth Wlk. *H'pl* —3D **7**
Doncaster Cres. *Sto T* —2F **73**
Donegal Ter. *M'brgh* —5C **76**
Donington Grn. *M'brgh* —2A **104**
Dorchester Clo. *M'brgh* —2B **132**
Dorchester Clo. *Sto T* —2E **73**
Dorchester Dri. *H'pl* —2D **7**
Doric Ho. *S'fld* —4C **22**
Dorkings, The. *Gt Br* —5F **169**
Dorlcote Pl. *Sto T* —2B **74**
Dorman Mus. —5E **77**
Dorman Rd. *M'brgh* —1E **105**
Dorman's Cres. *Red* —5F **47**
Dormanstown. —1F 63
Dorma Pk. Bungalows. *G'ham*
—3E **31**
Dormor Way. *S Bnk* —3E **79**
Dornoch Sands. *M'brgh*
—3B **130**
Dorothy St. *M'brgh* —4C **78**
Dorothy Ter. Thor —3C 98
(off Langley Av.)
Dorrien Cres. *M'brgh* —5C **78**
Dorset Clo. *M'brgh* —1D **101**
Dorset Clo. *Red* —1B **64**

Dorset Cres. *Bill* —1F **55**
Dorset Rd. *Guis* —4C **138**
Dorset Rd. *Skel C* —4A **88**
Dorset Rd. *Sto T* —1C **74**
Dorset St. *H'pl* —1B **20**
Douglas Clo. *Pres I* —5F **97**
Douglas St. *M'brgh* —4A **78**
(in two parts)
Douglas Ter. *M'brgh* —2D **105**
Douglas Wlk. Sto T —3B 74
(off Headlam Rd.)
Dovecote Clo. *Mar S* —4C **66**
Dovecot St. *Sto T* —1A **98**
(in two parts)
Dovedale Av. *M'brgh* —4F **81**
Dovedale Clo. *Nort* —1C **74**
Dovedale Rd. *Sto T* —1C **74**
Dover Clo. *Bill* —5C **38**
Dover Clo. *Red* —2E **65**
Dover Rd. *Sto T* —2F **73**
(in two parts)
Dover St. *H'pl* —3C **14**
Dovey Ct. *Ing B* —1F **149**
Downe St. *Liver* —5A **92**
Downfield Way. *New M* —2F **85**
Downham Av. *M'brgh* —3C **102**
Downham Gro. *H'pl* —5E **19**
Downholme Gro. *Sto T* —3C **96**
Downside Rd. *M'brgh* —3A **100**
Dowson Rd. *H'pl* —3F **7**
Doxford Wlk. *Hem* —5E **131**
Doyle Wlk. *H'pl* —2D **19**
Doyle Way. *Sto T* —4A **72**
Dragon Ct. *Sto T* —5B **54**
Drake Clo. *Mar S* —4E **67**
Drake Ct. *M'brgh* —2C **76**
Drake Rd. *Sto T* —1A **74**
Draycott Av. *M'brgh* —3D **131**
Draycott Clo. *Nort* —5E **53**
Draycott Clo. *Red* —3B **64**
Drayton Rd. *H'pl* —2D **19**
Driffield Way. *Bill* —2F **39**
Driftwell Dri. *Sto T* —4A **72**
Drive, The. *G'ham* —3E **31**
Drive, The. *Mar S* —4B **66**
Drive, The. *S'tn* —5C **130**
Drive, The. *Thor* —2B **128**
Droitwich Av. *Sto T* —2E **73**
Drovers La. *R'shll* —1B **70**
Druridge Gro. *Red* —2F **65**
Dryburn Rd. *Sto T* —1A **72**
Dryden Clo. *Bill* —2E **39**
Dryden Rd. *H'pl* —2E **19**
Duchy Rd. *H'pl* —3C **12**
Duddon Sands. *M'brgh* —3B **130**
Duddon Wlk. *Sto T* —5F **73**
Dudley Rd. *Bill* —4D **39**
Dudley Wlk. Red —2E 65
(off Carisbrooke Way)
Dufton Rd. *M'brgh* —1C **100**
Dugdale St. *Sto T* —4C **74**
Dukeport Ct. Sto T —4C 74
(off Alnport Rd.)
Duke St. *H'pl* —2F **13**
Dukesway. *Tees* —5D **129**
Dulas Clo. *Red* —3E **65**
Dulverton Clo. *Ing B* —3B **150**
Dulverton Way. *Guis* —3F **139**
Dumbarton Av. *Sto T* —2F **73**

Ednam Gro.—Erskine Rd.

Ednam Gro. *H'pl* —3E **19**
Edridge Grn. *M'brgh* —5E **79**
Edwards St. *Est* —2F **105**
Edwards St. *Sto T* —2A **98**
(in two parts)
Edward St. *N Orm* —4C **78**
Edward St. *S Bnk* —3B **80**
Edzell Wlk. *H'pl* —3D **19**
Egerton Clo. *Sto T* —4E **53**
Egerton Rd. *H'pl* —4C **12**
Egerton St. *M'brgh* —5F **77**
Egerton Ter. *G'ham* —3E **31**
Egglescliffe. —2C 148
Egglescliffe Bank. *Egg* —2B **148**
Egglescliffe Clo. *Sto T* —5C **52**
Egglescliffe Ct. *Egg* —2C **148**
Egglescliffe Parish Church of
St John the Baptist. —2C **148**
Eggleston Ct. *M'brgh* —1C **76**
Eggleston Ct. *Skel C* —4D **89**
Egglestone Ct. *Bill* —4E **39**
Egglestone Dri. *Eagle* —5A **126**
Egglestone Ter. *Sto T* —1F **97**
Eggleston Rd. *Red* —3C **64**
Eglinton Av. *Guis* —3E **139**
Eglinton Rd. *M'brgh* —2E **81**
Egmont Rd. *M'brgh* —5A **78**
Egton Av. *Nun* —4F **133**
Egton Clo. *Red* —3C **64**
Egton Dri. *H'pl* —5D **21**
Egton Rd. *Sto T* —2B **74**
Eider Clo. *Ing B* —5B **128**
Elcho St. *H'pl* —3A **14**
Elcoat Rd. *Sto T* —4B **54**
Elder Clo. *H'pl* —1D **13**
Elder Ct. *M'brgh* —3F **77**
Elder Gro. *Red* —3F **65**
Elder Gro. *Sto T* —2E **73**
Elderslie Wlk. *H'pl* —3D **19**
Elderwood Ct. *M'brgh* —3F **101**
Eldon Gro. *H'pl* —4F **13**
Eldon St. *Thor* —2C **98**
Eldon Wlk. *Thor* —3D **99**
Eleanor Pl. *Sto T* —2A **98**
Elemere Ct. *Bill* —4E **39**
Elgin Av. *G'twn* —2C **80**
Elgin Av. *M'brgh* —3D **103**
Elgin Rd. *H'pl* —3E **19**
Elgin Rd. *Thor* —3D **129**
Eliot Ct. *Bill* —3D **39**
Elishaw Grn. *Ing B* —2A **150**
Elizabeth St. *Thor* —3C **98**
Elizabeth Ter. *M'brgh* —4B **78**
Elizabeth Way. *H'pl* —4D **21**
Elkington Wlk. *M'brgh* —2A **104**
Elland Av. *M'brgh* —5B **102**
Ellary Wlk. *H'pl* —3D **19**
Ellen Av. *Sto T* —2F **97**
Ellenport Ct. *Sto T* —4C **74**
Ellerbeck Ct. *Stok* —3D **169**
Ellerbeck Way. *Orm* —4B **104**
Ellerbeck Way. *Stok* —3D **169**
Ellerburne St. *Thor* —3D **99**
Ellerby Clo. *Red* —2C **64**
Ellerby Grn. *M'brgh* —1C **102**
Ellerby Rd. *M'brgh* —5F **81**
Ellers Bank. *Upl* —2C **110**
Ellerton Clo. *M'brgh* —5E **101**
Ellerton Rd. *Sto T* —3A **96**

Ellesmere Wlk. *M'brgh* —5E **79**
Ellett Ct. *H'pl* —4F **7**
Elliot St. *M'brgh* —3F **77**
Elliot St. *Red* —3B **48**
Elliot St. *Skel C* —5B **88**
Elliott St. *H'pl* —3A **14**
Elliotts Yd. Stait —1C **120**
(off Beckside)
Elliott Wlk. *Sto T* —2A **98**
Ellis Gdns. *Hem* —5E **131**
Ellison St. *H'pl* —5A **14**
Elm Av. *S'fld* —3D **23**
Elm Clo. *Norm* —5C **80**
Elm Clo. *Salt S* —4A **68**
Elm Dri. *Mar C* —2D **133**
Elmfield Gdns. *H'pl* —3F **19**
Elm Gro. *H'pl* —3E **13**
Elm Gro. *Thor* —4C **98**
Elm Ho. *Sto T* —5B **74**
Elmhurst Gdns. *Hem* —5E **131**
(in three parts)
Elm Rd. *Guis* —1E **139**
Elm Rd. *Red* —4E **49**
Elmstone Gdns. *Hem* —5E **131**
(in three parts)
Elm St. *M'brgh* —3F **77**
Elm St. *S Bnk* —2A **80**
Elm Tree. —3B 72
Elm Tree Av. *Sto T* —3B **72**
Elm Tree Cen. *Sto T* —4C **72**
Elm Tree Pk. *Sea C* —3E **21**
Elm Wlk. *Loft* —5B **92**
Elmwood. *Cou N* —3B **132**
Elmwood Av. M'brgh —1B **100**
(off Northern Rd.)
Elmwood Clo. *Stok* —5C **164**
Elmwood Ct. *Sto T* —3B **72**
Elmwood Gro. *Sto T* —4D **73**
Elmwood Pl. *H'pl* —1E **13**
Elmwood Rd. *Eagle* —2C **126**
Elmwood Rd. *H'pl* —2E **13**
Elphin Wlk. *H'pl* —3D **19**
Elsdon Gdns. *Ing B* —2A **150**
Elsdon St. *Sto T* —1F **97**
Elstob Clo. *Sto T* —5B **52**
Elstone Rd. *M'brgh* —3A **78**
Elterwater Clo. *Red* —5B **48**
Eltham Cres. *Thor* —3E **129**
Eltisley Grn. *M'brgh* —5E **79**
Elton. —4E 95
Elton Clo. *Sto T* —5C **52**
Elton Gro. *Sto T* —1A **96**
Elton Interchange. *Elt* —3F **95**
Elton La. *Eagle* —1B **148**
Elton Park. —5A 72
Elton Rd. *Bill* —4B **38**
Elton St. *Red* —4C **48**
Eltringham Rd. *H'pl* —4A **14**
Elvan Gro. *H'pl* —3E **19**
Elvington Clo. *Bill* —1F **39**
Elvington Grn. *M'brgh*
                                —1E **103**
Elwick. —4C 10
Elwick Av. *M'brgh* —5C **100**
Elwick Clo. *Sto T* —5B **52**
Elwick Ct. *H'pl* —5A **14**
Elwick Gdns. *Sto T* —5B **52**
Elwick Rd. *H'pl* —4E **13**
(Park Rd.)

Elwick Rd. *H'pl* —2A **12**
(Worset La.)
Ely Cres. *Brot* —2C **90**
Ely Cres. *Red* —5F **49**
Ely St. *M'brgh* —4A **78**
Embleton Av. *M'brgh* —4C **100**
Embleton Clo. *Sto T* —5B **52**
Embleton Ct. *Red* —2D **65**
Embleton Gro. *Wyn* —2E **37**
Embleton Rd. *Bill* —4B **38**
Embleton Wlk. *Sto T* —5B **52**
(in two parts)
Embsay Clo. *Ing B* —2B **150**
Embsay Ct. *M'brgh* —3A **102**
Emerald St. *M'brgh* —4E **77**
Emerald St. *Salt S* —3C **68**
Emerson Av. *M'brgh* —3E **101**
Emerson Ct. *H'pl* —3F **7**
Emily St. *M'brgh* —3F **77**
Emma Simpson Ct. *Sto T*
                                —3C **96**
Emmerson St. *M'brgh* —1E **101**
Emmetts Gdns. *Ing B* —1B **150**
Emsworth Dri. *Eagle* —5A **126**
Endeavour Clo. *H'pl* —3E **21**
Endeavour Dri. *Orm* —5B **104**
Endeavour Ho. *Thor* —1B **98**
Endeavour, The. *Nun* —3A **134**
Enderby Gdns. *Hem* —5E **131**
Endeston Rd. *M'brgh* —3E **103**
Endrick Rd. *H'pl* —3D **19**
Endsleigh Dri. *M'brgh* —3A **100**
Enfield Chase. *Guis* —3D **139**
Enfield Gro. *M'brgh* —4C **104**
Enfield Shop. Cen. *Guis* —3E **139**
Enfield St. *M'brgh* —4D **77**
Ennerdale Av. *M'brgh* —4C **100**
Ennerdale Cres. *Skel C* —3B **88**
Ennerdale Rd. *Sto T* —5D **73**
Ennis Rd. *Red* —5E **47**
Ennis Sq. *Red* —5E **47**
Enron Ho. *Thor* —1C **98**
Ensign Ct. *H'pl* —3D **15**
Enterpen Clo. *Yarm* —4F **149**
Enterprise Cen. *M'brgh* —1F **77**
Enterprise Cen. Annexe.
                        M'brgh —1E **77**
Enterprise Ho. H'pl —1C **20**
(off Thomlinson Rd.)
Epping Av. *M'brgh* —3D **103**
Epping Clo. *Mar S* —4C **66**
Epping Clo. *Thor* —2C **128**
Epsom Av. *M'brgh* —5B **102**
Epsom Rd. *Red* —2D **65**
Epworth Grn. *M'brgh* —1E **103**
Erica Gro. *Mar C* —1C **132**
Eric Av. *Thor* —3D **99**
Eridge Rd. *Guis* —3F **139**
Eriskay Wlk. *H'pl* —3D **19**
Eris Rd. *Pres I* —5E **97**
Erith Gro. *M'brgh* —1B **132**
Ernest St. *H'pl* —2A **14**
Ernest Wlk. *H'pl* —2A **14**
Errington Gth. Mar S —5E **67**
(off Hambleton Cres.)
Errington St. *Brot* —3B **90**
Errol St. *H'pl* —3B **14**
Errol St. *M'brgh* —5F **77**
Erskine Rd. *H'pl* —3D **19**

Escomb Clo. *Sto T*—5B **52**
Escombe Av. *M'brgh*—5B **102**
Escombe Rd. *Bill*—2E **39**
Escomb Ho. *M'brgh*—2A **102**
Esha Ness Ct. *H'pl*—3D **19**
Esher Av. *Norm*—4C **104**
Esher St. *M'brgh*—4A **78**
Eshwood Sq. *M'brgh*—3E **77**
Esk Clo. *Guis*—3D **139**
Eskdale. *Hem*—5D **131**
Eskdale Clo. *Yarm*—1B **160**
Eskdale Ct. *H'pl*—3D **19**
Eskdale Rd. *H'pl*—4D **19**
Eskdale Rd. *Red*—1F **63**
*Eskdale Ter. Guis—1E **139***
(off Bolckow St.)
Eskdale Ter. *Ling*—4E **113**
Esk Grn. *Eagle*—1B **148**
Esk Gro. *H'pl*—3E **19**
Esk Rd. *Sto T*—1A **74**
Esk St. *M'brgh*—4C **78**
*Esk Ter. Loft—5D **93***
(off Whitby Rd.)
Esplanade. *Red*—3C **48**
Essex Av. *M'brgh*—3D **81**
Essex Clo. *Red*—1B **64**
Essex Cres. *Bill*—2F **55**
Essex Gro. *Sto T*—1C **74**
Essexport Rd. *Sto T*—4C **74**
Essex St. *M'brgh*—5D **77**
Eston. —1E 105
Eston Clo. *Thor*—4D **99**
Eston Rd. *Laz*—1A **106**
(in two parts)
Eston Rd. *M'brgh*—1C **80**
Eston Vw. *M'brgh*—2D **103**
Etherley Clo. *Sto T*—5B **52**
Etherley Wlk. *Sto T*—5B **52**
(in two parts)
Eton Rd. *M'brgh*—2C **100**
Eton Rd. *Sto T*—2F **97**
Eton St. *H'pl*—1A **20**
Ettersgill Clo. *Eagle*—5A **126**
Ettington Av. *M'brgh*—4D **103**
Etton Rd. *Bill*—1E **39**
Ettrick Wlk. *H'pl*—3D **19**
Evans St. *M'brgh*—3D **81**
Evendale. *Guis*—3A **138**
Evenwood Clo. *Sto T*—5B **52**
Evenwood Gdns. *M'brgh* —2D **131**
Everett St. *H'pl*—2F **13**
*Evergreen Wlk. M'brgh—3F **101***
(off Pinewood Av.)
Everingham Rd. *Yarm*—1A **160**
Eversham Rd. *M'brgh*—2E **81**
Eversley Wlk. *M'brgh*—3D **103**
Evesham Rd. *M'brgh*—3D **103**
Evesham Way. *Bill*—3A **40**
Ewbank Dri. *Sto T*—1F **97**
Ewbank Gdns. *Sto T*—1F **97**
Exchange Pl. *M'brgh*—2F **77**
Exchange Sq. *M'brgh*—2F **77**
Exchange Yd. *Sto T*—1A **98**
Exeter Rd. *Est*—1E **105**
Exeter Rd. *M'brgh*—1F **101**
Exeter St. *H'pl*—4C **14**
Exeter St. *Salt S*—4C **68**
Exford Clo. *Ing B*—3B **150**
Exmoor Gro. *H'pl*—1D **13**
Ezard St. *Sto T*—4A **74**

Fabian Ct. Shop. Cen. *M'brgh* —5E **81**
Fabian Rd. *M'brgh*—5C **80**
Faceby Pl. *Sto T*—3B **74**
Faceby Wlk. *M'brgh*—2C **102**
Fagg St. *Sto T*—5A **74**
Fairbank Ho. *Sto T*—3E **73**
Fairbridge St. *M'brgh*—3E **77**
Fairburn Clo. *Sto T*—5A **72**
Fairburn Rd. *M'brgh*—2C **104**
Fairdene Av. *Sto T*—5A **72**
Fairfax Ct. *Hem*—1E **153**
Fairfax Ct. *Yarm*—3B **148**
Fairfax Rd. *M Geo*—1B **144**
Fairfield. —5A 72
Fairfield Av. *M'brgh*—3B **100**
Fairfield Av. *Orm*—5A **104**
Fairfield Clo. *Red*—1C **64**
Fairfield Clo. *Sto T*—5B **72**
Fairfield Rd. *M'brgh*—2F **101**
Fairfield Rd. *Stait*—2C **120**
Fairfield Rd. *Sto T*—5B **72**
Fairfield Rd. *Stok*—1A **168**
Fairmead. *Red*—3A **64**
Fairmead. *Yarm*—5A **148**
Fairstone Av. *Sto T*—4A **72**
Fairthorn Av. *Sto T*—5A **72**
Fairview. *Long N*—1A **124**
Fairville Rd. *Sto T*—4A **72**
Fairway. *Sto T*—2F **97**
Fairway, The. *Eagle*—5C **126**
Fairway, The. *Mar C*—4E **133**
Fairway, The. *Salt S*—5B **68**
Fairwell Rd. *Sto T*—3A **72**
Fairwood Pk. *Mar C*—5E **133**
*Fairy Cove Ter. H'pl—5F **9***
(off Sea Vw. Ter.)
Fairy Cove Wlk. *H'pl*—5F **9**
Fairy Dell. *Mar C*—4C **132**
Fakenham Av. *M'brgh*—3B **100**
Falcon La. *Nort*—3A **54**
Falcon Rd. *H'pl*—1D **13**
Falcon Rd. *M'brgh*—4E **79**
Falcon Wlk. *Hilt*—1E **163**
(in two parts)
Falcon Way. *Guis*—2A **138**
Falkirk Rd. *H'pl*—4E **19**
Falkirk St. *Thor*—3D **99**
Falklands Clo. *Mar S*—4B **66**
Falkland St. *M'brgh*—4D **77**
Fallow Clo. *Ing B*—5B **128**
Fallows Ct. *M'brgh*—3D **77**
Fall Way. *M'brgh*—4C **104**
Falmouth Gro. *H'pl*—1E **13**
Falmouth St. *M'brgh*—5F **77**
Falston Clo. *Bill*—4C **38**
Fanacurt Rd. *Guis*—3B **138**
Fancy Bank. *Guis*—2C **140**
Fane Clo. *Sto T*—5B **72**
Fane Gro. *M'brgh*—5C **100**
Faraday St. *M'brgh*—4D **77**
Fareham Clo. *H'pl*—1F **31**
Farfields Clo. *Long N*—1F **123**
Farington Dri. *Mar C*—3F **133**
Farleigh Clo. *Bill*—4E **39**
Farley Dri. *M'brgh*—5A **100**
Farmbank Rd. *Orm*—1B **134**
Farmcote Ct. *Hem*—1D **153**
(in two parts)
Farm Gth. *Gt Ay*—1D **167**
Farm La. *Ing B*—5B **128**
Farm La. *Sto T*—1D **97**
Farnborough Av. *M'brgh*—3C **100**
Farndale Ct. *M'brgh*—2A **102**
Farndale Cres. *M'brgh*—2A **102**
Farndale Dri. *Guis*—3A **138**
Farndale Gdns. *Ling*—4E **113**
Farndale Grn. *Sto T*—3E **73**
Farndale Rd. *H'pl*—4E **21**
Farndale Rd. *M'brgh*—2A **102**
Farndale Rd. *Nun*—3B **134**
Farndale Sq. *Red*—1F **63**
Farndale Wlk. *M'brgh*—5F **81**
Farne Ct. *Ing B*—1B **150**
Farnell Gro. *H'pl*—3E **19**
Farnham Clo. *Eagle*—5A **126**
Farnham Wlk. *M'brgh*—3C **102**
Farrer St. *Sto T*—4A **74**
Farrier Clo. *Ing B*—5B **128**
Farr Wlk. *H'pl*—4E **19**
Farthingale Way. *Hem*—1D **153**
Fastnet Gro. *H'pl*—4C **14**
Fauconberg Clo. *Bel P*—2B **56**
Fauconberg Way. *Yarm*—5A **148**
Faulder Wlk. *H'pl*—2B **20**
Faverdale Av. *M'brgh*—2B **130**
Faverdale Clo. *M'brgh*—3E **77**
Faverdale Clo. *Sto T*—3C **72**
Faversham Clo. *Hem*—1E **153**
Fawcett Av. *S'tn*—5C **130**
Fawcett Rd. *Thor*—1D **129**
Fawcett Way. *Thor*—1D **129**
Fawcus Ct. *Red*—1F **63**
(in two parts)
Faygate Rd. *Hem*—5D **131**
Fearby Rd. *Sto T*—3A **96**
Fearnhead. *Mar C*—5E **133**
Felbrigg La. *Ing B*—1B **150**
Felby Av. *M'brgh*—4D **103**
Felixstowe Clo. *H'pl*—1E **31**
Fell Briggs Dri. *Mar S*—4C **66**
Fellston Clo. *H'pl*—2D **13**
Felton La. *Sto T*—3A **72**
Fencote Gdns. *Sto T*—5B **72**
Fenham Ct. *Orm*—4A **104**
Fenmoor Clo. *Hem*—4C **130**
Fenner Clo. *Mar S*—5F **67**
Fens. —1E 31
Fens Cres. *H'pl*—5F **19**
Fens, The. *Hart*—3B **6**
Fenton Clo. *Ing B*—1B **150**
Fenton Clo. *M'brgh*—2A **80**
Fenton Ct. *B'bck*—3C **112**
Fenton Rd. *H'pl*—1D **31**
Fenton St. *B'bck*—3B **112**
Fenwick St. *Sto T*—4B **74**
Fermenter Rd. *Bill*—3C **56**
Ferndale. *Sto T*—3C **72**
Ferndale Av. *M'brgh*—4E **79**
(in four parts)
Ferndale Clo. *New M*—2A **86**
Ferndale Ct. *M'brgh*—5F **79**
Fernhill Rd. *M'brgh*—2F **105**
Fernie Rd. *Guis*—4E **139**

Fernie Rd. *Sto T* —4B **54**
Fern St. *M'brgh* —4F **77**
Fernwood. *Cou N* —2B **154**
Fernwood. *Red* —3D **65**
Fernwood Av. *H'pl* —1A **20**
Ferry Rd. *H'pl* —1E **15**
Ferry Rd. *M'brgh* —1F **77**
Feversham St. *M'brgh* —2F **77**
Fewston Clo. *H'pl* —3C **12**
Fewston Clo. *M'brgh* —1C **102**
Field Clo. *Thor* —4E **99**
Fieldfare La. *Sto T* —3B **54**
(in two parts)
Fieldfare Rd. *H'pl* —5E **7**
Field Head. *Red* —1B **64**
Fielding Ct. *Bill* —3D **39**
Fieldview Clo. *M'brgh* —4E **57**
Fife Clo. *H'pl* —4D **19**
Fife Rd. *Sto T* —4A **54**
Fife St. *M'brgh* —3A **78**
Filey Clo. *Red* —2F **65**
Finchale Av. *Bill* —5D **39**
Finchale Av. *M'brgh* —3E **103**
Fincham Clo. *Sto T* —5E **53**
Finchdale Clo. *Red* —4E **65**
Finchfield Clo. *Eagle* —5B **126**
Finchley Rd. *Sto T* —4B **54**
Findlay Gro. *H'pl* —4E **19**
Finkle St. *Sto T* —1B **98**
Finsbury St. *M'brgh* —4D **77**
Firbeck Wlk. *Thor* —3C **128**
Firby Clo. *H'pl* —5C **8**
Firby Clo. *Sto T* —4E **53**
Fir Gro. *Red* —3A **64**
Fir Gro. *Thor* —4C **98**
Firlands, The. *Mar S* —3D **67**
Fir Rigg Dri. *Mar S* —4C **66**
Firsby Ct. *Hem* —5E **131**
(in two parts)
Firsby Wlk. *M'brgh* —1D **103**
First Foulsyke. *Loft* —5E **93**
Firtree Av. *M'brgh* —3D **105**
Fir Tree Clo. *Hilt* —1F **163**
Firtree Dri. *M'brgh* —3C **104**
Firtree Rd. *Sto T* —3E **73**
Fisherman's Sq. *Red* —4D **49**
Fishponds Rd. *Red & Year*
—5B **64**
Fiske Ct. *M'brgh* —3C **130**
Fitzwilliam Clo. *Mar S* —4D **67**
Fitzwilliam St. *Red* —4D **49**
Flamborough Ho. *M'brgh*
—2A **102**
Flatts La. *M'brgh & Nun* —3D **105**
Flatts La. *Nun* —1D **135**
Flatts La. Dri. *M'brgh* —4D **105**
Flatts Lane Vis. Cen. —5E 105
Flatts Lane Woodland Country
Pk. —5D 105
Flaxton Ct. *H'pl* —5A **14**
Flaxton St. *H'pl* —5A **14**
Fleck Way. *Tees* —4D **129**
Fleet Av. *H'pl* —3C **14**
Fleet Bri. Rd. *Sto T & Bill* —1C **74**
(in two parts)
Fleetham Gro. *Sto T* —2A **96**
Fleetham Pl. *M'brgh* —3D **77**
Fleetham St. *M'brgh* —3D **77**
(Newport Rd.)

Fleetham St. *M'brgh* —4E **77**
(Union St.)
Fleet Ho. *M'brgh* —1F **103**
Fleet St. *N Orm* —3C **78**
Fleet, The. *Red* —1E **63**
Fleet, The. *Thor* —4E **99**
Fleming Rd. *Skip I* —4A **80**
Fleming St. *Red* —3B **48**
Fletcher St. *M'brgh* —3F **77**
Fletcher Wlk. *H'pl* —2D **19**
Flexley Av. *M'brgh* —3F **103**
Flint Wlk. *H'pl* —1D **13**
Flixton Gro. *Bill* —5A **38**
Flodden Way. *Bill* —3A **40**
Flora St. *M'brgh* —1E **105**
Florence Ct. *Ing B* —1B **150**
Florence Easton Ho. M'brgh
(off Shepherdson Ct.) —2A **80**
Florence Ho. *Thor* —1C **98**
Florence St. *M'brgh* —2E **77**
Florida Gdns. *M'brgh* —4D **101**
Flotilla Ho. H'pl —3D **15**
(off Admiral Way)
Flounders Rd. *Yarm* —5A **148**
Foggy Furze. —2B 20
Folkestone Rd. *Hem* —5E **131**
Folland Dri. *Mar S* —3B **66**
Fonteyn Ct. *Hem* —5E **131**
Fontwell Clo. *Sto T* —3A **72**
Forber Rd. *M'brgh* —4F **101**
Forbes Av. *M'brgh* —2B **100**
Forcett Clo. *M'brgh* —2C **130**
Fordon Pl. *M'brgh* —4A **102**
Ford Pl. *Sto T* —4A **74**
Ford St. *Sto T* —4A **74**
Fordwell Rd. *Sto T* —3A **72**
Fordyce Rd. *H'pl* —4D **19**
Fordyce Rd. *Hem* —5D **131**
(in two parts)
Fordy Gro. *Thor* —5C **98**
Foreland Point. *Ing B* —3A **150**
Forest Dri. *Orm* —1B **134**
Forester Clo. *H'pl* —3D **21**
Foresters Clo. *Wyn* —2D **37**
Forester's Lodge Roundabout.
Wyn —3B **26**
Forest La. *K'ton* —5A **160**
Forest M. *Thor* —2D **129**
Forfar Av. *M'brgh* —1B **132**
Forfar Rd. *H'pl* —4D **19**
Forget-me-Not Gro. *Sto T*
—3D **73**
Formby Clo. *H'pl* —2C **6**
Formby Grn. *M'brgh* —4A **102**
Formby Wlk. *Eagle* —4C **126**
Forres Wlk. *H'pl* —4D **19**
Forster Ho. *M'brgh* —3F **77**
Forth Gro. *H'pl* —4E **19**
Forth Rd. *Red* —5A **48**
Fortrose Clo. *Eagle* —1C **148**
Forty Foot Rd. *M'brgh* —2D **77**
Forum Ct. *M'brgh* —4B **78**
Fosdyke Grn. *M'brgh* —2A **104**
Fossfeld. *Sto T* —3A **72**
Foster St. *Brot* —3A **90**
Foston Clo. *Sto T* —4F **53**
Founders Ct. *G'ham* —3E **31**
Fountain Ct. *M'brgh* —3F **77**
Fountains Av. *Ing B* —5C **128**

Fountains Clo. *Guis* —2E **139**
(in two parts)
Fountains Ct. *Skel C* —4D **89**
Fountains Cres. *M'brgh* —1D **105**
Fountains Dri. *M'brgh* —4D **101**
Fountain St. *Guis* —2E **139**
Four Winds Ct. *H'pl* —3D **13**
Fowler Clo. *Yarm* —5E **149**
Fox Almshouses. *Sto T* —5B **54**
Foxberry Av. *M'brgh* —2B **130**
Fox Clo. *Ing B* —4C **128**
Foxglove Clo. *Sto T* —3C **72**
Foxgloves. *Cou N* —5C **132**
Foxheads Ct. *M'brgh* —3D **77**
Fox Hills. *Brot* —2C **90**
Fox Howe. *Cou N* —3B **132**
(in two parts)
Foxrush Clo. *Red* —3C **64**
Fox St. *Sto T* —1B **74**
Foxton Clo. *Yarm* —4E **149**
Foxton Dri. *M'brgh* —2E **39**
Foxwood Dri. *Sto T* —3C **72**
Frampton Grn. *M'brgh* —4D **103**
France St. *Red* —3D **49**
Frankfield Pl. *Gt Ay* —1D **167**
Franklin Clo. *Sto T* —2B **96**
Franklin Ct. *Thor* —2D **129**
Fransham Rd. *M'brgh* —1D **103**
Fraser Ct. *H'pl* —4D **19**
Fraser Gro. *H'pl* —4D **19**
Fraser Rd. *Sto T* —3D **97**
Frederick St. *M'brgh* —4C **78**
Frederick St. *Sto T* —4A **74**
Frederick St. *Thor* —2C **98**
Frederic St. *H'pl* —5E **9**
Fredric Ter. *Bill* —3D **57**
Freebrough Rd. *M'hlm* —3B **142**
Freemantle Gro. *H'pl* —4B **20**
Freight Rd. *M'brgh* —1E **61**
Fremantle Cres. *M'brgh* —3F **101**
Fremington Wlk. *M'brgh*
—1B **132**
Frensham Dri. *H'pl* —2B **20**
Freshingham Clo. *Hem* —5E **131**
Freville St. *H'pl* —4C **14**
Friarage Gdns. *H'pl* —1F **15**
Friar St. *H'pl* —1F **15**
Friarswood Clo. *Yarm* —4E **149**
Friar Ter. *H'pl* —1F **15**
Friendship La. *H'pl* —1F **15**
Frimley Av. *M'brgh* —1D **103**
Frobisher Clo. *Mar S* —5F **67**
Frobisher Rd. *Thor* —2D **129**
Frome Ho. *M'brgh* —3F **101**
Frome Rd. *Sto T* —2B **74**
Front St. *C How* —3F **91**
Front St. *G'ham* —3E **31**
Front St. *Hart* —4F **5**
Front St. *S'fld* —4D **23**
Front, The. *M Row* —4A **144**
Front, The. *Sea C* —4F **21**
Frosterley Gro. *Bill* —3F **39**
Fry St. *M'brgh* —3F **77**
Fryup Cres. *Guis* —4D **139**
Fuchsia Gro. *Sto T* —5C **72**
Fudan Way. *Thor* —1C **98**
Fulbeck Clo. *H'pl* —3F **19**
Fulbeck Ct. *Bill* —1F **55**
Fulbeck Ho. *M'brgh* —2A **104**

Fulbeck Rd. *M'brgh* —2A **104**
Fulford Gro. *New M* —2F **85**
Fulford Way. *Mar C* —5F **133**
Fuller Cres. *Sto T* —5F **53**
Fulmar Head. *Guis* —2B **138**
Fulmar Ho. *H'pl* —3D **15**
Fulmar Rd. *Sto T* —3A **54**
Fulmerton Cres. *Red* —4C **64**
Fulthorp Av. *H'pl* —3E **7**
Fulthorpe Gro. *Wyn* —2D **37**
Fulthorpe Rd. *Sto T* —5F **53**
Fulwood Av. *M'brgh* —3A **102**
Furlongs, The. *Red* —5D **49**
Furness St. *H'pl* —2B **14**

Gables, The. *Mar C* —3C **132**
Gables, The. *M'brgh* —1A **102**
Gables, The. *S'fld* —2C **22**
Gainford Av. *M'brgh* —3E **101**
Gainford Rd. *Bill* —5B **39**
Gainford Rd. *Sto T* —1C **96**
Gainford St. *H'pl* —4B **14**
Gainsborough Clo. *M'brgh*
—4D **105**
Gainsborough Cres. *Bill* —3D **39**
Gainsborough Rd. *Mar C*
—2C **132**
Gaisgill Clo. *Orm* —4B **104**
Gala Clo. *H'pl* —2E **21**
Galgate Clo. *Mar C* —3E **133**
Galley Hill. —2B 138
Galleys Fld. Ct. *H'pl* —5F **9**
Galloway Sands. *M'brgh*
—3B **130**
Galsworthy Rd. *H'pl* —2D **19**
Ganstead Way. *Bill* —2F **39**
Ganton Clo. *Bill* —5A **38**
Ganton Clo. *New M* —1A **86**
Garbutt St. *Sto T* —4B **74**
(in two parts)
Garden Clo. *Thor* —3B **98**
Garden Pl. *M'brgh* —2D **105**
Gardens, The. *M'brgh* —3A **102**
Gardner Ho. *H'pl* —3D **19**
Garforth Clo. *Nort* —4F **53**
Garland Ho. *H'pl* —2C **14**
Garmon Clo. *Ing B* —1F **149**
Garnet Rd. *Thor* —4D **99**
Garnet St. *M'brgh* —4E **77**
Garnet St. *Salt S* —3C **68**
Garrett Wlk. *M'brgh* —4D **77**
Garrick Gro. *H'pl* —2E **19**
Garrowby Rd. *M'brgh* —2C **102**
Garsbeck Way. *Orm* —4B **104**
Garsdale Clo. *Yarm* —1B **160**
Garsdale Grn. *M'brgh* —1D **103**
Garside Dri. *H'pl* —4A **8**
Garstang Clo. *Mar C* —3F **133**
Garston Gro. *H'pl* —4B **20**
Garth Clo. *Carl* —5C **50**
Garth Ends. *Stait* —1C **120**
Garth, The. *Brot* —2C **90**
Garth, The. *Cou N* —1B **154**
Garth, The. *Mar S* —3C **66**
Garth, The. *S'fld* —3D **23**
Garth, The. *Sto T* —5A **54**
Garth, The. *Stok* —1B **168**
Garth Wlk. *M'brgh* —2C **102**

Garvin Clo. *M'brgh* —2C **102**
Gascoyne Clo. *Mar C* —2E **133**
Gaskell La. *Loft* —5B **92**
Gatenby Dri. *M'brgh* —2C **130**
Gatesgarth Clo. *H'pl* —5B **8**
Gatley Wlk. *Sto T* —2D **127**
Gatwick Grn. *M'brgh* —1D **103**
Gayle Moor Clo. *Ing B* —3B **150**
Gayton Sands. *M'brgh* —3B **130**
Gedney Av. *M'brgh* —4D **103**
Geltsdale. *M'brgh* —2C **130**
Geneva Dri. *Red* —5C **48**
Gentian Way. *Sto T* —3C **72**
George Stephenson Ho. *Thor*
—1B **98**
George St. *Guis* —1D **139**
George St. *H'pl* —3C **14**
George St. *Red* —4D **49**
George St. *Thor* —2C **98**
George Ter. *Brot* —3B **90**
Georgiana Clo. *Thor* —2C **98**
Gerrie St. *B'bck* —3C **112**
Gibb Sq. *H'pl* —5F **9**
Gibraltar Rd. *Eagle* —4F **125**
Gibson Gro. *H'pl* —2D **7**
Gibson St. *N Orm* —4C **78**
Gifford St. *M'brgh* —1E **101**
Gilberti Pl. *H'pl* —3F **7**
Gilkes St. *M'brgh* —3E **77**
Gilling Rd. *Sto T* —5B **72**
Gilling Wlk. *M'brgh* —1C **102**
Gilling Way. *Red* —2E **65**
Gillpark Gro. *H'pl* —4D **21**
Gill St. *Guis* —1E **139**
Gill St. *H'pl* —4B **14**
Gill St. *Salt S* —5C **68**
Gilmonby Rd. *M'brgh* —4D **103**
Gilmour St. *Thor* —3C **98**
(in three parts)
Gilpin Ho. *Sto T* —5A **54**
Gilpin Rd. *Thor* —4C **98**
Gilpin Sq. *Sto T* —3F **73**
Gilside Rd. *Bill* —5F **39**
Gilsland Clo. *Ack* —2B **130**
Gilsland Gro. *Norm* —2D **105**
Gilwern Ct. *Ing B* —2F **149**
Girrick Clo. *Hem* —5C **130**
Girton Av. *M'brgh* —4D **103**
Gisborne Gro. *Sto T* —2C **96**
Gisburn Av. *M'brgh* —3D **103**
Gisburn Rd. *Bill* —5F **39**
Gladesfield Rd. *Sto T* —2B **74**
Gladstone Ind. Est. *Thor* —2C **98**
Gladstone St. *Brot* —3A **90**
Gladstone St. *C How* —3F **91**
Gladstone St. *H'pl* —1F **15**
Gladstone St. *Loft* —5C **92**
Gladstone St. *M'brgh* —1F **105**
Gladstone St. *Sto T* —2A **98**
(in two parts)
Gladstone St. *Thor* —2C **98**
Glaisdale Av. *M'brgh* —4E **101**
Glaisdale Av. *Red* —1F **63**
Glaisdale Av. *Sto T* —3E **73**
Glaisdale Clo. *M'brgh* —5A **82**
Glaisdale Gro. *H'pl* —4E **21**
Glaisdale Rd. *M'brgh* —5A **82**
Glaisdale Rd. *Yarm* —4E **149**
Glamis Gro. *M'brgh* —3A **102**

Glamis Rd. *Bill* —4C **38**
Glamis Wlk. *H'pl* —4E **19**
Glamorgan Gro. *H'pl* —1D **13**
Glasgow St. *Thor* —2C **98**
Glastonbury Av. *M'brgh* —1E **105**
Glastonbury Ho. *M'brgh* —3E **103**
Glastonbury Rd. *Skel C* —4D **89**
Glastonbury Wlk. *H'pl* —1E **13**
Gleaston Cres. *M'brgh* —4A **102**
Gleaston Wlk. *M'brgh* —4A **102**
Glebe. —4E 53
Glebe Gdns. *E'tn* —3A **118**
Glebe Gdns. *S'tn* —5C **130**
Glebe Rd. *M'brgh* —4D **77**
Glebe Rd. *Stok* —2C **168**
Glebe, The. *Sto T* —4E **53**
Glencairn Gro. *H'pl* —4D **19**
Glendale. *Guis* —4A **138**
Glendale Av. *H'pl* —4F **13**
Glendale Rd. *M'brgh* —4E **101**
Glendue Clo. *Nun* —4A **134**
Gleneagles Clo. *Bill* —5A **38**
Gleneagles Ct. *M'brgh* —4A **102**
Gleneagles Rd. *H'pl* —2C **6**
Gleneagles Rd. *M'brgh* —4F **101**
Gleneagles Rd. *New M* —1A **86**
Glenfall Clo. *M'brgh* —5A **38**
Glenfield Clo. *Sto T* —5A **72**
Glenfield Dri. *M'brgh* —4E **101**
Glenfield Rd. *Sto T* —5A **72**
Glenfield Ter. *Loft* —5D **93**
Glenhow Gdns. *Salt S* —4C **68**
Glenluce Clo. *Eagle* —5C **126**
Glenmoor Gro. *M'brgh* —1C **104**
Glenn Cres. *Mar C* —3D **133**
Glenside. *Salt S* —4D **69**
Glenston Clo. *H'pl* —2C **12**
Glen, The. *Egg* —2C **148**
Glentower Gro. *H'pl* —4D **21**
Glentworth Av. *M'brgh* —2A **104**
Glentworth Ho. *M'brgh* —2A **104**
Gloucester Clo. *Nun* —3A **134**
Gloucester St. *H'pl* —1A **20**
Gloucester Ter. *Bill* —1F **55**
Glyder Ct. *Ing B* —1F **149**
Goathland Dri. *H'pl* —5D **21**
Goathland Gro. *Guis* —4D **139**
Goathland Rd. *M'brgh* —5F **81**
Gofton Pl. *M'brgh* —4D **81**
Goldcrest. *Guis* —2B **138**
Goldcrest Clo. *Ing B* —5B **128**
Golden Lion M. *Stok* —1C **168**
Goldfinch Rd. *H'pl* —5D **7**
Goldsmith Av. *H'pl* —2E **7**
Goldsmith Clo. *Bill* —3D **39**
Goodwin Clo. *Red* —4B **64**
Goodwin Wlk. *H'pl* —4C **14**
Goodwood Rd. *Red* —2D **65**
Goodwood Sq. *Sto T* —2F **99**
Goosepastures. *Yarm* —4C **148**
Gooseport Rd. *Sto T* —4C **74**
Gordon Cres. *M'brgh* —3E **93**
Gordon Rd. *Red* —4A **48**
Gordon St. *H'pl* —3F **13**
Gore Sands. *M'brgh* —2A **130**
Gorman Rd. *M'brgh* —1D **101**
Gorsefields Ct. *M'brgh* —3E **105**
Gorton Clo. *Bill* —4C **38**

Gribdale Rd. *M'brgh* —1D **103**
Griffin Rd. *M'brgh* —1A **102**
Griffiths Clo. *Yarm* —1B **160**
Griffiths Rd. *M'brgh* —4E **81**
Grimston Wlk. *M'brgh* —1B **102**
Grimwood Av. *M'brgh* —4E **79**
Grindon. —3D 35
Grinkle Av. *M'brgh* —3D **103**
Grinkle Ct. *Guis* —1E **139**
Grinkle La. *E'tn* —5F **117** & 5A **118**
Grinkle Rd. *Red* —5F **47**
Grinton Rd. *Sto T* —3B **96**
Grisedale Clo. *M'brgh* —2C **130**
Grisedale Cres. *Egg* —2C **148**
Grisedale Cres. *Est* —4F **81**
Gritten Sq. *H'pl* —4C **8**
Grosmont Clo. *Red* —3C **64**
Grosmont Dri. *Bill* —5C **38**
Grosmont Pl. *M'brgh* —5F **81**
Grosmont Rd. *H'pl* —5E **21**
Grosmont Rd. *M'brgh* —5F **81**
Grosvenor Ct. *Ing B* —2B **150**
*Grosvenor Gdns. H'pl —3A **14***
(off Grosvenor St.)
Grosvenor Gdns. *M'brgh* —2D **105**
Grosvenor Pl. *Guis* —2D **139**
Grosvenor Rd. *Bill* —5B **38**
Grosvenor Rd. *M'brgh* —2C **100**
Grosvenor Rd. *Sto T* —1C **96**
Grosvenor Sq. *Guis* —2D **139**
Grosvenor St. *H'pl* —3A **14**
(in two parts)
Grosvenor Ter. *C How* —3F **91**
Grove Bank. *K'ton* —4C **160**
Grove Clo. *H'pl* —4F **13**
Grove Hil. —5A 78
Grove Hill. *Skin* —2A **92**
Grove Rd. *M'brgh* —4B **78**
Grove Rd. *Red* —4D **49**
Grove Rd. *Skin* —2A **92**
Groves St. *H'pl* —1F **15**
Groves, The. *Sto T* —2F **97**
Grove St. *Sto T* —2F **97**
(in two parts)
Grove Ter. *Sto T* —2B **74**
Grove, The. *G'ham* —3E **31**
Grove, The. *Guis* —4B **138**
Grove, The. *H'pl* —3F **13**
Grove, The. *Mar C* —5D **103**
Grove, The. *M'brgh* —3D **131**
Grove, The. *Yarm* —5C **148**
Grundales Dri. *Mar S* —4C **66**
Guernsey Wlk. *Guis* —3D **139**
Guildford Ct. *M'brgh* —4D **105**
Guildford Rd. *Bill* —4C **38**
Guildford Rd. *M'brgh* —4C **104**
Guillemot Clo. *H'pl* —5D **7**
Guisborough. —1E 139
Guisborough By-Pass. *Guis* —1C **138**
Guisborough Ct. *M'brgh* —1F **105**
Guisborough Forest & Walkway Vis. Cen. —3F 137
Guisborough Ho. *M'brgh* —2B **102**
Guisborough La. *Skel C* —1F **111**
Guisborough Mus. —1E 139
Guisborough Priory. —1F 139 (Remains of)
Guisborough Rd. *Gt Ay* —2C **166**
Guisborough Rd. *M'hlm* —3A **142**
Guisborough Rd. *Nun* —5A **134**
Guisborough Rd. *Salt S* —5B **68**
Guisborough Rd. *Thor* —4D **99**
Guisborough St. *M'brgh* —2F **105**
Guiseley Way. *Eagle* —3B **126**
Gulliver Rd. *H'pl* —2D **19**
Gun Gutter. *Stait* —1C **120**
Gunnergate Clo. *Salt S* —4A **68**
Gunnergate La. *Cou N* —4C **132**
Gunnerside Rd. *Sto T* —5A **72**
Gunners Va. *Wyn* —4A **26**
Gurney Ho. *M'brgh* —3F **77**
Gurney St. *M'brgh* —3F **77**
Gurney St. *New M* —1A **86**
Guthrie Av. *M'brgh* —3A **100**
Guthrie Wlk. *H'pl* —4D **19**
Gwynn Clo. *Sto T* —4A **72**
Gypsy La. *Mar C & Nun* —3E **133**

Hackforth Rd. *Sto T* —3B **96**
Hackness Wlk. *M'brgh* —4E **101**
Hackworth Ct. *Sto T* —4A **74**
Hadasia Gdns. *Sto T* —5C **72**
Haddon Rd. *Bill* —5C **38**
Haddon St. *M'brgh* —5F **77**
Hadleigh Clo. *S'fld* —5C **22**
Hadleigh Cres. *M'brgh* —2A **102**
Hadlow Wlk. *M'brgh* —1D **103**
Hadnall Clo. *M'brgh* —5A **100**
Hadston Clo. *Red* —3D **65**
Haffron Av. *Sto T* —4B **74**
Hagg Farm Roundabout. *Skel C* —2E **89**
Hailsham Av. *Tees* —5D **129**
Haldane Gro. *H'pl* —4E **19**
Hale Rd. *Bill* —4E **39**
Halidon Way. *Bill* —4F **39**
Halifax Clo. *Mar S* —4B **66**
Halifax Rd. *Thor* —2D **129**
Hall Clo. *Carl* —5C **50**
Hall Clo. *Mar S* —4C **66**
Hall Clo., The. *Orm* —4A **104**
Hallcroft Clo. *Bill* —4D **55**
Hall Dri. *M'brgh* —5C **100**
Hallgarth. *Gt Br* —5F **169**
Hallgarth Clo. *M'brgh* —2C **130**
Hallgate Clo. *Sto T* —3A **96**
Hall Grounds. *Loft* —5C **92**
Hallifield St. *Sto T* —2B **74**
Hall Lea. *S'fld* —3C **22**
Hall Moor Clo. *K'ton* —4D **161**
Halton Clo. *Bill* —2E **39**
Halton Ct. *Bill* —2E **39**
Halton Ct. *M'brgh* —5A **80**
Halyard Way. *M'brgh* —2B **78**
Hambledon Cres. *Skel C* —3C **88**
Hambledon Rd. *M'brgh* —2B **100**
Hambleton Av. *Red* —2A **64**
Hambleton Cres. *Mar S* —5E **67**
Hambleton Ga. *Stok* —2C **168**
*Hambletonian Yd. Sto T —1A **98***
(off West Row)
Hambleton Rd. *Nun* —3B **134**
Hambleton Sq. *Bill* —1C **54**
Hamilton Ct. *Thor T* —2E **51**
Hamilton Gro. *M'brgh* —5B **80**
Hamilton Gro. *Red* —4A **48**
Hamilton Rd. *H'pl* —4E **19**
Hamilton Rd. *Sto T* —3F **73**
Hammond Clo. *Mar C* —3C **132**
Hampden St. *S Bnk* —3A **80**
Hampden Way. *Thor* —2D **129**
Hampshire Grn. *Sto T* —2C **74**
Hampstead Gdns. *H'pl* —3E **13**
Hampstead Gro. *M'brgh* —4C **104**
Hampstead Rd. *M'brgh* —4C **104**
Hampstead, The. *Red* —2E **65**
Hampton Clo. *Nun* —3A **134**
Hampton Gro. *Red* —5E **49**
Hampton Rd. *Sto T* —2E **97**
Hamsterley Rd. *Sto T* —2C **72**
Hamsterley Way. *Skel C* —3C **88**
Hanbury Clo. *Ing B* —5B **128**
Handale Clo. *Guis* —2A **140**
Handale Ho. Rd. *E'tn* —5F **117**
Handley Clo. *Pres I* —1F **127**
Hankin Rd. *M'brgh* —4B **78**
Hanover Ct. *Nort* —5F **53**
Hanover Gdns. *M'brgh* —2C **100**
Hanover Ho. *Salt S* —3C **68**
Hanover Pde. *Sto T* —5F **53**
Hanover Point. *Sto T* —5F **53**
Hanson Ct. *Red* —4C **48**
Hanson Gro. *M'brgh* —5F **79**
Hanson St. *Red* —4C **48**
Harbottle Clo. *Ing B* —2A **150**
Harbourne Gdns. *M'brgh* —2D **131**
Harbour Wlk. *H'pl* —2C **14**
Harcourt Rd. *M'brgh* —3F **79**
Harcourt St. *H'pl* —3F **13**
Hardale Gro. *Red* —1A **64**
Harding Row. *Sto T* —1B **74**
Hardknott Gro. *Red* —5B **48**
Hardwick. —5B 52
Hardwick Av. *M'brgh* —4C **100**
Hardwick Ct. *H'pl* —5C **12**
Hardwick Hall Country Pk. —3A 22
Hardwick Rd. *Bill* —5F **39**
Hardwick Rd. *S'fld* —3C **22**
Hardwick Rd. *S Bnk* —2A **80**
Hardwick Rd. *Sto T* —1C **72**
Hardy Gro. *Bill* —3D **39**
Harebell Clo. *Ing B* —4B **128**
Harebell Clo. *Skel C* —5E **89**
Harehills Rd. *M'brgh* —2B **100**
Haresfield Way. *Ing B* —5B **128**
Hareshaw Clo. *Ing B* —2A **150**
Harestones. *Wyn* —4B **26**
Harewood Cres. *Sto T* —3B **72**
Harewood Ho. *M'brgh* —2B **102**
Harewood Rd. *Thor* —2D **99**
Harewood St. *M'brgh* —5E **77**
Harewood Way. *Red* —2E **65**
Harford St. *M'brgh* —5D **77**
Harker Clo. *Yarm* —5B **148**
Harland Pl. *Sto T* —5B **54**
Harlech Clo. *M'brgh* —5E **81**
Harlech Ct. *Ing B* —1F **149**
Harlech Gro. *New M* —2A **86**
Harlech Wlk. *H'pl* —1E **13**
Harlow Cres. *Thor* —5E **99**

Harlsey Cres.—Hemel Clo.

Harlsey Cres. *Sto T* —3C **96**
Harlsey Gro. *Sto T* —3C **96**
Harlsey Rd. *Sto T* —3C **96**
Harpenden Wlk. *M'brgh*
　　　　　　—1D **103**
Harper Pde. *Sto T* —3D **97**
Harper Ter. *Sto T* —3D **97**
Harrier Clo. *H'pl* —1D **13**
Harriet Ho. Thor —1B **98**
　(off Sorbonne Clo.)
Harris Gro. *H'pl* —4E **19**
Harrison Pl. *H'pl* —4F **7**
Harrison St. *M'brgh* —4C **78**
　(in two parts)
Harris St. *M'brgh* —3E **77**
Harris Wlk. Guis —3D **139**
　(off Hutton La.)
Harrogate Cres. *M'brgh* —2E **101**
Harrowgate La. *Sto T* —3A **72**
Harrow Rd. *M'brgh* —3C **100**
Harrow Rd. *Sto T* —1E **97**
Harrow St. *H'pl* —1A **20**
Harsley Wlk. *M'brgh* —1D **103**
Hart. —4F 5
Hart Av. *H'pl* —2E **13**
Hartburn. —2D 97
Hartburn Av. *Sto T* —1D **97**
Hartburn Ct. *M'brgh* —1C **130**
Hartburn La. *Sto T* —2E **97**
Hartburn Village. *Sto T* —3D **97**
Hart Church. —3A 6
Hart Clo. *Sto T* —2D **73**
Harter Clo. *Nun* —4A **134**
Hartforth Av. *Thor* —2C **130**
Hartington Clo. *Thor* —3C **98**
Hartington Rd. *M'brgh* —3E **77**
Hartington Rd. *Sto T* —1A **98**
Hartington St. *Loft* —4A **92**
Hartland Gro. *M'brgh* —3E **103**
Hart La. *Hart & H'pl* —4A **6**
Hart La. Cotts. *H'pl* —2F **13**
Hartlepool. —4B 14
Hartlepool Clo. *Sto T* —2C **72**
Hartlepool Crematorium. *H'pl*
　　　　　　—3A **20**
Hartlepool Historic Quay.
　　　　　　—2C **14**
Hartlepool Ind. Est. *H'pl* —5A **8**
Hartlepool Power Station
　　　　　Vis. Cen. —4F 33
Hartlepool Rd. *S'fld & Wyn*
　　　　　　—1C **24**
Hartlepool St Hilda's Parish
　　　　　Church. —1F 15
Hartlepool United F.C. —3B 14
　(Victoria Park)
Hartley Clo. *H'pl* —3A **14**
Hartley St. *H'pl* —3A **14**
Hartoft Ct. *Red* —2B **64**
Harton Av. *Bill* —5A **38**
Hart Pastures. *Hart* —4A **6**
Hart Rd. *H'pl* —3D **7**
Hartsbourne Cres. *New M*
　　　　　　—2F **85**
Hartside Gdns. *H'pl* —2D **13**
Hartside Gro. *Sto T* —2E **73**
Hart Station. —2D 7
Hartville Rd. *H'pl* —1C **6**
Hartwith Dri. *Sto T* —5B **52**

Harvard Av. *Thor* —1C **98**
Harvester Clo. *Sea C* —2D **21**
Harvester Ct. *Mar C* —1B **132**
Harvey Ct. *Dorm* —1F **63**
Harvey Wlk. *H'pl* —2D **19**
Harwal Rd. *Red* —4A **48**
Harwell Clo. *M'brgh* —3A **102**
Harwell Dri. *Sto T* —3A **72**
Harwich Clo. *Red* —2F **65**
Harwich Gro. *H'pl* —4B **20**
Harwood Ct. *Riv I* —1D **77**
Harwood St. *H'pl* —1A **14**
Hasguard Way. *Ing B* —2E **149**
Hasledon Grn. *S'fld* —5C **22**
Hastings Clo. *Nun* —3A **134**
Hastings Clo. *Thor* —3C **128**
Hastings Ho. *M'brgh* —3E **103**
Hastings Pl. *H'pl* —4F **7**
Hastings Way. *Bill* —4A **40**
Haswell Av. *H'pl* —2B **20**
Haswell Ct. *Sto T* —3B **74**
Hatfield Av. *M'brgh* —4C **100**
Hatfield Clo. *Eagle* —5A **126**
Hatfield Rd. *Bill* —5F **39**
Hatherley Ct. *M'brgh* —5E **79**
Hatterall Ct. *Ing B* —2F **149**
Hauxley Clo. *Red* —2F **65**
Hauxwell's Yd. *Yarm* —3B **148**
Havelock St. *H'pl* —4D **15**
Havelock St. *Thor* —3C **98**
Haven Grn. *H'pl* —4D **9**
Haven Wlk. *H'pl* —4D **9**
Haverthwaite. *M'brgh* —2B **130**
Haverton Hill. —3D 57
Haverton Hill Ind. Est. *Bill* —4D **57**
Haverton Hill Rd. *Sto T & Bill*
　　　　　　—3F **75**
Havilland Rd. *Thor* —2D **129**
Haweswater Rd. *Red* —5B **48**
Hawford Clo. *Ing B* —5C **128**
Hawkesbury Clo. *Sto T* —2C **96**
Hawkhead Rd. *Red* —5C **48**
Hawkins Clo. *Mar S* —5E **67**
Hawkridge Clo. *H'pl* —2A **14**
Hawkridge Clo. *Ing B* —3B **150**
Hawkridge St. *H'pl* —3A **14**
Hawk Rd. *M'brgh* —4D **79**
Hawkstone. *Mar C* —1E **155**
Hawkstone Clo. *Bill* —5A **38**
Hawkstone Clo. *Guis* —3E **139**
Hawnby Clo. *Sto T* —5A **72**
Hawnby Ct. *Red* —2B **64**
Hawnby Rd. *M'brgh* —3E **101**
Hawthorn Av. *Bill* —3D **55**
Hawthorn Av. *Thor* —5C **98**
Hawthorn Cres. *Mar C* —2E **133**
Hawthorn Dri. *Brot* —2A **90**
Hawthorn Dri. *Guis* —3B **138**
Hawthorne Av. *M'brgh* —2F **101**
Hawthorne Gro. *Yarm* —4D **149**
Hawthorne Rd. *Sto T* —3F **73**
Hawthorn Pl. *Egg* —2C **148**
Hawthorn Rd. *Red* —5E **49**
Hawthorn Rd. *S'fld* —3D **23**
Hawthorns, The. *Gt Ay* —1D **167**
Hawthorn Wlk. *H'pl* —1A **14**
Haxby Clo. *M'brgh* —5E **101**
Haxby Ct. *Guis* —5E **109**
Haxby Wlk. *H'pl* —5C **8**

Hayburn Clo. *Ing B* —1C **150**
Hayburn Clo. *Red* —2E **65**
Haydock Pk. Rd. *Sto T* —2F **99**
Haydon Grn. *Bill* —2D **39**
Hayling Gro. *Red* —3E **65**
Hayling Way. *Sto T* —1F **95**
Haymore St. *M'brgh* —1E **101**
Hayston Rd. *H'pl* —2C **12**
Hazelbank. *Cou N* —3B **132**
Hazel Ct. *M'brgh* —3F **77**
Hazel Ct. *Sto T* —1B **74**
Hazeldene Av. *Sto T* —3E **97**
Hazel Gdns. *Brot* —2A **90**
Hazel Grn. *Red* —4E **49**
Hazel Gro. *H'pl* —1A **14**
Hazel Gro. *Mar C* —3F **133**
Hazel Gro. *Thor* —4C **98**
Hazelmere Clo. *Bill* —4A **38**
Hazel Rd. *Sto T* —3F **73**
Hazel Slade. *Eagle* —5C **126**
Hazel Wlk. *Loft* —5C **92**
Hazelwood Ct. *M'brgh* —2E **131**
Hazelwood Ri. *H'pl* —5F **9**
Hazlehen Clo. *H'pl* —5D **7**
Headingley Ct. *Sea C* —5E **21**
Headlam Ct. *Sto T* —3B **74**
Headlam Rd. *Bill* —4F **39**
Headlam Rd. *Sto T* —3B **74**
Headlam Ter. *Eagle* —2B **148**
Headland Promenade. *H'pl*
　　　　　　—4D **9**
Headlands, The. *Mar S* —3D **67**
Head St. *M'brgh* —3E **77**
Healaugh Pk. *Yarm* —5D **149**
Heather Clo. *Sto T* —1E **73**
Heather Dri. *M'brgh* —5C **100**
Heatherfields Rd. *M'brgh*
　　　　　　—3E **105**
Heather Gro. *H'pl* —5F **7**
Heather Gro. *Skel C* —5E **89**
Heathfield Clo. *Eagle* —5B **126**
Heathfield Dri. *H'pl* —1A **20**
Heath Rd. *M'brgh* —3B **78**
Heathrow. *Thor* —5E **99**
Heathrow Clo. *M Geo* —1A **144**
Heath, The. *Nort* —2A **74**
Heaton Rd. *Bill* —2D **39**
Hebburn Rd. *Sto T* —2C **72**
Hebron Rd. *M'brgh* —2F **101**
Hebron Rd. *Stok* —1A **168**
Heddon Gro. *Ing B* —3A **150**
Hedingham Clo. *M'brgh* —2A **102**
Hedley Clo. *Yarm* —1B **160**
Hedley Ct. *Yarm* —2B **148**
Hedleyhope Wlk. *Sto T* —2C **72**
Hedley St. *Guis* —1E **139**
Heighington Clo. *Sto T* —2C **72**
Helen Ho. *Thor* —1B **98**
Hellhole La. *Thor T* —1D **51**
Helmington Grn. *Sto T* —2C **72**
Helmsley Clo. *M'brgh* —4E **101**
Helmsley Dri. *Guis* —1D **139**
Helmsley Gro. *Sto T* —4C **72**
Helmsley Lawn. Red —1E **65**
　(off Carisbrooke Way)
Helmsley Rd. *Stok* —1C **168**
Helmsley St. *H'pl* —1A **14**
Helston Ct. *Thor* —5E **99**
Hemel Clo. *Thor* —4E **99**

Hemingford Gdns. *Yarm* —5D **149**
Hemlington. —4E 131
Hemlington Hall Rd. *Hem* —4C **130**
Hemlington La. *Hem* —3E **131**
(in two parts)
Hemlington Rd. *S'tn* —5C **130**
Hemlington Rd. *Stok* —3C **164**
Hemlington Village. —5A 132
Hemlington Village Rd. *Hem* —5A **132**
Hempstead Clo. *Thor* —4E **99**
Henderson Gro. *H'pl* —2B **14**
Henley Gro. *Thor* —3C **98**
Henley Rd. *M'brgh* —2C **100**
Henrhyd Clo. *Ing B* —2F **149**
Henrietta Clo. *Thor* —2C **98**
Henrietta St. *H'pl* —5E **9**
Henry Smith's Ter. *H'pl* —5F **9**
Henry St. *M'brgh* —2B **80**
Henry St. *N Orm* —5C **78**
Henry St. *Red* —3B **48**
Henry Taylor Ct. *Orm* —4A **104**
Henshaw Dri. *Ing B* —2A **150**
Hensley Ct. *Sto T* —4E **53**
Heortnesse Rd. *H'pl* —4C **8**
Hepple Clo. *Bill* —2D **39**
Herbert St. *M'brgh* —4C **78**
Herbert Wlk. *H'pl* —2B **14**
Hereford Clo. *M'brgh* —1E **101**
Hereford Rd. *Guis* —3D **139**
Hereford St. *H'pl* —1B **20**
Hereford Ter. *Bill* —2F **55**
Heriot Grange. *H'pl* —4E **19**
Heriot Gro. *H'pl* —4E **19**
Hermitage Pl. *Sto T* —4A **54**
Herne Clo. *Red* —3E **65**
Heron Ct. *Sto T* —1F **97**
Heron Ga. *Guis* —2B **138**
Heronspool Clo. *H'pl* —5C **8**
Herrington Rd. *Bill* —2E **39**
Herschell St. *Red* —4C **48**
Hershall Dri. *M'brgh* —1E **103**
Hertford Rd. *Sto T* —1A **74**
Hesketh Av. *M'brgh* —5B **102**
Hesleden Av. *M'brgh* —2B **130**
Hesledon Clo. *Sto T* —2D **73**
Heslop St. *Thor* —3D **99**
(in two parts)
Heswall Rd. *Bill* —5F **39**
Hetton Clo. *Bill* —4D **39**
Heugh Chare. *H'pl* —1F **15**
Hewitt's Bldgs. *Guis* —1E **139**
Hewley St. *M'brgh* —2D **105**
Heworth Dri. *Sto T* —4E **53**
Hexham Dri. *M'brgh* —1E **105**
Hexham Grn. *M'brgh* —3F **103**
Hexham Wlk. *Bill* —5D **39**
Heysham Gro. *Red* —3F **65**
Heythrop Dri. *Guis* —3E **139**
Heythrop Dri. *M'brgh* —4A **100**
Heywood St. *M'brgh* —4C **76**
Hibernian Gro. *H'pl* —4E **19**
Hickling Gro. *Sto T* —3B **72**
Hidcote Gdns. *Ing B* —1B **150**
Highbank Rd. *Orm* —1B **134**
High Barrass. Stait —*1C* ***120***
(off Gun Gutter)
Highbury Av. *M'brgh* —4E **101**
High Chu. M. *Yarm* —3B **148**
High Chu. Wynd. *Yarm* —3B **148**
High Clarence. —4E 57
Highcliff Gro. *New M* —2A **86**
High Farm Clo. *Carl* —5C **50**
High Farm Vw. *M'brgh* —4B **80**
High Fell. *Red* —1B **64**
Highfield Clo. *Eagle* —5B **126**
Highfield Cres. *Sto T* —2C **96**
Highfield Dri. *Eagle* —5B **126**
Highfield Gdns. *Eagle* —5B **126**
Highfield Rd. *Est* —1E **105**
Highfield Rd. *Mar S* —4B **66**
Highfield Rd. *M'brgh* —1A **102**
(in two parts)
Highfield Rd. *Sto T* —2C **96**
High Force Rd. *Riv I* —1C **76**
Highgate. *M'brgh* —1A **106**
High Gill Rd. *Nun* —2A **134**
High Godfalter Hill. *Nun* —2C **134**
High Grange. —4D 39
High Grange Av. *Bill* —4D **39**
High Grange Ho. *Bill* —4D **39**
High Grn. *Gt Ay* —2D **167**
Highland Rd. *H'pl* —4E **19**
High La. *Malt* —2E **151**
High Leven. —4B 150
Highlight, The. *H'pl* —2C **14**
Highmead Wlk. *M'brgh* —4D **103**
High Newham Ct. *Sto T* —1B **72**
High Newham Rd. *Sto T* —1B **72**
High Peak. *Guis* —4F **139**
High Rifts. *S'tn* —5B **130**
High Row. *Loft* —4A **92**
High Stone Clo. *Red* —2E **65**
High St. *B'bck* —2B **112**
High St. *Brot* —2B **90**
High St. *Est* —5A **82**
High St. *Gt Ay* —2C **166**
High St. *Gt Br* —5F **169**
High St. *G'ham* —2E **31**
High St. *H'pl* —1F **15**
High St. *Hind* —5E **121**
High St. *Laz* —4C **82**
High St. *Ling* —3D **113**
High St. *Loft* —5C **92**
High St. *Mar S* —3C **66**
High St. *M'hlm* —2B **142**
High St. *Norm* —2D **105**
High St. *Nort* —5B **54**
High St. *Orm* —4F **103**
High St. *Port C* —5F **57**
High St. *S'fld* —4D **23**
High St. *Skel C* —4B **88**
High St. *Skin* —2A **92**
High St. *Stait* —1C **120**
High St. *Sto T* —5B **74**
High St. *Stok* —1B **168**
High St. *Wolv* —2C **38**
High St. *Yarm* —2B **148**
High St. E. *Red* —3C **48**
High St. W. *Red* —3A **48**
High Throston. —1C 12
High Tunstall Cotts. *H'pl* —4C **12**
Hilda Pl. *Salt S* —4C **68**
Hilda Wlk. *H'pl* —4D **15**
Hilderthorpe. *Nun* —3F **133**
Hildewell. *Hind* —5E **121**
Hildyard Clo. *Stok* —5B **164**
Hill Clo. *Skel C* —4B **88**
Hill Cres. *Red* —5E **47**
Hillcrest Av. *Sto T* —1C **96**
Hillcrest Dri. *Loft* —1B **116**
Hillcrest Dri. *Nun* —2B **134**
Hillcrest Gro. *Elw* —3C **10**
Hillel Wlk. *M'brgh* —2D **131**
Hill Ho. Farm. *Sto T* —2B **74**
Hillingdon Rd. *M'brgh* —4D **103**
Hillocks La. *M'hlm* —3B **142**
Hill Ri. *M Row* —4A **144**
Hill Rd. *Bill* —4D **55**
Hillside Av. *M'brgh* —3F **101**
Hillside Clo. *New M* —3F **85**
Hillside Rd. *Sto T* —4B **54**
Hills, The. *Skel C* —4B **88**
Hillston Clo. *H'pl* —2C **12**
Hill St. *Red* —3B **48**
Hill St. E. *Sto T* —4C **74**
Hill St. Shop. Cen. *M'brgh* —2E **77**
Hills Vw. Rd. *M'brgh* —1F **105**
Hill Vw. *G'ham* —4F **31**
Hillview. M'brgh —*3D* ***103***
(off Delamere Rd.)
Hill Vw. Ter. *New M* —2A **86**
Hilton. —1F 163
Hilton La. *Thor* —4B **150**
Hinderwell. —5E 121
Hinderwell Av. *Red* —5A **48**
Hinderwell La. *Runs* —3C **120**
Hindhead. *Eagle* —5C **126**
Hindpool Clo. *H'pl* —5B **8**
Hind St. *Sto T* —2F **97**
(in two parts)
Hinton Av. *M'brgh* —1B **100**
Hinton Ct. *Guis* —1F **139**
Hirdman Gro. *H'pl* —2E **7**
Hird Rd. *Yarm* —5A **148**
Hive Clo. *Sto T* —2F **73**
H.M. Bark Endeavour (Replica). —1B 98
H.M.S. Trincomalee. —2C 14
Hobdale Ter. *Skel C* —2B **112**
Hob Hill Clo. *Salt S* —5B **68**
Hob Hill Cres. *Salt S* —5B **68**
Hob Hill La. *Mar S & Salt S* —3E **87**
Hobson Av. *Red* —2E **63**
Hodges Ho. *M'brgh* —2F **77**
Hodgson Ct. *M'brgh* —2F **105**
Hoe, The. *H'pl* —3D **15**
Hogarth Clo. *Bill* —3D **39**
Holbeck Av. *M'brgh* —2D **131**
Holbeck Wlk. *Thor* —3E **129**
Holburn Pk. *Sto T* —2D **73**
Holdenby Dri. *M'brgh* —4D **103**
Holden Clo. *G'twn* —2D **81**
Holdernesse. *Wyn* —4A **26**
Holder St. *Red* —4C **48**
Holdforth Clo. *H'pl* —5F **7**
Holdforth Ct. *H'pl* —5F **7**
Holdforth Rd. *H'pl* —5F **7**
Holey Clo. *Hem* —4D **131**
Holgate, The. *M'brgh* —5D **77**
Holland Rd. *H'pl* —1E **31**
Hollies, The. *Bill* —4D **55**
Hollies, The. *Red* —5E **49**

Hollinside Clo. *Sto T* —2D **73**
Hollinside Rd. *Bill* —4F **39**
Hollins La. *M'brgh* —2C **100**
Hollis Ct. *Cou N* —4B **132**
Hollowfield. *Cou N* —3A **132**
(in two parts)
Hollowfield Sq. *Cou N* —4A **132**
Hollybush Av. *Ing B* —4C **128**
Hollybush Est. *Skel C* —3D **89**
Hollygarth. *Gt Ay* —2C **166**
Hollygarth Clo. *Gt Ay* —2C **166**
Hollyhurst Av. *M'brgh* —3F **101**
Holly La. *S'tn* —5C **130**
Hollymead Dri. *Guis* —1E **139**
Hollymount. *Bill* —4D **55**
Hollymount. *H'pl* —3E **13**
Hollystone Ct. *Bill* —3E **39**
Holly St. *M'brgh* —4F **77**
Holly St. *Sto T* —1B **74**
Holly Ter. *M'brgh* —4E **57**
Hollywalk Av. *M'brgh* —3C **104**
Hollywalk Clo. *Norm* —3C **104**
Hollywalk Dri. *M'brgh* —2D **105**
Holmbeck. *Skel C* —4E **89**
Holme Ct. *M'brgh* —4F **103**
Holmefields Rd. *M'brgh* —3E **105**
Holme Ho. Rd. *Sto T* —3E **75**
Holmes Clo. *Thor* —5B **98**
Holmeside Gro. *Bill* —3F **39**
Holmes Nature Reserve, The.
—1A **128**
Holmside Wlk. *Sto T* —2C **72**
Holms La. *Carl* —3C **50**
Holmwood Av. *M'brgh* —3F **101**
Holnest Av. *M'brgh* —2D **103**
Holnicote Clo. *Ing B* —3B **150**
Holtby Wlk. *M'brgh* —1D **103**
(Fransham Rd.)
Holtby Wlk. *M'brgh* —4D **103**
(Hillingdon Rd.)
Holt St. *H'pl* —5B **14**
Holt, The. *Cou N* —3F **131**
Holwick Rd. *M'brgh* —2C **76**
Holyhead Dri. *Red* —3E **65**
Holyrood Clo. *Thor* —3D **99**
Holy Rood Ct. *M'brgh* —1A **102**
Holyrood Cres. *Hart* —4F **5**
Holyrood La. *M'brgh* —1A **102**
Holyrood Wlk. *H'pl* —4E **19**
Holystone Dri. *Ing B* —2A **150**
Holywell Grn. *Eagle* —5C **126**
Homebryth Ho. *S'fld* —3D **23**
Homerell Clo. *Red* —2E **65**
Homer Gro. *H'pl* —2E **19**
Homerton Rd. *M'brgh* —1D **103**
Homestall. *S'fld* —1C **22**
Honddu Ct. *Ing B* —2F **149**
Honey Bee Clo. *Sto T* —2F **73**
Honeycombe Av. *Sto T* —2F **73**
Honey Pot Gro. *Sto T* —2F **73**
Honeysuckle Ct. *Nort* —1A **74**
Honey Way. *Sto T* —2F **73**
Hong Kong Rd. *Eagle* —4F **125**
Honister Clo. *Sto T* —4F **73**
Honister Gro. *M'brgh* —5B **100**
Honister Rd. *Red* —5B **48**
Honister Wlk. *Egg* —1C **148**
Honiton Way. *H'pl* —5F **19**
Hood Clo. *H'pl* —2E **7**

Hood Dri. *S Bnk* —3B **80**
Hoope Clo. *Yarm* —1B **160**
Hope St. *Bill* —3D **57**
Hope St. *H'pl* —3C **14**
Hope St. *Sto T* —2F **97**
Hopkins Av. *M'brgh* —5E **79**
Hopps St. *H'pl* —2A **14**
Horden Rd. *Bill* —5F **39**
Hornbeam Clo. *Orm* —4B **104**
Hornbeam Wlk. *Sto T* —1E **73**
Hornby Av. *S'fld* —5C **22**
Hornby Clo. *H'pl* —2E **21**
Hornby Clo. *M'brgh* —3E **77**
Hornleigh Gro. *Red* —4A **48**
Hornsea Clo. *Bill* —2F **39**
Hornsea Gro. *Red* —4A **48**
Hornsea Rd. *Hem* —5C **130**
Horseclose La. *Carl* —5E **51**
Horsefield St. *M'brgh* —3A **78**
Horse Shoe Pond. *Wyn* —4B **26**
Horsley Pl. *H'pl* —4F **7**
Horsley Way. *Bill* —2E **39**
Hoskins Way. *M'brgh* —1E **103**
Hospital Clo. *G'ham* —3E **31**
Hospital Cotts. *G'ham* —3E **31**
Hough Cres. *Thor* —5C **98**
Houghton Grn. *Sto T* —2C **72**
Houghton St. *H'pl* —5B **14**
Hoveton Clo. *Sto T* —3C **72**
Hovingham Dri. *Guis* —5E **109**
Hovingham St. *M'brgh* —4C **78**
Howard Ct. *M'brgh* —2A **102**
Howard Dri. *Mar S* —5E **67**
Howard Pl. *Sto T* —3B **74**
Howard St. *H'pl* —4D **9**
Howard St. *M'brgh* —4D **77**
Howard Wlk. *Bill* —5D **55**
Howbeck La. *H'pl* —5A **8**
Howcroft Av. *Red* —2E **63**
Howden Dike. *Yarm* —5D **149**
Howden Rd. *H'pl* —2E **7**
Howden Wlk. *Sto T* —5A **74**
Howe Hill Bank. *Newby*
—5C **154** & 1A **164**
Howe St. *M'brgh* —5E **77**
Howgill Wlk. *M'brgh* —1C **102**
Howlbeck Bungalows. Guis
(off Howlbeck Rd.) —1D **139**
Howlbeck Rd. *Guis* —1D **139**
Hoylake Clo. *New M* —2A **86**
Hoylake Rd. *M'brgh* —4F **101**
Hoylake Way. *Eagle* —1C **148**
Hubbard Wlk. *M'brgh* —3A **78**
Huckelhoven Ct. *H'pl* —4C **14**
Huckelhoven Way. *H'pl* —4C **14**
Hudson Ho. *Thor* —1D **129**
Hudson St. *M'brgh* —1F **77**
Hudswell Gro. *Sto T* —3C **96**
Hugill Clo. *Yarm* —5D **149**
Hulam Clo. *Sto T* —2D **73**
Hulton Clo. *Mar C* —3F **133**
Humber Clo. *Loft* —5D **93**
Humber Gro. *Bill* —4A **38**
Humber Rd. *Thor* —5D **99**
Humbledon Rd. *Sto T* —2D **73**
Hume Ho. *Sto T* —4A **74**
Hume St. *Sto T* —4A **74**
(in two parts)
Humewood Gro. *Sto T* —4B **54**

Hummersea Clo. *Brot* —2B **90**
Hummersea La. *Loft* —5C **92**
Hummershill La. *Mar S* —4D **67**
Hundale Cres. *Red* —3D **65**
Hunley Av. *Brot* —1B **90**
Hunley Clo. *Brot* —1B **90**
Hunstanton Gro. *New M* —2F **85**
Huntcliffe Av. *Red* —5A **48**
Huntcliffe Dri. *Brot* —1A **90**
Hunter Ho. Ind. Est. *H'pl* —1D **33**
Huntersgate. *M'brgh* —1A **106**
Hunter's Hill. —4E 139
Hunter St. *H'pl* —3A **14**
Huntingdon Grn. *Sto T* —1C **74**
Huntley Clo. *M'brgh* —4E **103**
Huntley Rd. *H'pl* —4E **19**
Huntsman Dri. *M'brgh* —3B **58**
Hunwick Clo. *M'brgh* —1B **130**
Hunwick Wlk. *Sto T* —2C **72**
Hurn Wlk. *Thor* —1E **129**
Huron Clo. *M'brgh* —1A **102**
Hurricane Ct. *Pres I* —5F **97**
Hurst Pk. *Red* —2D **65**
Hurworth Clo. *Sto T* —5A **72**
Hurworth Rd. *Bill* —2A **40**
Hurworth Rd. *M'brgh* —3A **102**
Hurworth St. *H'pl* —2A **14**
Hury Rd. *Sto T* —5A **54**
Hustler Rd. *M'brgh* —3C **130**
Hutchinson St. *Brot* —2B **90**
Hutchinson St. *Sto T* —5A **74**
Hutone Pl. *H'pl* —2E **7**
Hutton Av. *H'pl* —3F **13**
Hutton Clo. *Thor* —4C **98**
Hutton Ct. *H'pl* —3A **14**
Hutton Gate. —4B 138
Hutton Gro. *Red* —2E **63**
Hutton Gro. *Sto T* —2D **97**
Hutton La. *Guis* —4B **138**
Hutton Rd. *Est* —5A **82**
Hutton Rd. *M'brgh* —5B **78**
Hutton St. *H'pl* —4C **8**
Hutton St. *Skin* —2A **92**
Hutton Village. —5C 138
Hutton Village Rd. *Guis* —4B **138**
Huxley Wlk. *H'pl* —1E **19**
Hylton Gro. *Sto T* —2A **74**
Hylton Rd. *Bill* —5F **39**
Hylton Rd. *H'pl* —5C **12**
Hythe Clo. *Red* —3F **65**

Ian Gro. *H'pl* —5E **19**
Ian St. *Thor* —3D **99**
Ibbertson St. *H'pl* —5F **9**
Iber Gro. *H'pl* —5E **19**
Ibrox Gro. *H'pl* —5F **19**
Ibstone Wlk. *Sto T* —5C **52**
Ickworth Ct. *Ing B* —1B **150**
Ida Rd. *M'brgh* —5B **78**
Ida St. *Sto T* —2A **74**
Ilam Ct. *Ing B* —1B **150**
Ilford Rd. *Sto T* —5C **52**
Ilford Way. *M'brgh* —3D **103**
Ilkeston Wlk. *Sto T* —5C **52**
Ilkley Gro. *Guis* —4D **139**
Ilkley Gro. *H'pl* —4B **20**
Ilston Grn. *M'brgh* —3D **103**
Imeson St. *M'brgh* —2F **105**

Imperial Av. *M'brgh* —1F **79**
Imperial Av. *Nort* —2B **74**
Imperial Av. *Thor* —3D **99**
Imperial Cres. *Sto T* —2B **74**
Imperial Rd. *Bill* —5D **55**
Inchcape Rd. *H'pl* —5E **19**
Inch Gro. *H'pl* —5E **19**
Ingham Gro. *H'pl* —1D **31**
Ingleborough La. *Ing B* —2B **150**
Ingleby Barwick. —5B 128
Ingleby Clo. *M'brgh* —5A **82**
Ingleby Ct. *Red* —3C **48**
Ingleby Gro. *Sto T* —2D **97**
Ingleby Ho. *M'brgh* —2B **102**
Ingleby Rd. *Gt Br* —5F **169**
Ingleby Rd. *H'pl* —5E **21**
Ingleby Rd. *M'brgh* —5B **78**
Ingleby Way. *Ing B* —5A **128**
Ingleside M. *Salt S* —4C **68**
Ingleton Rd. *Sto T* —5C **52**
Inglewood Av. *Mar S* —5C **66**
Inglewood Clo. *M'brgh* —1A **104**
Ingoldsby Rd. *M'brgh* —2A **104**
Ingram Gro. *Ing B* —2A **150**
Ingram Rd. *M'brgh* —1C **102**
Ingrove Clo. *Sto T* —5C **52**
Ings Av. *M'brgh* —5E **79**
Ings La. *Brot* —2C **90**
Ings La. *Gt Br* —4F **169**
Ings La. *Yarm* —5A **148**
Ings M. *Red* —4D **49**
Ings Rd. *Red* —4D **49**
Ings, The. —3F 65
Inkerman St. *Sto T* —5A **74**
Innes Rd. *H'pl* —5E **19**
Innes St. *M'brgh* —1E **77**
Inskip Wlk. *Sto T* —1C **72**
Institute Ter. *G'twn* —2E **81**
Instow Clo. *Sto T* —1C **72**
Intrepid Clo. *H'pl* —2D **21**
Inverness Rd. *H'pl* —5E **19**
Ipswich Av. *M'brgh* —3D **103**
Irene St. *C How* —3F **91**
Ironmasters Way. *Stil* —1A **50**
Irstead Wlk. *Sto T* —5C **52**
Irthing Clo. *Ing B* —2A **150**
Irvin Av. *Salt S* —4A **68**
Irvine Rd. *H'pl* —5E **19**
Irvine Rd. *M'brgh* —5C **78**
Islay Gro. *H'pl* —5E **19**
Islington Wlk. *M'brgh* —5B **102**
Italy St. *M'brgh* —2E **77**
Ivanhoe Cres. *H'pl* —5E **19**
Iveston Gro. *Bill* —5A **38**
Iveston Wlk. *Sto T* —5C **52**
Ivy Clo. *Nort* —2A **74**
Ivy Cotts. *Egg* —2C **148**
Ivy Gro. *H'pl* —5F **7**

Jacklin Wlk. *Eagle* —5C **126**
Jackson Dri. *Stok* —5B **164**
Jacksons Landing. *H'pl* —2C **14**
Jackson St. *Brot* —3B **90**
Jackson St. *H'pl* —1A **20**
Jackson St. *Loft* —5D **93**
Jacques Ct. *H'pl* —1F **15**
James Cook Ho. *M'brgh* —3F **77**
Jameson Rd. *H'pl* —4D **19**
Jameson Rd. *Sto T* —4A **54**
James St. *H'pl* —4D **15**
James St. *N Orm* —4B **78**
Jane Wlk. *Sto T* —3C **74**
Japonica Way. *Nort* —2A **74**
Jarsling Ho. *H'pl* —2C **14**
Jarvis Wlk. *H'pl* —4D **19**
Jasmine Gro. *Mar C* —2C **132**
Jasmine Rd. *Sto T* —3F **73**
Jasper Gro. *Stil* —1B **50**
Jay Av. *Tees* —1E **151**
Jaywood Clo. *H'pl* —2B **6**
Jedburgh Rd. *H'pl* —4D **19**
Jedburgh St. *M'brgh* —3F **77**
Jefferson St. *M'brgh* —4C **78**
Jennings, The. *Norm* —2D **105**
Jenny Frisk Rd. *B'bck* —4C **112**
Jersey St. *H'pl* —3C **14**
Jersey Wlk. *Guis* —3D **139**
Jervaulx Rd. *Skel C* —4D **89**
Jesmond Av. *M'brgh* —3C **100**
Jesmond Est. *H'pl* —1A **14**
Jesmond Gdns. *H'pl* —5F **7**
Jesmond Gro. *Sto T* —3C **96**
Jesmond M. *H'pl* —2A **14**
Jesmond Rd. *H'pl* —2F **13**
Jesmond Sq. *H'pl* —1F **13**
J. F. Kennedy Ho. *Thor* —5E **99**
Jobson St. *H'pl* —2A **14**
John Boyle Clo. *M'brgh* —2B **80**
John Howe Gdns. *H'pl* —4E **7**
Johnson Gro. *Sto T* —5F **53**
Johnsons Sq. *M'hlm* —2B **142**
Johnson St. *H'pl* —4B **14**
Johnson St. *M'brgh* —3E **77**
Johnson's Yd. *Guis* —2E **139**
Johnston Av. *Salt S* —4B **68**
John St. *Gt Ay* —1D **167**
John St. *H'pl* —3C **14**
John St. *Loft* —5C **92**
John St. *Skel C* —4D **89**
John St. *Sto T* —5A **74**
John Walker Sq. *Sto T* —1B **98**
Joicey Ct. *H'pl* —3A **14**
Jones Rd. *H'pl* —4F **7**
Jones Rd. *M'brgh* —2B **80**
Joppa Gro. *H'pl* —4E **19**
Jowitt Rd. *H'pl* —4F **7**
Joyce Rd. *H'pl* —3E **7**
Jubilee Bank. *Orm* —4A **104**
Jubilee Ct. *M'brgh* —2F **105**
Jubilee Gro. *Bill* —5C **38**
Jubilee Homes. *H'pl* —5A **14**
Jubilee Rd. *M'brgh* —2F **105**
Jubilee St. *M'brgh* —4C **78**
Jubilee St. S. *M'brgh* —4C **78**
Junction Rd. *Sto T* —5C **52**
Juniper Gro. *Elt* —4E **95**
Juniper Gro. *Mar C* —2F **133**
Juniper Wlk. *H'pl* —4D **19**
Jura Gro. *H'pl* —4E **19**
Jute Gro. *H'pl* —4D **19**
Jutland Rd. *H'pl* —4B **20**

Kader Av. *M'brgh* —1B **130**
Kader Cotts. *M'brgh* —1C **130**
Kader Farm Av. *M'brgh* —1C **130**
Kathleen St. *H'pl* —1B **20**
Kearsley Clo. *Eagle* —1D **127**
Keasdon Clo. *M'brgh* —1B **102**
Keats Rd. *M'brgh* —2D **105**
Keay St. *M'brgh* —5C **76**
Kebock Wlk. *H'pl* —4D **19**
Kedleston Clo. *Sto T* —3D **73**
Kedlestone Pk. *Mar C* —5E **133**
Kedward Av. *M'brgh* —4E **79**
Keepersgate. *Est* —1A **106**
Keepers La. *Ing B* —5B **128**
Keighley Av. *Mar C* —1B **132**
Keilder Clo. *Red* —3B **64**
Keilder Ri. *Hem* —4F **131**
Keir Hardie Clo. *M'brgh* —2B **80**
Keir Hardie Cres. *M'brgh* —2B **80**
Keithlands Av. *Sto T* —1B **74**
Keith Rd. *M'brgh* —3F **101**
Keithwood Clo. *M'brgh* —3F **101**
Kelbrook Wlk. *M'brgh* —1E **103**
Keld Clo. *Ing B* —3B **150**
Keld Gro. *Sto T* —1A **96**
Kelfield Av. *M'brgh* —1E **103**
(in two parts)
Kelgate Ter. *S'tn* —5B **130**
Kelling Clo. *Bill* —3E **39**
Kelloe Clo. *Sto T* —1C **72**
Kells Gro. *H'pl* —4D **19**
Kelsall Clo. *M'brgh* —3E **103**
Kelso Ct. *M'brgh* —2C **102**
Kelso Gro. *H'pl* —4D **19**
Kelsterne Clo. *Yarm* —5E **149**
Kelvin Gro. *H'pl* —4D **19**
Kelvin Gro. *M'brgh* —3D **103**
Kemplah Ho. *Guis* —2E **139**
Kemplah Ho. M. *Guis* —2E **139**
Kempston Way. *Sto T* —5E **53**
Kendal Ct. *M'brgh* —2A **102**
Kendal Gro. *Red* —1C **64**
Kendal Rd. *H'pl* —1B **20**
Kendal Rd. *Sto T* —4D **73**
Kenilworth Av. *M'brgh* —3E **103**
Kenilworth Flats. *Bill* —5E **39**
Kenilworth Rd. *Bill* —5E **39**
Kenilworth Way. *Red* —2F **65**
Kenley Gdns. *Sto T* —4E **53**
Kenmore Rd. *M'brgh* —2A **104**
Kennedy Cres. *C How* —2A **92**
Kennedy Gdns. *Bill* —1E **55**
Kennedy Gro. *Sto T* —1F **73**
Kennythorpe. *Nun* —3F **133**
Kensington Av. *M'brgh* —3D **105**
Kensington Ct. *H'pl* —5F **7**
Kensington Rd. *M'brgh* —5D **77**
Kensington Rd. *Sto T* —2F **97**
Kent Av. *H'pl* —1B **20**
Kent Clo. *Nun* —3B **134**
Kent Clo. *Red* —1B **64**
Kent Gro. *Sto T* —1C **74**
Kentmere Rd. *M'brgh* —2C **102**
Kenton Clo. *Sto T* —3C **96**
Kentport Ct. *Sto T* —4C **74**
Kentra Clo. *Red* —3E **65**
Kent Rd. *Guis* —3D **139**
Kenville Gro. *Sto T* —4A **72**
Kepier Clo. *Sto T* —1C **72**
Kepple Av. *M'brgh* —2C **102**
Kepwick Clo. *M'brgh* —5E **101**
Kepwick Ct. *Red* —2B **64**
Kerr Cres. *S'fld* —2C **22**

Leven Rd.—Longbeck Way

Leven Rd. *Guis* —3D **139**
Leven Rd. *N Orm* —4C **78**
Leven Rd. *Sto T* —5A **54**
Leven Rd. *Stok* —2A **168**
Leven Rd. *Yarm* —4C **148**
Levenside. *Gt Ay* —2C **166**
Levenside. *Stok* —2B **168**
Levenside Pl. *Stok* —2B **168**
Leven St. *Bill* —3D **57**
Leven St. *M'brgh* —4C **76**
Leven St. *Salt S* —4C **68**
Leven St. *S Bnk* —2A **80**
Leven Wynd. *Stok* —2B **168**
Leveret Clo. *Ing B* —4C **128**
Levick Cres. *M'brgh* —4A **100**
Levick Ho. *M'brgh* —3C **100**
Levington Wynd. *Nun* —4A **134**
Levisham Clo. *M'brgh* —5E **101**
Levisham Clo. *Sto T* —2D **97**
Lewes Way. *Bill* —3A **40**
Lewis Gro. *H'pl* —2D **19**
Lewis Rd. *M'brgh* —1D **101**
Lewis Wlk. *Guis* —3D **139**
Lexden Av. *M'brgh* —4A **100**
Lexington Ct. *Sto T* —2B **74**
Leybourne Ter. *Sto T* —1F **97**
Leyburn Gro. *Sto T* —3B **96**
Leyburn St. *H'pl* —5A **14**
Libanus Ct. *Ing B* —1F **149**
Lichfield Av. *Eagle* —5A **126**
Lichfield Av. *Est* —5E **81**
Lichfield Rd. *M'brgh* —2F **101**
Liddel Ct. *H'pl* —4A **8**
Lightfoot Cres. *H'pl* —4E **7**
Lightfoot Gro. *Sto T* —1A **98**
Light Pipe Hall Rd. *Sto T* —1F **97**
(in two parts)
Lilac Av. *S'fld* —3D **23**
Lilac Av. *Thor* —5C **98**
Lilac Clo. *Carl* —4D **51**
Lilac Clo. *M'brgh* —4C **82**
Lilac Clo. *Salt S* —5A **68**
Lilac Cres. *Brot* —2A **90**
Lilac Gro. *M'brgh* —5E **79**
Lilac Gro. *Red* —5E **49**
Lilac Rd. *Eagle* —2C **126**
Lilac Rd. *Norm* —5C **80**
Lilac Rd. *Orm* —5B **104**
Lilac Rd. *Sto T* —3E **73**
Lile Gdns. *S'fld* —4E **23**
Limber Grn. *M'brgh* —3A **104**
Limbrick Av. *Sto T* —5A **72**
Limbrick Ct. *Sto T* —5B **72**
Lime Clo. *Mar C* —2D **133**
Lime Cres. *H'pl* —1A **14**
Lime Cres. *M'brgh* —1C **104**
Lime Gro. *Sto T* —5B **72**
Limeoak Way. *Sto T* —4C **74**
Limerick Rd. *Red* —1D **63**
Lime Rd. *Eagle* —2D **127**
Lime Rd. *Guis* —1D **139**
Lime Rd. *Norm* —5B **80**
Lime Rd. *Red* —4E **49**
(in two parts)
Limes Cres. *Mar S* —5D **67**
Limes Rd. *M'brgh* —2E **101**
Limetree Ct. *M'brgh* —3F **101**
Limetrees Clo. *M'brgh* —4E **57**
Lime Wlk. *Loft* —5B **92**

Limpton Ga. *Yarm* —5C **148**
Linby Av. *M'brgh* —3C **102**
Lincoln Cres. *Bill* —2F **55**
Lincoln Gro. *Sto T* —1C **74**
Lincoln Pl. *Thor* —4C **98**
Lincoln Rd. *Guis* —3D **139**
Lincoln Rd. *H'pl* —5D **19**
Lincoln Rd. *Red* —1F **65**
Lincombe Dri. *M'brgh* —3D **131**
Linden Av. *Gt Ay* —2C **166**
Linden Av. *Sto T* —3E **97**
Linden Clo. *Gt Ay* —1C **166**
Linden Ct. *Gt Ay* —1C **166**
Linden Ct. *Thor* —4C **98**
Linden Cres. *Gt Ay* —2C **166**
Linden Cres. *Mar C* —3C **132**
Linden Gro. *Gt Ay* —2C **166**
Linden Gro. *H'pl* —4F **13**
Linden Gro. *M'brgh* —2D **101**
Linden Gro. *Thor* —4C **98**
Linden Ho. *Brot* —2A **90**
Linden Rd. *Brot* —2A **90**
Linden Rd. *Gt Ay* —2C **166**
Lindisfarne Clo. *H'pl* —3D **7**
Lindisfarne Rd. *M'brgh* —3E **103**
Lindrick. *Mar C* —5E **133**
Lindrick Ct. *M'brgh* —2E **105**
Lindrick Dri. *H'pl* —2C **6**
Lindrick Rd. *New M* —2F **85**
Lindsay Rd. *H'pl* —4C **18**
Lindsay St. *Sto T* —2A **98**
Lindsey Ct. *Brot* —3C **90**
Lingberry Gth. *Loft* —5C **92**
Ling Clo. *Mar C* —1C **132**
Lingdale. —4E 113
Lingdale Clo. *Sto T* —4E **73**
Lingdale Dri. *H'pl* —5D **21**
Lingdale Gro. *Red* —1F **63**
Lingdale Ind. Est. *Ling* —4E **113**
Lingdale Rd. *Ling* —3C **112**
Lingdale Rd. *Thor* —5D **99**
Lingfield Ash. *Cou N* —5B **132**
Lingfield Dri. *Eagle* —5A **126**
Lingfield Rd. *Sto T* —5A **72**
Lingfield Rd. *Yarm* —4E **149**
Lingfield Way. *Cou N* —5C **132**
Lingholme. *Bill* —1B **64**
Lingmell Rd. *Red* —2C **64**
Link Cen. *Sto T* —4A **74**
(off Farrer St.)
Links, The. *Salt S* —1B **88**
Links, The. *Sea C* —5E **21**
Link, The. *M'brgh* —3F **103**
Linkway, The. *Bill* —1E **55**
Linley Ct. *Nort* —3A **54**
Linlithgow Clo. *Guis* —4D **139**
Linmoor Av. *M'brgh* —1E **103**
Linnet Ct. *Sto T* —3B **54**
Linnet Rd. *H'pl* —5E **7**
Linshiels Gro. *Ing B* —2A **150**
Linsley Clo. *M'brgh* —3B **78**
Linthorpe. —2D 101
Linthorpe M. *M'brgh* —3E **77**
(in two parts)
Linthorpe Rd. *M'brgh* —5E **77**
(TS1, in three parts)
Linthorpe Rd. *M'brgh* —1E **101**
(TS5)
Linton Av. *Mar C* —3C **132**

Linton Clo. *Sto T* —3A **72**
Linton Rd. *M'brgh* —2B **104**
Linwood Av. *Stok* —5C **164**
Linwood Ct. *Guis* —1E **139**
Lion Bri. Clo. *Wyn* —2E **37**
Lister St. *H'pl* —4A **14**
Lithgo Clo. *H'pl* —2E **21**
Little Ayton. —3E 167
Lit. Ayton La. *Gt Ay* —3E **167**
Littleboy Dri. *Thor* —4E **99**
Little Crake. *Guis* —2B **138**
Little Grebe. *Guis* —2A **138**
Lit. Moorsholm La. *M'hlm*
—4F **113**
Lit. York St. *Sto T* —1A **98**
Littondale. *Hem* —5D **131**
Littondale Ct. *Ing B* —3A **150**
Liverton. —5A 116
Liverton Av. *M'brgh* —5C **76**
Liverton Cres. *Bill* —4B **38**
Liverton Cres. *Thor* —3B **128**
Liverton La. *Liver*
—1F **143** & 5A **116**
Liverton Mill Bank. *M'hlm*
—1D **143**
Liverton Mines. —1A 116
Liverton Rd. *Liver* —2A **116**
(Cleveland St.)
Liverton Rd. *Liver* —5A **92**
(Liverton Ter.)
Liverton Rd. *Loft* —5B **92**
Liverton Ter. *Liver* —5A **92**
Liverton Ter. S. *Liver* —1A **116**
Liverton Whin. *Salt S* —4A **68**
Livingstone Rd. *M'brgh* —4C **78**
Lizard Gro. *H'pl* —4C **14**
Lizard Wlk. *H'pl* —4C **14**
Lloyd St. *M'brgh* —2D **77**
Lobelia Clo. *Orm* —4B **104**
Lobster Rd. *Red* —3B **48**
Loch Gro. *H'pl* —4D **19**
Lockerbie Wlk. *Thor* —2C **128**
Locke Rd. *Red* —4B **48**
Lockheed Clo. *Pres I* —1F **127**
Lockton Clo. *Hem* —5C **130**
Lockton Cres. *Thor* —3B **128**
Lockwood Ct. *M'brgh* —2E **105**
Locomotion Ct. *Eagle* —4B **126**
Lodge Rd. *M'brgh* —1E **105**
Lodge St. *Sto T* —1A **98**
Lodore Gro. *M'brgh* —5B **100**
Loftus. —5B 92
Loftus Bankwest Rd. *C How &*
Loft —3F **91**
Loftus Ho. *M'brgh* —2A **102**
Loftus Rd. *Thor* —4D **99**
Logan Dri. *Sto T* —5C **72**
Logan Gro. *H'pl* —4D **19**
Lomond Av. *Bill* —2E **55**
Londonderry Rd. *Sto T* —4F **73**
(in two parts)
Londonderry St. *H'pl* —1F **15**
Longacre Clo. *Skel C* —2C **88**
Longbank Rd. *Orm* —5B **104**
Longbeck La. *New M* —2C **84**
Longbeck Rd. *Mar S* —5B **66**
Longbeck Trad. Est. *Mar S*
—4B **66**
Longbeck Way. *Thor* —3E **129**

Longcroft Wlk. *M'brgh* —5C **78**
Longfellow Rd. *Bill* —3D **39**
Longfellow Wlk. *H'pl* —3D **19**
Longfield Vw. *M'brgh* —4C **104**
Longford Clo. *Bill* —4E **39**
Longford St. *M'brgh* —5C **76**
Longhill. —2C 20
Longhill Ind. Est. *H'pl* —1C **20**
(in two parts)
Longhurst. *Cou N* —5C **132**
Longlands Rd. *M'brgh* —5A **78**
Long La. *K'ton* —5F **161**
Long La. *M'hlm* —2C **142**
Longnewton. —1A 124
Long Newton La. *Long N & Eagle* —1A **124**
Long Row. *Port M* —4F **121**
Longscar Wlk. *H'pl* —4C **14**
Longshaw Clo. *Ing B* —5C **128**
Long Wlk. *Yarm* —4D **149**
Longworth Way. *Guis* —5F **109**
Lonsdale Ct. *H'pl* —5B **14**
Lonsdale Gro. *Red* —2E **63**
Lonsdale St. *M'brgh* —5D **77**
Loraine Clo. *Mar S* —5E **67**
Lord Av. *Thor* —4D **129**
Lord Nelson's Yd. *Yarm* —3B **148**
Lord St. *Red* —3C **48**
Lorimer Clo. *Ing B* —5B **128**
Lorne Ct. *Sto T* —3E **97**
Lorne St. *M'brgh* —4D **77**
Lorne Ter. *Brot* —2C **90**
Lorrain Gro. *Sto T* —4C **54**
Lorton Rd. *Red* —2C **64**
Lothian Gro. *Red* —4A **48**
Lothian Rd. *M'brgh* —5A **78**
Louisa St. *M'brgh* —3B **78**
Lovaine St. *M'brgh* —4D **77**
Lovat Av. *Red* —5A **48**
Lovat Gro. *H'pl* —4D **19**
Low Church Wynd. *Yarm* —2B **148**
Lowcross Av. *Guis* —4C **138**
Lowcross Dri. *Gt Br* —5F **169**
Lowdale La. *H'pl* —2C **6**
Lowell Clo. *Bill* —2E **39**
Lwr. Cleveland St. *Liver* —5A **92**
Lwr. East St. *M'brgh* —2F **77**
Lwr. Feversham St. *M'brgh* —2F **77**
Lwr. Gosford St. *M'brgh* —2F **77**
Lwr. Promenade. *Salt S* —3D **69**
Loweswater Cres. *Sto T* —4D **73**
Loweswater Gro. *Red* —5C **48**
Low Farm Dri. *Red* —2B **64**
Lowfield Av. *M'brgh* —5E **79**
Lowfields. —5C 80
(Middlesbrough)
Lowfields. —4B 128
(Stockton-on-Tees)
Lowfields Av. *Ing B* —4A **128**
Lowfields Grn. *Ing B* —5B **128**
Lowfields Wlk. *Ing B* —4B **128**
Low Fold. *Red* —1B **64**
Low Grange. —4F 39
Low Grange Av. *Bill* —2E **39**
Low Grange Ct. *Bill* —4A **40**
Low Grn. *Gt Ay* —2B **166**
Lowick Clo. *Sto T* —4B **72**
Low La. *Malt & M'brgh* —3C **130**
Low La. *Thor & H Lev* —4B **150**
Lowmead Wlk. *M'brgh* —4D **103**
Lowood Av. *Mar C* —3C **132**
Lowson St. *Stil* —1B **50**
Low Stanghow Rd. *Ling* —5E **113**
Lowther Clo. *Bill* —4A **38**
Lowthian Rd. *H'pl* —3A **14**
Low Throston. —1E 13
Loxley Rd. *M'brgh* —1A **104**
Loyalty Clo. *H'pl* —2B **20**
Loyalty Ct. *H'pl* —2B **20**
Loyalty M. *H'pl* —2B **20**
Loyalty Rd. *H'pl* —3B **20**
Loy La. *Loft* —5E **93**
(in two parts)
Lucan St. *H'pl* —3B **14**
Luccombe Clo. *Ing B* —3B **150**
Lucerne Ct. *Mar C* —2C **132**
Lucerne Dri. *Guis* —3B **138**
Lucerne Rd. *Red* —5C **48**
Luce Sands. *M'brgh* —3B **130**
Lucia La. *Guis* —3C **138**
Ludford Av. *M'brgh* —3D **103**
Ludham Gro. *Sto T* —3C **72**
Ludlow Cres. *Red* —1E **65**
Ludlow Rd. *Bill* —5D **39**
Luff Way. *Red* —2E **65**
Lulsgate. *Thor* —1E **129**
Lulworth Clo. *Red* —3E **65**
Lulworth Gro. *H'pl* —2D **7**
Lumley Rd. *Bill* —5E **39**
Lumley Rd. *Red* —4D **49**
Lumley Sq. *H'pl* —1F **15**
Lumley St. *Loft* —4A **92**
Lumley Ter. *Guis* —1F **139**
Lumpsey Clo. *Brot* —2B **90**
Lundy Ct. *Ing B* —1B **150**
Lundy Wlk. Guis —3D ***139***
(off Hutton La.)
Lunebeck Wlk. *Thor* —3E **129**
Lunedale Av. *M'brgh* —4D **101**
Lunedale Rd. *Bill* —2D **55**
Lune Rd. *Eagle* —2B **148**
Lune Rd. *Sto T* —1A **74**
Lune St. *Salt S* —4C **68**
Lustrum Av. *Sto T* —3F **75**
Lustrum Bus. Pk. *Sto T* —3E **75**
Lustrum Retail Pk. *Sto T* —3F **75**
Lutton Cres. *Bill* —5A **38**
Luttrell Ho. *M'brgh* —2C **102**
Lycium Clo. *Mar C* —1C **132**
Lydbrook Rd. *M'brgh* —1B **100**
Lydd Gdns. *Thor* —1E **129**
Lynas Pl. *Red* —3C **48**
Lyn Clo. *Ing B* —3B **150**
Lyndale. *Guis* —4A **138**
Lyndon Way. *Sto T* —5A **72**
Lynmouth Clo. *Hem* —4C **130**
Lynmouth Rd. *Sto T* —4E **53**
Lynmouth Wlk. *H'pl* —1E **13**
Lynnfield Rd. *H'pl* —3B **14**
Lynn St. *H'pl* —3C **14**
Lynn St. S. *H'pl* —4C **14**
Lynton Ct. *H'pl* —1E **13**
Lynwood Av. *M'brgh* —4E **101**
Lysander Clo. *Mar S* —4B **66**
Lytham Wlk. *Eagle* —5C **126**
Lythe Pl. *M'brgh* —4A **102**
Lythe Wlk. *M'brgh* —5F **81**
Lyttleton Dri. *Sto T* —2C **96**
Lytton St. *M'brgh* —4A **78**

Macaulay Rd. *H'pl* —2D **19**
McAuley Ct. *M'brgh* —1C **102**
Mac Bean St. *M'brgh* —4C **78**
McClean Av. *Red* —5F **47**
McCreaton St. *M'brgh* —5C **78**
Mackie Dri. *Guis* —1F **139**
Macklin Av. *Bill & Cow I* —1A **56**
McLean Rd. *Brot* —2C **90**
McNay St. *Salt S* —4C **68**
Macrae Rd. *H'pl* —5C **18**
Madison Sq. *Sto T* —4B **72**
Magdalene Dri. *Hart* —3F **5**
Magdalen St. *M'brgh* —4B **78**
Magister Rd. *Thor* —1C **128**
Magnolia Ct. *Sto T* —1F **97**
Maidstone Dri. *Mar C* —2E **133**
Mainsforth Dri. *Bill* —2F **39**
Mainsforth Dri. *M'brgh* —1D **131**
Mainsforth Flats. *H'pl* —4D **15**
Mainsforth Ter. *H'pl* —3C **14**
Mainside. *R'shll* —1B **70**
Major Cooper Ct. *Sea C* —4E **21**
Major St. *Sto T* —4B **74**
Majuba Rd. *Red* —3A **48**
Malcolm Dri. *Sto T* —3A **72**
Malcolm Gro. *Red* —5E **49**
Malcolm Gro. *Thor* —5D **99**
Malcolm Rd. *H'pl* —5D **19**
Malden Rd. *Sto T* —5B **54**
Maldon Rd. *M'brgh* —1B **100**
Malham Gill. *Red* —1B **64**
Malham Gro. *Ing B* —5C **128**
Malin Gro. *Red* —4C **64**
Mallaig Vw. *Sto T* —4B **72**
Mallard Clo. *Guis* —3A **138**
Mallard Ct. *Red* —1F **63**
Mallard La. *Sto T* —4A **54**
Malleable Way. *Sto T* —5D **75**
Malling Rd. *Sto T* —2B **74**
Malling Wlk. *M'brgh* —1D **103**
Mallory Clo. *M'brgh* —3D **77**
Mallory Rd. *Nort* —5A **54**
Mallowdale. *Nun* —4F **133**
Malltraeth Sands. *M'brgh* —2A **130**
Malmo Ct. *Kirk B* —4F **63**
Malta Rd. *Eagle* —4F **125**
Maltby. —2F 151
Maltby Ct. *Guis* —1D **139**
Maltby Ho. *M'brgh* —2A **102**
Maltby Pl. *Thor* —4C **98**
Maltby Rd. *T'tn* —1A **152**
Maltby St. *M'brgh* —4C **78**
Maltings, The. *H'pl* —5B **14**
Malton Clo. *Thor* —4D **99**
Malton Dri. *Sto T* —3A **72**
Malton Ter. *S'fld* —4D **23**
Malvern Av. *Red* —2A **64**
Malvern Av. *Skel C* —3C **88**
Malvern Clo. *Stok* —2B **168**
Malvern Dri. *M'brgh* —2C **130**
Malvern Dri. *Stok* —2B **168**
Malvern Rd. *Bill* —1C **54**
Malvern Rd. *Sto T* —1E **97**

Mandale Ho.—Matford Av.

Mandale Ho. *H'pl* —2C **14**
Mandale Ho. *Thor* —3D **99**
Mandale Ind. Est. *Thor* —2C **98**
Mandale Retail Pk. *Sto T* —4D **75**
Mandale Rd. *M'brgh* —4A **100**
Mandale Rd. *Thor* —2B **98**
Mandale Roundabout. *M'brgh*
　　　　　　　　—4A **100**
Manfield Av. *M'brgh* —2A **100**
Manfield St. *Sto T* —1F **97**
Manitoba Gdns. *M'brgh* —5A **78**
Manless Ter. *Skel C* —5B **88**
Manners St. *H'pl* —1F **15**
Manning Clo. *Thor* —1D **129**
Manning Way. *Thor* —1D **129**
Mannion Ct. *M'brgh* —2B **80**
Manor Clo. *Elw* —4D **11**
Manor Clo. *Stok* —1C **168**
Manor Clo. *Wolv* —3C **38**
Manor Ct. *M'hlm* —3B **142**
Manor Ct. *Wolv* —3C **38**
Manor Dri. *Hilt* —1E **163**
Manor Dri. *Stil* —2B **50**
Mnr. Farm Way. *Cou N* —3A **132**
Manor Fld. *Dal P* —1E **17**
Manor Gth. *K'ton* —4D **161**
Mnr. Garth Dri. *H'pl* —3E **13**
Manor Ga. *Long N* —1A **124**
Manor Grn. *M'brgh* —3A **104**
Manor Gro. *Gt Br* —5F **169**
Manor Ho. *Stil* —2B **50**
Manor Ho. M. *Yarm* —3B **148**
Manor Pl. *Sto T* —4B **72**
Manor Rd. *H'pl* —3D **13**
Manorside. *Stok* —1C **168**
Manor St. *M'brgh* —4D **77**
Manor Wlk. *Stil* —2B **50**
Manor Way. *Bel P* —2B **56**
Manor Wood. *Cou N* —3F **131**
Mansepool Clo. *H'pl* —4B **8**
Mansfield Av. *Thor* —2D **99**
　(in two parts)
Mansfield Rd. *M'brgh* —2E **105**
Manston Ct. *M Geo* —1A **144**
Man's Yd. *Stait* —1C **120**
Manton Av. *M'brgh* —3B **100**
Mapel Ct. *Sto T* —3C **72**
Maple Av. *M'brgh* —3F **101**
Maple Av. *Thor* —5C **98**
Maple Gro. *Brot* —2A **90**
Maple Gro. *S'fld* —3D **23**
Maple Lodge. *Tees A* —1D **145**
Maple Rd. *Sto T* —3F **73**
Maple Sq. *Red* —4D **49**
Maple St. *Car F* —3D **79**
Maple St. *M'brgh* —4F **77**
Mapleton Clo. *Red* —4C **64**
Mapleton Cres. *Red* —4B **64**
Mapleton Dri. *Hem* —4D **131**
　(in two parts)
Mapleton Dri. *Sto T* —4F **53**
Mapleton Rd. *H'pl* —1B **14**
Maplin Vw. *Sto T* —4B **72**
Marchlyn Cres. *Ing B* —1E **149**
Mardale. *Hem* —5D **131**
Mardale Av. *H'pl* —5A **20**
Mardale Wlk. *Red* —3C **64**
Margaret St. *M'brgh* —4B **78**
Margill Clo. *Mar C* —2E **133**

Margrove Heritage Cen.
　　　　　　　　—5A **112**
Margrove Pk. *B'bck* —5B **112**
Margrove Pk. Cvn. Site. *B'bck*
　　　　　　　　—5A **112**
Margrove Rd. *B'bck* —5A **112**
Margrove Wlk. *M'brgh* —3D **103**
Margrove Way. *Brot* —1A **90**
Marham Clo. *M'brgh* —3F **103**
Maria Dri. *Sto T* —4A **72**
Maria St. *M'brgh* —4C **78**
Marigold Gro. *Sto T* —3C **72**
Marina Av. *Red* —3A **48**
Marina Gateway. *H'pl* —3C **14**
Marina Way. *H'pl* —1B **14**
Marine Ct. *Salt S* —3C **68**
Marine Cres. *H'pl* —1F **15**
Marine Dri. *H'pl* —4D **9**
Marine Pde. *Salt S* —4C **68**
Mariners Ct. *Mar S* —3C **66**
Marine Ter. *Skin* —1A **92**
Marion Av. *Eagle* —1B **148**
Marion Av. *M'brgh* —3C **100**
Maritime Av. *H'pl* —3C **14**
Maritime Clo. *H'pl* —3D **15**
Maritime Clo. *Sto T* —4B **74**
Maritime Rd. *Sto T* —4B **74**
Mark Av. *Sto T* —3A **54**
Markby Grn. *M'brgh* —3A **104**
Market Pl. *Guis* —1E **139**
Market Pl. *M'brgh* —1F **77**
Market Pl. *N Orm* —4B **78**
Market Pl. *Stok* —1C **168**
Market St. *M'brgh* —2A **80**
Markham Sq. *Sto T* —4B **72**
Marlborough Av. *Mar S* —3C **66**
Marlborough Clo. *Bill* —4D **55**
Marlborough Gdns. *M'brgh*
　　　　　　　　—1E **77**
Marlborough Rd. *Mar C* —3C **132**
Marlborough Rd. *Skel C* —3C **88**
Marlborough Rd. *Sto T* —2F **97**
Marlborough St. *H'pl* —1A **20**
Marley Clo. *Sto T* —4C **72**
Marley Wlk. *H'pl* —3D **7**
Marlowe Rd. *H'pl* —2D **19**
Marlsford Gro. *M'brgh* —4B **100**
Marmaduke Pl. *Sto T* —4A **54**
Marmion Clo. *H'pl* —2B **20**
Marquand Rd. *M'brgh* —3B **80**
Marquis Gro. *Sto T* —4F **53**
Marquis St. *H'pl* —1F **15**
Marrick Rd. *M'brgh* —3D **103**
Marrick Rd. *Sto T* —3B **96**
Marsden Clo. *Ing B* —1C **150**
Marsden Clo. *M'brgh* —3A **102**
Marshall Av. *M'brgh* —5E **79**
Marshall Clo. *H'pl* —3E **7**
Marshall Clo. *Salt S* —4B **68**
Marshall Ct. *M'brgh* —4F **79**
Marshall Dri. *Brot* —1A **90**
Marshall Gro. *Sto T* —4E **73**
Marsh Ho. Av. *Bill* —1E **39**
Marsh Ho. La. *G'ham* —4F **31**
Marsh La. *Bill* —4C **40**
Marsh Rd. *M'brgh* —3D **77**
　(in two parts)
Marsh Rd. *N Orm* —3B **78**
Marsh St. *M'brgh* —3D **77**

Marske By-Pass. *Mar S* —4E **65**
Marske La. *Mar S* —1D **87**
Marske La. *Skel C* —4F **87**
Marske La. *Sto T* —2A **72**
Marske Mill La. *Salt S* —4B **68**
Marske Mill Ter. *Salt S* —5C **68**
Marske Pde. *Sto T* —3A **72**
Marske Rd. *Mar S & Salt S*
　　　　　　　　—1E **87**
Marske Rd. *Thor* —4D **99**
Marske St. *H'pl* —5B **14**
Marston Gdns. *H'pl* —1A **14**
Marston Rd. *Brot* —2C **90**
Marston Rd. *Sto T* —4E **75**
Martham Clo. *Sto T* —3C **72**
Martindale. *M'brgh* —2B **130**
Martindale Clo. *Elw* —3C **10**
Martin Dale Gro. *Egg* —1C **148**
Martindale Pl. *M'brgh* —4E **81**
Martindale Rd. *M'brgh* —5E **81**
Martindale Way. *Red* —4C **64**
Martinet Ct. *Thor* —1C **128**
Martinet Rd. *Thor* —1C **128**
Martin Gro. *H'pl* —1F **19**
Martinhoe Clo. *Ing B* —4B **150**
Marton. —3D 133
Marton Av. *M'brgh* —4D **103**
Marton Burn Rd. *M'brgh*
　　　　　　　　—2F **101**
Marton Cres. *M'brgh* —2F **105**
Marton Dale Ct. *Mar C* —3E **133**
Marton Dri. *Bill* —5B **38**
Marton Gill. *Salt S* —4A **68**
Marton Grove. —2A 102
Marton Gro. *Brot* —1A **90**
Marton Gro. Rd. *M'brgh*
　　　　　　　　—1F **101**
Marton Interchange. *Mar C*
　　　　　　　　—2D **133**
Marton Moor Corner. *Nun*
　　　　　　　　—5A **134**
Marton Moor Rd. *Nun* —4B **134**
Marton Rd. *M'brgh* —3A **78**
Martonside Way. *M'brgh*
　　　　　　　　—3A **102**
Marton St. *H'pl* —2A **14**
Marton Way. *M'brgh* —3B **102**
Marway Rd. *Brot* —1A **90**
Marwood Dri. *Gt Ay* —3C **166**
Marwood Sq. *Sto T* —4B **72**
Mary Ann St. *M'brgh* —1E **101**
Mary Jaques Ct. *M'brgh*
　　　　　　　　—1A **102**
Marykirk Rd. *Thor* —3D **129**
Maryport Clo. *Sto T* —4C **74**
Mary St. *H'pl* —3A **14**
Mary St. *Sto T* —1F **97**
Masefield Rd. *H'pl* —2D **19**
Masham Gro. *Sto T* —1A **96**
Mason St. *M'brgh* —2D **105**
Mason Wlk. *H'pl* —2B **14**
Massey Rd. *Thor* —1C **98**
Master Rd. *Thor* —1C **128**
Masterton Dri. *Sto T* —2B **96**
Mastiles Clo. *Ing B* —3A **150**
Matfen Av. *Nun* —3A **134**
Matfen Ct. *S'fld* —3C **22**
Matford Av. *M'brgh* —5E **79**

Matlock Av. *Mar C* —4D **133**
Matlock Gdns. *Bill* —4C **38**
Mattison Av. *M'brgh* —1B **100**
Maxton Rd. *M'brgh* —3A **80**
Maxwell Ct. *H'pl* —5D **19**
Maxwell Pl. *Red* —1E **63**
Maxwell Rd. *H'pl* —5D **19**
Maxwell Rd. *M'brgh* —4E **79**
Mayberry Gro. *M'brgh* —3E **101**
Maybray King Wlk. *Sto T* —5B **54**
Mayes Wlk. *Yarm* —1B **160**
Mayfair Av. *M'brgh* —1A **102**
Mayfair Av. *Norm* —4C **104**
Mayfair St. *H'pl* —3A **14**
Mayfield Clo. *Eagle* —5A **126**
Mayfield Cres. *Eagle* —5A **126**
Mayfield Rd. *Nun* —2A **134**
Mayflower Clo. *H'pl* —3C **14**
Mayflower Ct. *Hem* —3D **131**
Maygate. *M'brgh* —1A **106**
Maynard Gro. *Wyn* —4F **25**
Maynard St. *C How* —3F **91**
May St. *H'pl* —1B **14**
Maze La. *Thor* —1E **99**
Mead Cres. *Thor* —4E **99**
Meadfoot Dri. *M'brgh* —2C **130**
Meadowbank Rd. *Orm* —5B **104**
Meadow Clo. *Guis* —2E **139**
Meadow Clo. *Orm* —5A **104**
Meadowcroft Rd. *M'brgh* —2B **104**
Meadowdale Clo. *M'brgh* —4E **57**
Mdw. Dale Ct. *Ing* —4E **113**
Meadow Dri. *H'pl* —4D **13**
Meadow Dri. *Orm* —5B **104**
Meadow End. *Eagle* —4B **126**
Meadowfield. *Stok* —5C **164**
Meadowfield Av. *M'brgh* —2F **101**
Meadowfield Ct. *Sea C* —5E **21**
Meadowfield Dri. *Eagle* —4B **126**
Meadowgate. *M'brgh* —1A **106**
Meadowhill. *S'fld* —1C **22**
Meadowings, The. *Yarm* —4B **148**
Meadowlands Clo. *E'tn* —3A **118**
Meadow Rd. *Mar S* —5D **67**
Meadow Rd. *Sto T* —5C **72**
Meadows, The. *Cou N* —5C **132**
Meadows, The. *Hem* —1B **64**
Meadows, The. *S'fld* —5C **22**
Meadow, The. *H'pl* —2A **20**
Mdw. View Rd. *M'brgh* —1B **100**
Meadow Wlk. *Carl* —5C **50**
Meadway. *Red* —3B **64**
Measham Clo. *Nort* —5F **53**
Meath St. *M'brgh* —5C **76**
Meath Way. *Guis* —3D **139**
Medbourne Clo. *M'brgh* —2F **105**
Medbourne Gdns. *M'brgh* —2D **131**
Medina Clo. *Sto T* —4B **72**
Medina Gdns. *M'brgh* —2E **131**
Medway Clo. *Skel C* —2C **88**
Medway Ho. *Bill* —4D **55**
Medwin Clo. *Brot* —1A **90**
Megarth Rd. *H'pl* —1D **101**
Meggitts Av. *Red* —2E **63**
Meggitts La. *Red* —2E **63**
Melbourne Clo. *Mar C* —3E **133**
Melbourne St. *M'brgh* —4C **76**

Melbourne St. *Sto T* —5A **74**
Melbreak Gro. *M'brgh* —5B **100**
Meldreth Ho. *Salt S* —5C **68**
Meldrum Sq. *Sto T* —4B **72**
Meldyke La. *S'tn* —5C **130**
Meldyke Pl. *S'tn* —5C **130**
Melford Gro. *Ing B* —1B **150**
Melgrove Way. *S'fld* —5C **22**
Melksham Sq. *Sto T* —4B **72**
Mellanby La. *G'ham* —3E **31**
Mellor St. *Sto T* —4F **73**
Melrose Av. *Bill* —5E **39**
Melrose Av. *M'brgh* —3C **100**
Melrose Cres. *Guis* —2A **140**
Melrose Dri. *Sto T* —3E **97**
Melrose Ho. *M'brgh* —3F **77**
Melrose St. *H'pl* —1A **20**
Melrose St. *M'brgh* —3F **77**
Melsonby Av. *M'brgh* —3E **103**
Melsonby Ct. *Bill* —3A **40**
Melsonby Gro. *Sto T* —2A **96**
Melton Rd. *Sto T* —4B **72**
Melton Wlk. *Hem* —4D **131**
Melville Wlk. *Sto T* —3C **74**
Mendip Av. *Skel C* —3C **88**
Mendip Dri. *Red* —2A **64**
Mendip Rd. *Bill* —1D **55**
Meredith Av. *M'brgh* —3C **104**
Mereston Clo. *H'pl* —2C **12**
Merganser Rd. *H'pl* —5D **7**
Merion Dri. *New M* —2F **85**
Merioneth Clo. *Ing B* —1F **149**
Merlay Glo. *Yarm* —1A **160**
Merlin Clo. *Guis* —2A **138**
Merlin Rd. *M'brgh* —4D **79**
Merlin Rd. *Sto T* —4B **72**
Merlin Way. *H'pl* —1C **12**
Merriman Grn. *H'pl* —3D **7**
Merring Clo. *Sto T* —1A **96**
Merrington Av. *M'brgh* —2B **130**
Merryweather Ct. *Yarm* —3C **148**
Merry Weather's Yd. *Guis* —2E **139**
Mersehead Sands. *M'brgh* —2B **130**
Mersey Rd. *Red* —4B **48**
Merville Av. *Sto T* —1C **96**
Meryl Gdns. *H'pl* —5A **20**
Messines La. *Stil* —2A **50**
Metcalfe Clo. *Yarm* —1B **160**
Metcalfe Rd. *Skip I* —3F **79**
Metz Bri. Cvn. Site. *M'brgh* —2C **76**
Metz Bri. Rd. *M'brgh* —2D **77**
Mews, The. *Eagle* —3C **126**
Mews, The. *Mar S* —4D **67**
Mews, The. *Orm* —5A **104**
Mexborough Clo. *Sto T* —3D **73**
Meynell Av. *Guis* —3B **138**
Meynell Ho. *Thor* —1D **129**
Meynell's Cotts. *Yarm* —3B **148**
Meynell Wlk. *Yarm* —5B **148**
Mickleby Clo. *Nun* —4F **133**
Mickle Dales. —3E 65
Mickledales Dri. *Mar S* —4C **64**
Micklemire La. *G'ham* —4F **31**
Mickleton Rd. *M'brgh* —5C **56**
Micklow Clo. *Red* —3C **64**
Micklow La. *Loft* —5C **92**

Micklow Ter. *Loft* —5D **93**
Midbourne Rd. *Sto T* —3A **74**
Middle Av. *Bill* —4D **55**
Middlebank. *Thor* —2D **51**
Middle Bank Rd. *Orm* —5B **104**
Middlefield Rd. *Mar S* —4B **66**
Middlefield Rd. *Sto T* —1C **72**
Middlegate. *H'pl* —1F **15**
Middleham Rd. *Sto T* —1C **96**
Middleham Way. *Red* —1F **65**
Middle Rd. *Ing B* —5B **128**
Middlesbrough. —3E 77
Middlesbrough Art Gallery. —5E **77**
Middlesbrough Botanical Gdns. —2E **131**
Middlesbrough By-Pass. *M'brgh* —2E **77**
Middlesbrough Cricket Club. (Acklam Pk.) —4C **100**
Middlesbrough F.C. —2B 78 (Riverside Stadium)
Middlesbrough R.C. Cathedral. —5C **132**
Middlesbrough Rd. *Guis* —2E **137**
Middlesbrough Rd. *M'brgh* —3F **79**
Middlesbrough Rd. *Nun & Guis* —2D **135**
Middlesbrough Rd. *Thor* —2D **99**
Middlesbrough Rd. E. *M'brgh* (in two parts) —2A **80**
Middlesbrough Wharf Trad. Est. (in two parts) *M'brgh* —5E **57**
Middle St. *Sto T* —5A **74**
Middleton. —2C 14
Middleton Av. *Bill* —5B **38**
Middleton Av. *M'brgh* —3B **100**
Middleton Av. *Thor* —3C **128**
Middleton Clo. *Eagle* —5F **125**
Middleton Ct. *Yarm* —5C **148**
Middleton Dri. *Guis* —3F **139**
Middleton Grange La. *H'pl* (in two parts) —3B **14**
Middleton Grange Shop. Cen. *H'pl* —4B **14**
Middleton La. *M Geo* —3A **144**
Middleton One Row. —4A 144
Middleton-on-Leven. —4F 163
Middleton Rd. *H'pl* —2B **14**
Middleton Wlk. *Sto T* —1F **97**
Middleway. *Thor* —2C **98**
Middlewood Clo. *H'pl* —2C **6**
Middridge Gro. *Bill* —3F **39**
Midfield, The. *M'brgh* —5D **77**
Midfield Vw. *Sto T* —4B **72**
Midhurst Rd. *M'brgh* —1A **104**
Midlothian Rd. *H'pl* —4C **18**
Midville Wlk. *M'brgh* —2A **104**
Miers Av. *H'pl* —4F **7**
Milbank Rd. *H'pl* —1B **14**
Milbank St. *M'brgh* —2A **80**
Milbank St. *Sto T* —5A **74**
Milbank Ter. *Red* —3C **48**
Milbourne Ct. *S'fld* —2C **22**
Milburn Cres. *Sto T* —2A **74**
Mildenhall Clo. *H'pl* —2E **31**
Mildred St. *H'pl* —2A **14**
Mile House. —2E 73

Miles St. *M'brgh* —2B **80**
Milfoil Clo. *Mar C* —2B **132**
Milford Ho. *M'brgh* —4D **79**
Milholme Av. *Skel C* —3D **89**
Millais Gro. *Bill* —2D **39**
Millbank. *Loft* —4F **91**
Millbank Clo. *Hart* —3A **6**
Millbank Ct. *Sto T* —5A **74**
Millbank La. *Thor* —1C **128**
Millbank Ter. *Stil* —3A **50**
Millbeck Ho. *Sto T* —5B **54**
Millbeck Way. *Orm* —4B **104**
Millbrook Av. *M'brgh* —4F **79**
  (in two parts)
Millclose Wlk. *S'fld* —1D **23**
Mill Cotts. *Thor T* —2D **51**
Mill Ct. *Bill* —5E **55**
Mill Ct. *G'ham* —3E **31**
Miller Clo. *Yarm* —5D **149**
Miller Cres. *H'pl* —3D **7**
Millers La. *Ling* —2A **142**
Millfield Clo. *Eagle* —1B **148**
Millfield Clo. *Thor* —3E **99**
Millfield Rd. *M'brgh* —5C **78**
Millford Rd. *Sto T* —1F **73**
Millgin Ct. *Ing B* —4B **128**
Millholme Clo. *Brot* —3A **90**
Millholme Dri. *Brot* —3A **90**
Millholme Roundabout. *Skel C*
  —4F **89**
Millholme Ter. *Brot* —3A **90**
Millington Clo. *Bill* —1F **39**
Mill La. *Bill* —4E **55**
Mill La. *Long N* —4A **50**
Mill La. *M Geo & Long N*
  (in two parts) —1A **144**
Mill La. *Sto T* —4B **54**
Mill Mdw. Ct. *Sto T* —5B **54**
Millpool Clo. *H'pl* —5C **8**
Mill Riggs. *Stok* —1C **168**
Mills St. *M'brgh* —4C **76**
Millston Clo. *H'pl* —2C **12**
Mill St. *Guis* —2E **139**
Mill St. *Nort* —5A **54**
Mill St. E. *Sto T* —5B **74**
Mill St. W. *Sto T* —5A **74**
  (in two parts)
Mill Ter. *Gt Ay* —2C **166**
Mill Ter. *G'ham* —3E **31**
Mill Ter. *Thor T* —2D **51**
Mill, The. *Gt Ay* —2D **167**
Mill Vw. *Loft* —5B **92**
Mill Wynd. *Yarm* —5A **148**
Milner Gro. *H'pl* —2B **14**
Milner Rd. *Sto T* —4A **54**
Milne Wlk. *H'pl* —4C **18**
Milton Clo. *Brot* —1A **90**
Milton Ct. *M'brgh* —3D **77**
Milton Rd. *H'pl* —3A **14**
  (in two parts)
Milton St. *Salt S* —4C **68**
Minch Rd. *H'pl* —5D **19**
Minerva M. *Yarm* —3C **148**
Miniott Wlk. *Hem* —4D **131**
Minsterley Dri. *M'brgh* —5A **100**
Missenden Gro. *M'brgh* —3F **103**
Mitchell Av. *Thor* —1D **129**
Mitchell St. *H'pl* —4A **14**
Mitford Clo. *Orm* —4B **104**

Mitford Ct. *S'fld* —2C **22**
Mitford Cres. *Sto T* —2A **72**
Mizpah Cotts. *Red* —3C **48**
Moat St. *Sto T* —1B **98**
Moat, The. *Bel P* —1A **56**
Moffat Rd. *H'pl* —5C **18**
Monach Rd. *H'pl* —5D **19**
Monarch Gro. *Mar C* —2E **133**
Mond Cres. *Bill* —5D **55**
Mond Ho. *M'brgh* —2D **103**
Monkland Clo. *M'brgh* —3E **77**
Monkseaton Dri. *Bill* —5C **38**
Monkton Ri. *Guis* —5F **109**
Monkton Rd. *H'pl* —5C **18**
Monmouth Dri. *Eagle* —5C **126**
Monmouth Gro. *H'pl* —5E **7**
Monmouth Rd. *M'brgh* —4D **81**
Monreith Av. *Eagle* —5C **126**
Montague St. *H'pl* —5F **9**
Montague St. *M'brgh* —3A **78**
Montagu's Harrier. *Guis* —2B **138**
Montgomery Gro. *H'pl* —1E **13**
Montreal Pl. *M'brgh* —1A **102**
Montrose Clo. *Mar C* —3C **132**
Montrose St. *M'brgh* —3F **77**
Montrose St. *Salt S* —5C **68**
Moorbeck Way. *Orm* —4B **104**
Moorberries. *Hilt* —1F **163**
Moor Clo. *K'ton* —4D **161**
Moor Clo. *M'hlm* —3B **142**
Moorcock Clo. *M'brgh* —2F **105**
Moorcock Row. *Ling* —3D **113**
Moore St. *H'pl* —1A **14**
Moore St. *Red* —3D **49**
Moorgate. *M'brgh* —1A **106**
Moor Grn. *Nun* —5A **134**
Moorhen Rd. *H'pl* —1D **13**
Moorholm La. *Liver* —5E **115**
Moorhouse Est. *Eagle* —5D **97**
Moor Pde. *H'pl* —5F **9**
Moor Pk. *Eagle* —1C **148**
Moor Pk. *Nun* —4A **134**
Moor Rd. *M'brgh* —3B **78**
Moorsholm. —3B 142
Moorsholm Way. *Red* —2C **64**
Moorston Clo. *H'pl* —2C **12**
Moor Ter. *H'pl* —1F **15**
Moortown Rd. *M'brgh* —4A **102**
Moortown Rd. *New M* —2F **85**
Moor Vw. *Hind* —5E **121**
Moray Clo. *M'brgh* —2A **102**
Moray Rd. *Sto T* —1F **73**
Mordales Dri. *Mar S* —5E **67**
Moreland Av. *Bill* —1D **55**
Moreland Clo. *Wolv* —2C **38**
Moreland St. *H'pl* —5C **14**
Moresby Clo. *M'brgh* —3B **102**
Morgan Dri. *Guis* —3D **139**
Morison Gdns. *H'pl* —5F **9**
Morlais Ct. *Ing B* —2F **149**
Morland Fell. *Red* —1C **64**
Morpeth Av. *M'brgh* —1B **132**
Morrison Rd. *Guis* —1F **139**
Morrison St. *Stil* —1B **50**
Morris Rd. *M'brgh* —2E **105**
Mortain Clo. *Yarm* —5E **149**
Mortimer Dri. *Sto T* —5F **53**
Morton Carr La. *Nun* —3C **134**
  (in two parts)

Morton Clo. *Guis* —3C **138**
Morton St. *H'pl* —3A **14**
Morven Vw. *Sto T* —4B **72**
  (off Mosston Rd.)
Morville Ct. *Ing B* —1B **150**
Mosbrough Clo. *Sto T* —3D **73**
Mosedale Rd. *M'brgh* —5E **81**
Moses St. *M'brgh* —4B **78**
Mosman Ter. *M'brgh* —4C **78**
Mossdale Gro. *Guis* —3A **138**
Moss Gdns. *Hem* —4D **131**
Mosston Rd. *Sto T* —4B **72**
Moss Way. *Pres I* —5E **97**
Mosswood Cres. *M'brgh*
  —1B **130**
Motherwell Rd. *H'pl* —5D **19**
Moulton Gro. *Sto T* —5A **72**
Mountbatten Clo. *H'pl* —5C **8**
Mount Ct. *Norm* —3C **104**
Mount Gro. *Sto T* —4B **54**
Mount Leven. —3E 149
Mt. Leven Rd. *Yarm* —3E **149**
Mount Pleasant. —2B 74
Mount Pleasant. *C How* —3F **91**
Mount Pleasant. *Guis* —4D **109**
Mount Pleasant. *Mar S* —4D **67**
Mount Pleasant. *Stil* —2A **50**
Mt. Pleasant Av. *Mar S* —4D **67**
Mt. Pleasant Bungalows. *Sto T*
  —5C **52**
Mt. Pleasant Clo. *Stil* —2A **50**
Mt. Pleasant Grange. *Sto T*
  —3A **98**
Mt. Pleasant Gro. *Stil* —2B **50**
Mt. Pleasant Rd. *Sto T* —2B **74**
Mt. Pleasant Wlk. *Stil* —2A **50**
Mt. Pleasant Way. *Cou N*
  —1C **154**
Mountstewart. *Wyn* —1E **37**
Mountston Clo. *H'pl* —2D **13**
Mount, The. *M'brgh* —3C **104**
Mowbray Dri. *Hem* —4D **131**
Mowbray Gro. *Sto T* —2A **72**
Mowbray Ho. *M'brgh* —3F **101**
Mowbray Rd. *H'pl* —1D **31**
Mowbray Rd. *Sto T* —2A **74**
Mowden Clo. *Sto T* —3D **73**
Moyne Gdns. *H'pl* —5B **14**
Mucky La. *Guis* —5B **110**
Muirfield. *Nun* —4A **134**
Muirfield Clo. *H'pl* —2C **6**
Muirfield Clo. *New M* —2A **86**
Muirfield Rd. *Eagle* —5C **126**
Muirfield Wlk. *H'pl* —2C **6**
Muirfield Way. *M'brgh* —4A **102**
Muir Gro. *H'pl* —5D **19**
Muker Gro. *Sto T* —1A **96**
Mulberry Ct. *M'brgh* —3F **101**
Mulgrave Ct. *Guis* —5E **109**
Mulgrave Rd. *H'pl* —3F **13**
Mulgrave Rd. *M'brgh* —2E **101**
Mulgrave Wlk. *M'brgh* —5F **81**
  (off Birchington Av.)
Mulgrave Wlk. *Red* —2B **64**
Mullroy Rd. *H'pl* —4C **18**
Munro Rd. *H'pl* —5D **19**
Murdock Rd. *M'brgh* —4F **79**
Muriel St. *C How* —3F **91**
Muriel St. *M'brgh* —5F **77**

Muriel St. *Red* —4D **49**
Murray St. *H'pl* —3A **14**
Murton Clo. *Thor* —2B **128**
Murton Gro. *Bill* —5B **38**
Murton Scalp Rd. *B'bck* —3C **112**
Mus. of Hartlepool. —2C 14
Museum Rd. *H'pl* —3B **14**
Musgrave St. *H'pl* —4D **15**
Musgrave Ter. *Wolv* —2C **38**
Musgrave Wlk. *H'pl* —4C **14**
Muston Clo. *M'brgh* —5E **101**
Myrddin-Baker Rd. *M'brgh* —5E **81**
Myrtle Ct. *Thor* —4C **98**
Myrtle Gro. *Thor* —4C **98**
Myrtle Rd. *Eagle* —2C **126**
Myrtle Rd. *Sto T* —3F **73**
Myrtle St. *M'brgh* —4F **77**
Myton Rd. *Ing B* —1A **150**
Myton Wlk. *Hem* —4D **131**
Myton Way. *Ing B* —3A **128**

Nab Clo. *M'brgh* —2E **105**
Nairnhead Clo. *Hem* —4D **131**
Naisberry Est. *H'pl* —2C **12**
Nantwich Clo. *Hem* —4D **131**
Napier St. *M'brgh* —5E **77**
Napier St. *S Bnk* —2A **80**
Napier St. *Sto T* —2B **74**
Naseby Ct. *Bill* —3A **40**
Naseby Ct. *Brot* —3C **90**
Nash Gro. *H'pl* —2E **19**
Navenby Gro. *H'pl* —1D **31**
Navigation Point Shop. & Hotel Cen. *H'pl* —2D **15**
Navigation Way. *Thor* —1E **99**
Navigator Ct. *Pres I* —4A **98**
Naylor Rd. *S'fld* —4D **23**
Neasham Av. *Bill* —3F **39**
Neasham Av. *Mar C* —4D **133**
Neasham Clo. *Sto T* —5B **74**
Neasham Ct. *Stok* —5B **164**
Neasham La. *Stok* —5B **164**
(in two parts)
Neath Ct. *Ing B* —2F **149**
Nederdale Clo. *Yarm* —1B **160**
Needles Clo. *Red* —4B **64**
Nelson Av. *Bill* —2C **56**
Nelson Ct. *M'brgh* —2A **80**
Nelson Sq. *Sto T* —5A **54**
Nelson St. *S Bnk* —2F **79**
Nelson St. Ind. Est. *S Bnk* —2A **80**
Nelson Ter. *Red* —3B **48**
Nelson Ter. *Sto T* —5A **74**
Neptune Ho. *H'pl* —2D **15**
Nesbyt Rd. *H'pl* —3F **7**
Nesham Av. *M'brgh* —2B **100**
Nesham Rd. *H'pl* —5F **9**
Nesham Rd. *M'brgh* —4C **76**
Netherby Clo. *Yarm* —4E **149**
Netherby Ga. *H'pl* —2E **13**
Netherby Grn. *M'brgh* —3E **103**
Netherfield Ho. *M'brgh* —2A **104**
Netherfields. —2A 104
Netherfields Cres. *M'brgh* —2A **104**
Netley Gro. *M'brgh* —3F **103**
Nevern Cres. *Ing B* —2E **149**
Neville Dri. *S'fld* —2C **22**
Neville Gro. *Guis* —3C **138**
Neville Rd. *N Tees* —3A **76**
Neville's Ct. *M'brgh* —3D **101**
Newark Rd. *H'pl* —1D **31**
Newark Wlk. *Sto T* —1C **74**
Newbank Clo. *Orm* —5B **104**
Newbiggin Rd. *Bill* —2E **39**
Newbridge Ct. *M'brgh* —4E **101**
Newbrook. *Skel C* —5B **88**
New Brotton. —1B 90
Newburgh Ct. *Bel P* —1A **56**
Newburn Bri. Ind. Est. *H'pl* —5D **15**
Newbury Av. *M'brgh* —2B **100**
Newbury Rd. *Brot* —3B **90**
Newbury Way. *Bill* —4F **39**
Newby. —4B 154
Newby Clo. *M'brgh* —4E **101**
Newby Clo. *Nort* —5A **54**
Newby Gro. *Thor* —4D **99**
Newby Ho. *M'brgh* —2A **102**
Newby La. *Newby* —4E **153**
Newcomen Ct. *Red* —3B **48**
Newcomen Grn. *M'brgh* —1A **102**
Newcomen Gro. *Red* —3C **48**
Newcomen Rd. *Skip I* —3F **79**
Newcomen Ter. *Loft* —5B **92**
Newcomen Ter. *Red* —3B **48**
New Company Row. *Skin* —2A **92**
Newfield Cres. *M'brgh* —1B **130**
Newgale Clo. *Ing B* —2E **149**
Newgate. *M'brgh* —1F **105**
New Grove Ter. *Skin* —2A **92**
Newham Av. *M'brgh* —4D **101**
Newham Cres. *Mar C* —3D **133**
Newham Grange. —4E 73
Newham Grange Av. *Sto T* —4E **73**
Newham Grange Leisure Farm. —3A 132
Newham Way. *Cou N* —4F **131**
Newhaven Clo. *Hem* —4D **131**
Newhaven Ct. *H'pl* —4C **14**
Newholm Ct. *H'pl* —4A **20**
Newholme Ct. *Guis* —1D **139**
Newholm Way. *Red* —2B **64**
Newick Av. *M'brgh* —1D **103**
Newington Rd. *M'brgh* —3A **102**
Newlands Av. *H'pl* —4F **13**
Newlands Av. *Sto T* —1B **74**
Newlands Gro. *Red* —5B **48**
(in two parts)
Newlands Rd. *Eagle* —1B **148**
Newlands Rd. *M'brgh* —4A **78**
Newlands Rd. *Skel C* —1A **112**
Newley Ct. *M'brgh* —2A **104**
Newlyn Grn. *M'brgh* —3E **103**
Newlyn Way. *Red* —3F **65**
Newmarket Av. *Sto T* —2F **99**
Newmarket Rd. *Red* —1D **65**
New Marske. —2A 86
Newport. —4C 76
Newport Clo. *Ing B* —2E **149**
Newport Cres. *M'brgh* —3E **77**
Newport Ho. *Thor* —2B **98**
Newport Ind. Est. *M'brgh* —4D **77**
Newport Rd. *M'brgh* —4C **76**
(TS1)
Newport Rd. *M'brgh* —4B **76**
(TS5)
Newport Way. *M'brgh* —3C **76**
Newquay Clo. *H'pl* —2E **13**
Newquay Clo. *Hem* —4D **131**
New Rd. *Bill* —5D **55**
New Rd. *Guis* —2E **139**
New Row. *Duns* —1D **109**
Newsam Cres. *Eagle* —1B **148**
Newsam Rd. *Eagle* —1B **148**
New Skelton. —4D 89
Newstead. —3C 138
Newstead Av. *Sto T* —3D **73**
Newstead Farm La. *Guis* —2C **138**
Newstead Rd. *M'brgh* —5A **78**
New St. *Thor* —2C **98**
Newton Bewley. —5F 29
Newton Clo. *M'brgh* —2F **105**
Newtondale. *Guis* —3A **138**
Newton Dri. *Thor* —2B **128**
Newton Gro. *Bill* —5B **38**
Newton Hanzard Long Dri. *Wyn* —2B **26**
Newton Hanzard Short Dri. *Wyn* —3C **26**
Newton Mall. M'brgh —3E 77
(off Cleveland Cen.)
Newton Rd. *Gt Ay* —1D **167**
Newton Rd. *Red* —2B **64**
Newton under Roseberry. —2B 158
Newton Wlk. *Sto T* —3B **74**
Newtown. —4F 73
Newtown Av. *Sto T* —4F **73**
Nicholson Way. *H'pl* —3E **7**
Nicklaus Dri. *Eagle* —5C **126**
Nightingale Clo. *H'pl* —5C **6**
Nightingale Rd. *M'brgh* —5E **81**
Nightingale Wlk. *Sto T* —4A **54**
Nile St. *M'brgh* —2E **77**
Nimbus Clo. *Mar C* —2C **132**
Nine Acres. *Hart* —4E **5**
Nolan Ho. *Sto T* —4A **74**
Nolan Pl. *Sto T* —4A **74**
Nolton Ct. *Ing B* —2F **149**
Nookston Clo. *H'pl* —1D **13**
Norcliffe St. *M'brgh* —4C **78**
Norfolk Clo. *H'pl* —1B **20**
Norfolk Clo. *Red* —1B **64**
Norfolk Cres. *M'brgh* —3F **103**
Norfolk Pl. *M'brgh* —1C **102**
Norfolk Rd. *Skel C* —4A **88**
Norfolk St. *Sto T* —1F **97**
Norfolk Ter. *Bill* —2F **55**
Norham Wlk. *Orm* —4A **104**
Normanby Ct. *Mar C* —3C **132**
Normanby Hall Pk. *M'brgh* —3C **104**
Normanby Rd. *M'brgh* —1A **80**
Normanby Rd. *Orm* —3A **104**
Norman Ter. *M'brgh* —2F **79**
N. Albert Rd. *Sto T* —3F **53**
Northallerton Rd. *Thor* —4D **99**
Northall St. *Sto T* —3E **97**
Northampton Ho. *M'brgh* —4E **81**
Northampton Wlk. *H'pl* —5B **14**

North Av. *Salt S* —4B **68**
N. Bank Cres. *Orm* —5B **104**
Northbourne Rd. *Sto T* —3F **73**
Northbrook Ct. *H'pl* —4E **13**
North Clo. *Elw* —3C **10**
North Clo. *Thor* —1E **51**
Northcote St. *Sto T* —2F **97**
Northdale Ct. *M'brgh* —1E **103**
North Dri. *H'pl* —3E **13**
North Dri. *Orm* —4A **104**
North End. *S'fld* —4C **22**
Northern Rd. *M'brgh* —1B **100**
Northern Route. *M'brgh*
—1B **100**
North Fen. *Red* —1B **64**
Northfield Clo. *Stok* —1B **168**
Northfield Dri. *Stok* —1B **168**
Northfield Rd. *Bill* —5C **38**
Northfield Rd. *Mar S* —4B **66**
Northfleet Av. *M'brgh* —5E **79**
Northgate. *Guis* —1E **139**
Northgate. *H'pl* —5E **9**
Northgate Rd. *M'brgh* —3D **101**
North Grn. *Sto T* —2A **98**
Northiam Clo. *Hem* —4D **131**
Northland Av. *H'pl* —4F **13**
North La. *Elw* —3B **10**
Northleach Dri. *Hem* —4D **131**
N. Liverton Ind. Est. *Liver*
—1A **116**
N. Lodge Roundabout. *Guis*
—5F **109**
N. Mt. Pleasant St. *Sto T*
—2B **74**
North Ormesby. —4C 78
N. Ormesby By-Pass. *N Orm*
—3B **78**
N. Ormesby Rd. *M'brgh* —3A **78**
Northpark. *Bill* —2E **39**
N. Park Rd. *S'fld* —3C **22**
Northport Rd. *Sto T* —4C **74**
North Ridge. *Skel C* —3B **88**
North Rd. *H'pl* —3E **21**
North Rd. *Loft* —5C **92**
North Rd. *M'brgh* —2D **77**
North Rd. *Stok* —1B **168**
North Row. *M'brgh* —4C **82**
North Side. *Stait* —1C **120**
North Skelton. —5E 89
N. Skelton Rd. *Skel C* —4D **89**
N. Slip Rd. *M'brgh* —3D **81**
North St. *M'brgh* —1F **77**
North St. *S Bnk* —1A **80**
North St. *Sto T* —5A **74**
N. Tees Ind. Est. *N Tees* —3A **76**
North Ter. *Loft* —3C **92**
North Ter. *Red* —3C **48**
North Ter. *Skel C* —4A **88**
Northumberland Gro. *H'pl*
—5B **14**
Northumberland Gro. *Sto T*
—3F **53**
Northumberland Rd. *Thor*
—4C **98**
Northumberland Wlk. *H'pl*
—5B **14**
North Vw. *Dal P* —1E **17**
North Vw. *Red* —1A **66**
Northwold Clo. *H'pl* —1E **31**

North Wood. *M'brgh* —5D **101**
Norton. —5B 54
Norton Av. *Sto T* —1F **73**
Norton Ct. *Sto T* —2B **74**
Norton Dri. *Sto T* —3A **72**
Norton Grange. —2A 74
Norton Junct. *Sto T* —3B **54**
Norton Junct. Cotts. *Nort*
—4D **53**
Norton Rd. *Sto T* —5B **74**
Norton Rd. *Sto T & Bill* —4C **54**
Norwich Av. *Sto T* —3B **72**
Norwich Rd. *M'brgh* —1E **101**
Norwich Rd. *Red* —1F **65**
Norwood Clo. *Sto T* —3B **72**
Norwood Rd. *M'brgh* —1A **104**
Nottingham Dri. *Red* —1E **65**
Nottingham Wlk. *H'pl* —5B **14**
Nuffield Rd. *Cow I* —1A **56**
Nugent Av. *M'brgh* —4C **76**
Nuneaton Dri. *Hem* —4D **131**
Nunnington Clo. *Ing B* —5B **128**
Nuns St. *H'pl* —1F **15**
Nunthorpe. —4A 134
Nunthorpe By-Pass. *Nun*
—5B **134**
Nunthorpe Village. —2E 157
Nursery Dri. *Wyn* —4E **25**
Nursery Gdns. *Yarm* —5D **149**
Nursery La. *M'brgh* —1C **100**
Nursery La. *Sto T* —1E **97**
Nutfield Clo. *Hem* —4D **131**
Nuthatch Clo. *H'pl* —1D **13**
Nut La. *M'brgh* —5A **78**
Nutley Rd. *Bill* —5F **39**
Nyson St. *M'brgh* —5E **77**

Oak Av. *Mar C* —3E **133**
Oakdale. *Orm* —4B **104**
Oakdale Rd. *New M* —2F **85**
Oakdene Av. *Sto T* —3E **97**
Oakdene Clo. *M'brgh* —2D **105**
Oakenshaw Dri. *M'brgh* —1C **130**
Oakesway. *H'pl* —5A **8**
Oakesway Bus. Pk. *H'pl* —5A **8**
Oakesway Ind. Est. *H'pl* —4A **8**
Oakfield Av. *Eagle* —4B **126**
Oakfield Clo. *Eagle* —4B **126**
Oakfield Gdns. *Orm* —2B **104**
Oakfield Rd. *M'brgh* —4B **78**
Oak Gro. *H'pl* —1F **13**
Oakham Grn. *Sto T* —1C **74**
Oak Hill. *Cou N* —4C **132**
Oakhurst Clo. *Ing B* —5C **128**
Oaklands. *Gt Ay* —1D **167**
Oaklands Av. *Sto T* —1B **74**
Oaklands Rd. *M'brgh* —4D **105**
Oaklands, The. *M Row* —4A **144**
Oaklea Clo. *Sto T* —5A **54**
Oakley Clo. *Guis* —4F **139**
Oakley Clo. *Hem* —4D **131**
Oakley Gdns. *H'pl* —1A **14**
Oakley Rd. *B'bck* —3C **112**
Oakley Wlk. *M'brgh* —2E **105**
Oak Lodge. *Tees A* —1D **145**
Oakridge. *Orm* —4B **104**
Oak Ri. *Orm* —3B **104**
Oak Rd. *Brot* —1A **90**

Oak Rd. *Eagle* —2D **127**
Oak Rd. *Guis* —1D **139**
Oak Rd. *Red* —1A **66**
Oaksham Dri. *Bill* —2E **39**
Oakstead. *H'pl* —3C **20**
Oaks, The. *Hem* —4D **131**
Oak St. *Car F* —3D **79**
Oak St. *M'brgh* —3F **77**
Oak St. *S Bnk* —2A **80**
Oak Tree. —2C 144
Oaktree Clo. *M Geo* —2C **144**
Oak Tree Cres. *S'fld* —3D **23**
Oaktree Gro. *Sto T* —3B **96**
Oak Wlk. *Loft* —4B **92**
Oakwell Gdns. *Sto T* —5A **54**
Oakwell Rd. *Sto T* —5A **54**
Oakwood Clo. *H'pl* —3C **6**
Oakwood Ct. *Mar C* —3F **133**
Oakworth Grn. *M'brgh* —3A **102**
Oatfields Ct. *Est* —3E **105**
Oatlands Gro. *E'tn* —3A **118**
Oban Av. *H'pl* —1A **20**
Oban Rd. *M'brgh* —1D **103**
Oberhausen Mall. *M'brgh* —3E **77**
Occupation Rd. *M'brgh* —3F **105**
Ocean Rd. *H'pl* —1C **6**
Ochil Ter. *Bill* —2E **55**
Offerton Dri. *Hem* —4E **131**
Okehampton Dri. *Mar C* —3C **132**
Old Airfield Ind. Est., The. *Thor*
—1D **129**
Oldbury Gro. *Hem* —4E **131**
Old Cemetery Rd. *H'pl* —3B **8**
Old Convent Gdns. *M'brgh*
—1A **102**
Old Durham Rd. *S'fld* —1C **22**
Old Flatts La. *M'brgh* —5D **105**
Oldford Cres. *M'brgh* —5C **100**
Oldgate. *M'brgh* —1A **106**
Old Hall Mus. & Gdns. —5A 64
(Kirkleatham)
Oldham Clo. *B'bck* —2C **112**
Oldham St. *B'bck* —3B **112**
Old Lackenby. —5A 82
Old Mkt., The. *Yarm* —3B **148**
Old Middlesbrough Rd. *M'brgh*
—3F **79**
Old Mill Wynd. *Gt Ay* —3D **167**
Old Mines Rd. *M'brgh* —1F **105**
Old Row. M'brgh —1F 105
(off California Rd.)
Old Saltburn. —4D 69
Old Station Rd. *M'brgh* —1F **79**
Oldstead Ct. *M'brgh* —4D **131**
Old Stokesley Rd. *Nun* —1B **156**
Old Town. —3C 14
Oliver St. *M'brgh* —1D **101**
(in two parts)
Oliver St. *S Bnk* —3A **80**
Olive St. *H'pl* —1F **15**
Olive St. *M'brgh* —2E **77**
Olliver St. *Red* —4D **49**
Olney Wlk. *M'brgh* —3D **103**
Ontario Cres. *Red* —5C **48**
Orange Gro. *Nort* —2A **74**
Orchard Clo. *Carl* —5D **51**
Orchard Clo. *Gt Ay* —5A **158**
Orchard Clo. *S'fld* —4D **23**
Orchard Dri. *Guis* —2F **139**

Parkway Junct. *M'brgh* —4F **129**
Parkway Shop. Cen. *Cou N* —4B **132**
Parkway, The. *Mar C & M'brgh* —2D **133**
Parkway, The. *M'brgh & Hem* —3A **130**
Parkway, The. *Salt S* —4A **68**
Parkway Village. *Cou N* —4B **132**
Parkwood Dri. *Sto T* —3D **97**
Parliament Clo. *Sto T* —2A **98**
Parliament Rd. *M'brgh* —4C **76**
Parliament St. *Sto T* —2A **98**
(in two parts)
Parliament Wlk. *Sto T* —2A **98**
Parracombe Clo. *Ing B* —3B **150**
Parrington Pl. *M'brgh* —4C **82**
Parsons Ct. *Skip I* —4A **80**
Parton St. *H'pl* —1A **14**
Partridge Av. *M'brgh* —2C **130**
Partridge Clo. *Ing B* —5B **128**
Passfield Cres. *M'brgh* —2B **80**
Pasture Clo. *Mar S* —4A **66**
Pasturefield. *S'fld* —1D **23**
Pasture La. *M'brgh* —3C **82**
(in two parts)
Pastures, The. *Cou N* —5C **132**
(in two parts)
Patten La. *Guis* —1E **139**
Patten St. *M'brgh* —2D **105**
Patterdale Av. *M'brgh* —4C **100**
Patterdale Av. *Sto T* —4E **73**
Patterdale St. *H'pl* —1B **20**
Pattison Ct. *M'brgh* —1A **102**
Pauntley Dri. *M'brgh* —3C **130**
Pavilion Clo. *Sea C* —5D **21**
Paxton Clo. *Sto T* —4B **74**
Peacocks Clo. *Stok* —5B **164**
Peakston Clo. *H'pl* —2D **13**
Pearl Rd. *Thor* —4C **98**
Pearl St. *M'brgh* —4E **77**
Pearl St. *Salt S* —3C **68**
Pearson Clo. *Sto T* —2A **98**
Pearson St. *M'brgh* —3C **76**
Pearson Ville Pl. *Gt Ay* —2D **167**
*Pearson Wlk. Sto T —2A **98***
(off Pearson Clo.)
Pearson Way. *Thor* —1C **98**
Peartree Ct. *Red* —1A **86**
Pease Ct. *Eagle* —4B **126**
Pease Ct. *Guis* —4B **138**
Pease Ct. *Ling* —4E **113**
Pease St. *Ling* —4E **113**
Peaton St. *M'brgh* —4C **78**
Peebles Av. *H'pl* —1A **20**
Peel St. *M'brgh* —4E **77**
Peel St. *Thor* —3C **98**
(in two parts)
Pegman Clo. *Guis* —5F **109**
Peirse Clo. *M'brgh* —4A **78**
Peirson Ct. *Red* —3B **48**
Peirson St. *Red* —3B **48**
Pelham St. *H'pl* —1A **14**
Pelham St. *M'brgh* —4E **77**
Pelton Clo. *Bill* —2D **39**
Pemberton Cres. *M'brgh* —3A **102**
Pembroke Dri. *Ing B* —3F **149**
Pembroke Gro. *H'pl* —5E **7**
Pembroke Rd. *Sto T* —1A **74**
Pembroke Way. *Red* —5E **49**
Penarth Wlk. *H'pl* —1D **13**
Penberry Gdns. *Ing B* —2F **149**
Penders La. *K'ton* —3E **161**
Penderyn Cres. *Ing B* —2F **149**
Pendle Cres. *Bill* —1E **55**
Pendock Clo. *M'brgh* —2C **130**
Penhill Clo. *M'brgh* —1C **102**
Penhill Rd. *Sto T* —2B **96**
Penistone Rd. *M'brgh* —3E **103**
Penllyn Way. *Hem* —3E **131**
Pennal Gro. *Ing B* —1E **149**
Pennard Grn. *M'brgh* —1E **103**
Pennine Av. *N Tees* —3F **75**
Pennine Cres. *Red* —1B **64**
Pennine Ho. *Pres I* —5F **97**
Pennine Way. *Ing B* —3A **150**
Pennine Way. *Skel C* —3C **88**
Pennington Clo. *Bill* —4E **39**
Penny La. *Sto T* —2A **98**
Pennyman Clo. *Norm* —2C **104**
Pennyman Ct. *M'brgh* —4F **103**
Pennyman Grn. *Malt* —2F **151**
Pennyman St. *N Orm* —3B **78**
Pennyman Wlk. *Mar S* —4D **67**
Pennyman Way. *S'tn* —5C **130**
Pennypot La. *Eagle* —1D **127**
Penrhyn St. *H'pl* —5B **14**
Penrith Clo. *Red* —1C **64**
Penrith Rd. *M'brgh* —1D **103**
Penrith St. *H'pl* —4D **9**
Penryn Clo. *Skel C* —3D **89**
Pensby Av. *M'brgh* —1B **132**
Penshaw Clo. *Ing B* —5C **128**
Penshaw Ct. *Bill* —2E **39**
Penshurst Pl. *Bill* —5F **39**
Pentilly St. *H'pl* —5F **9**
Pentland Av. *Bill* —1D **55**
Pentland Av. *Red* —2A **64**
Pentland Av. *Skel C* —3C **88**
Penton Ct. *Bill* —3E **39**
Penwick Clo. *Yarm* —5B **148**
Penwick Wlk. *Yarm* —5B **148**
Penyghent Way. *Ing B* —3B **150**
Percy St. *H'pl* —2F **13**
Percy St. *M'brgh* —4E **77**
Peregrine Ct. *Guis* —2B **138**
Perry Av. *Tees* —4D **129**
Perth Cres. *Mar C* —3D **133**
Perth Gro. *Sto T* —2D **97**
Perth St. *H'pl* —2A **14**
Pert Rd. *H'pl* —2E **7**
Petch Clo. *M'brgh* —4D **77**
Petch's Cotts. *Liver* —5A **116**
Petch St. *Sto T* —5F **73**
Petrel Cres. *Sto T* —3A **54**
Petworth Cres. *Ing B* —1B **150**
Pevensey Clo. *M'brgh* —4A **102**
Peveril Rd. *Bill* —5D **39**
Pexton Clo. *Hem* —4C **130**
Pheasant Clo. *Ing B* —5B **128**
Phillida Ter. *M'brgh* —1F **101**
Phillips Av. *M'brgh* —2E **101**
Phoenix Clo. *H'pl* —5E **19**
Phoenix Gdns. *Sto T* —1D **97**
Phoenix Pk. *Hem* —3E **131**
Phoenix Sidings. *Sto T* —5A **74**
Phoenix Wlk. *Sto T* —1D **97**
Phyllis Mohan Ct. *M'brgh* —3D **103**
Pickering Gro. *H'pl* —4B **20**
Pickering Ho. *M'brgh* —3F **101**
Pickering Rd. *Thor* —4D **99**
Pickering St. *Bill* —3D **57**
Picktree Gdns. *H'pl* —3F **19**
Picton Av. *Bill* —4B **38**
Picton Av. *M'brgh* —3B **100**
Picton Cres. *Thor* —3B **128**
Picton Pl. *Sto T* —5B **54**
Picture Ho. *Bill* —4D **55**
Piercebridge Clo. *Sto T* —3C **72**
Pikeston Clo. *H'pl* —2D **13**
Pilgrim St. *H'pl* —4C **14**
Pilkington St. *M'brgh* —4C **78**
Pinchinthorpe. —3E 137
Pinchinthorpe Hall. —1D 159
Pinder Clo. *Sto T* —5A **54**
Pine Clo. *Red* —4E **49**
Pine Ct. *Sto T* —3C **72**
Pineda Clo. *M'brgh* —3D **131**
Pine Gro. *H'pl* —5F **7**
Pine Hill. *Cou N* —4C **132**
Pine Hills. —3B 138
Pinehurst Way. *New M* —2F **85**
Pine Lodge. *Tees A* —1D **145**
Pine Ridge Av. *S'fld* —2C **22**
Pine Rd. *Guis* —1D **139**
Pine Rd. *Orm* —4B **104**
Pinero Gro. *H'pl* —2D **19**
Pines, The. *Yarm* —4C **148**
Pine St. *Car F* —3D **79**
Pine St. *M'brgh* —3F **77**
Pine St. *Sto T* —5B **54**
Pinetree Gro. *M Geo* —2A **144**
Pine Wlk. *Loft* —4B **92**
Pinewood Av. *M'brgh* —3F **101**
Pinewood Clo. *E'tn* —3A **118**
Pinewood Clo. *H'pl* —2C **6**
Pinewood Rd. *Eagle* —3C **126**
Pinewood Rd. *Mar C* —2F **133**
Pinewood Wlk. *Stok* —5C **164**
Pinfold St. *Sto T* —4B **74**
Pintail Clo. *H'pl* —1D **13**
Piper Knowle Rd. *Sto T* —1A **72**
Pipit Clo. *Ing B* —5A **128**
Pippins, The. *Wolv* —2C **38**
Pirbright Gro. *Hem* —4E **131**
Planetree Ct. *M'brgh* —2E **133**
Plantation Rd. *Red* —5B **64**
(in two parts)
Plantations, The. *Wyn* —4A **26**
Player Ct. *Eagle* —5C **126**
Playlin Clo. *Yarm* —4E **149**
Plumer Dri. *Sto T* —5A **54**
Plymouth Gro. *H'pl* —1E **13**
Plymouth Wlk. *H'pl* —1E **13**
Pochin Rd. *M'brgh* —1D **81**
Poldon Ter. *Bill* —2E **55**
Pond Farm Clo. *Hind* —5F **121**
Pontac Rd. *New M* —1A **86**
Poole Ho. *Nun* —1B **156**
Poole Ter. *Nun* —1B **156**
Pope Gro. *H'pl* —1D **19**
Poplar Ct. *Yarm* —2B **148**
Poplar Gro. *Brot* —2A **90**
Poplar Gro. *M'brgh* —4B **80**

Poplar Gro. *Red* —4E **49**
Poplar Gro. *Sto T* —2F **97**
Poplar Lodge. *Tees A* —1D **145**
Poplar Pl. *Guis* —1C **138**
Poplar Rd. *Eagle* —1B **148**
Poplar Rd. *Thor* —4C **98**
Poplars La. *Carl* —5C **50**
Poplars Rd. *M'brgh* —2E **101**
Poplars, The. *T'tn* —1B **152**
Poplars, The. *Wolv* —2C **38**
Poplar Ter. *M'brgh* —4E **57**
Poppy La. *Sto T* —3C **72**
Porlock Rd. *Bill* —5C **38**
Porret La. *Hind* —5D **121**
Porrett Clo. *H'pl* —2E **7**
Port Clarence. —5F 57
Port Clarence Rd. *M'brgh &
                   Port C* —3D **57**
Porthlevan Way. *Red* —3F **65**
Portland Clo. *Eagle* —1C **148**
Portland Clo. *Mar C* —3C **132**
Portland Clo. *Red* —4C **64**
Portland Gro. *H'pl* —2D **7**
Portland Ho. *M'brgh* —4E **79**
Portland Wlk. *Red* —4C **64**
Portmadoc Wlk. *H'pl* —1D **13**
Portman Ri. *Guis* —4E **139**
Portman Rd. *Sto T* —1A **74**
Portman St. *M'brgh* —4E **77**
Port Mulgrave. —4E 121
Portrack Bk. La. *Sto T* —2D **75**
Portrack Grange Clo. *Sto T*
                         —4F **75**
Portrack Grange Rd. *Sto T*
                         —4E **75**
Portrack Ind. Est. *Sto T* —4E **75**
   (in three parts)
Portrack Interchange. *Sto T*
                         —2F **75**
Portrack Interchange Bus. Pk.
                   Sto T —3E **75**
Portrack La. *Sto T* —4B **75**
Portrack Retail Pk. *Sto T* —3F **75**
   (Cheltenham Rd.)
Portrack Retail Pk. *Sto T* —4D **75**
   (Holme Ho. Rd.)
Portrush Clo. *M'brgh* —4F **101**
Portrush Clo. *New M* —2F **85**
Portsmouth Rd. *Eagle* —4F **125**
Potter Wlk. *H'pl* —2B **14**
Pottery M. M'brgh —1D **101**
   (off Benson St.)
Pottery St. *Thor* —3B **98**
Potto Clo. *Yarm* —4E **149**
Pounder Pl. *H'pl* —4F **7**
Powburn Clo. *Sto T* —3A **72**
Powell St. *H'pl* —5A **14**
Powlett Rd. *H'pl* —5A **8**
Preen Dri. *M'brgh* —4B **100**
Premier Pde. *Sto T* —1A **96**
Premier Rd. *M'brgh* —2D **103**
Premier Rd. *Orm* —5A **104**
Premier Rd. *Sto T* —5C **72**
Prescot Rd. *M'brgh* —3F **103**
Preseli Gro. *Ing B* —2F **149**
Preston Farm Bus. Pk. *Pres I*
                         —5F **97**
Preston Farm Ind. Est. *Pres I*
                         —5E **97**

Preston Farm Ind. Est. *Sto T*
                         —1E **127**
Preston Hall Mus. —2D 127
Preston La. *Eagle* —1D **127**
Preston-on-Tees. —2D 127
Preston Rd. *Sto T* —1C **96**
Preston St. *H'pl* —2A **14**
Preston Way. *Stok* —5B **164**
Prestwick Clo. *M'brgh* —4A **102**
Prestwick Ct. *Eagle* —1C **148**
Prestwick Ct. *M Geo* —1A **144**
Preswick Clo. *New M* —2F **85**
Price Av. *M'brgh* —3B **100**
Price Rd. *Red* —1E **63**
Priestcrofts. *Mar S* —4E **67**
Priestfield Av. *M'brgh* —4E **103**
Primrose Clo. *Guis* —3B **138**
Primrose Cotts. *Salt S* —4C **68**
Primrose Hill. —4C 74
Primrose Hill. *Skin* —2A **92**
Primrose Hill Ind. Est. *Sto T*
                         —4A **74**
Primrose St. *Sto T* —4F **73**
Princeport Rd. *M'brgh* —4C **74**
Prince Regent St. *Sto T* —1A **98**
Princes Pl. *Red* —3C **48**
Princes Rd. *M'brgh* —4D **77**
Princes Rd. *Salt S* —5C **68**
Princess Av. *Sto T* —4B **74**
Princes Sq. *Thor* —3D **129**
Princess St. *H'pl* —1F **15**
Princess St. *M'brgh* —2E **77**
Princess St. *Thor* —2C **98**
Prince's Wharf. *Thor* —1C **98**
Princeton Dri. *Thor* —1C **98**
Prior Ct. *Bill* —3A **40**
Priorwood Gdns. *Ing B* —2B **150**
Priory Clo. *Guis* —1E **139**
Priory Ct. *Guis* —1F **139**
Priory Ct. *H'pl* —5C **8**
Priory Ct. *H'lnd* —1F **15**
Priory Ct. *Sto T* —5A **54**
Priory Dri. *S'tn* —5C **130**
Priory Gdns. *Nort* —5A **54**
Priory Gro. *Red* —4A **48**
Priory Pl. *M'brgh* —3E **77**
Priory Rd. *M'brgh* —3A **100**
Priory St. *M'brgh* —3E **77**
Prissick St. *H'pl* —1F **15**
Pritchett Rd. *M'brgh* —3F **103**
Proctor's Ct. *Sea C* —4F **21**
Progress Ho. *Thor* —5C **74**
Promenade. *H'pl* —4D **15**
Promenade. *H'lnd* —1F **15**
Prospect Pl. *Guis* —2E **139**
Prospect Pl. *Ling* —4E **113**
Prospect Pl. *Nort* —2B **74**
Prospect Pl. *Skel C* —5A **88**
Prospect Ter. *Ling* —4E **113**
Prospect Ter. *Mar S* —4D **67**
Prospect Ter. *M'brgh* —1F **105**
Prospect, The. *M'brgh* —3E **101**
Prospect Way. *H'pl* —4B **20**
Protear Gro. *Sto T* —4C **54**
P.S. Wingfield Castle. —2C 14
Puddlers Rd. *M'brgh* —1A **80**
Pulford Rd. *Sto T* —5F **53**
Pump La. *K'ton* —4E **161**
Punch St. *M'brgh* —3C **76**

Purfleet Av. *M'brgh* —4E **79**
Pursglove Ter. *Guis* —1F **139**
Purves Pl. *H'pl* —4A **8**
Pybus Pl. *Red* —3C **48**
Pym St. *M'brgh* —3A **80**
Pytchley Rd. *Guis* —3E **139**

Quarry Bank Rd. *Upl* —4C **86**
Quarry Dri. *S'tn* —5C **130**
Quarry La. *Mar S* —1D **87**
   (in two parts)
Quarry La. Roundabout. *Mar S*
                         —1D **87**
Quarry Rd. *Eagle* —3D **127**
Quayside. *H'pl* —3D **15**
Quayside. *Sto T* —1B **98**
Quebec Gro. *Bill* —3E **39**
Quebec Gro. *M'brgh* —1A **102**
Quebec Rd. *Sto T* —3D **97**
Queen Anne Ter. *Sto T* —2D **97**
Queens Av. *Thor* —3C **98**
Queensberry Av. *H'pl* —4F **13**
Queensbury Clo. *Red* —3A **64**
Queens Dri. *Bill* —5C **38**
Queens Dri. *S'fld* —5B **22**
Queens Dri. *Stok* —5C **164**
Queensland Av. *Red* —5D **49**
Queensland Gro. *Sto T* —2D **97**
Queensland Rd. *H'pl* —4A **20**
Queens Mdw. Bus. Pk. *H'pl*
                         —1F **31**
Queen's Pde. *H'pl* —4B **14**
Queensport Clo. *Sto T* —4D **75**
Queens Rd. *Loft* —4B **92**
Queens Rd. *M'brgh* —2D **101**
Queens Sq. *M'brgh* —2F **77**
Queens Ter. *M'brgh* —2F **77**
Queen's Ter. *M'brgh* —5F **57**
Queen St. *B'bck* —3B **112**
Queen St. *C How* —3F **91**
Queen St. *H'pl* —2D **15**
Queen St. *H'lnd* —1F **15**
Queen St. *Laz* —4C **82**
Queen St. *Red* —3B **48**
Queen St. *Sea C* —3E **21**
Queen St. *S Bnk* —2A **80**
Queen's Wlk. *Sto T* —5B **74**
Queensway. *Bill* —1D **55**
   (in two parts)
Queensway. *G'ham* —3E **31**
Queensway. *M'brgh* —3E **79**
Queensway. *Salt S* —4A **68**
Queensway Ct. *M'brgh* —3E **79**
Queensway Ho. *M'brgh* —4E **79**
Queen Ter. *Sea C* —4E **21**
Quenby Rd. *Bill* —5E **39**
Quorn Clo. *Guis* —4E **139**

Raby Clo. *Hart* —4A **6**
Raby Gdns. *H'pl* —1F **13**
Raby Rd. *H'pl* —1A **14**
Raby Rd. *Red* —5E **49**
Raby Rd. *Sto T* —1D **97**
Raby Sq. *H'pl* —1A **14**
Raby St. *H'pl* —1F **15**
Racecourse, The. *Wyn* —5F **25**
Race Ter. *Gt Ay* —2C **166**

Radcliffe Av. *Sto T* —1E **73**
Radcliffe Cres. *Thor* —1C **98**
Radcliffe Ter. *H'pl* —1F **15**
Radford Clo. *Sto T* —4D **53**
Radlett Av. *Sto T* —1D **73**
Radnor Clo. *Sto T* —1E **73**
Radnor Grn. *M'brgh* —4E **103**
Radnor Gro. *H'pl* —1D **13**
Radstock Av. *Sto T* —5E **53**
Radyr Clo. *Sto T* —4C **52**
Raeburn St. *H'pl* —3F **13**
Rafton Dri. *H'pl* —2D **7**
Raglan Clo. *Sto T* —4C **52**
Raglan Ter. *Bill* —5E **39**
Ragpath La. *Sto T* —4D **53**
Ragworth. —2F 73
Ragworth Pl. *Sto T* —4A **54**
Ragworth Rd. *Sto T* —5A **54**
Railway Cotts. *C How* —3E **91**
Railway Cotts. *Eagle* —2B **148**
Railway Cotts. *Loft* —5D **93**
Railway Cotts. *Mar S* —5B **66**
Railway Cotts. *Nun* —3B **134**
Railway Cotts. *Skel C* —2C **88**
Railway Cotts. *Skin* —3A **92**
Railway Houses. *Port C* —1A **78**
Railway Pl. *M'brgh* —3D **81**
Railway St. *Sto T* —3B **74**
Railway Ter. *Brot* —3B **90**
Railway Ter. *Eagle* —3C **126**
Railway Ter. *Loft* —1D **117**
 (Jackson St.)
Railway Ter. *Loft* —5B **92**
 (Station Rd.)
Railway Ter. *Red* —3C **48**
 (in two parts)
Railway Ter. *Skel C* —4F **89**
Railway Ter. *Thor* —2C **98**
Raincliffe Ct. *Cou N* —4B **132**
Rainford Av. *Sto T* —1E **73**
Rainham Clo. *Ing B* —2B **150**
Rainham Clo. *M'brgh* —5A **80**
Rainsford Cres. *M'brgh* —5F **79**
Rainton Av. *M'brgh* —1C **130**
Rainton Dri. *Thor* —2B **128**
Rainton Gro. *Sto T* —2A **96**
Raisbeck Clo. *Mar S* —4C **66**
Raisby Clo. *M'brgh* —2B **130**
Raisdale Clo. *Thor* —1D **129**
Raisegill Clo. *M'brgh* —1B **102**
Raithwaite Clo. *Guis* —1D **139**
Raithwaite Ho. *Guis* —1E **139**
Rake Av. *Sto T* —5D **53**
Raleigh Clo. *Mar S* —5F **67**
Raleigh Ct. *M'brgh* —2C **76**
 (in two parts)
Raleigh Rd. *Sto T* —1A **74**
Raleigh Wlk. *Nort* —1A **74**
Ralfland Way. *Nun* —4A **134**
Ralph Sq. *Sto T* —3D **73**
Rampside Av. *Sto T* —4D **53**
Ramsbury Av. *Sto T* —5D **53**
Ramsey Cres. *Yarm* —5B **148**
Ramsey Gdns. *Ing B* —2E **149**
Ramsey Rd. *Red* —1F **63**
Ramsey Vw. *Sto T* —1C **74**
Ramsey Wlk. Guis —3D **139**
 (off Hutton La.)
Ramsgate. *Sto T* —1A **98**

Randolph St. *Salt S* —5C **68**
Raskelf Av. *Sto T* —1D **73**
Rathnew Av. *Sto T* —5C **52**
Raunds Av. *Sto T* —1D **73**
Raven Clo. *Guis* —3A **138**
Ravendale Rd. *M'brgh* —2F **103**
Raven La. *Sto T* —4A **54**
Ravenscar Cres. *Sto T* —1F **73**
Ravenscroft Av. *M'brgh* —3E **101**
Ravensdale. *M'brgh* —2B **130**
Ravensworth Av. *M'brgh*
 —1C **104**
Ravensworth Cres. *H'pl* —1D **7**
Ravensworth Gro. *Sto T* —2A **96**
Ravensworth Rd. *Bill* —5E **39**
Ravenwood Clo. *H'pl* —2B **6**
Rawcliffe Av. *M'brgh* —3C **130**
Rawley Dri. *Red* —3A **64**
Rawlings Ct. *H'pl* —4A **8**
Rawlinson Av. *Bill* —4E **55**
Rawlinson St. *C How* —2F **91**
Ray Ct. *Sto T* —1C **72**
Raydale. *Hem* —5D **131**
Raydale Beck. *Ing B* —3B **150**
Raylton Av. *Mar C* —4D **133**
Reading Rd. *Sto T* —2A **74**
Rear High St. *Skel C* —4B **88**
Rear Norton Rd. Sto T —5A **74**
 (off Norton Rd.)
Recreation Vw. *M'hlm* —3B **142**
Rectory Av. *Guis* —2D **139**
Rectory Clo. *Guis* —2D **139**
Rectory La. *Guis* —3D **139**
Rectory La. *Long N* —1A **124**
Rectory La. Ind. Est. *Guis*
 —3E **139**
Rectory Row. *S'fld* —4D **23**
Rectory Way. *Sea C* —5E **21**
Redbrook Av. *Sto T* —5D **53**
Redcar. —3C 48
Redcar Av. *Mar S* —4B **66**
Redcar Av. *Sto T* —1E **73**
Redcar Clo. *H'pl* —5A **14**
Redcar La. *Red* —4D **49**
Redcar Racecourse. —5C 48
Redcar Rd. *Duns* —5D **85**
Redcar Rd. *Guis* —1E **139**
Redcar Rd. *M'brgh* —2A **80**
Redcar Rd. *Red & Mar S* —3E **65**
Redcar Rd. *Thor* —5C **98**
 (in two parts)
Redcar Rd. E. *M'brgh* —2B **80**
Redcar St. *M'brgh* —2F **77**
Redditch Av. *Sto T* —5E **53**
Rede Ho. *M'brgh* —3F **77**
Redesdale Ct. *M'brgh* —5D **57**
Redesdale Gro. *Ing B* —2A **150**
Red Hall La. *K'ton* —3A **162**
Redhill Rd. *Sto T* —1D **73**
Red Ho. *Sto T* —5D **53**
Redland Clo. *Sto T* —1A **96**
Red Lion St. *Red* —3C **48**
Redmarshall. —1B 70
Redmarshall Rd. *R'shll* —1A **70**
Redmarshall Rd. *Stil* —3A **50**
Redmarshall Rd. *Sto T* —3E **71**
Redmarshall St. *Stil* —2A **50**
Redmayne Clo. *Bill* —4E **39**
Redmire Rd. *Sto T* —1D **97**

Redruth Av. *Sto T* —1E **73**
Redstart Clo. *H'pl* —5E **7**
Redwing La. *Sto T* —3B **54**
Redwing Rising. *Guis* —2B **138**
Redwood Clo. *H'pl* —1C **6**
Redwood Ct. *Mar C* —2E **133**
Redwood Dri. *Salt S* —5A **68**
Redworth Rd. *Bill* —5F **39**
Redworth St. *H'pl* —4C **14**
Redworth Wlk. *H'pl* —4C **14**
Reed Clo. *Sto T* —1C **74**
Reedston Rd. *H'pl* —2C **12**
Reed St. *H'pl* —4C **14**
Reed St. *Thor* —2C **98**
Reef Ho. *H'pl* —2C **14**
Reepham Clo. *Sto T* —5C **52**
Reeth Rd. *Sto T* —3C **96**
Regal Clo. *H'pl* —5F **21**
Regency Av. *M'brgh* —3D **105**
Regency Dri. *H'pl* —3B **20**
Regency Pk. *Ing B* —2C **150**
Regency W. Mall. Sto T —1A **98**
 (off West Row)
Regent Ct. *G'twn* —4E **81**
Regent M. Sto T —1A **98**
 (off Prince Regent St.)
Regent Rd. *M'brgh* —2A **102**
Regent Sq. *H'pl* —1F **15**
Regent St. *H'pl* —1F **15**
Regent St. *Red* —3C **48**
Regent St. *Sto T* —5A **74**
Reid Ter. *Guis* —1E **139**
Reigate Av. *M'brgh* —3E **101**
Reigate Clo. *Sto T* —5D **53**
Relton Way. *H'pl* —3E **13**
Renfrew Rd. *Sto T* —5B **54**
Rennie Rd. *Skip I* —4F **79**
Renown Wlk. *S Bnk* —3B **80**
Renvyle Av. *Sto T* —5C **52**
Repton Av. *Sto T* —1D **73**
Repton Rd. *M'brgh* —5B **80**
Resolution, The. *Nun* —3A **134**
Resource Clo. *S Bnk* —3B **80**
Retford Clo. *Sto T* —5D **53**
Retford Gro. *H'pl* —5E **19**
Rettendon Clo. *Sto T* —5E **53**
Revesby Rd. *M'brgh* —3F **103**
Reynolds Ct. *Bill* —3D **39**
Reynoldston Av. *Sto T* —4D **53**
Rhinog Gro. *Ing B* —5F **127**
Rhobell Vw. *Ing B* —5E **127**
Rhodes Ct. *Thor* —2D **129**
Rhondda Av. *Sto T* —1E **73**
Rhoosegate. *Thor* —5E **99**
Rhyl Clo. *Sto T* —5E **53**
Ribble Clo. *Bill* —4A **38**
Ribbleton Clo. *Mar C* —3F **133**
Ribchester Clo. *Sto T* —5D **53**
Riccall Ct. Red —2B **64**
 (off Hambleton Av.)
Riccarton Clo. *Sto T* —5C **52**
Richard Ct. *H'pl* —4A **14**
Richard Hind Wlk. *Sto T* —3F **97**
Richard Ho. *Thor* —1B **98**
Richardson Rd. *Sto T* —2F **97**
Richardson Rd. *Thor* —5B **98**
Richardson St. *H'pl* —2A **14**
Richards Ter. *Skel C* —4F **89**
Richard St. *H'pl* —4A **14**

Richmond Clo. *M'brgh* —1D **105**
Richmond Ct. *G'twn* —4E **81**
Richmond Cres. *Bill* —5E **39**
Richmond Rd. *Red* —5E **49**
Richmond Rd. *Sto T* —2E **97**
Richmond St. *H'pl* —1B **20**
Richmond St. *M'brgh* —1E **77**
Richmond St. *Sto T* —4A **74**
Ricknall Clo. *M'brgh* —2B **130**
Ridge La. *Stait* —5C **118**
Ridge, The. *Cou N* —2B **154**
Ridge, The. *Salt S* —1C **88**
Ridgeway. *Cou N* —5A **132**
Ridley Av. *M'brgh* —4C **100**
Ridley Ct. *H'pl* —2A **14**
Ridley Ct. *Sto T* —4A **54**
Ridley Dri. *Sto T* —5F **53**
Ridley M. *Sto T* —5B **54**
Ridley St. *Red* —3C **48**
Ridley Ter. *Skin* —2A **92**
Ridlington Way. *H'pl* —2E **7**
Ridsdale Av. *Sto T* —1D **73**
Rievaulx Av. *Bill* —5C **38**
Rievaulx Clo. *Sto T* —5D **53**
Rievaulx Dri. *M'brgh* —4E **101**
Rievaulx Rd. *Skel C* —3D **89**
Rievaulx Wlk. *M'brgh* —1D **105**
Rievaulx Way. *Guis* —2F **139**
Rift House. —2E 19
Rifts Av. *Salt S* —4B **68**
Riftswood Dri. *Mar S* —4B **66**
Rigby Ho. *Yarm* —4B **148**
Riggston Pl. *H'pl* —2D **13**
Rigg, The. *Yarm* —5C **148**
Riley St. *Sto T* —1F **97**
Rillinton Clo. *Sto T* —5C **52**
Rillston Clo. *H'pl* —2D **13**
Rimdale Dri. *Sto T* —4A **72**
Rimswell Pde. *Sto T* —4A **72**
Rimswell Rd. *Sto T* —3A **72**
Ring Rd., The. *Sto T* —2E **73**
Ringway. *Thor* —1E **129**
Ringway Gro. *M Geo* —1A **144**
Ringwood Cres. *Sto T* —1E **73**
Ringwood Rd. *M'brgh* —1A **104**
Ripley Ct. *M'brgh* —5A **80**
Ripley Rd. *Sto T* —4F **53**
Ripon Clo. *Sto T* —1D **73**
Ripon Rd. *Brot* —2C **90**
Ripon Rd. *Nun* —3B **134**
Ripon Rd. *Red* —1F **65**
Ripon Way. *M'brgh* —5F **81**
Rise, The. *Nun* —3A **134**
Rishton Clo. *Sto T* —1D **73**
Rissington Wlk. *Thor* —1E **129**
Rium Ter. *H'pl* —3B **14**
River Ct. *M'brgh* —5C **56**
Riverdale Ct. *M'brgh* —2B **100**
Riverhead Av. *Sto T* —1D **73**
Riversdene. *Stok* —2A **168**
Riverside. *Sto T* —1B **98**
Riverside Bus. Pk. *M'brgh* (in two parts) —1D **77**
Riverside M. *Yarm* —2B **148**
Riverside Pk. Ind. Est. *M'brgh* —5D **57**
Riverside Pk. Rd. *M'brgh* —2C **76**
Riverside Pk. Trad. Est. *M'brgh* —1D **77**
Riverside Quay. *Thor* —1B **98**
Riverside Rd. *M'brgh* —3E **59**
Riverside Stadium. —2B 78
Riverslea. *Stok* —2A **168**
Riversley Ho. *S'tn* —5C **130**
Riverston Clo. *H'pl* —2C **12**
Riversway. *Mar C* —2E **133**
R.N.L.I. Zetland Mus. —3D 49
Robert Av. *M'brgh* —3D **81**
Robert Huggins Ho. *M'brgh* —1B **130**
Roberts Ho. *Pres I* —5E **97**
Roberts Ho. *Thor* —1C **98**
Roberts St. *M'brgh* —2D **81**
Robert St. *Thor* —2C **98**
Robin Clo. *Ing B* —5B **128**
Robinson Ct. *Loft* —5D **93**
Robinson St. *Loft* —5D **93**
Robinson St. *Skel C* —3C **88**
*Robinson's Yd. Skel C —4B **88** (off High St.)*
Robinson Ter. *Loft* —5C **92**
Robson Av. *Tees* —5D **129**
Robson Ct. *H'pl* —5A **8**
Robson St. *Bill* —3D **57**
Rochdale Av. *Sto T* —5E **53**
Rochdale Clo. *M'brgh* —2D **103**
Rochester Ct. *Ing B* —2A **150**
Rochester Ct. *Thor* —1C **98**
Rochester Dri. *Red* —1E **65**
Rochester Rd. *Bill* —5E **39**
Rochester Rd. *M'brgh* —2E **101**
Rochester Rd. *Sto T* —5E **53**
Rockall Av. *Sto T* —5C **52**
Rockcliffe Ct. *E'tn* —3A **118**
Rockcliffe Ter. *C How* —2A **92**
Rockcliffe Vw. *C How* —2A **92**
Rocket Ter. *Red* —3A **48**
Rockferry Clo. *Sto T* —5C **52**
Rockliffe Rd. *M'brgh* —2C **100**
Rockpool Clo. *H'pl* —4B **8**
Rockport Ct. *Sto T* —4C **74**
Rockwood Clo. *Guis* —3F **139**
Rodmell Clo. *M'brgh* —2A **104**
Rodney Clo. *Bill* —5D **55**
Rodney Clo. *Brot* —2C **90**
Rodney St. *H'pl* —3A **14**
Roebuck Clo. *Ing B* —4C **128**
Roecliffe Gro. *Sto T* —5B **52**
Roedean Dri. *Eagle* —1C **148**
Rogeri Pl. *H'pl* —3F **7**
Roger La. *Malt* —2F **151**
Rokeby Av. *M'brgh* —3A **102**
Rokeby St. *H'pl* —4C **8**
Rokeby St. *Sto T* —2F **97**
Roker St. *H'pl* —4B **14**
Roker Ter. *Sto T* —2F **97**
Rolleston Av. *Sto T* —5C **52**
Romaine Pk. *H'pl* —4C **8**
Romaldkirk Rd. *M'brgh* —2D **77**
Romanby Av. *Sto T* —1E **73**
Romanby Clo. *H'pl* —4C **8**
Romanby Gdns. *M'brgh* —3E **131**
Romany Rd. *Gt Ay* —1D **167**
Romford Rd. *Sto T* —5D **53**
Romney Clo. *Red* —2E **65**
Romney Grn. *Bill* —3D **39**
Romney St. *M'brgh* —4E **77**
Romsey Rd. *Sto T* —1E **73**
Ronaldshay Ter. *Mar S* —4D **67**
Rookery Dale. *B'bck* —2B **112**
Rookery, The. *Eagle* —2B **148**
Rook La. *Sto T* —3A **54**
Rookwood Rd. *Nun* —3B **134**
Ropery Rd. *H'pl* —4C **8**
Ropery St. *Sto T* —5A **74**
Ropner Av. *Sto T* —2E **97**
Roscoe Rd. *Bill* —5E **55**
Roscoe St. *M'brgh* —4A **78**
Rose Av. *Mar S* —4A **66**
Rosebank. *H'pl* —5F **13**
Rosebay Ct. *Guis* —3B **138**
Roseberry Av. *Gt Ay* —1E **167**
Roseberry Av. *Stok* —5D **165**
Roseberry Cres. *Gt Ay* —5A **158**
Roseberry Cres. *M'brgh* —5A **82**
Roseberry Cres. *Sto T* —4B **54**
Roseberry Dri. *Gt Ay* —1D **167**
Roseberry Dri. *S'tn* —5C **130**
Roseberry Flats. *Bill* —1D **55**
Roseberry La. *Gt Br* —3C **158**
Roseberry M. *H'pl* —3F **13**
Roseberry Mt. *Guis* —2C **138**
Roseberry Rd. *Bill* —1C **54**
Roseberry Rd. *Gt Ay* —1D **167**
Roseberry Rd. *H'pl* —3F **13**
Roseberry Rd. *M'brgh* —5A **78** (in two parts)
Roseberry Rd. *Red* —2A **64**
Roseberry Rd. *Sto T* —4B **54**
Roseberry Sq. *Red* —2B **64**
Roseberry Vw. *Thor* —3C **98**
Rosecroft Av. *Loft* —1B **116**
Rosecroft Av. *M'brgh* —2F **101**
Rosecroft La. *Loft* —1B **116**
Rosedale Av. *H'pl* —4F **13**
Rosedale Av. *M'brgh* —1F **101**
Rosedale Clo. *S'fld* —2D **23**
Rosedale Cres. *Guis* —3B **138**
Rosedale Cres. *Loft* —4B **92**
Rosedale Gdns. *Bill* —4D **39**
Rosedale Gdns. *Ling* —4E **113**
Rosedale Gdns. *Sto T* —5D **53**
Rosedale Gro. *Red* —1F **63**
Rosedale La. *Port M* —4E **121**
Rosedale Rd. *Nun* —3B **134**
Rosegarth Ct. *Gt Br* —5F **169**
Rosehill. —2B 96 (Stockton-on-Tees)
Rose Hill. —4C 148 (Yarm)
Rosehill. *Gt Ay* —2D **167**
Rosehill. *Hind* —5E **121**
Rose Hill. *Newby* —4B **154**
Rose Hill Dri. *Stok* —2B **168**
Rose Hill Way. *Stok* —2B **168**
Roseland Cres. *Mar C* —1E **133**
Roseland Dri. *Mar C* —1E **133**
Rosemary Cotts. *Mar S* —5D **67**
Rosemoor Clo. *Mar C* —3C **132**
Rosemount Rd. *New M* —2F **85**
Roseneath Av. *Sto T* —4D **53**
Rose St. *M'brgh* —3E **77**
Rose Ter. *Egg* —2C **148**
Rose Wlk. *Salt S* —5D **69**
Roseway, The. *Salt S* —5C **68**
Rosewood Clo. *Orm* —4B **104**
Rosewood Ct. *Mar C* —2E **133**

Roseworth—St Cuthbert's Rd.

Roseworth. —5D **53**
Roseworth. *Gt Br* —5F **169**
Rosgill. *Red* —1B **64**
Rosiere Gro. *Red* —5C **48**
Roslyn Av. *M'brgh* —2D **103**
Rossall St. *H'pl* —1A **20**
Rossendale Clo. *Mar S* —5C **66**
Rossetti Way. *Bill* —3D **39**
Rossett Wlk. *M'brgh* —2C **102**
(in two parts)
Ross Gro. *H'pl* —4B **20**
Rosslare Rd. *Sto T* —5C **52**
Rosslyn Ct. *Sto T* —3E **97**
Rossmere. —4F **19**
Rossmere Way. *H'pl* —4F **19**
Ross Rd. *Sto T* —3D **75**
Ross St. *M'brgh* —4D **77**
Rosthwaite. *M'brgh* —2B **130**
Rosthwaite Av. *Sto T* —5E **53**
Rosthwaite Clo. *H'pl* —5B **8**
Rostrevor Av. *Sto T* —4D **53**
Rothbury Av. *Sto T* —5D **53**
Rothbury Clo. *Ing B* —2B **150**
Rothbury Rd. *M'brgh* —2C **102**
Rothbury St. *Bill* —1D **55**
Rotherham Av. *Sto T* —1D **73**
Rothesay Dri. *Red* —2E **65**
Rothesay Gro. *Nun* —2B **134**
Rothwell Cres. *Sto T* —1D **73**
Rothwell M. *Est* —1F **105**
Rottingdean Clo. *Sto T* —5D **53**
Roundhay Dri. *Eagle* —5C **126**
Round Hill. —1F **149**
Roundhill Av. *Ing B* —1F **149**
Roundhill Rd. *H'pl* —3C **12**
Roundway. *Mar C* —2E **133**
Rounton Grn. *M'brgh* —2C **102**
Rounton Gro. *Sto T* —1B **96**
Routledge Ct. *H'pl* —5A **8**
Routledge Rd. *Sto T* —3C **74**
Rowallane Gdns. *Ing B* —2B **150**
Rowan Av. *Guis* —3B **138**
Rowan Dri. *Gt Ay* —1D **167**
Rowan Gro. *S'tn* —5B **130**
Rowan Oval. *S'fld* —3D **23**
Rowan Rd. *Eagle* —1B **148**
Rowan Rd. *Sto T* —3A **74**
Rowanton Pl. *H'pl* —2D **13**
Rowanwood Ct. *M'brgh*
　　　　　　　　—2E **131**
Rowan Yd. *Sto T* —5B **54**
Rowell St. *H'pl* —1F **15**
Rowen Clo. *Ing B* —1F **149**
Rowland Keld. *Guis* —4B **138**
Rowlands Gro. *Bill* —2A **40**
Roworth Rd. *M'brgh* —1A **104**
Roxburgh Clo. *Norm* —5B **80**
Roxby Av. *Guis* —4D **139**
Roxby Av. *M'brgh* —4E **103**
Roxby Clo. *H'pl* —5D **21**
Roxby Clo. *Red* —2C **64**
Roxby Clo. *Sto T* —1F **73**
Roxby La. *Stait* —5E **119**
Royal George Dri. *Eagle*
　　　　　　　　—4A **126**
Royce Av. *Bill* —5B **40**
Royce Ct. *Bill* —5B **40**
Royd, The. *Yarm* —5B **148**
Royston Av. *M'brgh* —4E **103**

Royston Clo. *Sto T* —1F **73**
Royston Gro. *H'pl* —1D **31**
Ruberry Av. *Sto T* —5C **52**
Ruby Rd. *Thor* —4D **99**
Ruby St. *M'brgh* —4E **77**
Ruby St. *Salt S* —3C **68**
Rudby Clo. *Yarm* —4E **149**
Rudds Pl. *M'brgh* —1E **101**
Rudland Way. *M'brgh* —5F **81**
Rudston Av. *Bill* —4A **38**
Rudston Clo. *Thor* —2B **128**
Rudyard Av. *Sto T* —5C **52**
Rufford Clo. *Guis* —4E **139**
Rufford Clo. *Ing B* —5C **128**
Rufford Clo. *Mar C* —3F **133**
Ruff Tail. *Guis* —2B **138**
Rugby Rd. *Sto T* —1F **97**
Rugby St. *H'pl* —1A **20**
Rugby Ter. *M'brgh* —4E **57**
Rugeley Clo. *Sto T* —1D **73**
Ruislip Clo. *Sto T* —1D **73**
Runciman Rd. *H'pl* —4F **7**
Runcorn Av. *Sto T* —1D **73**
Runfold Clo. *Sto T* —4C **52**
Runnymead Grn. *M'brgh*
　　　　　　　　—4E **103**
Runnymede. *Nun* —4A **134**
Runnymede Clo. *Sto T* —5D **53**
Runswick Av. *M'brgh* —2C **130**
Runswick Av. *Red* —5A **48**
Runswick Av. *Sto T* —1D **73**
Runswick La. *Hind* —5F **121**
Runswick Rd. *M'brgh* —5F **81**
Rupert St. *Sto T* —4C **74**
Rushleigh Av. *M'brgh* —5B **100**
Rushmere. *Mar C* —5E **133**
Rushmere Heath. *Eagle* —1C **148**
Rushpool Clo. *Red* —2B **64**
Rushwarp Gro. *Sea C* —5E **21**
Rushyford Av. *Sto T* —1D **73**
Ruskin Av. *M'brgh* —4B **100**
Ruskin Av. *Salt S* —4B **68**
Ruskin Gro. *H'pl* —1F **19**
Russell St. *H'pl* —5E **9**
Russell St. *M'brgh* —3F **77**
(in two parts)
Russell St. *Sto T* —5A **74**
(in two parts)
Russell Wlk. *H'pl* —5B **14**
(in two parts)
Russell Wlk. *Thor* —3C **98**
Rustington Clo. *Sto T* —5D **53**
Ruswarp Av. *Sto T* —1D **73**
Ruswarp Clo. *M'brgh* —1F **105**
Ruswarp Rd. *M'brgh* —1F **105**
Ruth Av. *M'brgh* —1E **103**
Rutherglen Wlk. *Eagle* —1C **148**
Ruthin Clo. *Sto T* —5E **53**
Rutland Av. *Mar C* —3C **132**
Rutland Clo. *Sto T* —5E **53**
Rutland Ct. *M'brgh* —3F **77**
Ryan Av. *Sto T* —4B **74**
Ryans Row. *Mar S* —4B **66**
Ryan Wlk. *Sto T* —4B **74**
Rydal Av. *Bill* —5E **55**
Rydal Av. *G'twn* —4F **81**
Rydal Av. *M'brgh* —4C **100**
Rydal Av. *Red* —5B **48**
Rydal Rd. *Skel C* —3B **88**

Rydal Rd. *Sto T* —5E **73**
Rydal St. *H'pl* —5A **14**
Rydal Way. *R'shll* —1B **70**
Ryder Clo. *New M* —2F **85**
Ryde Rd. *Sto T* —5D **53**
Rye Clo. *Eagle* —2B **148**
Ryedale. *Guis* —4B **138**
Ryedale Clo. *Yarm* —1B **160**
Ryedale St. *M'brgh* —4C **78**
Ryefields Ho. *M'brgh* —3E **105**
Ryehill Clo. *Nun* —5A **134**
Ryehill Gdns. *H'pl* —2E **13**
Ryehills Dri. *Mar S* —3E **67**
Rye Hill Way. *Cou N* —2C **154**
Ryelands Pk. *E'tn* —3A **118**
Ryhill Wlk. *Orm* —4A **104**
Ryhope Av. *Sto T* —5D **53**
Rylstone Ct. *M'brgh* —3A **102**
Ryton Clo. *Thor* —2B **128**

Sabatier Clo. *Thor* —1C **98**
Sacriston Clo. *Bill* —4C **38**
Sadberge Gro. *Sto T* —5A **72**
Sadberge Rd. *Sto T* —3F **97**
Sadberge St. *M'brgh* —4C **78**
Saddler Clo. *Ing B* —5B **128**
Saddleston Clo. *H'pl* —2D **13**
Sadler Dri. *Mar C* —3C **132**
Sadler Forster Way. *Tees*
　　　　　　　　—4D **129**
Sadler St. *H'pl* —5D **15**
Saffron Wlk. *H'pl* —3E **21**
St Abb's Wlk. *H'pl* —4C **14**
St Aidan's Cres. *Bill* —2C **54**
St Aidan's Dri. *M'brgh* —3E **77**
St Aidan's St. *H'pl* —1B **20**
St Aidan's St. *M'brgh* —4E **77**
St Aidan's Vw. *B'bck* —3C **112**
St Andrew's Clo. *Eagle* —1C **148**
St Andrew's Gro. *H'pl* —2D **7**
St Andrew's Rd. *Mar C* —3D **133**
St Andrews Rd. *New M* —1A **86**
St Andrew's Rd. E. *M'brgh*
　　　　　　　　—3E **81**
St Andrew's Rd. W. *M'brgh*
　　　　　　　　—3E **81**
St Annes Gdns. *M Geo* —3A **144**
St Annes Rd. *New M* —2A **86**
St Ann's Ct. *H'pl* —4D **15**
St Ann's Hill. —4C **74**
St Anns Ind. Est. *Sto T* —4C **74**
St Ann's Ter. *Sto T* —4C **74**
St Austell Clo. *Hem* —4C **130**
St Barnabas Rd. *M'brgh*
　　　　　　　　—1D **101**
St Bees Wlk. *H'pl* —4C **14**
(off Longscar Wlk.)
St Bernard Rd. *Sto T* —1A **98**
St Brides Ct. *Ing B* —2F **149**
St Catherine's Ct. *H'pl* —4C **14**
St Catherines Ct. *M'brgh*
　　　　　　　　—1C **102**
St Columba's Av. *Bill* —2C **54**
St Crispins Ct. *Sto T* —3E **73**
St Cuthbert Ct. *Thor* —3C **98**
St Cuthbert's Av. *Bill* —2C **54**
St Cuthbert's Rd. *Sto T* —2A **98**
(in two parts)

St Cuthbert St. *H'pl* —5E **9**
St Cuthbert's Wlk. *Liver* —1A **116**
St David's Clo. *Bill* —2C **54**
St Davids Gro. *Ing B* —2F **149**
St David's Rd. *M'brgh* —3F **81**
St David's Wlk. *H'pl* —1D **13**
St Edmund's Grn. *S'fld* —3D **23**
 (in two parts)
St Edmund's Ter. *S'fld* —4D **23**
St Francis Ga. *H'pl* —2B **20**
St George's Bungalows.
 M'brgh —3E **81**
St George's Cres. *New M* —2A **86**
St George's Rd. E. *M'brgh*
 —3E **81**
St George's Rd. W. *M'brgh*
 —3E **81**
St Georges Ter. Liver —1A **116**
 (off Liverton Ter.)
St Germain's Gro. *Mar S* —4D **67**
St Germain's La. *Mar S* —4D **67**
St Helen's Clo. *M'brgh* —1D **105**
St Helen's St. *H'pl* —5E **9**
St Helens Wlk. *Liver* —1A **116**
St Hilda Chare. *H'pl* —1F **15**
St Hilda's Cres. *H'pl* —1F **15**
St Hilda's Pl. *Loft* —5C **92**
St Hilda's Ter. *Loft* —4A **92**
St Hilda St. *H'pl* —1F **15**
St Ives Clo. *M'brgh* —2B **132**
St Ives Clo. *Red* —3F **65**
St James Clo. *Thor T* —1D **51**
St James' La. *G'twn* —2D **81**
St James Gdns. *M'brgh* —2F **77**
St James Gro. *Hart* —4F **5**
St James Ho. *Sto T* —4C **74**
St James' M. *M'brgh* —5D **77**
St Joan's Gro. *H'pl* —2B **20**
St John's Clo. *M'brgh* —3A **78**
St Johns Clo. *Sto T* —4A **74**
St John's Ga. M'brgh —3A **78**
 (off Woodside St.)
St John's Gro. *Red* —5D **49**
St Johns Pk. *Stil* —2B **50**
St John's Way. *Sto T* —2F **73**
St Josephs Ct. *H'pl* —3A **14**
St Josephs Ct. *Red* —5B **48**
St Leonards Clo. *Liver* —1A **116**
St Leonards Rd. *Guis* —3C **138**
St Luke's Av. *Thor* —3D **99**
St Luke's Cotts. *M'brgh* —2A **102**
St Lukes Ct. *H'pl* —2F **13**
St Lukes Cres. *S'fld* —1C **22**
St Margarets Clo. *M Geo*
 —3A **144**
St Margaret's Gro. *H'pl* —2B **20**
St Margaret's Gro. *M'brgh*
 —4D **101**
St Margaret's Gro. *Red* —1D **65**
St Margaret's Gro. *S Bnk* —4B **80**
St Margaret's Gro. *Thor* —1D **129**
St Margaret's Way. *Brot* —2B **90**
St Mark's Clo. *Mar S* —4C **66**
St Mark's Clo. *Sto T* —4B **72**
St Mark's Ct. *Thor* —1B **98**
St Mark's Ho. *Thor* —1B **98**
St Martins Clo. *Liver* —1A **116**
St Martin's Way. *K'ton* —4D **161**
St Mary's Clo. *Sto T* —4B **74**

St Mary's Ct. H'pl —1F **15**
 (off Union St.)
St Mary's Ct. *M'brgh* —3D **101**
 (TS5)
St Mary's Ct. *M'brgh* —3E **81**
 (TS6)
St Marys Ga. Bus. Pk. *Sto T*
 —4B **74**
St Mary St. *H'pl* —1F **15**
St Mary's Wlk. *M'brgh* —4D **101**
St Matthews Ct. *G'twn* —2D **81**
St Mawes Clo. *H'pl* —2D **13**
St Michael's Clo. *Liver* —1A **116**
St Michael's Ct. *Nort* —2B **74**
St Michael's Gro. *Sto T* —2B **74**
St Nicholas Ct. *G'twn* —2D **81**
St Nicholas Gdns. *Yarm* —5E **149**
St Oswald's Cres. *Bill* —2C **54**
St Oswalds St. *H'pl* —2A **14**
St Patrick's Clo. *M'brgh* —3E **81**
St Patrick's Rd. *M'brgh* —3E **81**
St Paul's Ct. *Sto T* —4F **73**
St Pauls Rd. *H'pl* —4A **14**
St Paul's Rd. *M'brgh* —3D **77**
St Paul's Rd. *Sto T* —4F **73**
St Paul's Rd. *Thor* —3C **98**
St Paul's St. *Sto T* —5F **73**
St Paul's Ter. *Sto T* —4F **73**
St Peter's Gro. *Red* —5D **49**
St Peter's Rd. *Sto T* —2F **97**
St Peter's Sq. *Thor* —1D **129**
St Stephens Clo. *Sto T* —3A **54**
St Thomas Gro. *Red* —5D **49**
St Vincent Ter. *Red* —4B **48**
Salcombe Clo. *M'brgh* —2B **132**
Salcombe Dri. *H'pl* —5A **20**
Salcombe Way. *Red* —3E **65**
Salisbury Gro. *Red* —5F **49**
Salisbury Pl. *H'pl* —1E **13**
Salisbury St. *Thor* —3D **99**
Salisbury Ter. *M'brgh* —2F **79**
Salisbury Ter. *Sto T* —2B **74**
Saltaire Ter. *G'ham* —4F **31**
Saltburn Bank. *Salt S* —3D **69**
Saltburn-by-the-Sea. —4C 68
Saltburn Cliff Railway. —3D 69
Saltburn Gill Nature Reserve.
 —1E 89
Saltburn La. *Salt S* —4D **69**
Saltburn La. *Skel C* —3C **88**
Saltburn La. Roundabout.
 Skel C —2C **88**
Saltburn Miniature Railway.
 —4D 69
Saltburn Rd. *Brot* —4D **69**
Saltburn Rd. *Thor* —4D **99**
Saltburn Smugglers' Heritage
 Cen. —3E 69
Saltburn Valley Woodland
 Cen. —5D 69
Saltcote. *Mar C* —2E **133**
Saltergill La. *Yarm* —3A **160**
Salter Ho. Dri. *Wyn* —4C **26**
Salter Houses. *Wyn* —4C **26**
Saltersgill. —3F 101
Saltersgill Av. *M'brgh* —3F **101**
 (in two parts)
Saltersgill Clo. *M'brgh* —3F **101**
Salter's La. *S'fld* —2D **23**

Salter Wlk. *H'pl* —5E **9**
Saltholme Clo. *M'brgh* —4E **57**
Saltney Rd. *Sto T* —5F **53**
Salton Clo. *M'brgh* —2B **100**
Saltram Clo. *Ing B* —1B **150**
Saltram Gro. *Mar C* —2C **132**
Saltscar. *Red* —2E **65**
Saltview Ter. *M'brgh* —5A **58**
Saltwells Cres. *M'brgh* —5B **78**
Saltwells Rd. *M'brgh* —4A **78**
Samaria Gdns. *M'brgh* —2D **131**
Sambrook Gdns. *M'brgh*
 —2D **131**
Samphire St. *M'brgh* —5F **57**
Samsung Av. *Wyn* —1A **38**
Samsung Ind. Pk. *Wyn* —5A **28**
Samuelson Ho. *M'brgh* —2D **103**
Samuel St. *Sto T* —4F **73**
Sandalwood Ct. *M'brgh* —2E **131**
Sandbanks Dri. *H'pl* —2D **7**
Sanderson's Yd. *Loft* —5C **92**
Sandford Bus. Pk. *M'brgh*
 —2C **80**
Sandford Clo. *M'brgh* —4A **102**
Sandgate Ind. Est. *H'pl* —1D **21**
Sandhall Clo. *Bill* —2F **39**
Sandholme. *Ing* —4E **113**
Sandling Ct. *Mar C* —2E **133**
Sandmartin La. *Sto T* —3B **54**
Sandmoor Clo. *M'brgh* —2E **105**
Sandmoor Rd. *New M* —2F **85**
Sandown Pk. *Red* —1D **65**
Sandown Rd. *Bill* —4D **39**
Sandown Way. *Sto T* —2F **99**
Sandpiper Clo. *Red* —3E **65**
Sandpiper Wlk. *M'brgh* —4E **57**
Sandport Wlk. Sto T —4C **74**
 (off Alnport Rd.)
Sandringham Ho. *M'brgh*
 —3D **103**
Sandringham Rd. *G'twn* —4E **81**
Sandringham Rd. *H'pl* —3A **14**
Sandringham Rd. *M'brgh*
 —3D **103**
Sandringham Rd. *Red* —4C **48**
Sandringham Rd. *Sto T* —1F **97**
Sandringham Rd. *Thor* —3D **99**
Sandsend Rd. *M'brgh* —5F **81**
Sandsend Rd. *Red* —1A **64**
Sands Hall Roundabout. *S'fld*
 —4B **22**
Sandwell Av. *M'brgh* —3F **103**
Sandwell Chare. *H'pl* —1F **15**
Sandwich Gro. *H'pl* —2D **7**
Sandwood Pk. *Guis* —4A **138**
Sandy Bank. *S'fld* —4A **22**
Sandy Flatts Ct. *M'brgh* —2E **131**
Sandy Flatts La. *M'brgh* —2E **131**
Sandy La. *Bill* —5B **38**
 (in two parts)
Sandy La. *Guis & New M* —5D **85**
 (in two parts)
Sandy La. W. *Bill* —3F **37**
Sandy Leas La. *Elt* —1A **94**
Sapley Clo. *Thor* —2C **128**
Sarah St. *H'pl* —1C **20**
Sark Wlk. Guis —3D **139**
 (off Hutton La.)
Satley Rd. *Bill* —2F **39**

Saunton Av. *Red* —3E **65**
Saunton Rd. *Bill* —1F **55**
Sawley Gro. *Sto T* —2A **96**
Sawtry Rd. *M'brgh* —3F **103**
Saxby Rd. *Sto T* —2B **74**
Saxonfield. *Cou N* —4B **132**
Scalby Gro. *Red* —2E **65**
Scalby Gro. *Sto T* —5A **72**
Scalby Rd. *M'brgh* —1B **102**
Scalby Sq. *Thor* —4D **99**
Scaling Ct. *Guis* —1D **139**
Scampton Clo. *Thor* —2B **128**
Scanbeck Dri. *Mar S* —3D **67**
Scarborough St. *H'pl* —3C **14**
Scarborough St. *Loft* —5A **92**
Scarborough St. *M'brgh* —3A **80**
Scarborough St. *Thor* —3C **98**
Scarteen Clo. *Guis* —3D **139**
Scarth Clo. *Ling* —4E **113**
Scarth Wlk. *Sto T* —5F **73**
Scarthwood Clo. *Ing B* —5C **128**
Scawfell Gro. *H'pl* —1B **20**
Scawton Ct. *Red* —2B **64**
Scholars Ct. *Yarm* —3B **148**
School Av. *M'brgh* —2B **100**
School Clo. *Mar S* —4D **67**
School Clo. *Sto T* —2A **98**
School Clo. *Thor T* —2D **51**
School Cft. *M'brgh* —2F **77**
School La. *Gt Ay* —2D **167**
School La. *Liver* —1A **116**
School Wlk. *Sto T* —2A **98**
Schooner Ct. *H'pl* —3D **15**
Scotforth Clo. *Mar C* —3F **133**
Scotney Rd. *Bill* —5D **39**
Scotswood Ho. *Thor* —2B **98**
Scott Dri. *Sto T* —5F **53**
Scott Gro. *H'pl* —2D **19**
Scotton Clo. *Sto T* —3A **96**
Scotton Ct. *M'brgh* —2A **104**
Scott Rd. *M'brgh* —2B **104**
Scott's Rd. *M'brgh* —2A **78**
Scott St. *Red* —4D **49**
Scrafton Pl. *Mar S* —4D **67**
Scruton Clo. *Sto T* —2B **96**
Scugdale Clo. *Yarm* —1B **160**
Scurfield Rd. *Sto T* —1A **72**
Seaford Clo. *Red* —3E **65**
Seaham Clo. *Red* —3F **65**
Seaham Clo. *Sto T* —4E **53**
Seaham St. *Sto T* —4B **74**
Seaham Vw. *Sto T* —4E **53**
Sealand Clo. *Thor* —3D **129**
Seal Sands Link Rd. *Bill* —2D **39**
Seal Sands Rd. *M'brgh* —1B **58**
Seamer Clo. *M'brgh* —4E **101**
Seamer Gro. *Sto T* —2D **97**
Seamer Rd. *Hilt & Seam* —1F **163**
Seamer Rd. *T'tn & Newby* —1B **152**
Seathwaite. *M'brgh* —3B **130**
Seaton Carew. —4E 21
Seaton Carew Rd. *Seal S* —5A **58**
Seaton Clo. *Red* —2F **65**
Seaton Clo. *Stait* —2C **120**
Seaton Clo. *Sto T* —5A **72**
Seaton Cres. *Stait* —2C **120**
Seaton Gth. *Stait* —1C **120**
Seaton La. *H'pl* —4B **20**

Seatonport Ct. *Sto T* —4C **74**
Seaton St. *M'brgh* —4F **77**
Seaton Ter. *Ling* —5E **113**
Sea Vw. Ter. *H'pl* —5E **9**
Sea Vw. Ter. *M'brgh* —1D **81**
Second Foulsyke. *Loft* —5F **93**
Sedgebrook Gdns. *M'brgh* —3A **104**
Sedgefield. —4D 23
Sedgefield Ind. Est. *S'fld* —2D **23**
Sedgefield Racecourse. —5A 22
Sedgefield Rd. *M'brgh* —2C **130**
Sedgefield Way. *Sto T* —3E **75**
Sedgemoor Rd. *M'brgh* —3E **105**
Sedgemoor Way. *Bill* —3A **40**
Sedgewick Clo. *H'pl* —3A **8**
Sefton Rd. *M'brgh* —1A **104**
Sefton Way. *Yarm* —5A **148**
Selbourne St. *M'brgh* —4D **77**
Selby Gro. *H'pl* —3A **20**
Selby Rd. *Nun* —3B **134**
Selkirk Clo. *M'brgh* —4F **101**
(in two parts)
Selset Av. *M'brgh* —4E **103**
Selset Clo. *H'pl* —3C **12**
Selwood Clo. *Thor* —2D **129**
Selworthy Grn. *Ing B* —3B **150**
Selwyn Dri. *Sto T* —2A **72**
Semmerwater Gro. *Red* —5C **48**
Serpentine Gdns. *H'pl* —2E **13**
Serpentine Rd. *H'pl* —3E **13**
(in two parts)
Severn Dri. *Guis* —3C **138**
Severn Gro. *Bill* —4A **38**
Severn Gro. *Skel C* —3D **89**
Severn Rd. *Red* —4A **48**
Severn Way. *Red* —4A **48**
Severs Dri. *S'tn* —5C **130**
Severs St. *M'brgh* —2F **79**
Seymour Av. *Eagle* —2A **148**
Seymour Clo. *Mar S* —5F **67**
Seymour Cres. *Eagle* —1A **148**
Seymour Dri. *Eagle* —1A **148**
Seymour Gro. *Eagle* —2A **148**
Seymour Hill Ter. Loft —5C 92
(off North Rd.)
Shackleton Clo. *Thor* —2D **129**
Shadforth Dri. *Bill* —3F **39**
Shadwell Clo. *M'brgh* —4C **104**
Shaftesbury Rd. *M'brgh* —5D **81**
Shaftesbury St. *Sto T* —2A **98**
Shakespeare Av. *H'pl* —1A **20**
Shakespeare Av. *M'brgh* —3F **81**
Shaldon Clo. *Red* —3E **65**
Shambles, The. *Sto T* —1B **98**
Shandon Pk. *Mar C* —5D **133**
Shannon Ct. *G'ham* —3E **31**
Shannon Cres. *Sto T* —4A **72**
Shannon Lea. *M Geo* —1A **144**
Sharp Cres. *H'pl* —4A **8**
Sharrock Clo. *M'brgh* —3B **78**
Shaw Cres. *M'brgh* —4F **81**
Shawcross Av. *M'brgh* —3D **81**
Shaw Gro. *H'pl* —2D **19**
Shearwater La. *Sto T* —3A **54**
Sheepdene. *Wyn* —4A **26**
Sheepfoote Hill. *Yarm* —4B **148**
Sheerness Gro. *H'pl* —4C **14**
Sheerness Way. *Red* —3E **65**

Shelley Clo. *Bill* —2D **39**
Shelley Cres. *M'brgh* —5C **80**
Shelley Gro. *H'pl* —1F **19**
Shelley Rd. *M'brgh* —3F **101**
Shelton Ct. *M'brgh* —2F **103**
Shepherd Clo. *Thor* —5B **98**
Shepherd Ct. *B'bck* —3C **112**
Shepherdson Ct. *M'brgh* —2A **80**
Shepherdson Way. *M'brgh* —2B **78**
Shepton Clo. *Thor* —5E **99**
Sheraton. —3A 4
Sheraton Bank. *Cas E* —3A **4**
Sheraton Pk. *Sto T* —2E **73**
Sheraton St. *Sto T* —1F **97**
Sherburn Av. *Bill* —3E **39**
Sherburn Clo. *M'brgh* —1C **130**
Sheridan Gro. *H'pl* —1F **19**
Sheriff St. *H'pl* —3A **14**
Sheringham Ct. *Red* —3F **65**
Sherwood Clo. *Orm* —1B **134**
Sherwood Dri. *Mar S* —4B **66**
Sherwood Rd. *Thor* —2C **128**
Shetland Clo. *M'brgh* —3D **131**
Shevington Gro. *Mar C* —3E **133**
Shibden Rd. *M'brgh* —5C **78**
Shields Ter. *H'pl* —4C **8**
Shildon Clo. *Bill* —4D **39**
Shincliffe Rd. *Bill* —3F **39**
Shinwell Cres. *M'brgh* —3A **80**
Shipham Clo. *Red* —3E **65**
Ship Inn Yd. *Sto T* —1A **98**
Shirley Av. *M'brgh* —2B **100**
Shoreham Clo. *Red* —3E **65**
Shoreswood Wlk. *M'brgh* —2D **131**
Short Clo. *Pres I* —4F **97**
Shotley Clo. *Bill* —4D **39**
Shotton Ct. *Bill* —5F **39**
Shrewsbury Rd. *M'brgh* —2F **103**
Shrewsbury St. *H'pl* —1A **20**
Shropshire Wlk. *H'pl* —5B **14**
Sidcup Av. *M'brgh* —4E **103**
Siddington Wlk. *M'brgh* —1E **103**
Sideling Tails. *Yarm* —5B **148**
Sidlaw Av. *Skel C* —3C **88**
Sidlaw Rd. *Bill* —5C **38**
Sidmouth Clo. *M'brgh* —1B **132**
Silton Gro. *Sto T* —2D **97**
Silver Chambers. Sto T —5B 74
(off Silver St.)
Silver Ct. Sto T —5B 74
(off Silver St.)
Silverdale. *Nun* —4F **133**
Silver St. *H'pl* —4B **14**
Silver St. *M'brgh* —1E **77**
Silver St. *Sto T* —5B **74**
Silver St. *Stok* —1B **168**
Silver St. *Yarm* —3B **148**
Silverton Rd. *Guis* —4F **139**
Silverwood Clo. *H'pl* —2C **6**
Silverwood Ct. *Thor* —3C **98**
Simcox Ct. *Riv I* —2C **76**
Simonside Gro. *Ing B* —2B **150**
Simonside Wlk. *Orm* —4A **104**
Simpson Clo. *M'brgh* —3B **80**
Simpson Grn. *S Bnk* —3A **80**
Simpson St. *M'brgh* —1E **101**
Sinclair Rd. *H'pl* —3D **19**

Sinderby Clo. *Bill* —4E **39**
Singapore Sq. *Eagle* —4F **125**
Sinnington Clo. *Guis* —3E **139**
Sinnington Rd. *Thor* —2C **128**
Sir Douglas Pk. *Thor* —1C **128**
Sir Hugh Bell Ct. *Red* —3E **47**
Siskin Clo. *H'pl* —1D **13**
Siskin Clo. *Sto T* —3A **54**
Sitwell Wlk. *H'pl* —2D **19**
Skeeby Clo. *Sto T* —3B **96**
Skelton. —3C 88
Skelton/Brotton By-Pass. *Skel C* —3A **88**
Skelton Castle Roundabout. *Skel C* —3A **88**
Skelton Ct. *Guis* —5E **109**
Skelton Dri. *Mar S* —4E **67**
Skelton Dri. *Red* —1E **65**
Skelton Ellers. *Guis & Skel C* —4A **110**
Skelton Green. —5B 88
Skelton High Green. —1A 112
Skelton Ind. Est. *Skel C* —3E **89**
Skelton Rd. *Brot* —4F **89**
Skelton St. *H'pl* —3F **7**
Skelwith Rd. *M'brgh* —2C **102**
Skerne Rd. *H'pl* —4A **8**
(in two parts)
Skerne Rd. *Sto T* —1A **74**
Skerries Cres. *Red* —3B **64**
Skiddaw Clo. *Eagle* —4B **126**
Skiddaw Ct. *Nun* —3F **133**
Skinner St. *Sto T* —1A **98**
Skinningove. —2A 92
Skinningrove Bank Rd. *Skin* —1A **92**
Skinningrove Rd. *Loft* —3A **92**
Skiplam Clo. *Hem* —4C **130**
Skipper's La. *Skip I* —3F **79**
Skipper's La. Ind. Est. *Skip I* (in three parts) —3F **79**
Skipper's La. Retail Pk. *Skip I* —4A **80**
Skipton Rd. *Bill* —5D **39**
Skirbeck Av. *M'brgh* —3A **104**
Skirlaw Rd. *Yarm* —5B **148**
Skomer Ct. *Red* —3E **65**
Skottowe Cres. *Gt Ay* —1C **166**
Skottowe Dri. *Gt Ay* —1C **166**
Skripka Dri. *Bill* —5A **38**
Skye Wlk. *Guis* —4C **138**
Skylark Clo. *H'pl* —5E **7**
Slake Ter. *H'pl* —2D **15**
(in two parts)
Slapewath. —2E 141
Slater Rd. *M'brgh* —4F **81**
Slater St. *H'pl* —3A **14**
Slater Wlk. *M'brgh* —4F **81**
Slayde, The. *Yarm* —5C **148**
Sledmere Clo. *Bill* —2F **39**
Sledmere Dri. *M'brgh* —4E **101**
Sledwick Rd. *Bill* —5F **39**
Sleights Ct. *Guis* —1E **139**
Sleights Cres. *M'brgh* —5F **81**
Slingsby Clo. *M'brgh* —5E **101**
Slip Inn Bank. *M'brgh* —2A **132**
*Slippery Hill. Stait —1C **120***
(off High St.)
Slip Rd. *M'brgh* —3D **81**
Smirks Yd. *Sto T* —5B **54**
Smith's Dock Pk. Rd. *M'brgh* —2C **104**
Smith's Dock Rd. *M'brgh* —4F **59**
Smith St. *M'brgh* —3E **77**
Smith St. *Sto T* —5A **74**
Smyth Pl. *H'pl* —3A **8**
Sneck Ga. La. *Newby* —5B **154**
Snipe La. *E'tn* —5F **117**
Snipe St. *Red* —3E **47**
Snowberry Clo. *Nort* —1F **73**
Snowden Cres. *Red* —1B **64**
Snowden St. *Est* —5D **81**
Snowdon Gro. *H'pl* —2D **7**
Snowdon Gro. *Ing B* —1F **149**
Snowdon Rd. *M'brgh* —2E **77**
Snowdrop Clo. *Sto T* —3B **72**
Sober Hall. —3B 150
Sober Hall Av. *Ing B* —2A **150**
Somerby Ter. *M'brgh* —1D **103**
Somersby Clo. *H'pl* —4C **8**
Somerset Cres. *Skel C* —4A **88**
Somerset Rd. *Guis* —3D **139**
Somerset Rd. *M'brgh* —4E **81**
Somerset Rd. *Sto T* —1A **74**
Somerset St. *M'brgh* —4A **78**
Somerset Ter. *Bill* —2F **55**
Somerville Av. *M'brgh* —3F **103**
Soppett St. *Red* —4C **48**
Sopwith Clo. *Pres I* —4F **97**
Sorbonne Clo. *Thor* —1B **98**
Sorrel Clo. *Sto T* —3B **72**
Sorrel Ct. *Mar C* —1C **132**
Sorrell Gro. *Guis* —3B **138**
Sotherby Rd. *M'brgh & S Bnk* —4D **79**
Southampton St. *Red* —4D **49**
South Av. *Bill* —4D **55**
South Av. *Red* —1E **63**
South Av. *Stil* —2A **50**
South Bank. —2A 80
South Bank. *M'brgh & S Bnk* —3D **79**
S. Bank Bus. Cen. *S Bnk* —2A **80**
Southbank By-Pass. *S Bnk* —2A **80**
S. Bank Rd. *M'brgh* —3C **78**
Southbrooke Av. *H'pl* —2F **19**
Southburn Ter. *H'pl* —5B **14**
South Ct. *M'brgh* —2A **80**
South Cres. *H'pl* —1F **15**
Southdean Clo. *Hem* —4E **131**
Southdean Dri. *Hem* —3E **131**
South Dri. *H'pl* —3E **13**
South Dri. *Mar C* —2D **133**
South Dri. *Orm* —4A **104**
Southend. *M'brgh* —2A **102**
South End. *Sea C* —5F **21**
Southfield Cres. *Sto T* —2B **74**
Southfield La. *M'brgh* —4E **77**
(in two parts)
Southfield Rd. *Mar S* —4D **67**
Southfield Rd. *M'brgh* —4E **77**
Southfield Rd. *Sto T* —2B **74**
Southfield Ter. *Gt Ay* —1D **167**
S. Gare Rd. *Red* —1A **46**
Southgate. *H'pl* —1E **15**
Southgate. *M'brgh* —1A **106**
South Grn. *Sto T* —2A **98**
S. Lackenby. *M'brgh* —5A **82**
Southland Av. *H'pl* —4F **13**
Southlands Dri. *Nun* —2B **134**
South Loftus. —1C 116
Southmead Av. *M'brgh* —4E **103**
S. Mt. Pleasant St. *Sto T* —2B **74**
South Pde. *H'pl* —5B **14**
S. Park Av. *M'brgh* —3D **105**
Southport Clo. *Sto T* —4D **75**
South Rd. *H'pl* —4A **14**
(in two parts)
South Rd. *Sto T* —1B **74**
South St. *Est* —2F **105**
South St. *Guis* —2D **139**
South St. *Stil* —2A **50**
S. Tees Imperial Food Pk. *M'brgh* —1F **79**
S. Tees Ind. Pk. *S Bnk* —1A **80**
South Ter. *M'brgh* —2A **80**
South Ter. *Red* —4E **49**
South Ter. *Skel C* —4A **88**
(in two parts)
S. Town La. *Loft* —1C **116**
South Vw. *Bill* —4D **55**
South Vw. *Eagle* —2B **148**
South Vw. *Hart* —4F **5**
South Vw. *Loft* —5C **92**
S. View Ter. *M'brgh* —4C **78**
Southwark Clo. *M'brgh* —4C **104**
Southway. *M'brgh* —2E **83**
South Way. *Sto T* —1C **74**
Southwell Rd. *M'brgh* —2F **101**
Southwell Sq. *M'brgh* —2F **101**
Southwick Av. *M'brgh* —1B **132**
Southwood. *Cou N* —2B **154**
Sovereign International Bus. Pk. *H'pl* —4C **20**
Sowerby Cres. *Stok* —1A **168**
Sowerby Way. *Eagle* —4B **126**
Spain Hill. *Mar S* —4D **67**
Spalding Rd. *H'pl* —1D **31**
Spalding Wlk. *Sto T* —1C **74**
Sparks Sq. *Sto T* —3D **73**
Spaunton Clo. *Hem* —4C **130**
Spearman Wlk. *H'pl* —3D **7**
Speeding Dri. *H'pl* —2D **7**
Speeton Av. *M'brgh* —5E **101**
Speeton Clo. *Bill* —2E **39**
Spell Clo. *Yarm* —4F **149**
Spellman Gro. *Red* —2E **63**
Spenborough Rd. *Sto T* —3D **73**
Spencerbeck Ho. *Orm* —4B **104**
Spencer Clo. *Mar S* —3C **66**
Spencerfield Cres. *M'brgh* —5F **79**
Spencer Hall. *Sto T* —1B **98**
Spencer Rd. *M'brgh* —5D **81**
Spennithorne Rd. *Sto T* —1D **97**
Spennybridge Gro. *Ing B* —2F **149**
Spenser Gro. *H'pl* —1F **19**
Spilsby Clo. *H'pl* —1E **31**
*Spinnaker Ho. H'pl —3D **15***
(off Quayside)
Spinney, The. *H'pl* —4C **12**
Spinney, The. *M Geo* —1B **144**
Spinney, The. *Sto T* —3D **97**
Spitalfields. *Yarm* —5B **148**
Spital Flatt. —5D 149
Spital Ga. *Yarm* —5C **148**
Spital, The. *Yarm* —4B **148**

Spitfire Clo.—Stonedale Wlk.

Spitfire Clo. *Mar S* —4B **66**
Springbank Rd. *Orm* —5B **104**
Spring Bank Wood. *Wyn* —4B **26**
Spring Clo. *Thor* —3C **98**
Springfield. *Stok* —1C **168**
Springfield Av. *Brot* —3A **90**
Springfield Av. *Sto T* —3E **97**
Springfield Clo. *Eagle* —5B **126**
Springfield Gdns. *Stok* —1C **168**
Springfield Gro. *K'ton* —3E **157**
Springfield Rd. *M'brgh* —1B **100**
Spring Garden Clo. *Orm*
—1B **134**
Spring Garden La. *Orm* —1A **134**
Spring Garden Rd. *H'pl* —1B **20**
Spring Head Ter. *Loft* —5C **92**
Springhill. *Orm* —4B **104**
Springhill Gro. *Ing B* —2B **150**
Springholme. *Orm* —4B **104**
Springholme Yd. *Sto T* —2F **97**
Spring La. *S'fld* —5C **22**
Springlea. *Orm* —4B **104**
Springmead. *Orm* —4B **104**
Spring Ri. *M'brgh* —4C **104**
Springston Rd. *H'pl* —2D **13**
Spring St. *M'brgh* —2F **77**
Spring St. *Sto T* —2F **97**
Springvale Ter. *M'brgh* —2B **100**
Springwalk. *Orm* —4B **104**
Spring Way. *Sto T* —3E **97**
Springwell Clo. *Bill* —1F **39**
Springwell Flats. *H'pl* —1E **13**
Spruce Rd. *Sto T* —1E **73**
Spurn Wlk. *H'pl* —4C **14**
Spurrey Clo. *Ing B* —4B **128**
Squadron Ct. *Thor* —1C **128**
Square, The. *M'brgh* —1F **105**
Square, The. *S'fld* —4D **23**
Square, The. *Skin* —2A **92**
Square, The. *Sto T* —5B **74**
(in two parts)
Stable Ct. *Loft* —5B **92**
Stables, The. *Wyn* —5B **26**
Stable, The. *Eagle* —3C **126**
Stadium Ct. *Skip I* —4A **80**
Stafford Ct. *Thor* —3B **98**
Stafford Rd. *Guis* —3D **139**
Stafford Rd. *M'brgh* —4E **81**
Stafford St. *Sto T* —2A **98**
Staincliffe Rd. *H'pl* —3E **21**
Staindale. *Guis* —3A **138**
Staindale Clo. *Yarm* —4E **149**
Staindale Gdns. *Sto T* —4E **73**
Staindale Pl. *H'pl* —2F **19**
Staindale Rd. *Thor* —5D **99**
Staindrop Ct. *Bill* —3C **38**
Staindrop Dri. *M'brgh* —1C **130**
Staindrop St. *H'pl* —4C **14**
Stainforth Ct. *M'brgh* —4D **103**
Stainforth Gdns. *Ing B* —5C **128**
Stainmore Clo. *Sto T* —5F **73**
Stainsby. —2F 129
Stainsby Rd. *M'brgh* —3A **100**
Stainsby St. *Thor* —3C **98**
Stainton. —5C 130
Staintondale Av. *Red* —1F **63**
Stainton Gro. *Sto T* —2A **74**
Stainton Rd. *Bill* —5B **38**
Stainton St. *M'brgh* —4C **78**

Stainton Way. *Hem & S'tn*
—4C **130**
Stainton Way. *Mar C* —4E **133**
Staithes. —1C 120
Staithes Ct. *H'pl* —4D **15**
Staithes La. *Stait* —2C **120**
Staithes Rd. *Red* —5F **47**
Stakesby Clo. *Guis* —5D **109**
Stalker St. *H'pl* —3A **14**
Stamford Ct. *Bill* —3F **39**
Stamford St. *M'brgh* —4A **78**
Stamford Wlk. *H'pl* —5E **19**
Stamp St. *Sto T* —5A **74**
Stanford Clo. *Thor* —2C **98**
Stanghow. —5E 113
Stanghow La. Flats. *Skel C*
—4C **88**
Stanghow Rd. *Ling & Skel C*
—4D **89**
Stanhope Av. *H'pl* —4A **14**
Stanhope Gdns. *M'brgh* —2B **102**
Stanhope Gro. *M'brgh* —3D **101**
Stanhope Rd. *Bill* —5F **39**
Stanhope Rd. *Sto T* —4E **73**
Stanhope St. *Salt S* —4C **68**
Stanley Clo. *Thor* —3C **98**
Stanley Gro. *Gt Ay* —3D **165**
Stanley Gro. *Red* —4D **49**
(in two parts)
Stanley Rd. *H'pl* —2B **20**
Stanley St. *Nort* —5A **54**
Stanley Wlk. *Sto T* —5A **74**
Stanmore Av. *M'brgh* —4A **102**
Stanmore Gro. *H'pl* —4D **21**
Stannage Gro. *Thor* —5C **98**
Stansby Ga. *Thor* —4E **99**
Stanstead M. *Thor* —1E **129**
Stanstead Way. *Thor* —1E **129**
Stansted Gro. *M Geo* —1A **144**
Stapleford Rd. *M'brgh* —3A **104**
Stapleton St. *Sto T* —3A **54**
Stapylton Ct. *M'brgh* —2D **81**
Stapylton St. *M'brgh* —2D **81**
Starbeck Clo. *New M* —2F **85**
Starbeck Wlk. *Thor* —3B **98**
Starbeck Way. *Orm* —3B **104**
Startforth Rd. *Riv I* —1C **76**
Station App. *H'pl* —3C **14**
Station Clo. *Mar S* —5C **66**
Station Cres. *Bill* —2D **55**
Station La. *H'pl* —4D **21**
Station La. *Skel C* —3C **88**
Station Pde. *Bill* —2C **54**
Station Rd. *Bill* —2C **54**
(in two parts)
Station Rd. *Eagle* —3C **126**
Station Rd. *Est* —2E **105**
Station Rd. *Gt Ay* —2D **167**
Station Rd. *G'ham* —4E **31**
Station Rd. *Hind* —5E **121**
Station Rd. *Loft* —5B **92**
Station Rd. *M'brgh* —5E **61**
Station Rd. *Red* —3C **48**
Station Rd. *S'fld* —5A **22**
(in two parts)
Station Rd. *Sto T* —3A **54**
Station Rd. *Stok* —1C **168**
Station Rd. Ind. Est. *Stok*
—4D **169**

Station Sq. *Salt S* —4C **68**
Station St. *M'brgh* —2E **77**
Station St. *Salt S* —4C **68**
Station St. *Sto T* —4B **74**
Station St. *Thor* —2C **98**
Station Vs. *Mar S* —5C **66**
Staveley Ct. *M'brgh* —1C **102**
Staveley Gro. *Sto T* —2E **73**
Staveley Wlk. *Orm* —4A **104**
Stavordale Rd. *Sto T* —4F **73**
Steavenson St. *C How* —3F **91**
(off Muriel St.)
Steele Cres. *M'brgh* —2B **80**
Steer Ct. *Bill* —3D **39**
Stephenson Ct. *Skip I* —4A **80**
Stephenson Ind. Est. *Sea C*
—3E **33**
Stephenson St. *H'pl* —5C **8**
Stephenson St. *M'brgh* —4F **77**
Stephenson St. *Thor* —2C **98**
Stephenson Way. *Sto T* —1B **98**
Stephens Rd. *M'brgh* —2B **80**
Stephen St. *H'pl* —2F **13**
Stevenage Clo. *Thor* —4E **99**
Stevenson. *Yarm* —4E **149**
Stewart Ct. *Sto T* —3B **74**
Stewart Rd. *Sto T* —3B **74**
Stileston Clo. *H'pl* —2D **13**
Stillington. —2A 50
Stillington Ind. Est. *Stil* —1A **50**
Stirling Rd. *Red* —5E **49**
Stirling St. *H'pl* —1B **20**
Stirling Way. *Thor* —3D **129**
Stockdale Av. *Red* —1F **63**
Stockton Almhouse, The. *Sto T*
—1A **98**
Stockton Grange. —4D 73
Stockton-on-Tees. —4C 74
Stockton Rd. *G'ham* —2D **31**
Stockton Rd. *H'pl* —2B **20**
Stockton Rd. *Long N* —1F **123**
Stockton Rd. *M'brgh* —1F **99**
Stockton Rd. *S'fld*
(in two parts) —4D **23** & 5A **24**
Stockton Rd. *Wolv & Great*
—1D **39**
Stockton St. *Bill* —3D **55**
Stockton St. *H'pl* —3B **14**
Stockton St. *M'brgh* —2E **77**
Stockton-Thornaby By-Pass.
Sto T & Thor —3A **96**
Stockwell Av. *Tees* —4D **129**
Stockwith Clo. *M'brgh* —3A **104**
Stokesley. —5C 164
Stokesley By-Pass. *Stok* —5D **165**
Stokesley Cres. *Bill* —3D **55**
Stokesley Rd. *Gt Ay* —3C **166**
Stokesley Rd. *Guis* —3F **137**
Stokesley Rd. *H'pl* —4E **21**
Stokesley Rd. *Hem* —5A **132**
Stokesley Rd. *Mar C* —1C **132**
Stokesley Rd. *Newby* —3D **155**
Stokesley Rd. *Nun* —5B **134**
Stoneacre Av. *Ing B* —1B **150**
Stonebridge Cres. *Ing B* —3A **128**
Stonechat Clo. *H'pl* —5F **7**
Stonechat Clo. *Ing B* —5A **128**
Stonecrop Clo. *Sto T* —2D **97**
Stonedale Wlk. *M'brgh* —2B **130**

Stonegate. *Est*—1A **106**
Stone Hall Clo. *Stok*—1B **168**
Stonehouse Clo. *Yarm*—5D **149**
Stonehouse Ind. Est. *Ling* —4F **113**
Stonehouse St. *M'brgh*—1E **101**
Stoneleigh Av. *M'brgh*—4B **100**
Stone Row. *Skin*—2A **92**
Stone St. *M'brgh*—3A **78**
Stonethwaite Clo. *H'pl*—5B **8**
Stoneyhurst Av. *M'brgh*—3A **100**
Stonor Wlk. *M'brgh*—4E **103**
Stornaway Clo. *Sto T*—5F **71**
Stotfold St. *H'pl*—4A **14**
Stotfold Wlk. *M'brgh*—2A **130**
Stoupe Gro. *Red*—2F **65**
Stourport Clo. *Sto T*—4C **74**
Stowe St. *M'brgh*—4E **77**
Stowmarket Clo. *H'pl*—1F **31**
Strait La. *S'tn*—4B **130**
Strand, The. *Red*—2F **65**
Stranton. —5B 14
Stranton. *H'pl*—5B **14**
(in two parts)
Stranton Ho. *H'pl*—4B **14**
Stranton St. *Sto T*—3C **98**
Stranton Works. *H'pl*—5C **14**
Stratford Cres. *M'brgh*—1B **100**
Stratford Rd. *H'pl*—1A **20**
Strathaven Dri. *Eagle*—5C **126**
Strathmore Dri. *K'ton*—4D **161**
Strauss Rd. *M'brgh*—2B **80**
Stray, The. *Long N*—1A **124**
Streatlam Rd. *Bill*—4F **39**
Strensall Clo. *New M*—2A **86**
Stripe, The. *Stok*—1A **168**
Strome Clo. *Ing B*—1C **150**
Strona Wlk. *Guis*—3D **139**
Stuart St. *H'pl*—2B **14**
Stubbs Clo. *Bill*—3D **39**
Studland Dri. *H'pl*—2D **7**
Studland Rd. *Red*—3F **65**
Studley Rd. *H'pl*—5B **14**
Studley Rd. *M'brgh*—2C **100**
Studley Rd. *Sto T*—4F **73**
Studley Rd. *Thor*—5D **99**
Stump Cross. *Guis*—2D **139**
Sturt Dri. *Sto T*—5F **53**
Sudbury. *Mar C*—4E **133**
Sudbury Rd. *Sto T*—5C **54**
Suffield St. *M'brgh*—1E **77**
Suffolk Clo. *H'pl*—1B **20**
Suffolk Clo. *Skel C*—5B **88**
Suffolk Rd. *M'brgh*—2F **101**
Suffolk St. *Sto T*—1F **97**
Sugar Loaf Clo. *Ing B*—1F **149**
Suggitt St. *H'pl*—3F **13**
Sulby Av. *M'brgh*—2D **103**
Summerhill La. *H'pl*—5E **13**
Summer Ho. Sq. *Sto T*—5A **54**
Sundell Ct. *Sto T*—1F **97**
Sunderland Rd. *Wolv*—2C **38**
Sundial M. *Bill*—2C **38**
Sunley Av. *M'brgh*—2A **102**
Sunningdale Ct. *M'brgh*—1E **105**
Sunningdale Dri. *Eagle*—5C **126**
Sunningdale Gro. *H'pl*—3D **7**
Sunningdale Ho. *M'brgh*—2E **105**
(Station Rd.)
Sunningdale Ho. *M'brgh*—4F **101**
(Sunningdale Rd.)
Sunningdale Rd. *M'brgh*—4F **101**
Sunningdale Rd. *New M*—2A **86**
Sunningdale Wlk. *Eagle*—5C **126**
(in two parts)
Sunniside. *H'pl*—1F **15**
Sunnybank Rd. *Orm*—5B **104**
Sunnybrow Av. *Bill*—3D **55**
Sunnyfield. *Gt Ay*—2C **166**
Sunnyfield. *Orm*—4A **104**
Sunnyfields Gdns. *E'tn*—2A **118**
Sunnygate. *M'brgh*—1A **106**
Sunny Row. *Port M*—4E **121**
Sunnyside. *Cou N*—4F **131**
(in three parts)
Sunnyside Av. *M'brgh*—3F **101**
Sunnyside Gro. *Sto T*—3C **96**
Sunstar Gro. *Mar C*—2C **132**
Sun St. *Sto T*—2F **97**
Sun St. *Thor*—3B **98**
Surbiton Rd. *Sto T*—4F **71**
Surgery La. *H'pl*—4A **8**
Surrey Rd. *Sto T*—1C **74**
Surrey St. *M'brgh*—5D **77**
Surrey Ter. *Bill*—2E **55**
Surtees St. *H'pl*—4C **14**
Surtees St. *Sto T*—1A **98**
Sussex St. *H'pl*—1B **20**
Sussex St. *M'brgh*—2E **77**
(in two parts)
Sussex Wlk. *Sto T*—2C **74**
Sutherland Gro. *Sto T*—3A **54**
Sutton Ct. *Red*—2B **64**
Sutton Pl. *Bill*—5F **39**
Sutton Way. *M'brgh*—4F **101**
Swainby Clo. *M'brgh*—5E **101**
Swainby Rd. *H'pl*—5E **21**
Swainby Rd. *Sto T*—3B **74**
Swainson Pl. *H'pl*—3B **14**
Swainson St. *H'pl*—3B **14**
Swainston Clo. *M'brgh*—1B **130**
Swainston Clo. *Wyn*—3A **26**
Swale Av. *Thor*—5D **99**
Swalebrooke Av. *H'pl*—1E **19**
Swale Clo. *Eagle*—2B **148**
Swaledale Clo. *Ing B*—2B **150**
Swaledale Cres. *Bill*—2D **55**
Swaledale Ho. *M'brgh*—3F **101**
Swale Rd. *Sto T*—5A **54**
Swallow Clo. *Guis*—2A **138**
Swallow Clo. *H'pl*—5D **7**
Swallowfields. *Cou N*—1A **154**
Swallow La. *Sto T*—4A **54**
Swanage Clo. *M'brgh*—2B **132**
Swanage Dri. *Red*—3F **65**
Swanage Gro. *H'pl*—2D **7**
Swancer Ct. *Wyn*—4B **26**
Swan Ho. *Thor*—1C **98**
Swart Hole Roundabout. *Wolv* —5E **27**
Swift Gro. *H'pl*—2E **19**
Swilly La. *Skel C*—4B **88**
Swinburne Ho. *H'pl*—2E **19**
Swinburne Rd. *Eagle*—3C **126**
Swinburne Rd. *H'pl*—2E **19**
Swinburn Rd. *Sto T*—3A **74**
Swinburn's Yd. *Yarm*—3B **148**
Swindale La. *M'hlm*—3A **142**
Swinton Rd. *Sto T*—3B **96**
Swyfte Clo. *S'fld*—4D **23**
Sycamore Av. *Salt S*—5A **68**
Sycamore Av. *Thor*—5C **98**
Sycamore Cres. *M'brgh*—5C **80**
Sycamore Dri. *Brot*—2A **90**
Sycamore Lodge. *Tees A* —1D **145**
Sycamore Rd. *Eagle*—2D **127**
Sycamore Rd. *M'brgh*—2E **101**
Sycamore Rd. *Orm*—5B **104**
Sycamore Rd. *Sto T*—2E **73**
Sycamore Rd., The. *Red*—4E **49**
Sycamores, The. *H'pl*—2F **19**
Sycamore Ter. *M'brgh*—4E **57**
Sycamore Wlk. *Loft*—4C **92**
Sydenham Rd. *H'pl*—1B **20**
(in two parts)
Sydenham Rd. *Sto T*—2E **97**
Sydney Clo. *M'brgh*—2B **100**
Sydney Rd. *M'brgh*—3D **133**
Sydney St. *Sto T*—5A **74**
(in two parts)
Sylvan Wlk. *M'brgh*—4E **103**
Symons Clo. *Sto T*—1A **96**
Syon Gdns. *Sto T*—4E **53**

Tailrigg Clo. *Sto T*—4F **73**
Talbenny Gro. *Ing B*—2F **149**
Talbot Ho. *H'pl*—1F **15**
Talbot St. *M'brgh*—4A **78**
Talbot St. *Sto T*—3B **74**
Talgarth Rd. *Sto T*—4B **54**
Taliker Gdns. *Red*—3D **65**
Talisman Clo. *Eagle*—4A **126**
Talland Clo. *H'pl*—3C **6**
Talybont Gro. *Ing B*—1F **149**
Tamarisk Clo. *Ing B*—4B **128**
Tame Rd. *M'brgh*—3C **78**
Tameside. *Stok*—5B **164**
Tame St. *Bill*—3D **57**
Tamworth Rd. *Bill*—4E **39**
Tanfield Rd. *H'pl*—2A **20**
Tanhill Wlk. *M'brgh*—2D **103**
Tankersley Rd. *New M*—2A **86**
Tankerville St. *H'pl*—3A **14**
Tanner Clo. *Ing B*—5B **128**
Tansley Av. *M'brgh*—1E **103**
Tanton. —2B 164
Tanton Gro. *Bill*—5A **38**
Tanton Rd. *Stok*—4C **164**
(Ashwood Dri.)
Tanton Rd. *Stok*—3A **164**
(Hemlington Rd.)
Tanwell Clo. *Sto T*—4B **72**
Tanya Gdns. *M'brgh*—2E **131**
Tanya Gdns. *Sto T*—5C **72**
Tarell Ct. *Ing B*—2F **149**
Tarnston Rd. *H'pl*—2D **13**
Tarran St. *M'brgh*—5C **76**
Tarring St. *Sto T*—1F **97**
Tarr Steps. *Ing B*—3B **150**
Task Ind. Est. *Sto T*—4C **74**
Task Rd. *Sto T*—4C **74**
Tasman Dri. *Sto T*—2B **96**
Tasmania Sq. *Mar C*—3E **133**
Tatham Clo. *Nun*—4A **134**
Taunton Clo. *M'brgh*—2B **132**

Taunton Gro. *H'pl* —1D **13**
Taunton Va. *Guis* —4E **139**
Tavistock Clo. *H'pl* —3C **6**
Tavistock Rd. *M'brgh* —1D **101**
Tavistock St. *M'brgh* —1D **101**
Tawney Clo. *M'brgh* —4D **81**
Tawney Rd. *M'brgh* —4D **81**
Taybrooke Av. *H'pl* —1F **19**
Teak St. *M'brgh* —4F **77**
Tealby Wlk. *M'brgh* —2A **104**
Teal Ct. *Red* —3E **47**
Teare Clo. *M'brgh* —4D **77**
Teasel Ct. *Sto T* —3C **72**
Tebay Clo. *Orm* —4A **104**
Tedder Av. *Thor* —2D **129**
Tedworth Clo. *Guis* —4E **139**
Tees Bank Av. *Eagle* —3D **127**
Tees Barrage Way. *Sto T & Thor* —5E **75**
Tees Bay Bus. Pk. *Sea C* —3D **33**
Tees Bay Retail Pk. *H'pl* —3C **20**
Teesbrooke Av. *H'pl* —2F **19**
Tees Ct. *Skip I* —4F **79**
Teesdale. —1C 98
Teesdale Av. *Bill* —2D **55**
Teesdale Av. *H'pl* —4F **13**
Teesdale Lodge. *Thor* —1C **98**
Teesdale Ter. *Thor* —3D **99**
Tees Dock Rd. *M'brgh* —2C **60**
Teesgate. *Thor* —5E **99**
Teeside Ho. *Thor* —1C **98**
Teesmouth Field Cen. —4E 33
Tees (Newport) Bri. —4B 76
Tees (Newport) Bri. App. Rd. *Sto T* —2A **76**
Teesport Rd. *M'brgh* —3F **61**
Tees Reach. *Thor* —1C **98**
Tees Rd. *Guis* —3C **138**
Tees Rd. *H'pl* —2C **42**
Tees Rd. *Red* —5B **48**
Teessaurus Pk. —5D 57
Teesside Crematorium. *M'brgh* —1E **131**
Teesside Ho. *M'brgh* —3F **77**
Teesside Ind. Est. *Tees* —4E **129**
Teesside Leisure Pk. *Sto T* —1A **100**
Teesside Pk. Dri. *Sto T* —2F **99**
Teesside Pk. Interchange. *Sto T* —2E **99**
Teesside Retail Pk. *Thor* —2F **99**
Teesside Trade Pk. *Sto T* —3E **75**
Tees St. *Bill* —3D **57**
Tees St. *H'pl* —3B **14**
Tees St. *Loft* —5D **93**
Tees St. *S Bnk* —1A **80**
Tees Viaduct. *N Tees & M'brgh* —3A **76**
Teesville. —5B 80
Teesway. *N Tees* —3F **75**
Tees Yd. *Sto T* —1E **99**
Teignmouth Clo. *H'pl* —3C **6**
Telford Clo. *H'pl* —5C **8**
Telford Rd. *M'brgh* —3E **79**
Temperance Ter. *H'pl* —5F **9**
Tempest Rd. *H'pl* —3E **7**
Templar St. *Sto T* —2F **97**
Temple Ct. *Sto T* —4B **74**
Templeton Clo. *H'pl* —3C **6**
Tenby Clo. *M'brgh* —5E **81**
Tenby Wlk. *H'pl* —1E **13**
Tenby Way. *Eagle* —1C **148**
Tennant St. *Sto T* —5A **74**
Tennyson Av. *H'pl* —1F **19**
Tennyson Av. *M'brgh* —3E **81**
Tennyson Clo. *G'twn* —4E **81**
Tennyson Rd. *Bill* —2D **39**
Tennyson St. *M'brgh* —5E **77**
Ternbeck Way. *Thor* —3E **129**
Tern Gro. *Red* —2E **65**
Terrace, The. *Dal P* —1F **17**
Terrace, The. *Elw* —4C **10**
Terry Dicken Ind. Est. *Stok* —3D **169**
Tetcott Clo. *Guis* —4E **139**
Tewkesbury Av. *Mar C* —4D **133**
Thackeray Gro. *M'brgh* —3E **101**
Thackeray Rd. *H'pl* —1D **19**
Thames Av. *Guis* —3C **138**
Thames Av. *H'pl* —5A **8**
Thames Av. *Thor* —5D **99**
Thames Rd. *Bill* —4A **38**
Thames Rd. *Red* —5A **48**
Thames Rd. *Skel C* —3C **88**
Thatch La. *Ing B* —4C **128**
Theakston Gro. *Sto T* —2A **96**
Theatre Yd. Sto T —5B 74
(off Calvert's La.)
Thetford Av. *M'brgh* —3F **103**
Thetford Rd. *H'pl* —1E **31**
Thinford Gdns. *M'brgh* —2D **131**
Thirlby Clo. *M'brgh* —2C **102**
Thirlmere Av. *M'brgh* —4C **100**
Thirlmere Ct. *Bill* —5E **55**
Thirlmere Cres. *M'brgh* —2D **105**
Thirlmere Dri. *Skel C* —4B **88**
Thirlmere Rd. *Red* —5B **48**
Thirlmere St. *H'pl* —5A **14**
Thirsk Gro. *H'pl* —3B **20**
Thirsk Rd. *Stok* —3A **168**
Thirsk Rd. *Yarm* —5C **148**
Thirwall Dri. *Ing B* —2A **150**
Thistle Grn. *Sto T* —5B **74**
Thistle Ri. *Cou N* —3F **131**
Thistle Rd. *Sto T* —1E **73**
Thistle St. *M'brgh* —4F **77**
Thomas St. *M'brgh* —4C **78**
Thomas St. *Skel C* —4D **89**
Thomas St. *Sto T* —4A **74**
Thomlinson Rd. *H'pl* —1C **20**
Thompson Gro. *H'pl* —5A **8**
Thompsons Clo. *Wolv* —2C **38**
Thompson's Rd. *Skel C* —5B **88**
Thompson St. *H'pl* —5B **14**
Thompson St. *Sto T* —4A **74**
Thomson Av. *M'brgh* —1B **100**
Thomson St. *Guis* —2D **139**
Thorgill Clo. *M'brgh* —3F **101**
Thorington Gdns. *Ing B* —1C **150**
Thornaby-on-Tees. —1D 129
Thornaby Pl. *Thor* —2B **98**
Thornaby Rd. *Thor* —2C **98**
Thornberry Ct. *M'brgh* —2C **100**
Thornbrough Clo. *Sto T* —3B **96**
Thornbury Clo. *H'pl* —2C **6**
Thornbury Clo. *Red* —4F **65**
Thorn Clo. *Ing B* —4B **128**
Thorndike Rd. *M'brgh* —5E **81**
Thorndyke Av. *M'brgh* —3A **102**
Thornfield Clo. *Eagle* —5A **126**
Thornfield Gro. *M'brgh* —3C **100**
Thornfield Rd. *M'brgh* —3C **100**
Thornhill Gdns. *H'pl* —2E **13**
Thornhill Pl. *H'pl* —2E **13**
Thornley Av. *Bill* —2E **39**
Thorn Rd. *Sto T* —1E **73**
Thorn Side. *Ing B* —4B **128**
Thornthwaite. *M'brgh* —3B **130**
Thornton. —1B 152
Thornton Clo. *T'tn* —1B **152**
Thornton Cotts. *T'tn* —1B **152**
Thornton Cres. *Bill* —5B **38**
Thornton Gth. *Yarm* —5C **148**
Thornton Gro. *Sto T* —2A **74**
Thornton Rd. *T'tn & S'tn* —1B **152**
Thornton St. *H'pl* —4A **14**
Thornton St. *M'brgh* —4C **78**
Thornton Va. *T'tn* —1B **152**
Thorntree. —1F 103
Thorntree Av. *M'brgh* —4E **79**
(in two parts)
Thorntree Ct. *Thor* —5D **99**
Thorntree Ho. *M'brgh* —1E **103**
Thorn Tree La. *G'ham* —4F **31**
Thorntree Rd. *Sto T* —4C **98**
Thornville Rd. *H'pl* —3A **14**
Thornwood Av. *Ing B* —4B **128**
Thorpe M. *Sto T* —5B **54**
Thorpe Rd. *Carl* —4D **51**
Thorpe St. *H'pl* —5D **9**
Thorpe Thewles. —2E 51
Thorpe Thewles Station Vis. Cen. —5E 35
Thorpe Wood Nature Reserve. —4F 35
Thorphill Way. *Bill* —3E **39**
Three Tuns Wynd. *Stok* —1B **168**
Throckley Av. *M'brgh* —1C **130**
Thropton Clo. *Bill* —3C **38**
Throston. —5C 8
Throston Clo. *H'pl* —5F **7**
Throston Grange. —5E 7
Throston Grange Ct. *H'pl* —1E **13**
Throston Grange La. *H'pl* —1D **13**
Throston St. *H'pl* —1F **15**
Thrush Rd. *Red* —4C **48**
Thrushwood Cres. *Mar S* —5E **67**
Thruxton Way. *Sto T* —5F **53**
Thurlestone. *Mar C* —4F **133**
Thurlow Grange. *S'fld* —4D **23**
Thurlow Rd. *S'fld* —4D **23**
Thurnham Gro. *Mar C* —3E **133**
Thursby Dri. *Orm* —4A **104**
Thursby Gro. *H'pl* —1D **31**
Thurso Clo. *Sto T* —5F **71**
Thwaites La. *Red* —5D **49**
Thweng Way. *Guis* —3C **138**
Tibbersley Av. *Bill* —4E **55**
Tibthorpe. *Nun* —3F **133**
Tick Hills La. *Liver* —5A **116**
Tidkin La. *Guis* —3C **138**
Tilbury Rd. *M'brgh* —2F **79**
Tilery Ct. *Sto T* —3B **74**
Tilery Rd. *Sto T* —3B **74**
Tilery Way. *Sto T* —3B **74**
Tilery Wood. *Wyn* —4B **26**

Westmoreland Gro.—Willington Rd.

Westmoreland Gro. *Sto T* —3F **53**
Westmoreland St. *H'pl* —5B **14**
Westmoreland Wlk. *H'pl* —5B **14**
Westmorland Rd. *M'brgh*
　　　　　　　　　—1D **101**
Westmorland Rd. *Red* —1C **64**
Weston Av. *M'brgh* —4E **79**
　(in two parts)
Weston Cres. *Sto T* —2B **74**
West Park. —3C 12
West Pk. *H'pl* —4D **13**
W. Park Av. *Loft* —5B **92**
W. Park La. *S'fld* —4C **22**
Westpoint Rd. *Thor* —1C **98**
Westport Clo. *Sto T* —4C **74**
W. Precinct. *Bill* —1D **55**
Westray. *Mar C* —5E **133**
Westray St. *C How* —3F **91**
West Rd. *Bill* —4D **55**
West Row. *Est* —1F **105**
West Row. *G'ham* —4E **31**
West Row. *M'brgh* —2B **100**
West Row. *Sto T* —1A **98**
West Scar. *Red* —2D **65**
West Side. *Mar C* —2D **133**
West Side. *Nun* —2C **156**
West St. *Est* —1F **105**
West St. *Mar S* —3D **67**
West St. *M'brgh* —1E **77**
　(Buck St.)
West St. *M'brgh* —5F **57**
　(Port Clarence Rd.)
West St. *Norm* —2D **105**
West St. *Stil* —1A **50**
West St. *Yarm* —2B **148**
West Ter. *Gt Ay* —2C **166**
West. Ter. *New M* —2A **86**
West Ter. *N Orm* —4B **78**
West Ter. *Red* —3C **48**
West Ter. *Skel C* —4A **88**
West View. —4F 7
West Vw. *Red* —4D **49**
W. View Rd. *H'pl* —3E **7**
　(TS24)
W. View Rd. *H'pl* —3B **6**
　(TS27)
W. View Ter. *Eagle* —1B **148**
W. View Ter. *H'pl* —4E **21**
Westward Clo. *M'brgh* —3E **77**
Westwick Ter. *M'brgh* —1B **132**
Westwood Av. *M'brgh* —3D **101**
Westwood Av. *Nun* —3B **134**
Westwood La. *Ing B* —1C **150**
Westwood Way. *H'pl* —2C **6**
Westworth Clo. *Yarm* —5E **149**
Wetherall Av. *Yarm* —1B **160**
Wetherby Clo. *Sto T* —3E **75**
Wetherby Grn. *Orm* —3A **104**
Wetherell Clo. *Mar S* —5E **67**
Wetherfell Clo. *Ing B* —3A **150**
Weymouth Dri. *H'pl* —2D **7**
Weymouth Rd. *M'brgh* —1B **132**
Weymouth Rd. *Sto T* —1C **96**
Whaddon Chase. *Guis* —3F **139**
Wharfdale. *Skel C* —2C **88**
Wharfdale Av. *Bill* —3D **55**
Wharfedale Clo. *Ing B* —3B **150**
Wharf St. *Sto T* —1B **98**

Wharton Clo. *Yarm* —5E **149**
Wharton Cotts. *B'bck* —5B **112**
Wharton Pl. *B'bck* —2C **112**
Wharton St. *H'pl* —3B **14**
Wharton St. *Skel C* —5F **89**
Wharton Ter. *H'pl* —1A **14**
　(in two parts)
Wheatacre Clo. *Mar S* —5E **67**
Wheatear Dri. *Red* —3D **65**
Wheatear La. *Ing B* —5A **128**
Wheatfields Ho. *M'brgh* —3E **105**
Wheatlands. *Gt Ay* —1D **167**
Wheatlands Clo. *Guis* —3F **139**
Wheatlands Dri. *E'tn* —3A **118**
Wheatlands Dri. *Mar S* —4C **66**
Wheatlands Pk. *Red* —3D **65**
Wheatley Clo. *M'brgh* —2D **131**
Wheatley Rd. *Sto T* —1B **72**
Wheatley Wlk. *Sto T* —1B **72**
Wheeldale Av. *Red* —1A **64**
Wheeldale Cres. *Thor* —5D **99**
Whernside. *Mar C* —4F **133**
Whernside Cres. *Ing B* —3B **150**
Whessoe Rd. *Sto T* —1C **72**
Whessoe Wlk. *Sto T* —1C **72**
Whickam Rd. *Sto T* —1B **72**
Whickham Clo. *M'brgh* —3C **78**
Whinchat Clo. *H'pl* —5F **7**
Whinchat Clo. *Ing B* —5B **128**
Whinchat Tail. *Guis* —2B **138**
Whinfell Av. *Eagle* —4B **126**
Whinfell Clo. *Mar C* —4F **133**
Whinfield Clo. *Sto T* —3A **72**
Whinflower Dri. *Sto T* —4F **53**
Whingroves. *Thor* —4F **99**
Whinlatter Clo. *Sto T* —5F **73**
Whin Meadows. *H'pl* —3E **7**
Whinney Banks. —2B 100
Whinney Banks Rd. *M'brgh*
　　　　　　　　　—2A **100**
Whinney Hill. —1A 94
Whinny Bank. *Guis* —1E **159**
Whinston Clo. *H'pl* —2C **12**
Whinstone Dri. *S'tn* —5C **130**
Whinstone Vw. *Gt Ay* —1D **167**
Whinstone Vw. Camping &
　　Cvn. Site. *Gt Ay* —4F **157**
Whin St. *M'brgh* —3E **77**
Whisperdale Ct. *M'brgh* —1E **103**
Whitburn Rd. *Sto T* —1B **72**
Whitburn St. *H'pl* —5B **14**
Whitby Av. *Guis* —2F **139**
Whitby Av. *M'brgh* —5E **81**
Whitby Clo. *Skel C* —4D **89**
Whitby Cres. *Red* —1F **65**
Whitby Gro. *H'pl* —4C **14**
Whitby Rd. *Guis* —2F **139**
Whitby Rd. *Loft* —5D **93**
Whitby Rd. *Nun* —3B **134**
Whitby Rd. *Thor* —4D **99**
Whitby St S. *H'pl* —4C **14**
Whitby St. *H'pl* —3C **14**
Whitby Wlk. *H'pl* —4C **14**
Whitchurch Clo. *Ing B* —3A **150**
Whitebeam Ct. *M'brgh* —3F **101**
Whitecliffe Ter. *Loft* —5B **92**
Whitecliff Wood Nature
　　　　Reserve. —5A 92
Whitegate Clo. *Stait* —2C **120**

Whitehall Rd. *Eagle* —3A **126**
White Ho. Cft. *Long N* —5A **94**
White Ho. Dri. *S'fld* —4D **23**
Whitehouse Rd. *Bill* —4A **38**
Whitehouse Rd. *Sto T* —4D **73**
White Ho. Rd. *Thor* —1B **128**
Whitehouse St. *M'brgh* —4C **76**
Whiteoaks Clo. *Red* —4F **65**
Whitestone Bus. Pk. *M'brgh*
　　　　　　　　　—4A **78**
White Stone Clo. *Red* —2E **65**
White St. *M'brgh* —5C **78**
White Water Way. *Sto T* —5E **75**
Whitfield Av. M'brgh —4A 78
　(off Angle St.)
Whitfield Bldgs. M'brgh —4A 78
　(off Pk. Vale Rd.)
Whitfield Clo. *Eagle* —5B **126**
Whitfield Dri. *H'pl* —2B **20**
Whitfield Rd. *Sto T* —4F **53**
Whithorn Gro. *Hem* —3E **131**
Whitley Rd. *Thor* —2D **129**
Whitrout Rd. *H'pl* —3E **7**
Whitton. —3A 50
Whitton Clo. *M'brgh* —5B **100**
Whitton Gro. *Stil* —2A **50**
Whitton La. *Stil* —1B **50**
Whitton Rd. *R'shll* —4A **50**
Whitton Rd. *Sto T* —5C **72**
Whitwell Clo. *Sto T* —2A **98**
Whitwell Pl. *Ling* —4F **113**
Whitwell Ter. *Guis* —1E **139**
Whitworth Gdns. *H'pl* —3F **19**
Whitworth Rd. *G'twn* —2D **81**
　(in two parts)
Whorlton Clo. *Guis* —4D **139**
Whorlton Ct. *Red* —2B **64**
Whorlton Rd. *Bill* —5B **38**
Whorlton Rd. *M'brgh* —5D **57**
Whorlton Rd. *Sto T* —1B **72**
Wibsey Av. *M'brgh* —4E **103**
Wickets, The. *Mar C* —2C **132**
Wickets, The. *Sea C* —5E **21**
Wicklow St. *M'brgh* —5C **76**
Widdrington Ct. *Sto T* —2A **72**
Wigton Sands. *M'brgh* —3B **130**
Wilder Gro. *H'pl* —1D **19**
Wilfred St. *Sto T* —1F **97**
Wilken Cres. *Guis* —5F **109**
Wilkinson St. *Ling* —4D **113**
Wilkinson St. *Sto T* —3B **74**
Willerby Grn. *M'brgh* —3C **100**
Willey Flatt. —1B 150
Willey Flatt La. *Yarm* —5B **148**
William Crosthwaite Av. *Thor*
　　　　　　　　　—1D **151**
Williams Av. *M'brgh* —2B **100**
Williams St. *Skel C* —4F **89**
William St. *H'pl* —4C **14**
William St. *M'brgh* —2E **77**
　(TS2)
William St. *M'brgh* —1F **105**
　(TS6)
William St. *Red* —4D **49**
William St. *Skel C* —4D **89**
William St. *Sto T* —1A **98**
　(in two parts)
William Ter. *Sto T* —2B **74**
Willington Rd. *Sto T* —1B **72**

Worsall Rd.—Zinc Works Rd.

Worsall Rd. *Yarm* —5A **148**
Worset La. *Elw & H'pl* —5D **5**
Worsley Clo. *Eagle* —2D **127**
Worsley Cres. *Mar C* —4C **132**
Worthing Ct. *Sto T* —1A **98**
Worthing St. *Sto T* —1A **98**
Worthing St. S. Bank. *Sto T*
—1F **97**
Wray St. *M'brgh* —3A **78**
Wrekenton Clo. *Sto T* —1B **72**
Wren Clo. *Sto T* —1F **97**
Wrensfield Rd. *Sto T* —5F **73**
Wren St. *Sto T* —1F **97**
Wren Ter. *Loft* —5D **93**
Wrentree Clo. *Red* —3D **65**
Wrightson Ho. *M'brgh* —2D **103**
Wrightson Ho. *Thor* —1D **129**
Wrightson St. *Sto T* —1B **74**
Wroxham Clo. *Sto T* —3C **72**
Wroxton Av. *M'brgh* —3C **100**
Wroxton Clo. *M'brgh* —3B **100**
Wrynose Gdns. *Sto T* —5F **73**
Wycherley Av. *M'brgh* —3C **100**
Wycherley Clo. *Orm* —1B **134**
Wychgate. *M'brgh* —1A **106**
Wychwood Clo. *Thor* —2D **129**
Wycliffe Ct. *Yarm* —5D **149**
Wye Clo. *Sto T* —3B **72**
Wykeham Av. *Guis* —4D **139**
Wykeham Clo. *Bill* —5A **38**
Wykeham Clo. *Red* —3B **64**
Wykeham Ct. *Skel C* —4D **89**
Wykeham Way. *Cou N* —3B **132**
Wykes Clo. *S'fld* —4D **23**
Wylam Rd. *Sto T* —1A **74**
Wylam St. *M'brgh* —4D **77**
Wynard Woods. *Wyn* —3A **26**
Wynde, The. *Sto T* —3A **72**
Wynd, The. *Mar S* —4D **67**
Wynd, The. *S'tn* —5B **130**

Wynd, The. *Wyn* —4B **26**
Wynn's Garth. *Guis* —1F **139**
Wynnstay Gdns. *H'pl* —1A **14**
Wynyard Bus. Pk. *Wolv* —5E **27**
Wynyard Ct. *Thor T* —2E **51**
Wynyard Ho. *Wolv* —2C **38**
(off High St.)
Wynyard M. *H'pl* —4E **19**
Wynyard Rd. *H'pl* —4D **19**
Wynyard Rd. *Thor T & Bill*
—1E **51**
Wynyard St. *Sto T* —4B **74**
Wynyard Village. —4B 26
Wyverne Ct. *H'pl* —3A **20**

Yale Cres. *Thor* —1C **98**
Yarm. —3B 148
Yarm Bk. La. *Sto T* —4F **71**
Yarm Clo. *H'pl* —2A **20**
Yarm La. *Gt Ay* —2E **165**
Yarm La. *S'fld* —5F **23**
(in two parts)
Yarm La. *Sto T* —1A **98**
Yarmouth Clo. *H'pl* —2E **31**
Yarm Rd. *Eagle & Sto T*
—1B **148**
Yarm Rd. *Hilt* —1E **163**
Yarm Rd. *M Geo* —1A **144**
Yarm St. *Sto T* —1A **98**
Yeadon Gro. *Thor* —1E **129**
Yeadon Wlk. *M Geo* —1A **144**
Yearby. —2B 84
Yearby Bank. *Year & Duns*
—2C **84**
Yearby Clo. *Ack* —5B **100**
Yearby Clo. *Est* —2E **105**
Yearby Cres. *Mar S* —4E **67**
Yearby Rd. *Year* —2B **84**
Yenton Clo. *Bill* —4D **55**

Yeoman St. *Red* —4D **49**
Yeoman St. *Skel C* —3C **88**
Yeoman Ter. *Mar S* —4C **66**
Yeovil Wlk. H'pl —1E 13
(off Wiltshire Way)
Yew St. *M'brgh* —3E **77**
Yew Tree Av. *Red* —3A **64**
Yew Tree Gro. *Mar C* —3F **133**
Yew Wlk., The. *Long N* —1F **123**
Yoredale Clo. *Ing B* —2B **150**
York Cres. *Bill* —3E **55**
York Flatlets. *H'pl* —4B **14**
York Pl. *H'pl* —2F **15**
York Rd. *Brot* —2C **90**
York Rd. *H'pl* —3B **14**
York Rd. *M'brgh* —2F **101**
York Rd. *Nun* —3B **134**
York Rd. *Red* —3F **47**
York St. *Sto T* —1A **98**
York Ter. *Red* —3A **48**
(in two parts)
Yorkway. *Thor* —2C **98**
Young St. *H'pl* —3A **14**
Yukon Gdns. *M'brgh* —5A **78**

Zetland Cotts. *Mar S* —3D **67**
Zetland M. *Salt S* —4C **68**
Zetland Pl. *M'brgh* —2F **77**
Zetland Rd. *H'pl* —3F **13**
Zetland Rd. *Loft* —5B **92**
Zetland Rd. *Mar S* —4D **67**
Zetland Rd. *M'brgh* —2F **77**
Zetland Rd. *Red* —1F **65**
Zetland Rd. *Sto T* —3F **73**
Zetland Row. *Skin* —2A **92**
Zetland Ter. *Loft* —5B **92**
Zetland Ter. *New M* —1A **86**
Zetland Ter. *Salt S* —4C **68**
Zinc Works Rd. *Sea C* —3F **33**

HOSPITALS and HOSPICES
covered by this atlas
with their map square reference

N.B. Where Hospitals and Hospices are not named on the map, the reference
given is for the road in which they are situated.

BUTTERWICK HOSPICE & BUTTERWICK HOUSE
CHILDREN'S HOSPICE —2C **72**
Middlefield Rd.
STOCKTON-ON-TEES
Cleveland
TS19 8XN
Tel: 01642 607742

CARTER BEQUEST HOSPITAL —3D **101**
Cambridge Rd.
MIDDLESBROUGH
Cleveland
TS5 5NH
Tel: 01642 850911

CLEVELAND NUFFIELD HOSPITAL —4E **53**
Junction Rd.
STOCKTON-ON-TEES
Cleveland
TS20 1PX
Tel: 01642 360100

EAST CLEVELAND HOSPITAL —3B **90**
Alford Rd., Brotton
SALTBURN-BY-THE-SEA
Cleveland
TS12 2FF
Tel: 01287 676205

GUISBOROUGH GENERAL AND MATERNITY
HOSPITAL —1E **139**
Northgate, GUISBOROUGH
Cleveland
TS14 6HZ
Tel: 01287 284000

HARTLEPOOL AND DISTRICT HOSPICE —4A **14**
Alice Ho., 13 Hutton Av.
HARTLEPOOL
Cleveland
TS26 9PW
Tel: 01429 282100

JAMES COOK UNIVERSITY HOSPITAL, THE
—3B **102**
Marton Rd., MIDDLESBROUGH
Cleveland
TS4 3BW
Tel: 01642 850850

MIDDLESBROUGH GENERAL HOSPITAL,
(TO CLOSE APRIL 2003) —5D **77**
Ayresome Grn. La., MIDDLESBROUGH
Cleveland
TS5 5AZ
Tel: 01642 850850

NORTH RIDING INFIRMARY,
(TO CLOSE APRIL 2003) —3D **77**
Newport Rd., MIDDLESBROUGH
Cleveland
TS1 5JE
Tel: 01642 850850

ST LUKE'S HOSPITAL —3B **102**
Marton Rd., MIDDLESBROUGH
Cleveland
TS4 3AF
Tel: 01642 850850

STEAD MEMORIAL HOSPITAL —4B **48**
33-37 Kirkleatham St., REDCAR
Cleveland
TS10 1QR
Tel: 01642 282282

TEESSIDE HOSPICE CARE FOUNDATION —3D **101**
1 Northgate Rd., MIDDLESBROUGH
Cleveland
TS5 5NW
Tel: 01642 819819

UNIVERSITY HOSPITAL OF HARTLEPOOL —5F **7**
Holdforth Rd., HARTLEPOOL
Cleveland
TS24 9AH
Tel: 01429 266654

UNIVERSITY HOSPITAL OF NORTH TEES —2C **72**
Hardwick Rd., STOCKTON-ON-TEES
Cleveland
TS19 8PE
Tel: 01642 617617

WEST LANE HOSPITAL —1C **100**
Acklam Rd., MIDDLESBROUGH
Cleveland
TS5 4EE
Tel: 01642 813144

RAIL

with their map square reference

Allens West Station. Rail —4A **126**

Billingham Station. Rail —1F **55**
British Steel Redcar Station. Rail —5C **46**

Eaglescliffe Station. Rail —3C **126**

Great Ayton Station. Rail —2F **167**
Gypsy Lane Station. Rail —2A **134**

Hartlepool Station. Rail —3C **14**

Longbeck Station. Rail —4B **66**

Marske Station. Rail —5C **66**
Marton Station. Rail —5D **103**

Middlesbrough Station. Rail —2F **77**

Nunthorpe Station. Rail —3B **134**

Redcar Central Station. Rail —4C **48**
Redcar East Station. Rail —5E **49**

Saltburn Station. Rail —4C **68**
Seaton Carew Station. Rail —4D **21**
South Bank Station. Rail —1A **80**
Stockton Station. Rail —4A **74**

Tees-side Airport Station. Rail —1E **145**
Thornaby Station. Rail —2C **98**

Yarm Station. Rail —1C **160**